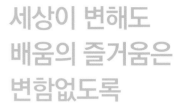

세상이 변해도
배움의 즐거움은
변함없도록

시대는 빠르게 변해도
배움의 즐거움은
변함없어야 하기에

어제의 비상은
남다른 교재부터
결이 다른 콘텐츠
전에 없던 교육 플랫폼까지

변함없는 혁신으로
교육 문화 환경의 새로운 전형을
실현해왔습니다.

비상은 오늘, 다시 한번
새로운 교육 문화 환경을 실현하기 위한
또 하나의 혁신을 시작합니다.

오늘의 내가 어제의 나를 초월하고
오늘의 교육이 어제의 교육을 초월하여
배움의 즐거움을 지속하는 혁신,

바로, 메타인지 기반 완전 학습을.

상상을 실현하는 교육 문화 기업 비상

메타인지 기반 완전 학습

초월을 뜻하는 meta와 생각을 뜻하는 인지가 결합한 메타인지는
자신이 알고 모르는 것을 스스로 구분하고 학습계획을 세우도록 하는
궁극의 학습 능력입니다. 비상의 메타인지 기반 완전 학습 시스템은
잠들어 있는 메타인지를 깨워 공부를 100% 내 것으로 만들도록 합니다.

한끝 진도 교재

4·1

초등 국어

구성과 특징 — 진도 교재

단원 들어가기

단원 도입
국어과 교과 역량, 단원명, 단원에서 배울 내용을 알아봅니다.

교과서 핵심
단원에서 배울 학습 내용을 한눈에 들어오는 핵심 정리와 확인 문제로 알아봅니다.

『국어』학습   준비 》 기본 》 실천

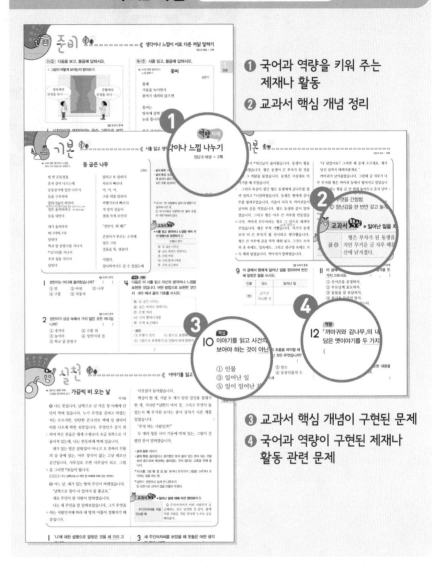

❶ 국어과 역량을 키워 주는 제재나 활동

❷ 교과서 핵심 개념 정리

❸ 교과서 핵심 개념이 구현된 문제

❹ 국어과 역량이 구현된 제재나 활동 관련 문제

- **준비**에서 앞으로 학습할 단원 목표와 내용을 쉽게 이해할 수 있습니다.

- **기본**에서 핵심 개념과 관련된 다양한 형태의 문제를 통해 기본적인 학습 내용을 충분히 익힐 수 있습니다.

- **실천**에서는 **기본**에서 학습한 내용을 실천할 수 있는 다양한 활동 문제를 구성하였습니다.

『국어 활동』 학습 　기본 학습 관련 활동 ≫ 기초 다지기

단원 마무리

- **단원 마무리**

  단원에서 배운 내용을 빈 곳을 채우며 정리합니다.

- **단원 평가**

  꼭 나오는 핵심 문제로 단원에서 배운 내용을 확인합니다.

- **서술형 평가**

  답을 글로 쓰는 서술형 문제로 단원에서 배운 내용을 다시 한번 확인합니다.

- **교과서 낱말 퀴즈**

  교과서에 나오는 낱말을 재미있는 만화와 함께 퀴즈로 풀어 봅니다.

- 국어 활동은 **기본**에서 학습한 내용을 연습하고 다질 수 있는 문제와 국어 활동의 기초 다지기에 나오는 '쓰기, 발음, 어휘' 활동의 문제로 구성하였습니다.

평가 교재

단원 평가 대비	중간·기말 평가 대비

[단원 평가]

[서술형 평가]

[수행 평가]

[중간·기말 평가]

차례

독서 단원

책을 읽고
생각을 나누어요

이 단원은 '한 학기 한 권 읽기'를 실천하는 단원입니다.
독서 단원은 한 학기 동안 언제든지 공부할 수 있습니다.
학교 수업에 맞추어 활용하세요.

독서 활동

[독서 준비]
읽을 책을 정하고 내용 예상하기

[독서]
책 읽기 방법을 정하고 국어사전을 활용하며 읽기

[독서 후]
책 내용을 간추리고 생각 나누기

≫ 읽을 책을 정하고 내용 예상하기

1 읽을 책 정하기

○ 경험 나누기

① 자신이 평소에 책을 고를 때 어떤 것을 생각하는지 떠올려 보고 표시해 봅니다.

• 그림	• 제목
• 두께	• 권장 도서
• 추천	• 글자 크기
• 글쓴이	• 종류(동화책, 시집, 과학책 등)
• 책 광고	

② 자신이 읽을 책을 골랐던 경험을 친구들과 나누고 그 방법으로 책을 골랐을 때 좋았던 점과 아쉬웠던 점을 이야기해 봅니다.

(예)
나는 도서관에서 권장 도서를 골라 읽었더니 참 재미있었어.

나는 제목만 보고 책을 고른 적이 많아. 그런데 막상 읽어 보면 내가 생각한 내용이 아니라서 당황한 적이 있어.

○ 책 찾아보기

① 책을 고르는 방법을 알아봅니다.

• 평소에 관심이 많았던 분야의 책인가요?
• 어떤 내용을 담은 책인가요?
• 책을 펴서 읽은 부분을 잘 이해할 수 있나요?
• 어느 한 쪽을 폈을 때 보인 낱말들을 이해하기 쉬운가요, 어려운가요?

② 책을 고르는 자신의 기준을 만듭니다.
③ 학교 도서관, 서점 등 우리 주변의 여러 곳에서 책을 찾아서 읽습니다.

○ 누구와 읽을지 정하기

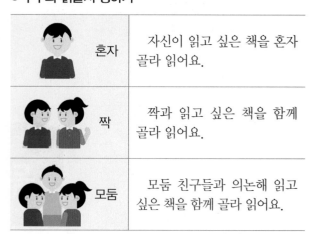

	혼자	자신이 읽고 싶은 책을 혼자 골라 읽어요.
	짝	짝과 읽고 싶은 책을 함께 골라 읽어요.
	모둠	모둠 친구들과 의논해 읽고 싶은 책을 함께 골라 읽어요.

○ 읽을 책 결정하기

책을 고르는 방법을 알아봅니다.

혼자서 읽을 때

• 읽고 싶은 책이 여러 권 있을 때에는 좀 더 자세히 살펴보고 결정해 봅니다.

(예)
이 책은 재미있어 보이지만 넘겨 보니 모르는 낱말이 많이 있어.

• 자신이 그 책을 읽고 싶은 까닭을 생각해서 결정해 봅니다.

(예)
이번에는 이 책에 한번 도전해서 모르는 낱말을 찾아 가며 읽고 싶어.

친구와 함께 읽을 때

• 친구와 함께 읽고 싶은 책을 고르고 그 까닭을 이야기해 봅니다.
• 친구들이 추천한 책을 살펴보고 우리가 읽을 책을 정해 봅니다.

(예)
이 책은 내가 추천한 책은 아니지만 주제가 매우 흥미로워.

2 책의 차례와 글을 훑어보고 내용 예상하기

① 차례를 살펴보면 어떤 내용이 나올지 짐작할 수 있습니다.
② 책을 훑어보고 어떤 내용이 나올지 짐작해 봅니다.

》 책 읽기 방법을 정하고 국어사전을 활용하며 읽기

1 읽기 방법 정하기

선생님께서 읽어 주시는 내용 듣기

혼자 소리 내지 않고 읽기

다른 모둠과 번갈아 가며 읽기

친구와 번갈아 가며 읽기

2 국어사전을 활용하며 책 읽기

읽다가 뜻을 모르는 낱말이 나오면 국어사전에서 정확한 뜻을 찾아 가며 읽어 봅니다.

때를 기다리는 나무들

화산 폭발이나 산사태가 난 지역에서 식물이 자리를 잡는 것을 보면 일정한 순서가 있음을 알 수 있다.

맨땅이 드러난 지역에서 가장 먼저 터를 잡는 것은 망초나 꽃다지 따위의 한해살이풀이다. 하지만 곧 토끼풀 같은 여러해살이풀이 이들을 밀어내고 자리를 차지한다. 또 세월이 흘러서 식물이 자라기에 좀 더 좋은 환경으로 바뀌면, 햇빛을 좋아하는 찔레나무나 진달래 따위의 떨기나무가 비집고 들어와 터를 잡기 시작한다. 그리고 이즈음에 소나무 같은 햇빛을 좋아하는 나무의 씨가 날아 들어오고 몇 년 뒤에는 이 나무들이 주인 노릇을 한다. 이때가 되면 나무가 만든 그늘 아래에 있던 한해살이풀이나 여러해살이풀은 햇빛을 충분히 받지 못해서 **쇠약**해지고, 마침내 살던 터에서 쫓겨난다.

예

'쇠약하다'를 국어사전에서 찾아봐야겠다. 먼저, 첫 글자의 첫 자음자인 'ㅅ'을 찾아야겠어. 그다음에 'ㅚ'를 찾으면 '쇠'로 시작하는 말을 찾을 수 있어. 여기에서 '쇠약하다'를 찾으면 돼.

나는 '쇠약하다'를 인터넷 국어사전에서 찾아보고 싶어.

》 책 내용을 간추리고 생각 나누기

1 책 내용 간추리기

① 책 한 권을 끝까지 읽고 책 내용을 간추려 봅니다.
② 설명하는 글은 설명하는 대상을 중심으로 중요한 내용을 정리한 뒤에 관련 있는 내용을 덧붙이며 간추리고, 이야기 글은 인물이 한 일을 생각하며 사건의 흐름에 따라 간추립니다.
③ 책 제목을 쓰고 간추린 내용을 씁니다.

2 생각 나누기

선택 1 생각그물 그리기
① 책을 읽고 중요한 내용 정리하기

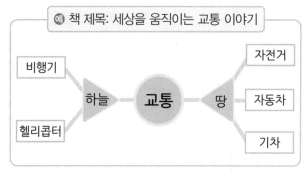

예 책 제목: 세상을 움직이는 교통 이야기

비행기 / 헬리콥터 — 하늘 — 교통 — 땅 — 자전거 / 자동차 / 기차

② 정리한 내용 발표하기

선택 2 이런 점이 좋아요, 이런 점을 고쳐요
① 책 속 인물을 칭찬하거나 인물이 고칠 점 이야기하기
• 인물의 좋은 점을 찾아 칭찬합니다.
• 인물의 아쉬운 점을 이야기합니다.
② 자신이 쓴 내용 발표하기

선택 3 등장인물 소개하기
① 책 속 등장인물의 인상 깊은 점 정리하기
• 등장인물의 특징을 떠올리며 모습을 그려 봅니다.
• 책 제목, 등장인물 이름, 특징, 인상 깊은 말이나 행동 등 등장인물의 인상 깊은 점을 정리합니다.
② 친구들에게 등장인물 소개하기

예

저는 『말괄량이 삐삐』에 나오는 삐삐를 소개하겠습니다. 삐삐는 밝고 명랑하고 친구들에게 친절합니다. 그리고 삐삐는 힘이 아주 셉니다. 삐삐가 말을 번쩍 들어 올렸던 모습이 인상 깊었습니다.

1 자신이 평소에 읽을 책을 고르는 방법을 두 가지 쓰시오.

(1) _____

(2) _____

도움말 읽을 책을 정할 때 책을 고르는 방법을 생각해 봅니다. 평소에 관심이 많았던 분야의 책인지, 어떤 내용을 담은 책인지, 책을 펴서 읽은 부분을 잘 이해할 수 있는지, 어느 한 쪽을 폈을 때 보인 낱말들을 이해하기 쉬운지, 어려운지 등을 생각해야 합니다.

2 책을 읽다가 뜻을 모르는 낱말이 나오면 국어사전에서 정확한 뜻을 찾아 가며 읽을 수 있습니다. 자신이 읽은 책에서 뜻을 모르는 낱말을 세 가지 골라 국어사전에서 정확한 뜻을 찾아 쓰시오.

뜻을 모르는 낱말	정확한 뜻
(1)	
(2)	
(3)	

도움말 책을 읽을 때에 뜻을 모르는 낱말이 나오면 정확한 뜻을 알고 읽어야 합니다. 이때 국어사전, 백과사전 등을 활용하여 낱말의 정확한 뜻을 찾을 수 있습니다.

3 혜진이는 설명하는 글을 읽고 책의 내용을 간추리려고 합니다. 혜진이가 책의 내용을 잘 간추릴 수 있도록 도움을 주는 말을 쓰시오.

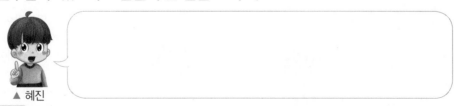

▲ 혜진

도움말 혜진이가 어떤 종류의 글을 읽었는지 먼저 파악한 다음 글의 종류에 따라 내용을 간추리는 방법을 떠올려 봅니다.

1

생각과 느낌을 나누어요

무엇을 배울까요?

준비

○ 생각이나 느낌이 서로 다른 까닭 말하기

기본

○ 시를 읽고 생각이나 느낌 나누기

○ 이야기를 읽고 생각이나 느낌 나누기

○ 일어난 일에 대한 의견 말하기

실천

○ 이야기를 읽고 의견 나누기

교과서 핵심

생각과 느낌을 나누어요

1 생각이나 느낌이 서로 다른 까닭

그림이 다르게 보이는 까닭	• 같은 것을 보고도 상황에 따라 다르게 생각할 수 있기 때문입니다. • 같은 그림이지만 느낀 점이 다를 수 있기 때문입니다.
시에 대한 생각이나 느낌이 다른 까닭	• 시에서 일어나는 일을 다르게 생각할 수 있기 때문입니다. • 사람마다 생각이 다르기 때문에 재미를 느낀 부분이 다를 수 있기 때문입니다.

2 시를 읽고 생각이나 느낌 나누기

① 무엇을 표현하려고 했는지 생각하며 시를 읽습니다.
② 인물이 어떤 생각을 했는지 생각해 봅니다.
③ 시에 대한 자신의 생각이나 느낌을 여러 가지 방법으로 표현해 봅니다.
예 생각이나 느낌을 표현하는 방법

- 오행시 짓기
- 그림으로 표현하기
- 몸으로 표현하기
- 인물이 되어 말하기

3 이야기를 읽고 생각이나 느낌 나누기

→ 친구들과 생각이나 느낌을 나누면 좋은 점
• 서로 생각이나 느낌이 비슷하기도 하지만 다른 점도 있다는 것을 알게 됩니다.
• 이야기를 더 잘 이해할 수 있습니다.

① 인물의 말이나 행동에 대한 자신의 생각이나 느낌을 정리합니다.
② 친구들과 인물의 말이나 행동에 대한 생각이나 느낌을 나누어 봅니다.

4 일어난 일에 대한 의견 말하기

① 일어난 일에 대한 인물의 마음을 정리합니다.
② 인물의 말이나 행동에 대한 자신의 생각을 말합니다.
③ 일어난 일에 대한 자신의 의견과 그렇게 생각한 까닭을 말합니다.

의견	어떤 일이나 대상에 대한 생각
까닭	그런 생각을 하게 된 원인이나 근거

예 「의심」에서 노마가 기동이를 의심한 일에 대한 의견과 까닭 말하기

	세진	우정
의견	노마가 친구를 의심한 것은 잘못입니다.	노마가 기동이를 의심하기는 했지만 안타까운 마음에 저지른 실수라고 생각합니다.
까닭	기동이 주머니에 구슬이 있지만 그 구슬이 노마의 것인지는 알 수 없기 때문입니다.	자기가 소중히 여기는 물건을 잃어버렸을 때에는 누구나 속상하기 때문입니다.

→ 이야기 속 일어난 일에 대한 친구들의 의견이 서로 다른 까닭은 각자 살아온 경험이나 체험 그리고 좋아하는 것 등이 서로 다르기 때문입니다.

확인 문제

정답과 해설 • 2쪽

1 같은 그림이라도 ☐☐ 점이 서로 다를 수 있어 그림을 다르게 볼 수 있습니다.

2 같은 시에 대한 사람들의 생각이나 느낌은 모두 같습니다.
(○ , ×)

3 시에 대한 생각이나 느낌을 표현하는 방법으로 알맞은 것을 모두 찾아 ○표를 하시오.
(1) 시를 고쳐 본다. ( )
(2) 인물이 되어 말해 본다. ( )
(3) 재미있었던 장면을 몸으로 표현해 본다. ( )

4 어떤 일이나 대상에 대한 생각을 무엇이라고 하는지 쓰시오.
( )

준비

1~2 다음을 보고, 물음에 답하시오.

● 그림이 어떻게 보이는지 알아보기

청록색의 모양을 보니…….

주황색의 모양을 보니…….

📖 교과서 문제

1 남자아이와 여자아이는 무슨 그림으로 보았을지 알맞게 선으로 이으시오.

(1) 남자아이 •   • ㉠ 커다란 잔

(2) 여자아이 •   • ㉡ 마주 보는 사람

핵심

2 1번 문제에서 답한 것처럼 같은 그림이 다르게 보이는 까닭은 무엇일지 ○표를 하시오.

(1) 사람들의 경험이 모두 같기 때문에 ( )

(2) 같은 그림이어서 느낀 점이 모두 같기 때문에 ( )

(3) 같은 것을 보고도 상황에 따라 다르게 생각할 수 있기 때문에 ( )

논술형

3 다음 그림을 보고 어떤 느낌이 드는지 쓰시오.

_____

_____

4~5 시를 읽고, 물음에 답하시오.

🔊 시에 대한 생각이나 느낌 말하기

꽃씨

김완기

몰래
겨울을 녹이면서
봄비가 내려와 앉으면

꽃씨는
땅속에 살짝 돌아누우며
눈을 뜹니다.

봄을 기다리는 아이들은
쏘옥
손가락을 집어넣어 봅니다.

꽃씨는 저쪽에서
고개를 빠끔
얄밉게 숨겨 두었던
파란 손을 내밉니다.

4 이 시를 읽고 떠오르는 모습으로 알맞은 것을 세 가지 고르시오. (, ,)

① 봄비가 내리는 모습

② 꽃씨가 파란 싹을 내민 모습

③ 하얀 눈이 펑펑 내리는 모습

④ 아이들이 꽃의 향기를 맡는 모습

⑤ 아이들이 땅속에 손가락을 넣는 모습

📖 교과서 문제

5 이 시에 대한 생각이나 느낌을 알맞게 말하지 <u>못한</u> 사람을 쓰시오.

현정: 난 봄비가 내려와 앉는다고 해서 새를 떠올렸어.

지수: 겨울이 가는 것을 아쉬워하는 아이들의 마음이 느껴져.

민아: 봄비가 내려와 앉는다고 하니까 비가 사람같이 느껴져.

( )

🔊 시에 대한 생각이나 느낌을
여러 가지 방법으로 표현하기

등 굽은 나무

김철순

텅 빈 운동장을
혼자 걸어 나오는데
운동장가에 있던 나무가
등을 구부리며
말타기놀이 하잔다
막대기나 친구들의 등을 말로 삼아 타고 노는
얼른 올라타라고 아이들의 놀이
등을 내민다

내가 올라타자
따그닥따그닥
달린다
학교 앞 문방구를 지나서
♥네거리를 지나서
우리 집을 지나서
달린다

달리고 또 달린다
차보다 빠르다
어, 어, 어,
구름 위를 달린다
비행기보다 빠르다
저 밑의 집들이
점점 작게 보인다

"성민아, 뭐 해?"

은찬이가 부르는 소리에
말은 그만
걸음을 뚝, 멈춘다

아깝다,
달나라까지도 갈 수 있었는데

• 글의 종류: 시
• 글의 특징: 등장인물이 등이 굽은 나무에 올라타 말타기 놀이를 하며 가 보고 싶은 곳을 상상하는 시입니다.

♥네거리 한 지점에서 길이 네 방향으로 갈라져 나간 곳.
예 네거리에서 오른쪽으로 돌아 조금만 가면 약국이 있다.

🐌 **교과서 핵심**

● **시를 읽고 생각이나 느낌을 여러 가지 방법으로 표현하기** 예

오행시 짓기

등: 등 굽은 나무는
굽: 굽은 허리로 일하시는
은: 은빛 머리
나: 나의 할머니처럼
무: 무척 포근하다

📖 교과서 문제

1 성민이는 어디에 올라탔습니까? (　　　)

① 말　　② 바위　　③ 나무
④ 구름　　⑤ 자동차

📖 교과서 문제

2 성민이가 상상 속에서 가지 <u>않은</u> 곳은 어디입니까? (　　　)

① 네거리　　　② 구름 위
③ 놀이터　　　④ 성민이네 집
⑤ 학교 앞 문방구

3 성민이는 어디까지 가지 못한 것을 아쉬워하였는지 쓰시오.

(　　　　　　　　　)

핵심 역량

4 다음은 이 시를 읽고 자신의 생각이나 느낌을 표현한 것입니다. 어떤 방법으로 표현한 것인지 보기 에서 골라 기호를 쓰시오.

등: 등 굽은 나무는
굽: 굽은 허리로 일하시는
은: 은빛 머리
나: 나의 할머니처럼
무: 무척 포근하다

보기
㉠ 오행시 짓기　　　㉡ 몸으로 표현하기
㉢ 그림으로 표현하기　㉣ 인물이 되어 말하기

(　　　　　　　　　)

📖 교과서 문제

5 이 시에 나오는 성민이가 되어 가 보고 싶은 곳을 쓰시오.

• 내가 성민이가 된다면 말을 타고
(　　　　　　　)에 가 보고 싶다.

◀️ 인물에 대한 생각이나 ♥ **가훈 속에 담긴 뜻**
느낌 정리하며 읽기

조은정

❶ 옛날 옛적 경주에 최씨 성을 가진 아주 큰 부자가 살았습니다. 일 년에 쌀이 만 석 정도 나올 만
부피의 단위. 곡식, 가루, 액체 등의 부피를 잴 때 씀. 한 석은 약 180리터에 해당함.
큼의 많은 논을 가진 큰 부자였지요. 할아버지의 할아버지, 또 그 할아버지의 할아버지부터 대대로
5 부자였습니다. 곳간도 어마어마하게 크고, 논도
물건을 간직하여 두는 곳
어마어마하게 많았습니다. 부리는 하인도, 찾아오는 손님도, 아무튼 모든 것이 다 어마어마했습니다. 그중에서 가장 어마어마했던 것은 바로 최씨 부자의 마음이었답니다.

(중심내용) 옛날 경주에 최씨 성을 가진 아주 큰 부자가 살았다.

10 ❷ 최 부잣집 도령들은 매일 아침마다 사랑채에서
바깥주인이 생활하며 손님을 대접하는 곳으로 쓰는 곳
붓글씨로 가훈을 씁니다.

㉠"너 이놈, 종이를 아낄 줄 모르고 이렇게 함부로 쓰다니!"

아침부터 최 부잣집 도령 준이 할아버지에게 야
15 단맞고 있습니다. 종이에 낙서를 하다가 할아버지에게 들킨 것이지요.

"대감마님, 준 도련님이 안 계시는데요."

해가 뉘엿뉘엿 지는데, 준이 보이지 않았습니다.
해가 곧 지려고 산이나 지평선 너머로 조금씩 차츰 넘어가는 모양
하인들이 안채와 사랑채를 다 뒤져도 준은 어디에도 없었습니다. 할아버지는 아침에 준을 혼낸 것이 마음에 걸렸습니다.

할아버지는 곳간 안을 살펴보았습니다. 준은 곳 5
간 빼꼭히 쌓인 쌀가마니 사이에서 새근새근 잠들어 있었습니다.

할아버지는 준을 방에 눕혔습니다.

(중심내용) 종이에 낙서를 했다고 할아버지께 혼이 난 준은 곳간에서 잠이 들었다.

• **글의 종류**: 이야기
• **글의 내용**: 최 부잣집 도령 준은 아랫사람들에게 베풀고 어려운 사람을 도와주는 할아버지를 통해 가훈의 의미를 깨닫게 되었습니다.

♥**가훈**(家 집 가, 訓 가르칠 훈) 한 집안의 조상이나 어른이 자손들에게 일러 주는 가르침.

🐌 **교과서 핵심** ○이야기를 읽고 생각이나 느낌 나누기 ①

인물의 말이나 행동	생각이나 느낌
할아버지 "너 이놈, 종이를 아낄 줄 모르고 이렇게 함부로 쓰다니!"	예 손자에게 어릴 때부터 아끼는 습관을 가르쳐 주려고 할아버지께서 엄하게 말씀하시는 것 같아.

1 최 부잣집 도령들이 아침마다 하는 일은 무엇입니까? ( )

① 아침 운동을 한다.
② 어제 일을 반성한다.
③ 붓글씨로 가훈을 쓴다.
④ 오늘 할 일을 계획한다.
⑤ 할아버지의 말씀을 듣는다.

2 준이 야단맞은 까닭은 무엇입니까? ( )

① 종이를 불에 태워서
② 종이에 낙서를 해서
③ 붓글씨를 잘 못 써서
④ 붓글씨 쓰는 시간에 지각해서
⑤ 할아버지의 질문에 대답을 못 해서

3 할아버지는 무엇을 마음에 걸려 했습니까?
( )

핵심
4 ㉠에 대한 생각이나 느낌을 알맞게 말한 사람을 쓰시오.

지현: 가훈을 잘못 썼다고 화를 내시는 것을 보니 매우 엄하신 것 같아.
민지: 손자가 종이 쓰는 것을 아까워하는 것을 보니 할아버지는 구두쇠인 것 같아.
은우: 손자에게 어릴 때부터 아끼는 습관을 가르쳐 주려고 준을 엄하게 야단치신 것 같아.

( )

❸ 이튿날 늦잠을 잔 준은 헐레벌떡 사랑채로 갔습니다. 할아버지는 준이 늦은 것을 애써 모른 체했습니다. 어제 일에 화가 덜 풀린 준은 입을 쭈욱 내밀고 붓글씨를 쓰기 시작했습니다. 오늘도 사랑채는 손님으로 북적였습니다. 할아버지는 항상 하인들에게 정성껏 음식을 차려 손님을 맞게 했습니다. 준은 먹어 보지도 못한 귀하디귀한 마른 청어도 내놓았지요. 손님들에게만 맛있는 것을 주는 할아버지가 조금 ♥야속했습니다.

많은 사람이 한곳에 모여 매우 수선스럽게 들끓었습니다.

㉠준은 할아버지가 손님들과 이야기하는 틈을 타 붓글씨 쓰는 것을 내팽개치고 논으로 놀러 나갔습니다. 마을 아이들이 "흰죽 논, 흰죽 논." 하면서 논 사이를 뛰어다니고 있었습니다. 흉년에는 흰죽 한 끼 얻어먹고 논을 팔아넘긴다고 해서 흰죽 논이라는 말이 생겨났지요.

농작물이 보통의 해에 비하여 잘되지 아니하여 굶주리게 된 해

"아이고! 최 부잣집 도련님 아니십니까? 이 근방에는 흰죽 논이 없습죠. 대감마님께서 올해같이 논이 ♥헐값일 때는 논을 사지 않으신답니다. 이거 정말 감사할 노릇입죠."

근처

예전에, 높은 지위에 있는 벼슬아치를 높여 이르는 말

준의 할아버지에 대한 농부의 마음

농부는 하던 일을 멈추고 논에서 나와 준에게 이야기를 해 주었습니다.

♥야속(野 들 야, 俗 풍속 속)했습니다 무정한 행동이나 그런 행동을 한 사람이 섭섭하게 여겨져 언짢았습니다.

♥헐(歇 쉴 헐)값 그 물건의 원래 가격보다 훨씬 싼 값.

교과서 핵심 ❍ 이야기를 읽고 생각이나 느낌 나누기 ②

인물의 말이나 행동	생각이나 느낌
준은 할아버지가 손님들과 이야기하는 틈을 타 붓글씨 쓰는 것을 내팽개치고 논으로 놀러 나갔습니다.	예 준은 할아버지에게 서운한 마음을 핑계로 하라는 글공부 대신 놀러 간 것 같아.

---

5 '흰죽 논'이라는 말은 왜 생겨났습니까? ( )

① 논에서 흰 쌀이 난다고 해서
② 농부들이 흰죽을 주로 먹는다고 해서
③ 논을 사려는 사람은 흰죽을 먹어야 해서
④ 마을에 온 손님들에게 흰죽을 대접한다고 해서
⑤ 흉년에 흰죽 한 끼 얻어먹고 논을 팔아넘긴다고 해서

6 준이네 마을에 '흰죽 논'이 없는 까닭을 찾아 ○표를 하시오.

(1) 마을에 흉년이 든 적이 없기 때문에 ( )

(2) 마을의 논이 모두 준의 할아버지 것이기 때문에 ( )

(3) 준의 할아버지가 논이 헐값이면 사지 않기 때문에 ( )

7 농부가 준에게 한 말로 보아 할아버지의 성격은 어떠합니까? ( )

① 게으르다.
② 욕심이 많다.
③ 화를 잘 낸다.
④ 이해심이 부족하다.
⑤ 어려운 사람의 상황을 헤아리고, 배려한다.

핵심

8 다음은 ㉠과 같은 준의 행동에 대한 생각이나 느낌을 말한 것입니다. 빈칸에 알맞은 말을 쓰시오.

준은 ( ) 에게 서운한 마음을 핑계로 하라는 글공부 대신 놀러 간 것 같아.

"한번은 이런 일도 있었습죠. 큰 흉년이 들어 굶어 죽는 사람이 허다했는데, 대감마님께서 곳간을 열고 굶고 있는 사람들에게 죽을 끓여 먹이라고 했습죠."

<small>수가 매우 많았는데</small>

5 농부는 낫을 내려놓으며 말을 이었습니다.

"어디 그것뿐이겠습니까? ♥헐벗은 이에게는 옷까지 지어 입혔습죠."

하인들이 바깥마당에 큰솥을 걸고 ♥연일 죽을 끓이는 모습이 준의 머릿속에 그려졌습니다. 할아버
10 지를 칭찬하는 농부의 말에 준은 우쭐해졌습니다.

준은 문득 작년 이맘때 일이 생각났습니다. 한 하인이 장사가 끝날 때쯤 생선 가게에 가서 헐값에 청어를 사 왔다가 할아버지에게 호되게 혼이 났습니다.

15 "물건을 살 때는 아침에 가서 제값을 주고 사 오

라고 했거늘 어찌 끝날 때쯤 헐값을 주고 사 오느냐? 헐값에 생선을 넘기는 생선 장수의 마음을 헤아릴 줄 모른단 말이냐?"

그 일이 있은 후 장사치들은 너도나도 좋은 물건들을 가지고 최 부잣집을 찾아오게 되었지요.

<small>장사하는 사람을 낮잡아 이르는 말</small>

5

> **중심 내용** 논으로 놀러 나간 준은 농부에게서 할아버지를 칭찬하는 말을 듣고 우쭐해졌다.

♥헐벗은 가난하여 옷이 헐어 벗다시피 한.
♥연일(連 잇닿을 연, 日 날 일) 여러 날을 계속해.
    예 연일 내리는 비에 밖에 나가 놀 수 없어 심심하다.

교과서 핵심 ○이야기를 읽고 생각이나 느낌 나누기 ③

인물의 말이나 행동	생각이나 느낌
할아버지 "헐값에 생선을 넘기는 생선 장수의 마음을 헤아릴 줄 모른단 말이냐?"	**예** 생선 장수의 마음을 헤아리라는 말을 통해 함께 살아가는 법을 말씀하시는 것 같아.

9 큰 흉년이 들었을 때 준의 할아버지가 한 일을 **두 가지** 고르시오. (,)

① 논을 비싸게 사들였다.
② 하늘에 제사를 지냈다.
③ 헐벗은 이에게 옷을 지어 입혔다.
④ 굶고 있는 사람들에게 죽을 끓여 먹였다.
⑤ 대문을 걸어 잠그고 밖에 나가지 않았다.

10 농부의 말을 듣고 준이 우쭐해진 까닭은 무엇이겠습니까? ( )

① 할아버지가 자랑스러워서
② 농부가 준을 칭찬해 주어서
③ 농부가 일을 도와주어서 고맙다고 해서
④ 농부가 준이 한 이야기가 재미있다고 해서
⑤ 할아버지가 준을 칭찬했다는 말을 전해 들어서

11 할아버지는 생선을 사 온 하인을 왜 호되게 야단쳤습니까? ( )

① 상한 생선을 사 와서
② 생선을 헐값에 사 와서
③ 생선을 너무 많이 사 와서
④ 생선을 비싸게 주고 사 와서
⑤ 생선을 몰래 몇 마리 먹어서

논술형

12 다음 할아버지의 말에 대한 자신의 생각이나 느낌을 쓰시오.

> "헐값에 생선을 넘기는 생선 장수의 마음을 헤아릴 줄 모른단 말이냐?"

_____

_____

❹ 할아버지에게 화를 냈던 준은 슬며시 부끄러워졌습니다. 준이 집으로 돌아왔을 때, 할아버지는 제사를 준비하느라 바빴습니다. 밤이 되어 제사가 시작되었습니다.

5 그런데 제사가 끝나자 또 다른 제사가 시작되었습니다.

'왜 제사를 또 지내지?'

할아버지가 절을 하고, 아버지도 절을 했습니다. 준은 ♥영문도 모른 채 절을 했습니다.

10 절을 한 뒤에 준이 하인에게 물어보았습니다.

"이건 누구 제사지?"

"전쟁터에서 함께 싸우고, 끝까지 그 곁을 떠나지 않았던 하인들의 제사죠."

준은 양반인 할아버지와 아버지가 죽은 하인들에게 15 절을 하는 것이 좀 이상하기는 했지만, 주인을

위해 목숨을 바쳤던 하인들의 제사를 지내는 것은 훌륭한 일이라는 생각이 들었습니다.

〔중심 내용〕 준은 할아버지가 하인들의 제사까지 지내 주는 것을 보고 훌륭한 일이라고 생각했다.

❺ 다음 날 준은 아침 일찍 일어나 사랑채로 건너 갔습니다. 어젯밤 늦게까지 제사를 지내 조금 피곤했지만 꾹 참았지요. 할아버지는 모처럼 일찍 5 사랑채에 건너온 준이 신기한 듯 동그란 눈으로 준을 바라보았습니다. 준은 다른 도령들과 함께 얌전히 꿇어앉아 "♥사방 백 리 안에 굶어 죽는 사람
거리의 단위로, 1리는 약 393미터임.
이 없게 하라."라는 가훈을 크게 썼습니다.

♥영문 일이 돌아가는 형편이나 그 까닭.
〔예〕 형이 갑자기 집으로 돌아온 영문을 알 수가 없다.

♥사방(四 넉 사, 方 모 방) 동, 서, 남, 북 네 방위를 통틀어 이르는 말.
〔예〕 사방에서 화살이 날아왔다.

13 준은 무엇을 궁금해했습니까? ( )

① 도령들이 절을 하는 까닭
② 제사를 밤에 지내는 까닭
③ 남자들만 제사를 지내는 까닭
④ 제사를 두 번이나 지내는 까닭
⑤ 하인들이 제사에 참석하지 않는 까닭

14 준이네는 왜 제사를 두 번이나 지내는지 빈칸에 알맞은 말을 쓰시오.

> 집안 어른을 기리는 제사를 지낸 뒤 전쟁터에서 함께 싸우고 끝까지 곁을 지켰던 ( )들의 제사를 지내기 때문이다.

15 준은 다음 제사를 지내는 일에 대해 어떻게 생각합니까? ( )

> 주인을 위해 목숨을 바쳤던 하인들의 제사

① 훌륭한 일이다.
② 신기한 일이다.
③ 부끄러운 일이다.
④ 재미있는 일이다.
⑤ 이해할 수 없는 일이다.

16 준이 쓴 가훈이 무엇인지 이 글에서 찾아 쓰시오.

( )

붓글씨를 쓴 뒤에 할아버지는 준과 다른 도령들에게 희한하게 생긴 ♥뒤주를 보여 주었습니다.

"이 뒤주는 가난한 사람들이나 지나가는 나그네가 쌀을 퍼 갈 수 있도록 만든 것이란다."

5 준은 쌀을 한 줌 꺼내 보았습니다. 할아버지의 ♥훈훈한 마음이 전해지는 것 같았지요. 최 부잣집에는 가난한 사람들을 위해 쌀을 담아 놓은 뒤주가 있었습니다. 쌀 삼천 석 가운데 천 석을 불쌍한 사람들을 돕는 데 썼다고 합니다.

10 그때 아랫마을에서 사람이 찾아왔습니다.

"대감마님! 아랫마을에 논이 하나 나왔는데, 대감마님께서 사시면 어떨까요?"

마을 사람들은 어디에선가 팔 땅이 나오면 할아버지에게 사라고 했습니다. 할아버지는 쌀이 만 석 15 이상 곳간에 쌓이면 농부들이 최 부잣집의 논밭을

사용하고 내는 돈을 조금만 받기 때문이었지요. 그래서 마을 사람들은 할아버지가 땅을 사면 오히려 좋아했습니다.

준은 할아버지가 무척 자랑스러웠습니다. 다른 사람들에게 베풀고, 잘 살도록 도와주며 아랫사람 5 들에게도 나누어 줄 줄 아는 할아버지가 참 좋았습니다.

'나도 꼭 할아버지처럼 되어야지.'

준은 할아버지가 가르쳐 주신 가훈을 다시 한번 마음속 깊이 새겼습니다. 10

중심 내용 준은 할아버지처럼 될 것이라 다짐하며 가훈을 마음속 깊이 새겼다.

♥뒤주 쌀과 같은 곡식을 담아 두는 나무로 만든 통.
♥훈훈(薰 향초 훈, 薰 향초 훈)한 마음을 부드럽게 녹여 주는 따스함이 있는.
예 그의 훈훈한 미소를 보면 내 마음도 따뜻해진다.

📖 교과서 문제

17 할아버지는 가난한 사람들이나 지나가는 나그네가 쌀을 퍼 갈 수 있도록 무엇을 만들었는지 찾아 두 글자로 쓰시오.

(   )

18 할아버지가 땅을 사면 마을 사람들이 좋아한 까닭은 무엇입니까? (   )

① 할아버지가 땅을 잘 관리하기 때문에
② 할아버지가 땅을 아주 비싼 값에 사기 때문에
③ 할아버지가 잔치를 열어 음식을 나누어 주기 때문에
④ 할아버지 곳간에 있는 쌀을 마음대로 가지고 갈 수 있기 때문에
⑤ 할아버지는 쌀이 만 석 이상 곳간에 쌓이면 농부들에게 논밭을 사용하고 내는 돈을 조금만 받기 때문에

19 이 글의 내용으로 알 수 있는 "사방 백 리 안에 굶어 죽는 사람이 없게 하라."라는 가훈의 뜻에 대해 알맞게 말한 사람은 누구인지 쓰시오.

> 슬아: 백 리 안의 사람들과 친하게 지내라는 뜻이야.
> 혜정: 되도록 가까운 곳의 사람들만 도와주라는 뜻이야.
> 장우: 다른 사람의 불행을 그냥 넘기지 말고 도와주라는 뜻인 것 같아.

(   )

20 이야기를 읽고 친구들과 생각이나 느낌을 나누면 좋은 점을 생각하며 빈칸에 알맞은 말을 쓰시오.

• 서로 생각이나 느낌이 비슷하기도 하지만 (1)(   ) 점도 있다는 것을 알 수 있다.
• 이야기를 더 잘 (2)(   )할 수 있다.

◀ 인물의 마음을
생각하며 읽기

♥의심

현덕

❶ 어쩌다가 노마는 유리구슬 한 개를 잃어버렸습니다. 아주 이쁘게 생긴 파란 구슬인데요, 어디서 어떻게 하다 잃었는지 아무리 생각해도 모르겠습니다. 아마 토끼처럼 깡충깡충 뛰고 놀다가 흘렸나 하고 ♥우물둔덕에도 가 보았습니다. 거기도 없습니다. 영이하고 나뭇잎을 줍다가 흘렸나 하고 집 뒤 버드나무 밑에도 가 보았습니다. 거기도 없습니다. 아무리 찾아도 연기처럼 아주 없어진 듯이 구슬은 간 데를 모르겠습니다.

하지만 유리구슬은 연기나 그런 것이 아니니까 아주 없어질 리는 없는데요, 이렇게 아무리 찾아도 없을 때엔 아마 누가 집어서 제 것처럼 가졌나 봅니다.

(중심 내용) 노마가 유리구슬 한 개를 잃어버렸는데 아무리 찾아도 없었다.

❷ 그러다가 노마는 담 ♥모퉁이에서 기동이를 만났습니다.

그리고 노마는 기동이 아래위를 보다가 입을 열어 물었습니다.

"너, 내 구슬 봤니?"

"무슨 구슬 말야?"

"파란 유리구슬 말야."

"난 못 봤다."

그러나 노마는 그 말을 정말로 듣지 않나 봅니다. ㉠여전히 기동이 ♥조끼 주머니를 보고, 두 손을 보고 합니다.

- 글의 종류: 이야기
- 글의 특징: 유리구슬을 잃어버린 노마가 기동이를 의심하다가 다른 곳에서 유리구슬을 찾게 되는 이야기로, 노마와 기동이의 마음 변화가 잘 나타나 있습니다.

♥의심(疑 의심할 의, 心 마음 심) 확실히 알 수 없어서 믿지 못하는 마음. ⑩ 나는 친구를 의심하지 않았다.
♥우물둔덕 우물 둘레의 작은 둑 모양으로 된 곳.
♥모퉁이 구부러지거나 꺾어져 들어간 자리.
♥조끼 배자와 같이 생긴 것으로, 한복에는 저고리나 적삼 위에, 양복에는 셔츠 위에 덧입는, 소매가 없는 옷. 흔히 호주머니가 달려 있다. ⑩ 날씨가 추워서 옷 위에 조끼를 덧입었다.

📖 교과서 문제

1 노마는 구슬을 잃어버린 것을 알고 어떻게 했습니까? ( )
① 새 구슬을 사러 갔다.
② 주저앉아 엉엉 울었다.
③ 다른 놀이를 하러 갔다.
④ 구슬을 찾으러 돌아다녔다.
⑤ 다른 친구의 구슬을 빼앗았다.

📖 교과서 문제

2 1번 문제 답의 행동을 할 때, 노마의 마음은 어떠하겠습니까? ( )
① 놀 친구들이 없어 심심하다.
② 친구에게 잘못을 해서 미안하다.
③ 놀이를 하느라 신나고 재미있다.
④ 새 구슬을 가지게 되어서 설렌다.
⑤ 잃어버린 구슬을 다시 가지고 싶다.

3 노마는 담 모퉁이에서 누구를 만났습니까? ( )

📖 교과서 문제

4 ㉠과 같은 노마의 행동에 대한 자신의 생각을 알맞게 말한 것은 어느 것입니까? ( )
① 노마는 기동이와 화해하고 싶은 것 같아.
② 기동이와 더 놀고 싶은 노마의 마음이 느껴져.
③ 노마는 기동이에게 구슬을 주고 싶어 하는 것 같아.
④ 노마는 기동이의 조끼를 입어 보고 싶어 하는 것 같아.
⑤ 구슬을 잃어버린 마음은 이해하지만 자꾸 친구를 의심하면 안 돼.

그러다가 노마는 입을 열어 또 물었습니다.

"너, 구슬 가진 것 좀 보자."

"그건 봐 뭣 해."

"보면 어때." / "봐 뭣 해."

5 하고 기동이는 조끼 주머니를 손으로 가립니다.

정말 기동이가 그 구슬을 얻어 제 것처럼 가졌나 봅니다. 아니면 ♥선선하게 보이지 못할 게 뭡니까.

노마는 더욱 의심이 났습니다. 그래서,

"내가 잃어버린 구슬 네가 집었지?"

10 "언제 네 구슬을 내가 집었어?"

"그럼 보여 주지 못할 게 뭐야?"

그제는 기동이도 하는 수 없나 봅니다. ㉠"자아."

하고 조끼 주머니에서 구슬을 꺼내 보입니다. 하나를 꺼냅니다. 둘을 꺼냅니다. 셋, 다섯도 넘습니다.

15 모두 똑같은 모양, 똑같은 빛깔입니다. 노마가 잃어버린, 모두 똑같은 그런 파란 유리구슬입니다.

♥어쩌면 그중에 노마가 잃어버린 구슬이 섞여 있을 ♥성싶습니다. 그래서 노마는,

"너, 이 구슬 다 어디서 났니?"

"어디서 나긴 어디서 나. 다섯 개는 가게서 사고 한 개는 영이가 준 건데, 뭐."

5 "♥거짓부렁. 영이가 널 구슬을 왜 줘?"

"그럼 영이한테 가서 물어봐."

> **중심 내용** 노마는 기동이가 자신의 구슬을 가져간 것으로 의심하고, 기동이에게 자꾸 이것저것 캐물었다.

♥선선하게 성질이나 태도가 까다롭지 않고 주저함이 없게.
　예 네가 선선하게 대답하지 않을 줄 알았어.

♥어쩌면 확실하지 아니하지만 짐작하건대.
　예 어쩌면 내가 합격할지도 몰라.

♥성싶습니다 앞말이 뜻하는 상태를 어느 정도 느끼고 있거나 짐작함을 나타내는 말.
　예 날이 흐린 것을 보니 곧 비가 올 성싶습니다.

♥거짓부렁 거짓말.
　예 친구의 말이 정말인지 거짓부렁인지 알 수 없다.

📖 교과서 문제

5 노마가 기동이에게 가지고 있는 구슬을 보여 달라고 한 까닭은 무엇입니까? (　　)

① 기동이의 말을 믿지 않아서
② 기동이를 안심시키기 위해서
③ 기동이의 구슬을 가지고 싶어서
④ 기동이가 산 새 구슬을 보고 싶어서
⑤ 기동이와 함께 구슬 놀이를 하고 싶어서

논술형

6 자신이 기동이라면 다음과 같은 노마의 말에 뭐라고 말했을지 쓰시오.

 "너, 구슬 가진 것 좀 보자."

_____

_____

📖 교과서 문제

7 기동이에게 이것저것 캐묻는 행동을 통해 알 수 있는 노마의 마음을 두 가지 고르시오.

(　　,　　)

① 기동이가 부러운 마음
② 기동이를 의심하는 마음
③ 기동이와 친하게 지내고 싶은 마음
④ 기동이가 구슬을 따기를 바라는 마음
⑤ 기동이가 구슬을 내놓기를 바라는 마음

핵심

8 ㉠과 같은 기동이의 행동에 대한 자신의 생각을 알맞게 말한 사람을 쓰시오.

> 수진: 친구에게 구슬을 주는 것을 보니 착한 마음을 가진 것 같아.
> 진욱: 자신이 가진 구슬을 노마에게 자랑하는 것을 보니 배려심이 없는 것 같아.
> 은경: 노마의 기분을 이해하고 자신의 구슬을 정확히 설명해 주는 것이 좋을 것 같아.

(　　　　　　)

❸ 그래서 노마와 기동이는 영이를 찾아가기로 했습니다. 담 모퉁이를 돌아서 골목 밖으로 나갔습니다. 그리고 조그만 ♥도랑 앞엘 왔습니다.

　그런데 그 도랑물 속에 무엇이 햇빛에 번쩍하는 것이 있습니다. 유리구슬 같습니다. 정말 유리구슬입니다. 바로 노마가 잃어버린 그 구슬입니다.

"네 구슬 여기다 두고, 왜 남보고 집었다고 그러는 거야."

하고, 기동이가 바로 ♥을러메는데도 할 말이 없습니다. 그만 노마는 얼굴이 벌게지고 말았습니다.

> 벌겋게 되고

중심 내용 영이를 찾아가던 노마와 기동이는 도랑물 속에서 노마가 잃어버린 구슬을 발견했고 노마는 얼굴이 벌게졌다.

♥**도랑** 매우 좁고 작은 개울.
　예 도랑에서 가재를 잡으며 놀았다.

♥**을러메는데도** 말이나 몸짓으로 다른 사람을 겁주는데도.
　예 형이 동생을 계속 을러메는데도 아무 소용이 없었다.

교과서 핵심 ● 노마가 기동이를 의심한 일에 대한 의견 나누기 예

😊	노마가 친구를 의심한 것은 잘못입니다. 기동이 주머니에 구슬이 있지만 그 구슬이 노마의 것인지는 알 수 없기 때문입니다.
😠	노마가 기동이를 의심하기는 했지만 안타까운 마음에 저지른 실수라고 생각합니다. 자기가 소중히 여기는 물건을 잃어버렸을 때에는 누구나 속상하기 때문입니다.

---

9 노마와 기동이는 누구를 찾아가기로 했습니까?

（　　　　　　　　　）

📖 교과서 문제

10 노마가 잃어버린 구슬은 어디에 있었습니까?
（　　）

① 도랑물 안
② 담 모퉁이 아래
③ 운동장 모래 속
④ 노마의 주머니 속
⑤ 기동이의 조끼 속

📖 교과서 문제

11 구슬을 찾았을 때 노마는 기동이에게 어떤 마음이 들었을지 알맞은 것을 찾아 ○표를 하시오.

• (서운한 , 미안한) 마음

핵심

12 다음은 노마가 기동이를 의심한 일에 대한 의견을 말한 것입니다. 의견에 알맞은 까닭을 **보기**에서 골라 각각 기호를 쓰시오.

> **보기**
> ㉠ 기동이 주머니에 있는 구슬이 노마의 것인지는 알 수 없기 때문이다.
> ㉡ 자기가 소중히 여기는 물건을 잃어버렸을 때에는 누구나 속상하기 때문이다.

(1) 노마가 친구를 의심한 것은 잘못이다.
（　　）

(2) 노마가 친구를 의심하기는 했지만 안타까운 마음에 저지른 실수라고 생각한다.
（　　）

🔊 일어난 일에 대해
의견을 정리하며 읽기

가끔씩 비 오는 날

이가을

❶ 나는 못입니다. 남쪽으로 난 작은 창 아래에 단단히 박혀 있습니다. 누가 무엇을 걸려고 하였는지는 모르지만, 단단한 콘크리트 벽에 일 센티미터쯤 나오게 박힌 쇠못입니다. 무엇인가 걸기 위하여 박은 못들은 대개 수평보다 조금 위쪽으로 기울어져 있는데, 나는 반듯하게 박혀 있습니다.

내가 있는 방은 살림집이 아니고 오 층짜리 건물의 삼 층에 있는, 아무 장식이 없는 그냥 네모난 공간입니다. 사무실로 쓰면 사무실이 되고, 그림을 그리면 ♥화실이 됩니다.

중심 내용 '나'는 남쪽으로 난 작은 창 아래에 박혀 있는 못이다.

❷ 어느 날, 내가 있는 방의 주인이 바뀌었습니다.
"남쪽으로 창이 나 있어서 참 좋군요."
새로 주인이 된 사람이 말하였습니다.
나는 새 주인을 잘 살펴보았습니다. 그가 무엇을 하는 사람인지에 따라 내 방의 이름이 정해지기 때문입니다.

이삿짐이 들어왔습니다.

책상이 한 개, 서랍 두 개가 달린 일인용 침대가 한 개, 기다란 ♥널빤지 여러 장, 그리고 무엇이 들었는지 꽤 무거워 보이는 종이 상자가 서른 개쯤 있었습니다.

"무엇 하는 사람일까?"
두 개의 창문 사이 기둥에 박혀 있는, 그림이 걸렸던 못이 말하였습니다.

- **글의 종류**: 이야기
- **글의 특징**: 쓸모없다고 생각했던 못이 쓸모 있는 못이 되는 것을 보여 줌으로써 세상에는 쓸모없는 것이 없다는 교훈을 전해 줍니다.
- ♥**화실**(畫 그림 화, 室 집 실) 화가나 조각가가 그림을 그리거나 조각하는 일을 하는 방.
- ♥**널빤지** 판판하고 넓게 켠 나뭇조각.
  예 널빤지로 강아지 집을 만들어 주었다.

 교과서 핵심 ○일어난 일에 대해 의견 정리하기 ①

주인아저씨를 처음 만났을 때	예 주인아저씨가 어떤 사람인지 궁금해하는 것은 당연한 것 같아. 함께 지낼 사람을 처음 만나면 누구나 궁금해하잖아.

---

1 '나'에 대한 설명으로 알맞은 것을 세 가지 고르시오. (, ,)
① 반듯하게 박혀 있다.
② 남쪽으로 난 창 아래에 박혀 있다.
③ 두 개의 창문 사이 기둥에 박혀 있다.
④ 벽에 일 센티미터쯤 나오게 박혀 있다.
⑤ 수평보다 조금 위쪽으로 기울어져 있다.

2 '내'가 있는 곳에 대한 설명으로 알맞은 것을 두 가지 고르시오. (,)
① 살림집이다.
② 화실로만 쓰이는 곳이다.
③ 사무실로만 쓰이는 곳이다.
④ 오 층짜리 건물의 삼 층에 있다.
⑤ 아무 장식이 없는 네모난 공간이다.

3 새 주인아저씨를 보았을 때 못들은 어떤 생각을 했습니까? ( )
① 옷차림을 신기해함.
② 새 주인을 반가워함.
③ 예전 주인을 그리워함.
④ 새 주인의 이름을 궁금해함.
⑤ 무엇을 하는 사람인지 궁금해함.

논술형

4 못들이 주인아저씨를 처음 봤을 때 3번 문제의 답처럼 생각한 것에 대한 자신의 의견을 쓰시오.

_____

_____

'아직까지 살림하는 방이 되어 본 일이 없는데…….'

나는 속으로 말하였습니다. 모두가 듣게 큰 소리로 말하였다가는

5 "쟤는 쓸모도 없는 애가 끼어들기는 잘하지."

"그러게나 말이야. 제 ♥분수를 알고, 있는 듯 없는 듯 있을 일이지."

하는 소리를 들을 것이 뻔하기 때문입니다. 같은 쇠못이면서도 시계를 거는 못이나 그림을 거는 못 10 은 나를 아주 못마땅해하였습니다.

"쓸모없는 못은 뽑아 버려야 하는 건데."

하는 아주 심한 말을 들은 적도 있습니다. 그러나 나는 아무짝에도 쓸모가 없다 하더라도 뽑히는 것보다는 그냥 이대로 있는 것이 나을 것이라고 생각하였 15 습니다. 누구인가 무엇에 쓰려고 박았을 것이고, 언제인가는 또 다른 누구인가 나를 쓸모 있게 할지도 모르기 때문입니다.

(중심 내용) 어느 날 '내'가 있는 방의 주인이 바뀌었고 '나'와 다른 못들은 새 주인아저씨를 궁금해했다.

❸ 새 주인은 수염 깎은 자리가 ♥파르스름하고 아무렇게나 빗어 내린 앞머리가 눈썹을 덮은 삼십 대 중반의 남자입니다. 그 사람은 방 한가운데 서서 방 안을 한번 휘 둘러보더니 고개를 끄덕끄덕하였 5 습니다. 그러고는 콧노래를 부르며 짐을 정리하기 시작하였습니다.
입을 다문 채 코로 소리를 내어 부르는 노래

♥분수(分 나눌 분, 數 셈 수) 자기 신분에 맞는 한도.
㉠ 이런 비싼 옷은 내 분수에 맞지 않아.

♥파르스름하고 조금 파랗고.

🐌 교과서 핵심 ● 일어난 일에 대해 의견 정리하기 ②

쓸모 있는 못들이 쓸모없는 못을 뽑아 버려야 한다고 말했을 때	㉠ 자신들이 생각하기에 쓸모없는 친구를 도와주지도 않으면서 너무 심하게 대하는 것 같아.

---

5 다음은 이 글을 읽고 누구에게 해 줄 말로 알맞은지 ○표를 하시오.

> 자신의 생각을 자신 있게 이야기하지 못하는 것은 소심한 행동이라고 생각해.

(1) '나' ( )
(2) 시계를 거는 못 ( )
(3) 그림을 거는 못 ( )

📖 교과서 문제

6 쓸모 있는 못들은 '나'를 어떻게 생각합니까?
( )

① 안쓰럽게 생각한다.
② 못마땅하게 생각한다.
③ 현명하다고 생각한다.
④ 자랑스럽게 생각한다.
⑤ 자신들에게 도움이 되는 존재라고 생각한다.

7 '내'가 뽑히는 것보다 그냥 이대로 있는 것이 나을 것이라고 생각한 까닭을 쓰시오.

_____

_____

핵심

8 다음 일에 대한 의견을 알맞게 말하지 <u>못한</u> 사람은 누구인지 쓰시오.

> 쓸모 있는 못들이 쓸모없는 못을 뽑아 버려야 한다고 말했을 때

> 지민: 쓸모없는 것이라고 무시하는 것 같아.
> 상호: 쓸모없는 못의 상황을 배려해서 뽑아야 한다고 말한 것 같아.
> 미선: 쓸모없다고 생각하는 친구를 도와주지도 않으면서 너무 심하게 대하는 것 같아.

( )

남쪽 두 번째 창문 아래에 침대를 놓았습니다. 그리고 서쪽 가까이 있는 첫 번째 창문, 바로 내 앞쪽에 책상을 놓았습니다. 나는 책상이 놓인 곳에서 한 ♥뼘쯤 떨어져 있습니다.

5 ㉠"여기 못이 하나 있구나. 책상이 조금 더 컸더라면 이 못이 ♥걸리적거릴 뻔했는데 다행이다."

주인아저씨는 그러면서 나를 만져 보았습니다.

㉡"에이, 아깝다. 책상이 조금만 더 컸으면 저 쓸모없는 못을 빼 버리든지 박아 넣든지 했을

10 텐데."

쓸모 있는 못들이 입을 모아 말하였습니다. 나는 못 들은 척하였습니다.

북쪽과 동쪽의 두 벽에는 벽돌과 널빤지로 책장이 만들어지고 책들이 가득 꽂혔습니다.

15 짐이 다 정리되자 가장 좋아하는 것은 시계를 거는 못입니다.

그 아저씨는 작은 상자에서 뻐꾸기시계를 꺼내 못에 걸었습니다.

"뻐꾹아, 새집이지. 문을 열고 들어오면 바로 너를 볼 수 있게 여기에 걸어야겠구나."

아저씨는 나무로 만든, 세모난 지붕이 있는 집 모양의 시계를 걸었습니다. 내가 있는 자리에서도 5 잘 보였습니다.

그 시계 속의 뻐꾸기는 입을 크게 벌리고 우는데, 목소리가 아주 맑았습니다. 시계를 거는 못이 ♥으스댈 만하였습니다. 10

中심 내용) 주인아저씨가 이삿짐을 정리했고 쓸모 있는 못들은 아저씨가 '나'를 빼거나 박아 넣지 않은 것을 아쉬워했다.

♥뼘 길이의 단위. 비교적 짧은 길이를 잴 때 쓴다. 한 뼘은 엄지손가락과 다른 손가락을 한껏 벌린 길이이다.
예 그 애가 너보다 적어도 두 뼘 정도는 더 크다.
♥걸리적거릴 거추장스럽게 자꾸 여기저기 걸리거나 닿을.
♥으스댈 어울리지 아니하게 우쭐거리며 뽐낼.

9 주인아저씨가 짐을 정리할 때 '나'의 앞쪽에는 무엇을 놓았는지 쓰시오.

( )

10 주인아저씨와 쓸모 있는 못들은 9번 문제 답의 크기를 '나'와 관련지어 각각 ㉠, ㉡과 같이 말했습니다. ㉠, ㉡의 말에 대한 의견으로 알맞은 것을 찾아 선으로 이으시오.

(1) ㉠ •

•① 상냥하고 따뜻한 말인 것 같아.

(2) ㉡ •

•② 다른 사람을 배려 하지 않는 말이야.

11 짐이 다 정리된 후, 시계를 거는 못이 좋아한 까닭은 무엇입니까? ( )

① 벽에서 뽑히게 되어서
② 새 주인에게 칭찬을 들어서
③ '내'가 다른 곳으로 이동하여 박히게 되어서
④ 자신의 몸에 아주 맑은 소리가 나는 뻐꾸기시계가 걸려서
⑤ 자신의 몸에 크고 무거운 시계 말고 다른 것이 걸리게 되어서

12 이 글의 내용으로 보아, 주인아저씨의 성격은 어떠합니까? ( )

① 차갑다.
② 다정하다.
③ 게으르다.
④ 의심이 많다.
⑤ 욕심이 많다.

❹ 나는 아저씨가 마음에 들었습니다. 아저씨가 책상에 앉으면 나는 아주 가까이 아저씨 곁에 있게 되고, 아주 작은 소리로 하는 이야기도 다 들을 수가 있었습니다. 나는 누구와도 말을 거의 하지 않
5 고 듣기만 하기 때문에 귀가 아주 ♥밝습니다.

아저씨는 낮에는 어디인가에 가고 저녁이면 들어와서 밤늦게까지 책상에 앉아 책을 읽거나 무엇인가를 씁니다. 때로는 책을 소리 내어 읽기도 하고, 자기가 쓴 글을 읽기도 합니다. 나는 그 모든
10 것을 듣는 것이 즐겁습니다.

아저씨는 밖에서 돌아올 때면 무엇인가를 들고 왔습니다. 그런데 그것들은 돈을 주고 새로 산 것이 아니고, 어디에서인가 주워 오는 물건이었습니다. 가방에서 아기 신발 한 짝을 꺼내기도 하고, 손잡이
15 가 떨어져 나간 가방도 가지고 옵니다. 이가 빠진

접시나 금이 간 ♥오지 화분도 들고 옵니다. 아저씨는 그런 것들을 손봐서 다 쓸모 있게 만드는데
"야, 역시 예술가의 눈은 다르다. 시인이 가지면 그것이 모두 그림이 되는군그래."
하고 언제인가 이 방에 놀러 온 아저씨의 친구가 5 말한 적이 있습니다.

[중심 내용] 주인아저씨는 버려진 물건을 쓸모 있게 만드는 사람이었고, '나'는 그런 주인아저씨가 마음에 들었다.

♥밝습니다 감각이나 지각의 능력이 뛰어납니다.
　예 할머니는 귀가 밝습니다.

♥오지 붉은 진흙으로 만들어 볕에 말리거나 약간 구운 다음, 윤이 나도록 하는 잿물을 입혀 다시 구운 그릇.

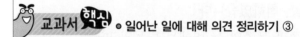

교과서 핵심 ● 일어난 일에 대해 의견 정리하기 ③

주인아저씨가 밖에서 주워 온 물건을 쓸모 있게 만들 때	예 주인아저씨는 재주가 많고 마음씨가 고운 사람인 것 같아.

13 귀가 밝은 '내'가 주로 듣는 소리는 무엇입니까? (　　)

① 비 오는 소리
② 아기의 울음소리
③ 아저씨가 내는 모든 소리
④ 아저씨 친구가 말하는 소리
⑤ 뻐꾸기시계가 으스대는 소리

14 13번 문제 답의 소리를 듣는 '나'의 마음은 어떠합니까? (　　)

① 즐겁다.
② 괴롭다.
③ 지루하다.
④ 시끄럽다.
⑤ 그만 듣고 싶다.

15 주인아저씨에 대한 설명으로 알맞은 것은 무엇입니까? (　　)

① 식물이나 물건들을 자주 버린다.
② 버려진 물건을 고쳐서 다시 판다.
③ 물건들을 주워 와 친구들에게 선물한다.
④ 새로운 물건을 사는 데 돈을 아낌없이 쓴다.
⑤ 쓸모없어 보이는 것들에게 새로운 생명을 불어넣어 준다.

[핵심]
16 15번 문제에서 답한 주인아저씨의 행동에 대한 자신의 의견을 쓰시오.

_____

_____

❺ 그런데 어느 날, 아저씨는 아주 신기하고 귀한 것을 가지고 왔습니다. 묘목을 심는 검은색 비닐 화분에 심어진 화초입니다. 어디에다가 얹어 놓거나 걸어야 하는, 아래로 잎이 늘어지는 식물입니다. 잎이 마치 달개비 꽃잎 같았습니다.

_{닭의장풀}

"글쎄, 아직 살아 있는 것을 누가 버렸지 뭐야. 내가 잘 길러야지."

아저씨는 전깃줄 두 가닥을 이리저리 꼬아서 화분이 들어갈 작은 바구니를 만들고, 손잡이도 만들었습니다. 그러고는 물을 듬뿍 주고 책꽂이 끝에 못을 새로 하나 박아 거기 걸었습니다.

나는 그 화초가 내 몸에 걸렸으면 하였습니다. 그러나 화초는 아래로 두 뼘이나 늘어지는 데다, 나에게 걸면 아저씨가 앉는 의자에 걸려 잘 보이지도 않을 것입니다.

㉠아저씨는 아침에 일어나면 언제나 가장 먼저 창문을 엽니다. 그러면 밤새 갇혀 ♥뭉근해진 공기들이 재빨리 창밖으로 도망치고, 밖에 있던 공기들이 방 안으로 들어옵니다.

어느 날 아침, 아저씨는

"뻐꾹아, 그리고 우리 모두야, 난 이 화초의 이름이 뭔지는 모르지만, 우리 집에서 잘 크기를 바란단다. 오늘부터 얘는 초록이야. 초록아, 잘 자라거라. 너는 우리 모두의 식구야."

하고 인사를 시켰습니다. 그 뒤로 ㉡아저씨는 매일 아침 초록이에게 물을 듬뿍 뿌려 주었습니다. 물을 많이 먹는 식물이라는 것입니다.

초록이는 하루가 다르게 싱싱해지고 잘 자랐습니다.

㉢여름이 되자 비가 자주 왔습니다. 그사이 초록이는 처음 왔을 때의 배가 되게 자라났습니다.

_{어떤 수나 양을 두 번 합한 만큼}

새로 마디가 생겨나고 잎이 쑥쑥 뻗어 나가 아주 보기 좋게 늘어졌습니다. 꽃은 안 피지만 녹색 ♥발처럼 보기 좋습니다.

중심 내용 주인아저씨는 주워 온 화초를 초록이라고 이름을 짓고 정성껏 길렀다.

♥뭉근해진 적당히 따뜻해진.

♥발 가늘고 긴 대를 줄로 엮거나, 줄 따위를 여러 개 나란히 늘어뜨려 만든 물건.

📖 교과서 문제

17 주인아저씨가 화초를 가져온 까닭은 무엇입니까? ( )

① '나'에게 걸어 주기 위해서
② 자신이 좋아하는 화초여서
③ 친구에게 받은 이사 선물이어서
④ 삭막한 방 안을 예쁘게 꾸미기 위해서
⑤ 아직 살아 있는 것을 누군가 버렸기 때문에 잘 보살펴 주기 위해서

18 17번 문제와 같은 주인아저씨의 행동에 대한 의견을 알맞게 말한 것에 ○표를 하시오.

(1) 남의 것을 함부로 가져오는 것을 보니 욕심이 많은 사람이야. ( )
(2) 다른 사람들이 보기에는 하찮은 것들도 소중한 존재가 되도록 도와주는 사람이야. ( )

19 주인아저씨는 화초의 이름을 무엇이라고 지었습니까?

( )

20 다음은 ㉠~㉢ 중 어떤 일에 대한 의견을 말한 것인지 기호를 쓰시오.

> 말 못 하는 생명에게도 관심을 가지고 정성을 쏟는 모습은 우리 모두가 본받아야 할 모습인 것 같아.

( )

❻ 그러던 어느 날, 나는 그날을 잊을 수가 없습니다.

부슬부슬 비가 내리던 날이었습니다. 비가 내리
눈이나 비가 조용히 드문드문 내리는 모양
다가 그치고 그칠 듯하다가 또 부슬부슬 내립니다.

5 아저씨는 비 오는 창 밖을 물끄러미 내다보다가

"그렇지, 참, 그렇고말고."

하더니 책상 서랍에서 빨간색 끈을 찾아내었습니다.

아저씨는 초록이를 ♥창턱에 놓고 잎이 창밖으로
나가게 하였습니다. 그러더니 초록이가 담겨 있는

10 바구니 손잡이에 끈 한쪽을 매고는 한쪽 끝을 동그
랗게 매듭지었습니다. 그러고는 그 매듭을 내 머리
에 거는 것이었습니다. 초록이는 나에게 걸려서 창
밖에 매달려 그날 하루 종일 비를 맞았습니다.

뻐꾸기도 다른 못들도 나를 보았습니다. 기뻐하

15 는 초록이의 가슴이 울리는 소리가 끈을 따라 내게
전해졌습니다.

나는 행복으로 가슴이 크게 뛰었습니다.

"가끔씩 비 오는 날 초록이를 여기 걸어 바깥 구
경도 시키고 비도 맞게 해야겠구나. 이 못이 여
기 있어 얼마나 좋은지 모르겠다. 정말 쓸모 있
는 못이야."

5

아저씨가 말하였습니다.

가끔씩 비 오는 날 쓸모가 있는 못이 되어 나는
아주 행복합니다.

언제나 쓸모 있는 못이 모르는 행복입니다.

중심 내용 비가 내리던 날, 주인아저씨는 초록이를 '나'에게 걸어 비를 맞게
했고, '나'는 쓸모 있는 못이 되어 행복했다.

♥창(窓 창 창)턱 창문의 문지방에 있는 턱.
예 창턱에 팔을 얹고 비가 내리는 모습을 바라보았다.

교과서 핵심 ● 일어난 일에 대해 의견 정리하기 ④

| 비 오는 날, '내'가 초록이를 걸고 행복해할 때 | 예 세상에는 쓸모없는 것은 없다는 생각이 들어. |

21 '내'가 잊을 수 없다고 한 날의 날씨는 어떠했습니까? (   )
① 눈이 왔다.
② 매우 더웠다.
③ 비가 내렸다.
④ 천둥과 번개가 쳤다.
⑤ 바람이 강하게 불었다.

📖 교과서 문제

22 '내'가 한 쓸모 있는 일은 무엇입니까? (   )
① 뻐꾸기시계를 걸어 둘 수 있는 일
② 날마다 초록이에게 물을 줄 수 있는 일
③ 비가 올 때마다 아저씨에게 알려 줄 수 있는 일
④ 가끔씩 비 오는 날 하루 종일 비를 맞을 수 있는 일
⑤ 가끔씩 비 오는 날에 초록이를 걸어 둘 수 있는 일

23 이 글의 내용으로 보아, 글의 제목인 「가끔씩 비 오는 날」은 어떤 날을 의미하는 것일지 알맞은 것에 ○표를 하시오.
(1) 초록이가 꽃을 피울 수 있어 행복해하는 날 (   )
(2) 주인아저씨가 '나'에게 뻐꾸기시계를 걸어 주어서 행복해지는 날 (   )
(3) 평소에는 쓸모없게 여겨지던 '나'에게도 할 일이 생겨서 행복해지는 날 (   )

역량 논술형

24 쓸모 있는 일을 하게 되어 행복해하는 '나'의 모습에 대한 자신의 의견을 쓰시오.

_____

_____

_____

기본 • 12쪽 시를 읽고 생각이나 느낌 나누기

내 맘처럼

최종득

교실에서
강낭콩을 키운다.

아무도 모르게
내 강낭콩 화분을
영주 화분 옆에 뒀다.

조금씩 조금씩
줄기가 뻗더니
영주 거랑 내 거랑
서로 엉켰다.

이대로
칭칭 엉켜 있으면
참 좋겠다.

1 이 시에서 말하는 이가 영주 화분 옆에 자신의 화분을 둔 까닭에 ○표를 하시오.

(1) 영주가 그곳에 두라고 해서 ( )

(2) 영주와 친하게 지내고 싶어서 ( )

(3) 영주가 자신의 화분에도 물을 주었으면 해서 ( )

2 이 시에서 말하는 이가 영주에게 어떤 마음을 가지고 있는지 쓰시오.

( )

기본 • 13~17쪽 이야기를 읽고 생각이나 느낌 나누기

할아버지와 보청기
소리를 잘 들을 수 없을 때 소리를 잘 들을 수 있도록 도와주는 기구

윤수천

㉮ 우리 할아버지는 참 이상한 분입니다. 아빠가 사다 준 보청기를 어느 땐 귓속에 넣고 어느 땐 빼 놓으니 말이에요. 학교에서 돌아오다가 길에서 할아버지를 보고 "할아버지!" 하고 불러도 대답을 안 할 때 보면 귓속에 있어야 할 보청기가 주머니 속에 들어가 있지 뭐예요.

5　어제만 해도 그랬습니다. 도서관에서 집에 오려면 동네 경로당을 지나와야 합니다. 경로당을 막 지나오는데 할아버지가 등나무 밑에 앉아 친구들과 이야기를 나누고 있었습니다.

나는 반가워서 "할아버지!" 하고 불렀는데 할아버지는 내 말을 못 들었는지 계속 친구들과 이야기만 하고 있었습니다. 나는 뿔이 나
10　서 얼른 경로당을 지나와 버렸습니다. 속으로는 '또 보청기를 빼 놓으셨군!' 했지요.

㉯ 아빠는 귀가 어두운 할아버지에게 보청기를 사다 주었습니다. 지난해 가을입니다. 외국에 출장 갔다가 오던 길에 선물로 사 왔습니다.

3 누가 할아버지께 보청기를 사다 주었습니까?

( )

4 다음 장면에 대한 생각이나 느낌을 쓰시오.

영우가 어제 등나무 밑에 앉아 계신 할아버지를 본 장면

_____

_____

_____

_____

㉠"이야, 이렇게 잘 들리는걸."

보청기를 귓속에 넣고 할아버지는 입이 함박만 하게 벌어졌습니다.

다 할아버지는 아빠가 사다 준 보청기를 끔찍이 여겼습니다. 낮에
는 물론 밤에도 빼 놓지 않았습니다. 주무실 때는 빼 놓는 것이 좋
5 다고 아빠가 말씀드렸는데도 할아버지는 듣지 않았습니다.

그랬던 할아버지가 요즘엔 가끔 보청기를 빼 놓았습니다. 그러니
이상하다 못해 수상할 수밖에요.

라 우리는 멀찍이 떨어져서 할아버지의 뒤를 밟았습니다. 역시 미
행은 짜릿한 맛이 있었습니다. 가슴은 동동 뛰었고요.

10 어린이 놀이터를 지나자 경로당이 보였습니다.

"영우야, 저기……."

형이 턱으로 할아버지를 가리켰습니다. 그러나 나는 형보다 먼저
보았습니다. 경로당 문 앞에 다다른 할아버지가 슬며시 손을 귀로
가져가더니 보청기를 빼 주머니에 넣는 것을.

15 "봤지?" / "응, 정말이네."

마 "너희 교장 선생님 손자 아니냐? 할아버지에게 무슨 긴히 할 얘
기라도 있어 왔느냐?"

'교장 선생님'이란 말은 우리 할아버지를 부를 때 동네 사람들이
쓰는 말입니다. 초등학교 교장 선생님으로 정년퇴직을 해서 다들
20 그렇게 부릅니다.

"그게 아니고요, 우리 할아버지가 여기만 오시면 귓속의 보청기
를 빼시거든요. 그래서……."

형이 솔직히 다 말해 버렸습니다. 정작 궁금했던 나는 입을 꼭 다
물고 있었고요. / "아, 그것 말이냐? 허허허."

25 뻥튀기 할아버지가 갑자기 너털웃음을 터뜨렸습니다. 이미 그 사
실을 다 알고 있다는 듯이 말입니다.

"여기 오시는 할아버지들은 다들 귀가 어둡단다. 그래서 그러실
거다."

"그게 무슨 말씀이세요?" / 이번에는 내가 물었습니다.

30 그러자 뻥튀기 할아버지는 껄껄대며 또 한참이나 웃었습니다.

"그래도 모르겠느냐? 여기 오는 할아버지들이 다들 귀가 어두운데
너희 할아버지 혼자만 귀가 밝으면 뭐 하겠냐. 재미 하나 없지."

아, 나는 형을 쳐다보았습니다. / 형도 나를 쳐다보았습니다.

'그래서 그러셨구나!'

5 ㉠에서 할아버지의 기분은 어
떠하겠습니까?　　　（　　）

① 기쁘다.

② 두렵다.

③ 답답하다.

④ 궁금하다.

⑤ 화가 난다.

6 영우가 할아버지를 몰래 따라
간 까닭은 무엇입니까?（　　）

① 할아버지께 드릴 말씀이
　있어서

② 할아버지를 깜짝 놀라게
　하고 싶어서

③ 할아버지께서 어디에 가
　시는지 알아보기 위해서

④ 할아버지께서 보청기를
　누구에게 주셨는지 알아
　보기 위해서

⑤ 할아버지께서 경로당 앞
　에서 보청기를 빼는 모습
　을 직접 확인하기 위해서

7 할아버지가 경로당에서 보청
기를 빼 놓으신 까닭은 무엇인
지 쓰시오.

_____

_____

_____

기본 ● 18~20쪽 일어난 일에 대한 의견 말하기

수사슴의 뿔과 다리

숲에서 뛰어놀던 수사슴이 목이 말라 연못을 찾아왔어요.

수사슴은 물에 비친 자신의 모습을 보며 생각했어요.

5 '내 뿔 좀 봐! 정말 멋지다니까. 하지만 내 다리는 정말 못 봐 주겠어. 왜 이렇게 가늘기만 한 걸까?'

그때 어디선가 사냥개 짖는 소리가 들려왔어요.

10 "앗! 사냥꾼이 가까이 왔구나. 어서 도망쳐야지."

수사슴은 깊은 숲을 향해 서둘러 뛰어갔어요.

그러다 그만 사슴의 멋진 뿔이 튀어나온 나뭇가지에 걸리고 말았어요.

"이런, 내 뿔 때문에 이제 꼼짝없이 붙잡히게 되었네. 안 돼! 그럴 15 수는 없어."

㉠『수사슴은 가늘지만 튼튼한 다리로 힘껏 발버둥을 쳤어요.

그리고 마침내 나뭇가지에서 빠져나올 수가 있었지요.

가는 다리 덕분에 수사슴은 사냥꾼을 피해 멀리 도망갈 수 있었답니다.』

8 이 글에 나오는 수사슴의 모습으로 알맞은 것을 두 가지 고르시오. (　 , 　)

① 목이 짧다.
② 귀가 길다.
③ 꼬리가 길다.
④ 다리가 가늘다.
⑤ 멋진 뿔을 가졌다.

9 ㉠『 』에서 일어난 일에 대한 자신의 의견을 쓰시오.

_____

_____

_____

_____

기초 다지기 옳은 표현 알기

10 보기 에서 밑줄 그은 표현이 옳은 것을 모두 찾아 기호를 쓰시오.

> 보기
> ㉠ 금방 갈게.　　　　　　㉡ 일찍 일어날껄.
> ㉢ 누가 여기를 청소할까?　㉣ 방이 왜 이리 좁을고?
> ㉤ 이 일은 내가 먼저 할께.　㉥ 너도 같이 왔으면 좋았을걸.

(　　　　　　　　　)

11 바르게 쓴 낱말에 ○표를 하시오.

(1) 무엇을 (먹을가 , 먹을까)?

(2) 왜 (늦을고 , 늦을꼬)?

단원 마무리

준비

▶ 생각이나 느낌이
서로 다른 까닭
말하기

예 같은 그림이 서로 다르게 보이는 까닭

청록색의 모양을 보니…….

주황색의 모양을 보니…….

- 같은 것을 보고도 ❶ [ ][ ]에 따라 다르게 생각할 수 있기 때문입니다.
- 같은 그림이지만 느낀 점이 다를 수 있기 때문입니다.

예 「꽃씨」에 대한 생각이나 느낌이 서로 다른 까닭

봄비가 내려와 앉는다고 하니까 비가 사람같이 느껴져.

난 봄비가 내려와 앉는다고 해서 새를 떠올렸어.

- 시에서 일어나는 ❷ [ ]을/를 다르게 생각했기 때문입니다.
- 사람마다 생각이 다르기 때문에 재미를 느낀 부분이 서로 달랐습니다.

기본

▶ 시를 읽고
생각이나 느낌
나누기

예 「등 굽은 나무」에 대한 생각이나 느낌을 ❸ [ ][ ][ ](으)로 표현하기

등: 등 굽은 나무는
굽: 굽은 허리로 일하시는
은: 은빛 머리
나: 나의 할머니처럼
무: 무척 포근하다

기본 ‥‥‥

» 이야기를 읽고 생각이나 느낌 나누기

예 「가훈 속에 담긴 뜻」을 읽고 인물의 말이나 행동에 대한 자신의 생각이나 느낌 말하기

인물의 말이나 행동		생각이나 느낌
◀ 할아버지	"너 이놈, 종이를 아낄 줄 모르고 이렇게 함부로 쓰다니!"	예 손자에게 어릴 때부터 아끼는 습관을 가르쳐 주려고 할아버지께서 엄하게 말씀하시는 것 같아.
◀ 준	준은 할아버지가 손님들과 이야기하는 틈을 타 붓글씨 쓰는 것을 내팽개치고 논으로 놀러 나갔습니다.	예 준은 할아버지에게 서운한 마음을 핑계로 하라는 글공부 대신 놀러 간 것 같아.
◀ 할아버지	"헐값에 생선을 넘기는 생선 장수의 마음을 헤아릴 줄 모른단 말이냐?"	예 생선 장수의 ❹ ☐☐을/를 헤아리라는 말을 통해 함께 살아가는 법을 말씀하시는 것 같아.

기본 ‥‥‥

» 일어난 일에 대한 의견 말하기

예 「의심」을 읽고 인물의 말이나 행동에 대한 자신의 생각 말하기

인물의 말		자신이 기동이나 노마라면 하고 싶은 말
◀ 노마	"너, 구슬 가진 것 좀 보자."	예 기동: 여기 봐. 비슷하게 보여도 이 가운데에서 네 것은 없어.
◀ 기동	"네 구슬 여기다 두고, 왜 남보고 집었다고 그러는 거야."	예 노마: 의심해서 ❺ ☐☐☐.

인물	인물의 행동	자신의 생각
노마	여전히 기동이 조끼 주머니를 보고, 두 손을 보고 한다.	예 구슬을 잃어버린 마음은 이해하지만 자꾸 친구를 의심하면 안 된다.
기동	"자아." 하고 조끼 주머니에서 구슬을 꺼내 보인다.	예 기동이는 아무런 잘못 없이 의심을 받아서 기분이 나빴겠지만 노마의 기분을 이해하고 자신의 구슬을 정확히 설명해 주는 것이 좋겠다.

노마가 친구를 의심한 것은 ❻ ☐☐ 입니다. 기동이 주머니에 구슬이 있지만 그 구슬이 노마의 것인지는 알 수 없기 때문입니다.

노마가 기동이를 의심하기는 했지만 안타까운 마음에 저지른 실수라고 생각합니다. 자기가 소중히 여기는 물건을 잃어버렸을 때에는 누구나 속상하기 때문입니다.

단원 평가

● 단원 평가 더 풀기 ≫ 평가 교재 2~7쪽

1~3 다음을 보고, 물음에 답하시오.

청록색의 모양을 보니……

주황색의 모양을 보니……

1 남자아이는 어떤 색을 중심으로 그림을 보고 있습니까?

( )

2 여자아이는 무슨 그림으로 보았겠습니까?

( )

① 얼굴　　　　② 쌍둥이
③ 다람쥐　　　④ 커다란 잔
⑤ 마주 보는 사람

3 남자아이와 여자아이의 모습을 통해 알 수 있는 것을 <u>두 가지</u> 고르시오. (,)

① 사람들의 생각은 모두 같다.
② 그림을 감상하는 것은 어려운 일이다.
③ 같은 상황에 놓이면 생각이 같아진다.
④ 같은 그림이지만 느낀 점이 다를 수 있다.
⑤ 같은 것을 보고도 상황에 따라 다르게 생각할 수 있다.

4 같은 일에 대해 생각이 달랐던 경험을 알맞게 말하지 <u>못한</u> 것에 ×표를 하시오.

(1) 나와 오빠는 맑은 날을 좋아해. ( )
(2) 나는 영화 속 주인공이 용감하다고 생각했는데, 친구는 그 주인공이 겁 없이 위험한 행동만 한다고 생각했대. ( )

5~6 시를 읽고, 물음에 답하시오.

> 몰래
> 겨울을 녹이면서
> 봄비가 내려와 앉으면
>
> 꽃씨는
> 땅속에 살짝 돌아누우며
> 눈을 뜹니다.
>
> 봄을 기다리는 아이들은
> 쏘옥
> 손가락을 집어넣어 봅니다.
>
> 꽃씨는 저쪽에서
> 고개를 빠끔
> 얄밉게 숨겨 두었던
> 파란 손을 내밉니다.

5 봄비가 내리면 땅속에서 무엇이 눈을 뜬다고 했습니까?

( )

6 다음은 이 시에 대한 생각이나 느낌입니다. 빈칸에 알맞은 말을 쓰시오.

> ( )이/가 내려와 앉는다고 하니까 비가 사람같이 느껴져.

중요
7 시에 대한 생각이나 느낌이 서로 다른 까닭을 <u>두 가지</u> 고르시오. (,)

① 시의 길이가 짧기 때문에
② 시를 쓴 사람을 모르기 때문에
③ 시를 읽은 장소가 다르기 때문에
④ 시에서 일어나는 일을 다르게 생각하기 때문에
⑤ 사람마다 생각이 다르기 때문에 재미를 느낀 부분이 서로 달라서

8~11 시를 읽고, 물음에 답하시오.

텅 빈 운동장을
혼자 걸어 나오는데
운동장가에 있던 나무가
등을 구부리며
말타기놀이 하잔다
얼른 올라타라고
등을 내민다

내가 올라타자
따그닥따그닥
달린다
학교 앞 문방구를 지나서
네거리를 지나서
우리 집을 지나서
달린다

8 말하는 이는 나무를 무엇이라고 생각했는지 쓰시오.

(   )

9 말하는 이가 상상 속에서 어디를 갔는지 <u>모두</u> 찾아 쓰시오.

(   )

논술형
10 시 속 말하는 이가 어떤 생각을 했을지 쓰시오.

_____

_____

11 이 시에 대한 생각이나 느낌을 표현하는 방법으로 알맞지 <u>않은</u> 것은 어느 것입니까?(   )
① 오행시 짓기
② 몸으로 표현하기
③ 그림으로 표현하기
④ 인물이 되어 말하기
⑤ 시의 연과 행 수 세기

12~14 글을 읽고, 물음에 답하시오.

㉮ 붓글씨를 쓴 뒤에 할아버지는 준과 다른 도령들에게 희한하게 생긴 뒤주를 보여 주었습니다.
"이 뒤주는 가난한 사람들이나 지나가는 나그네가 쌀을 퍼 갈 수 있도록 만든 것이란다."
준은 쌀을 한 줌 꺼내 보았습니다. 할아버지의 훈훈한 마음이 전해지는 것 같았지요.
㉯ 마을 사람들은 어디에선가 팔 땅이 나오면 할아버지에게 사라고 했습니다. 할아버지는 쌀이 만 석 이상 곳간에 쌓이면 농부들이 최 부잣집의 논밭을 사용하고 내는 돈을 조금만 받기 때문이었지요. 그래서 마을 사람들은 할아버지가 땅을 사면 오히려 좋아했습니다.
준은 할아버지가 무척 자랑스러웠습니다. 다른 사람들에게 베풀고, 잘 살도록 도와주며 아랫사람들에게도 나누어 줄 줄 아는 할아버지가 참 좋았습니다. / '나도 꼭 할아버지처럼 되어야지.'

12 준의 할아버지가 뒤주를 만든 까닭은 무엇인지 빈칸에 알맞은 말을 쓰시오.

• 가난한 사람들이나 지나가는 나그네가
(   )을/를 퍼 가라고

13 준은 어떤 다짐을 했습니까? (   )
① 부자가 되겠다.
② 뒤주를 만들겠다.
③ 땅을 많이 사겠다.
④ 과거에 급제하겠다.
⑤ 할아버지처럼 되겠다.

중요
14 이 글을 읽고, 준의 할아버지에 대한 생각이나 느낌을 바르게 말한 것의 기호를 쓰시오.

㉠ 다른 사람의 마음을 헤아릴 줄 모르는 것 같아.
㉡ 어려운 사람을 도와주려는 할아버지의 깊은 뜻이 느껴져.
㉢ 가족보다 돈을 더 소중하게 생각하는 것 같아서 안타까워.

(   )

15~16 글을 읽고, 물음에 답하시오.

> 가 노마는 더욱 의심이 났습니다. 그래서,
> "내가 잃어버린 구슬 네가 집었지?"
> "언제 네 구슬을 내가 집었어?"
> "그럼 보여 주지 못할 게 뭐야?"
> 그제는 기동이도 하는 수 없나 봅니다. "자아."
> 하고 조끼 주머니에서 구슬을 꺼내 보입니다.
> 나 어쩌면 그중에 노마가 잃어버린 구슬이 섞여
> 있을 성싶습니다. 그래서 노마는,
> "너, 이 구슬 다 어디서 났니?"
> "어디서 나긴 어디서 나. 다섯 개는 가게서 사
> 고 한 개는 영이가 준 건데, 뭐."
> "거짓부렁. 영이가 널 구슬을 왜 줘?"
> "그럼 영이한테 가서 물어봐." / 그래서 노마와
> 기동이는 영이를 찾아가기로 했습니다.

15 노마와 기동이가 영이를 찾아가기로 한 까닭
은 무엇입니까? ( )

① 영이가 놀러 오라고 해서
② 영이와 구슬치기를 하려고
③ 영이에게 구슬을 받으려고
④ 기동이가 영이와 놀자고 해서
⑤ 기동이에게 구슬을 줬는지 물어보려고

서술형
16 노마가 기동이를 의심한 일에 대한 자신의 의
견을 까닭과 함께 쓰시오.

_____

_____

국어 활동
17 다음 글에서 수사슴의 생각에 대한 의견을 바
르게 말한 것에 ○표를 하시오.

> '내 뿔 좀 봐! 정말 멋지다니까. 하지만 내
> 다리는 정말 못 봐 주겠어. 왜 이렇게 가늘
> 기만 한 걸까?'

(1) 다른 사람의 모습을 지적하면 안 돼.
( )

(2) 자신의 모습을 온전히 사랑하면 좋겠어.
( )

18~19 글을 읽고, 물음에 답하시오.

> 이삿짐이 들어왔습니다.
> 책상이 한 개, 서랍 두 개가 달린 일인용 침대
> 가 한 개, 기다란 널빤지 여러 장, 그리고 무엇이
> 들었는지 꽤 무거워 보이는 종이 상자가 서른 개
> 쯤 있었습니다.
> "무엇 하는 사람일까?" / 두 개의 창문 사이 기둥
> 에 박혀 있는, 그림이 걸렸던 못이 말하였습니다.
> '아직까지 살림하는 방이 되어 본 일이 없는
> 데……'
> 나는 속으로 말하였습니다. 모두가 듣게 큰 소
> 리로 말하였다가는
> "쟤는 쓸모도 없는 애가 끼어들기는 잘하지."
> "그러게나 말이야. 제 분수를 알고, 있는 듯 없
> 는 듯 있을 일이지."
> 하는 소리를 들을 것이 뻔하기 때문입니다.

18 이삿짐으로 들어온 것이 아닌 것은 어느 것입
니까? ( )

① 책상 ② 침대 ③ 상자
④ 소파 ⑤ 널빤지

중요
19 이 글에서 '나'의 말이나 행동에 대한 자신의
생각이나 느낌을 알맞게 말한 사람을 쓰시오.

> 민욱: 친구의 마음을 헤아려서 말해야 해.
> 지수: 자신의 생각을 자신 있게 말하는 것이
> 좋다고 생각해.

( )

20 다음 시에 대한 자신의 생각이나 느낌을 쓰시오.

> 내가 친구에게
> 좋아한다 말해 볼까
> 생각만 해도
> 마음은 어느새
> 두근두근.

_____

_____

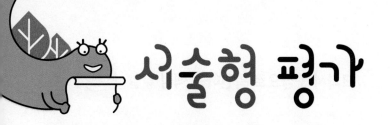

1~2 글을 읽고, 물음에 답하시오.

　　그제는 기동이도 하는 수 없나 봅니다. "자아." 하고 조끼 주머니에서 구슬을 꺼내 보입니다. 하나를 꺼냅니다. 둘을 꺼냅니다. 셋, 다섯도 넘습니다. 모두 똑같은 모양, 똑같은 빛깔입니다. 노마가 잃어버린, 모두 똑같은 그런 파란 유리구슬입니다.

　　어쩌면 그중에 노마가 잃어버린 구슬이 섞여 있을 성싶습니다. 그래서 노마는,

　　"너, 이 구슬 다 어디서 났니?"

　　"어디서 나긴 어디서 나. 다섯 개는 가게서 사고 한 개는 영이가 준 건데, 뭐."

　　"거짓부렁. 영이가 널 구슬을 왜 줘?"

　　"그럼 영이한테 가서 물어봐."

　　그래서 노마와 기동이는 영이를 찾아가기로 했습니다. 담 모퉁이를 돌아서 골목 밖으로 나갔습니다. 그리고 조그만 도랑 앞엘 왔습니다.

　　그런데 그 도랑물 속에 무엇이 햇빛에 번쩍하는 것이 있습니다. 유리구슬 같습니다. 정말 유리구슬입니다. 바로 노마가 잃어버린 그 구슬입니다.

　　㉠"네 구슬 여기다 두고, 왜 남보고 집었다고 그러는 거야."

하고, 기동이가 바로 을러메는데도 할 말이 없습니다. 그만 노마는 얼굴이 벌게지고 말았습니다.

1 기동이와 함께 영이를 찾아 나섰을 때 노마의 마음은 어떠하였을지 쓰시오.

_____

_____

2 자신이 노마라면 ㉠과 같은 기동이의 말을 듣고 무엇이라고 말할지 쓰시오.

_____

_____

3~5 글을 읽고, 물음에 답하시오.

㉮ 같은 쇠못이면서도 시계를 거는 못이나 그림을 거는 못은 나를 아주 못마땅해하였습니다.

　　㉠"쓸모없는 못은 뽑아 버려야 하는 건데." 하는 아주 심한 말을 들은 적도 있습니다. 그러나 나는 아무짝에도 쓸모가 없다 하더라도 뽑히는 것보다는 그냥 이대로 있는 것이 나을 것이라고 생각하였습니다. 누구인가 무엇에 쓰려고 박았을 것이고, 언제인가는 또 다른 누구인가 나를 쓸모 있게 할지도 모르기 때문입니다.

㉯ 초록이는 나에게 걸려서 창밖에 매달려 그날 하루 종일 비를 맞았습니다.

　　뻐꾸기도 다른 못들도 나를 보았습니다. 기뻐하는 초록이의 가슴이 울리는 소리가 끈을 따라 내게 전해졌습니다.

　　나는 행복으로 가슴이 크게 뛰었습니다.

　　㉡"가끔씩 비 오는 날 초록이를 여기 걸어 바깥 구경도 시키고 비도 맞게 해야겠구나. 이 못이 여기 있어 얼마나 좋은지 모르겠다. 정말 쓸모 있는 못이야."

3 '내'가 한 쓸모 있는 일은 무엇인지 쓰시오.

_____

_____

4 자신이 '나'라면 ㉠의 말을 들었을 때 어떤 생각이 들지 속마음을 쓰시오.

_____

_____

5 ㉡의 말에 대한 자신의 의견을 쓰시오.

_____

_____

낱말 퀴즈

● 다음 교과서 문장의 파란색 낱말 중에서 알맞은 것을 골라 인물들이 한 말을 완성하시오.

- 최 부잣집 도령들은 매일 아침마다 사랑채에서 붓글씨로 **가훈**을 씁니다.
- 해가 **뉘엿뉘엿** 지는데, 준이 보이지 않았습니다.
- "이 **근방**에는 흰죽 논이 없습죠."
- 노마는 더욱 **의심**이 났습니다.

정답 | ❶ 뉘엿뉘엿 **❷** 가훈 **❸** 의심 **❹** 근방

2

내용을 간추려요

무엇을 배울까요?

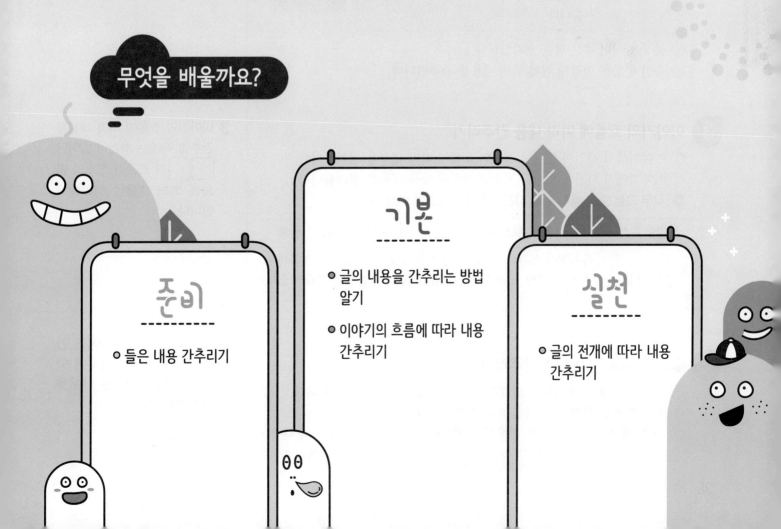

준비

• 들은 내용 간추리기

기본

• 글의 내용을 간추리는 방법 알기

• 이야기의 흐름에 따라 내용 간추리기

실천

• 글의 전개에 따라 내용 간추리기

1 들은 내용을 간추릴 때 생각할 점

듣는 목적을 생각합니다.	예) 일요일에 춘천으로 나들이 가도 좋은 날씨인지 확인하며 들어야겠어.
아는 내용이나 경험을 떠올립니다.	예) 작년 이맘때는 봄이었는데도 추웠던 것 같아.
들은 내용을 어떻게 할지 생각합니다.	예) 나에게 필요한 내용을 써 놔야겠어.

↳ 자료를 읽거나 듣고 난 뒤에 정리하는 방법
　• 나뭇가지 모양으로 정리하기　• 도형을 그려 정리하기
　• 수직선에 내용 정리하기

2 글의 내용을 간추리는 방법

① 문단의 중심 문장을 찾습니다.
　예) 「동물이 내는 소리」에서 문단의 중심 문장 찾기

중심 문장 — ⌜동물들이 소리를 내는 방식은 다양합니다. 성대를 이용하여 소리를 내는 동물도 있고 다른 부위를 이용하는 동물도 있습니다.⌟ — 뒷받침 문장

② 문장을 이어 주는 말을 생각합니다.
③ 중심 문장을 연결해 전체 글의 내용을 간추립니다.

3 이야기의 흐름에 따라 내용 간추리기

① 이야기에서 사건이 일어난 시간의 흐름에 따라 내용을 정리합니다.
② 이야기에서 사건이 일어난 장소의 변화에 따라 내용을 정리합니다.
예) 「나무 그늘을 산 총각」에서 시간의 흐름과 장소의 변화

시간의 흐름	어느 더운 여름날 → 그날 오후 → 그날 저녁 → 다음 날 이후
장소의 변화	욕심쟁이 영감의 집 앞 느티나무 그늘 → 욕심쟁이 영감의 집 마당과 안방 → 욕심쟁이 영감의 집 → 욕심쟁이 영감의 집과 느티나무 그늘

4 글의 전개에 따라 내용 간추리기

① 글의 종류에 따라 다르게 전개되는 내용을 덩어리로 바꾸어 봅니다.
② 문단의 중심 문장 또는 중심 내용을 찾습니다.
③ 내용 전개에 따른 분류를 활용해 자연스럽게 연결해서 전체 글의 내용을 간추립니다. → 예) ⌜주장하는 글의 전개 방식: 문제점 파악하기 – 해결 방안, 실천 방법 제안하기
　　　　　　　　　　　　　　　　　　　　　　⌞이야기 글의 전개 방식: 시간, 장소, 인물, 배경 등에 따라 전개됨.

핵심 확 인 문 제

정답과 해설 ● 7쪽

1 들은 내용을 간추릴 때 생각할 점으로 알맞지 않은 것에 ×표를 하시오.

(1) 듣는 목적을 생각한다.
　　　　　　　　　　(　)

(2) 아는 내용이나 경험을 떠올린다. 　　　　(　)

(3) 들은 내용을 모두 적을 수 있는 방법을 생각한다.
　　　　　　　　　　(　)

2 글의 내용을 간추릴 때에는 문단의 중심 문장을 찾아야 합니다.
(　　 ○ , × 　　)

3 이야기의 흐름에 따라 내용을 간추릴 때에는 사건이 일어난 □□의 흐름과 장소의 변화에 따라 내용을 정리해야 합니다.

4 글의 전개에 따라 내용을 간추릴 때에는 글의 종류에 따라 다르게 전개되는 내용을 생각해야 합니다.
(　　 ○ , × 　　)

📖 교과서 문제

1 가족 나들이를 준비하면서 일기 예보를 들을 때 생각할 점을 보기 에서 찾아 각각 알맞은 기호를 쓰시오.

보기
ㄱ 듣는 목적을 생각한다.
ㄴ 아는 내용이나 경험을 떠올린다.
ㄷ 들은 내용을 어떻게 할지 생각한다.

(1) 나에게 필요한 내용을 써 놔야겠어.
( )

(2) 작년 이맘때는 봄이었는데도 추웠던 것 같아. ( )

(3) 일요일에 춘천으로 나들이 가도 좋은 날씨인지 확인하며 들어야겠어. ( )

2~4 글을 읽고, 물음에 답하시오.

🔊 나들이를 준비하며 일기 예보 듣기

일기 예보

안녕하십니까? 날씨 정보입니다. 저는 지금 봄꽃이 가득한 공원에 나와 있습니다. 날씨가 따뜻해지면서 공원에는 나들이를 나온 시민들이 많아졌습니다. 활짝 핀 벚꽃이 성큼 찾아온 봄을 느끼게 해 줍니다. 오늘 하루는 전국적으로 맑은 날씨가 되겠습니다. 서울, 춘천은 19도, 강릉, 청주, 전주 등은 20도까지 낮 기온이 올라가겠습니다. 일요일에도 산책하기 좋은 날씨가 되겠습니다. 서울, 춘천은 20도, 청주와 진주 등은 21도의 따뜻한 날씨가 예상됩니다. 하지만 아침저녁으로는 5도에서 6도의 쌀쌀한 날씨가 예상됩니다. 일교차가 크니 감기에 걸리지 않도록 조심하세요.

📖 교과서 문제

2 일기 예보를 듣고 얻을 수 있는 정보는 무엇입니까?

( )

역량

3 다음은 일기 예보를 듣고 쓴 내용입니다. ①~④ 중 잘못 쓴 부분을 찾아 번호를 쓰시오.

일기 예보
• 오늘 날씨:
① 전국적으로 맑음.

• 일요일 날씨:
② 산책하기 좋은 날씨
③ 춘천 낮 기온 10도
④ 아침저녁으로 기온 차가 큼.
➡ • 나들이 가능
• 따뜻한 옷 필요

( )

핵심

4 3번 문제에서 일기 예보를 듣고 간추린 방법을 알맞게 말한 것을 두 가지 찾아 기호를 쓰시오.

ㄱ 중요한 낱말만 썼어.
ㄴ 나들이 갈 때 필요한 준비물도 썼어.
ㄷ 일기 예보에서 알려 준 날씨 정보를 모두 다 썼어.

( )

📖 교과서 문제

5 다음은 자료를 읽거나 듣고 난 뒤에 어떻게 정리한 것인지 알맞은 것을 찾아 ○표를 하시오.

오전 9시 ┼ 박물관에 도착함.
오전 11시 ┼ 화석 만들기 체험을 함.
오후 1시 ┼ 도시락을 먹음.
오후 2시 ┼ 동물원에 도착함.

(1) 도형을 그려 정리하기 ( )
(2) 수직선에 내용 정리하기 ( )

◀: 중심 문장을 찾으며 읽기

동물이 내는 소리

문희숙

❶ 동물들이 소리를 내는 방식은 다양합니다. ♥성대를 이용하여 소리를 내는 동물도 있고 다른 ♥부위를 이용하는 동물도 있습니다.

(중심 내용) 동물들이 소리를 내는 방식은 다양하다.

❷ 개나 닭은 사람과 같이 성대를 울려 소리를 내지만 다양한 소리를 내지는 못합니다. 왜냐하면 성대나 입과 혀의 생김새가 사람과 다르기 때문입니다. 그래서 몇 가지 소리만 낼 수 있습니다. 동물들은 대개 <u>서로를 부르거나 위협하기 위해서</u> 소리를 냅니다.
동물들이 소리를 내는 까닭

(중심 내용) 개나 닭은 사람과 같이 성대를 울려 소리를 내지만 다양한 소리를 내지는 못한다.

❸ 매미는 발음근으로 소리를 냅니다. 매미는 수컷만 소리를 낼 수 있고, 암컷은 소리를 내지 못합니다. 매미의 배에 있는 발음막, 발음근, 공기주머니는

매미가 소리를 내게 도와줍니다. 그런데 암컷은 발음근이 발달되어 있지 않고 발음막이 없어서 소리를 낼 수 없답니다. 수컷은 발음근을 당겨서 발음막을 움푹 들어가게 한 다음 '딸깍' 하고 소리를 냅니다. 이 소리가 커지고 반복되면 '찌이이' 하고 소리가 납니다.

(중심 내용) 매미는 발음근으로 소리를 낸다.

수컷 매미의 배덮개 안쪽에 브이(V) 자 모양의 발음근이 있어요.
　수컷　　　암컷
◀ 매미 ▶

• **글의 종류**: 설명하는 글
• **글의 특징**: 동물들이 소리를 내는 다양한 방식을 설명하고 있습니다.

♥성대(聲 소리 성, 帶 띠 대) 후두(喉頭)의 중앙부에 있는 소리를 내는 기관.
♥부위 전체에 대하여 어떤 특정한 부분이 차지하는 위치.
　⑩ 다친 부위를 소독해야 한다.

📖 교과서 문제

1 사람은 어떻게 소리를 내는지 쓰시오.
(　　　　　　　　　)

📖 교과서 문제

2 개나 닭이 다양한 소리를 내지 못하는 까닭은 무엇입니까? (　)
① 암컷만 소리를 내기 때문에
② 발음근으로 소리를 내기 때문에
③ 성대를 울려 소리를 내기 때문에
④ 서로를 부르거나 위협할 때에만 소리를 내기 때문에
⑤ 성대나 입과 혀의 생김새가 사람과 다르기 때문에

3 매미가 소리를 내게 도와주는 것을 <u>세 가지</u> 쓰시오.
(　　　　　　　　　　　　)

📖 교과서 문제

4 다음 문장이 각 문단의 중심 문장이면 ○표, 뒷받침 문장이면 △표를 하시오.

❶ 문단	(1) 동물들이 소리를 내는 방식은 다양합니다. 　(　)
❷ 문단	(2) 그래서 몇 가지 소리만 낼 수 있습니다. 　(　)
❸ 문단	(3) 매미는 발음근으로 소리를 냅니다. 　(　)

❹ 물고기는 몸속에 있는 부레로 여러 가지 소리를 냅니다. 부레 안쪽 근육을 수축하거나 부레의 얇은 막을 ♥진동해 소리를 낼 수 있습니다. 물고기가 조용하다고 느끼는 이유는 우리가 들을 수 없는 높 5 낮이로 소리를 내기 때문입니다.

중심 내용 물고기는 몸속에 있는 부레로 여러 가지 소리를 낸다.

부레

❺ 이와 같이 동물들은 성대나 발음근, 부레를 이용해 소리를 냅니다. 그 밖에도 날개를 비비거나 꼬리를 흔들어 소리를 내는 동물들도 있습니다. 이렇게 동물들은 저마다 다른 방법으로 소리를 낼 수 있습니다.

중심 내용 동물들은 저마다 다른 방법으로 소리를 낼 수 있다.

♥진동(振 떨칠 진, 動 움직일 동)해 흔들려 움직여.

교과서 핵심 ◦중심 문장을 연결해 글의 내용 간추리기

처음	❶ 동물들이 소리를 내는 방식은 다양합니다.
가운데	❷ 개나 닭은 사람과 같이 성대를 울려 소리를 내지만 다양한 소리를 내지는 못합니다.
	❸ 매미는 발음근으로 소리를 냅니다.
	❹ 물고기는 몸속에 있는 부레로 여러 가지 소리를 냅니다.
끝	❺ 동물들은 저마다 다른 방법으로 소리를 낼 수 있습니다.

5 📖 교과서 문제

우리가 물고기가 내는 소리를 들을 수 없는 까닭을 쓰시오.

( )

6 📖 교과서 문제

다음 중 ❹ 문단의 뒷받침 문장을 <u>모두</u> 찾아 기호를 쓰시오.

> ㉠ 물고기는 몸속에 있는 부레로 여러 가지 소리를 냅니다.
> ㉡ 부레 안쪽 근육을 수축하거나 부레의 얇은 막을 진동해 소리를 낼 수 있습니다.
> ㉢ 물고기가 조용하다고 느끼는 이유는 우리가 들을 수 없는 높낮이로 소리를 내기 때문입니다.

( )

서술형

7 ❺ 문단의 중심 문장을 찾아 쓰시오.

_____

_____

핵심

8 이 글의 내용을 간추리는 방법으로 알맞은 것을 세 가지 고르시오. (, ,)

① 자신의 생각을 덧붙인다.
② 뒷받침 문장을 연결한다.
③ 문단의 중심 문장을 찾는다.
④ 문장을 이어 주는 말을 생각한다.
⑤ 중심 문장을 연결해 전체 글의 내용을 간추린다.

나무 그늘을 산 총각

◀ 이야기의 흐름을 생각하며 읽기

· 글: 권규헌 · 그림: 김예린

❶ 옛날 어느 마을에 커다란 느티나무가 있었어요. 동네 사람이 모두 쉬어 갈 만큼 큰 나무였지요. 느티나무 앞에는 ♥기와집이 한 채 있었어요. 욕심쟁이 부자의 집이었지요. 부자는 느티나무 그늘에서 낮잠 자는 걸 무척 좋아했어요.

어느 더운 여름날이었어요.

"어휴, 덥다. 그늘에서 잠깐 쉬어 갈까?"

총각이 뜨거운 볕을 피해 나무 그늘로 들어섰어요.

"드르렁, 드르렁, 푸!"

나무 그늘에는 부자가 코를 골며 자고 있었지요. 잠깐 쉬어 가려던 총각도 그만 잠이 들고 말았어요.

얼마 뒤, 욕심쟁이 부자가 깨어났어요. 부자는 총각을 보자 버럭버럭 소리를 질렀어요.

"너 이놈, ♥허락도 없이 남의 나무 그늘에서 잠을 자다니!"

총각이 ♥부스스 눈을 뜨며 물었어요.

"나무 그늘에 무슨 주인이 있다고 그러세요?"

"이건 우리 할아버지의 할아버지가 심은 나무야. 그러니 그늘도 당연히 내 것이지!"

부자 영감의 말에 총각은 기가 딱 막혔어요.

'이런 욕심쟁이 영감, 어디 한번 당해 봐라!'

총각은 욕심쟁이 부자를 혼내 주기로 했어요.

· **글의 종류**: 이야기 글
· **글의 특징**: 이웃과 함께 나누는 삶을 살아야 한다는 교훈이 나타나 있습니다.

♥**기와집** 지붕을 기와로 덮은 집.

♥**허락**(許 허락할 **허**, 諾 허락할 **락**) 청하는 일을 하도록 들어줌.
ⓔ 숙제를 하고 나면 친구들과 놀아도 좋다는 허락을 받았다.

♥**부스스** 누웠거나 앉았다가 느리게 슬그머니 일어나는 모양.
ⓔ 잠자리에서 부스스 일어났다.

---

1 이 글의 종류는 무엇입니까? ( )

① 광고
② 신문 기사
③ 이야기 글
④ 설명하는 글
⑤ 주장하는 글

2 다음 중 글 ❶의 시간적 배경을 알 수 있는 말은 어느 것입니까? ( )

① 기와집
② 느티나무
③ 나무 그늘
④ 어느 마을
⑤ 어느 더운 여름날

3 욕심쟁이 영감이 총각에게 소리를 지른 까닭은 무엇입니까? ( )

① 총각이 느티나무를 베어서
② 총각이 욕심쟁이 영감에게 화를 내서
③ 욕심쟁이 영감이 자는데 총각이 깨워서
④ 총각이 욕심쟁이 영감의 집에 들어와서
⑤ 총각이 욕심쟁이 영감의 허락도 없이 나무 그늘에서 잠을 자서

4 욕심쟁이 영감은 나무 그늘의 주인이 누구라고 했습니까? ( )

① 총각
② 동네 사람들
③ 욕심쟁이 영감
④ 욕심쟁이 영감의 할아버지
⑤ 욕심쟁이 영감의 할아버지의 할아버지

"영감님, 저한테 이 나무 그늘을 파는 건 어때요?"

부자는 귀가 ♥솔깃했어요.

'아니, 이런 멍청한 녀석을 봤나?'

부자는 억지로 웃음을 참으며 말했어요.

5 "흠, 자네가 원한다면 할 수 없지. 대신 나중에 무르자고 하면 절대로 안 되네!"

부자는 못 이기는 척 나무 그늘을 팔았답니다.

총각은 열 냥을 주고 나무 그늘을 샀어요.

중심 내용 어느 더운 여름날, 총각이 욕심쟁이 영감을 혼내 주기 위해서 열 냥을 주고 욕심쟁이 영감에게 나무 그늘을 샀다.

❷ "영감님, 제 나무 그늘에서 나가 주시지요."

10 "허허, 그러지. 이제 자네 것이니까."

부자는 콧노래를 부르며 집으로 돌아갔어요. 총각은 나무 그늘에 벌렁 드러누웠어요. 그리고 해님을 보며 빙긋이 웃었지요. 시간이 지나자 나무 그늘은 점점 부자 영감의 집 쪽으로 옮겨 갔어요.

15 마침내 나무 그늘은 부자 영감의 집 마당까지 길어졌지요.

'슬슬 시작해 볼까?'

총각은 성큼성큼 부자 영감의 집 안으로 들어갔어요.

20 "아니, 남의 집엔 왜 들어오는 거냐?"

부자 영감은 담뱃대를 휘둘렀어요. 총각은 나무 그늘에 서서 말했어요.

"하하하, 영감님, 여기는 제 그늘인걸요."

마당까지 들어온 그늘을 보고 부자 영감은 아무 말도 할 수 없었지요.

5 총각은 부자의 마당에서 뒹굴뒹굴 신이 났어요.

"역시 비싼 나무 그늘이라 시원하군!"

마당을 빼앗긴 부자는 그늘을 피해 다니며 부글부글 속을 끓였지요. 시간이 지날수록 나무 그늘은 점점 더 길어져 안방까지 들어갔어요.

10 총각은 그늘을 따라 안방으로 들어갔어요.

중심 내용 그날 오후, 총각은 그늘을 따라 욕심쟁이 영감의 집 마당과 안방으로 들어갔다.

♥솔깃했어요 그럴듯해 보여 마음이 쏠리는 데가 있었어요.
에 친구의 말에 귀가 솔깃했어요.

교과서 핵심 ◦글을 읽고 중요한 사건을 정리하기 ①

시간	어느 더운 여름날	시간	그날 오후
장소	욕심쟁이 영감의 집 앞 느티나무 그늘	장소	욕심쟁이 영감의 집 마당과 안방
사건	총각이 욕심쟁이 영감에게 나무 그늘을 삼.	사건	총각은 그늘을 따라 욕심쟁이 영감의 집 마당과 안방으로 들어감.

📖 교과서 문제

5 총각이 나무 그늘을 산 까닭을 쓰시오.

_____

_____

6 글 ❷에서 욕심쟁이 영감의 기분 변화로 알맞은 것은 어느 것입니까? (　　)

① 두렵다. → 재미있다.
② 귀찮다. → 화가 난다.
③ 즐겁다. → 화가 난다.
④ 곤란하다. → 실망스럽다.
⑤ 심심하다. → 실망스럽다.

📖 교과서 문제

7 글 ❶과 ❷에서 장소가 어떻게 변했는지 빈칸에 알맞은 말을 쓰시오.

욕심쟁이 영감의 집 앞 (1)(　　　　　　)

↓

욕심쟁이 영감의 (2)(　　　　　　)

서술형

8 글 ❷의 중요한 사건을 정리하여 쓰시오.

_____

_____

❸ 부잣집 식구들이 깜짝 놀라 소리쳤어요.

"아니, 여기가 어디라고 함부로 들어오는 거예요?"

"제가 영감님께 이 나무 그늘을 샀답니다."

식구들은 총각의 말을 듣고 어이가 없었어요.

5 "아이고, 영감. 어쩌자고 그늘을 팔아요?"

"아버지, 얼른 돈을 돌려주고 저 사람을 내쫓아요!"

식구들이 부자 영감을 ♥달달 볶았어요.

"조금만 참아 봐. 저 녀석도 곧 집에 가겠지."

부자는 식구들을 달랬어요. 돈을 돌려주기는 싫

10 었거든요.

"아함! 잘 잤다!"

저녁이 되어 그늘이 사라지자 총각은 집으로 돌

아갔어요.

"허허, 그것 보라니까. 별수 없이 집으로 가잖아.

15 저 멍청한 녀석 덕분에 열 냥이나 벌었다니까!"

중심 내용 그날 저녁, 그늘이 사라지자 총각이 집으로 돌아갔다.

❹ 그런데 다음 날도 그다음 날도 총각은 매일매일
부잣집을 드나들었어요.

"당장 돈을 돌려주세요!"

식구들은 팔딱팔딱 뛰었어요. 부자도 더 이상은
참을 수가 없었지요.   5

"여보게, 그늘을 다시 나에게 팔게. 내가 열 냥
에다 열 냥을 더 보태 주겠네."

"이렇게 좋은 그늘을 겨우 스무 냥에 팔라고요?"

총각은 눈도 깜짝하지 않았어요.

♥달달 남을 몹시 못살게 구는 모양.
예 동생은 장난감을 사 달라고 엄마를 달달 들볶았다.

교과서 핵심 ○ 글을 읽고 중요한 사건을 정리하기 ②

시간	그날 저녁
장소	욕심쟁이 영감의 집
사건	그늘이 사라지자 총각이 집으로 돌아감.

9 총각이 언제 집으로 돌아갔는지 쓰시오.

(   )

10 욕심쟁이 영감은 총각에게 나무 그늘을 얼마
에 다시 팔라고 했습니까? (   )

① 열 냥
② 만 냥
③ 스무 냥
④ 서른 냥
⑤ 마흔 냥

11 이 글을 읽고 총각에 대한 생각이나 느낌을
알맞게 말한 사람을 쓰시오.

진희: 남의 집에 함부로 들어가는 것을 보니
무례한 것 같아.
도우: 욕심쟁이 영감을 혼내 주는 모습을 보
니 지혜로운 것 같아.
은주: 나무 그늘을 샀다는 것을 보니 욕심이
많은 사람인 것 같아.

(   )

12 다음 사건이 일어난 장소를 찾아 선으로 이으
시오.

총각이 집으로 돌아감.	•	•㉠	마을 쉼터
		•㉡	욕심쟁이 영감의 집

총각은 동네 사람들을 그늘로 불렀어요. 욕심쟁이 부자를 곯려 주는 일이니 모두 신이 나서 달려왔지요. 부자 영감의 집은 날마다 사람들로 ♥북적거렸어요.

5 "이보게, 제발 이 그늘을 다시 팔게!"

부자 영감은 사정사정했어요.

"그늘을 사고 싶으면 만 냥을 내십시오."

"뭐라고? 마, 만 냥?"

부자 영감은 눈알이 튀어나올 것 같았지요.

10 "그렇게 욕심을 부리더니, ♥꼴좋다!"

사람들은 입을 모아 부자 영감을 놀렸어요. 부자 영감은 부끄러워서 얼굴을 들 수가 없었지요. 결국 욕심쟁이 영감은 짐을 꾸려 마을을 떠나고 말았어요. 총각은 기와집과 나무 그늘을 큰 쉼터로 만들었어요. 쉼터는 누구나 마음 놓고 쉬어 가는 곳 5 이 되었답니다.

중심 내용 다음 날 이후, 총각이 동네 사람들을 그늘로 부르자 욕심쟁이 영감이 마을을 떠났다.

♥**북적거렸어요** 많은 사람이 한곳에 모여 매우 수선스럽게 자꾸 들끓었어요. 예 공항에 여행객이 북적거렸어요.

♥**꼴좋다** 나쁘거나 싫은 것을 보고 빈정거리는 말. 예 잘난 척하더니 꼴좋다!

교과서 핵심 ● 글을 읽고 중요한 사건을 정리하기 ③

시간	다음 날 이후
장소	욕심쟁이 영감의 집과 느티나무 그늘
사건	총각이 동네 사람들을 그늘로 부르자 욕심쟁이 영감이 마을을 떠남.

📖 교과서 문제

13 욕심쟁이 영감이 떠나자 총각은 나무 그늘을 어떻게 했는지 쓰시오.

_____

_____

핵심

14 이 글 전체에서 중요한 사건을 정리하여 순서대로 기호를 쓰시오.

> ㉠ 그늘이 사라지자 총각이 집으로 돌아감.
> ㉡ 총각이 욕심쟁이 영감에게 나무 그늘을 삼.
> ㉢ 총각은 그늘을 따라 욕심쟁이 영감의 집 마당과 안방으로 들어감.
> ㉣ 총각이 동네 사람들을 그늘로 부르자 욕심쟁이 영감이 마을을 떠남.

( )→( )→( )→( )

15 이 이야기의 주제는 무엇입니까? ( )

① 돈을 아껴 쓰자.
② 나무를 많이 심자.
③ 거짓말을 하지 말자.
④ 가족과 화목하게 지내자.
⑤ 이웃과 함께 나누는 삶을 살자.

16 이야기의 흐름에 따라 내용을 간추릴 때 생각할 점을 세 가지 고르시오. (, ,)

① 사건의 전개
② 장소의 변화
③ 시간의 흐름
④ 등장인물의 수
⑤ 글쓴이의 주장

실천

◀ 해결 방안을
생각하며 읽기

에너지를 ♥절약하자

❶ 우리는 생활을 편하고 ♥넉넉하게 하려고 많은 에너지 자원을 사용하고 있다. 음식을 만들거나 집을 따뜻하게 하거나 불을 밝히려고 가스나 전기를 쓴다. 또 자동차를 타고 다니려면 석유가 필요하며 공장에서 생활에 필요한 물건을 만들 때에도 전기를 사용한다.

중심 내용 우리는 많은 에너지 자원을 사용하고 있다.

❷ 석탄, 석유, 가스, 전기 같은 에너지 자원은 한없이 있는 것이 아니다. 다 쓰고 나면 더는 에너지 자원을 구할 수 없게 된다. 특히 석유는 우리나라에서는 나지 않아 외국에서 수입해 오고 있다. 이처럼 중요한 에너지를 어떻게 절약해야 할까?

중심 내용 에너지 자원은 한없이 있는 것이 아니므로 에너지를 절약해야 한다.

❸ 에너지를 절약하는 것은 그리 어렵지 않다. 관심을 가지고 내가 할 수 있는 작은 일부터 실천하면 된다.

- **글의 종류**: 주장하는 글
- **글의 특징**: 에너지 절약을 주장하는 글로, 문제점과 해결 방안, 실천 방법으로 이루어져 있습니다.

♥절약(節 마디 절, 約 맺을 약) 함부로 쓰지 아니하고 꼭 필요한 데에만 써서 아낌.
예 할머니는 절약이 몸에 배었다.

♥넉넉하게 살림살이가 모자라지 않고 여유가 있게.
예 인류가 이룩한 문명은 인간의 생활을 넉넉하게 해 주었다.

📖 교과서 문제

1 에너지 자원에는 어떤 것이 있는지 쓰시오.

(   )

2 에너지를 절약해야 하는 까닭은 무엇입니까?

(   )

① 생활을 편하게 하려고
② 지구에 매장된 자원이 많기 때문에
③ 에너지를 외국에 수출해야 하기 때문에
④ 에너지를 새로 만드는 데 시간이 오래 걸리기 때문에
⑤ 에너지 자원은 한없이 있는 것이 아니라 다 쓰고 나면 더는 구할 수 없기 때문에

3 이 글에서 제기한 문제점을 찾아 기호를 쓰시오.

> ㉠ 에너지 절약은 어려운 일이다.
> ㉡ 우리는 너무 편한 생활을 하고 있다.
> ㉢ 지구의 에너지 자원은 한없이 있는 것이 아니라 다 쓰고 나면 더는 에너지 자원을 구할 수 없게 된다.

(   )

4 이 글 다음에 나올 내용으로 알맞은 것을 두 가지 고르시오.   (,   )

① 문제점 제기
② 글쓴이 소개
③ 글쓴이의 느낌
④ 문제점에 대한 해결 방안
⑤ 문제점을 해결하기 위한 실천 방법

우리가 에너지를 절약하는 방법은 두 가지로 나눌 수 있다. 먼저, 에너지를 불필요하게 사용하지 않는 것이다. 쓰지 않는 꽂개는 반드시 뽑아 놓고, 빈방에 켜 놓은 전깃불은 끈다. 그리고 뜨거운 음
5 식은 식힌 뒤에 냉장고에 넣는다.

중심 내용 에너지를 절약하는 첫 번째 방법은 에너지를 불필요하게 사용하지 않는 것이다.

❹ 다음은, 에너지 사용을 줄이는 것이다. 가전제품은 에너지 효율이 높은 것을 쓰고, 조명 기구는 전기가 적게 드는 제품을 사용한다.
10 한여름에는 냉방기를 적게 쓰고 겨울에도 ♥난방 기구를 덜 쓰도록 노력해야 한다.

중심 내용 에너지를 절약하는 두 번째 방법은 에너지 사용을 줄이는 것이다.

▲ 전자 제품의 에너지 소비 효율 등급

❺ 지금까지 에너지 절약 방법을 알아보았다. 에너지 절약은 말로 하는 것이 아니다. 생활 속에서 바로 실천해야 한다.

중심 내용 에너지 절약은 생활 속에서 바로 실천해야 한다.

♥난방 실내의 온도를 높여 따뜻하게 하는 일.

교과서 핵심 ● 글을 읽고 중요한 내용을 간추리기

문제점	
지구의 에너지 자원은 한없이 있는 것이 아니라 다 쓰고 나면 더는 에너지 자원을 구할 수 없게 된다.	
해결 방안 1	해결 방안 2
에너지를 불필요하게 사용하지 않는다.	에너지 사용을 줄인다.
실천 방법	실천 방법
• 쓰지 않는 꽂개는 반드시 뽑아 놓고, 빈방에 켜 놓은 전깃불은 끈다. • 뜨거운 음식은 식힌 뒤에 냉장고에 넣는다.	• 가전제품은 에너지 효율이 높은 것을 쓰고, 조명 기구도 전기가 적게 드는 제품을 사용한다. • 한여름에는 냉방기를 적게 쓰고 겨울에도 난방 기구를 덜 쓰도록 노력한다.

📖 교과서 문제

5 이 글에서 제안한, 문제점에 대한 해결 방안을 두 가지 쓰시오.

- _____
- _____

핵심

6 이 글을 간추리는 방법을 알맞게 말하지 못한 사람을 쓰시오.

혜진: 설명하는 글이라는 점을 생각해야 해.
민수: 문단의 중심 문장이나 중심 내용을 찾아봐야 해.
은정: 글의 내용이 어떻게 전개되는지 살펴보는 것도 필요해.

(   )

역량 서술형

7 다음은 이 글의 전체 내용을 간추린 것입니다. 빈칸에 들어갈 알맞은 말을 쓰시오.

우리 생활을 편하고 넉넉하게 하려고 쓰는 석탄, 석유, 가스, 전기 같은 에너지 자원은 한없이 있는 것이 아니다. 이러한 자원을 다 쓰고 나면 더는 에너지 자원을 구할 수 없게 된다. 따라서 우리는 에너지를 절약해야 한다. 집에서 에너지 절약을 실천하는 방법은 쓰지 않는 꽂개 뽑아 놓기, 빈방에 켜 놓은 전깃불 끄기, 뜨거운 음식은 식힌 뒤에 냉장고에 넣기, 에너지 효율이 높은 가전제품 쓰기, 전기가 적게 드는 조명 기구 사용하기, 냉방기와 난방 기구 사용 줄이기 등이다.

국어 활동

기본 · 40~41 쪽 **글의 내용을 간추리는 방법 알기**

옛날과 오늘날의 우비
_{비를 가리는 데 사용하는 물건을 통틀어 이르는 말}

❶ 비가 올 때 사용하는 <u>도구</u>에는 어떤 것이 있을까? 옛날 사람들은
_{일을 할 때 쓰는 연장을 통틀어 이르는 말}
비가 올 때면 삿갓이나 도롱이를 사용했다. 삿갓은 대오리나 갈대
_{대나무를 가늘고 길게 쪼개어 깎은 조각}
로 거칠게 엮어 만든 모자이다. 반면 도롱이는 짚이나 띠 같은 풀을
두껍게 엮어 만든 망토이다. 삿갓과 도롱이를 함께 쓰면 비를 맞지
5 않고 양손을 자유롭게 움직일 수 있다. 그래서 농부들은 삿갓과 도
롱이를 많이 활용했다.

❷ 오늘날 사람들은 천이나 비닐로 만든 가벼운 우산을 쓴다. 처음
에 우산은 갈색이나 검은색 비단에 쇠살을 붙인 모습이었다. 그런
데 비단에 쇠살을 붙인 우산은 비에 젖으면 무거웠다. 그래서 비에
10 잘 젖지 않는 천과 가벼운 소재로 우산을 만들었다. 요즘에는 자동
식 우산이나 접이식 우산도 있다.

▲ 삿갓　　　　▲ 도롱이　　　　▲ 자동식 우산

1 각 문단의 중심 문장을 찾아
밑줄을 그으시오.

2 이 글의 내용을 간추리는 방법
으로 알맞은 것을 <u>모두</u> 찾아
○표를 하시오.
(1) 각 문단의 내용을 파악한
다.　　　　　（　　）
(2) 문단의 마지막 문장을 찾
는다.　　　　（　　）
(3) 각 문단의 중심 내용을
바탕으로 글 전체의 내용
을 간추린다.　（　　）

기본 · 42~45 쪽 **이야기의 흐름에 따라 내용 간추리기**

꽃신
윤아해

㉮ 눈보라가 몰아치는 추운 겨울날이었어.

꼬마 아가씨는 가마를 타고 외가에 가는 길이었지. / '아직 멀었나?'

가마 밖을 **빼꼼히** 내다보는데 거지 소년이 보였어.

15 거지 소년은 맨발로 눈밭 위에 선 채 오들오들 떨고 있었어.

"잠시 가마를 세워 주세요."

꼬마 아가씨는 가마에서 내렸어. / 절뚝절뚝.

아가씨는 오른쪽 다리를 절며 거지 소년에게 걸어가 꽃신을 벗어

주었어.

20 "이걸 저에게 주시면 아가씨는요?" / "나는 가마를 타고 가면 돼요."

꼬마 아가씨는 생긋 웃으며 가마에 올라탔어.

거지 소년은 꽃신을 받아 들고 가마가 사라질 때까지 바라보았지.

3 꼬마 아가씨는 거지 소년에게
무엇을 주었습니까? （　　）
① 돈
② 음식
③ 가마
④ 꽃신
⑤ 장갑

4 거지 소년은 꼬마 아가씨에게
어떤 마음이 들었을지 쓰시오.
（　　　　　　　　　）

이른 봄날이었어.

삐꺼덕! / 거지 소년이 갓바치네 대문을 조심스레 열었어.
예전에, 가죽신을 만드는 일을 직업으로 하던 사람
"갓바치 할아버지, 신발 만드는 법을 배우고 싶어요."

갓바치는 거지 소년을 힐긋 쳐다보았어.

5 "신발은 만들어 무얼 하려고?"

"편안한 신발을 만들어 주고 싶은 사람이 있어서요."

그 말에 갓바치는 대견한 듯 웃었지.

❹ 디딤이는 갓바치를 쫓아다니며 열심히 신발 만드는 법을 배웠어.
거지 소년의 이름
구름무늬 운혜, 당초무늬 당혜, 꽃무늬를 수놓아 수혜를 만들고,
덩굴무늬. 여러가지 덩굴이 꼬이며 벋어 나가는 모양의 무늬
10 기름 먹이고 징을 박아 비 올 때 신는 징신도 만들었어.

또 노인들이 신기에 편한 발막신이랑 남자들이 신는 태사혜도 만
예전에, 흔히 잘사는 집의 노인이 신던 마른신   남자들이 신는 마른신으로, 비단이나 가죽으로
들었지.   만들고 뒤축 부분에 흰 줄무늬를 새김.

한 해 두 해 지나, 십 년이 흘렀어.

디딤이는 어느덧 주위에서 인정받는 갓바치가 되었지.

15 ❺ "꽃님아, 이리 나와 보렴." / 절뚝절뚝.

곱고 단아한 아가씨가 오른쪽 다리를 절며 걸어 나왔어.

디딤이는 아가씨가 누구인지 한눈에 알아볼 수 있었지.

"누군가를 사랑하시는군요. 사랑하는 사람을 생각하면 가벼워졌
다가 자신을 생각하면 다시 무거워지는 걸음이십니다."

20 디딤이의 말에 아가씨 얼굴이 빨개졌어.

"한 달 뒤에 혼례식이 있어요. 그날만이라도 다리를 절뚝거리지
않고 똑바로 걸을 수 있으면 좋겠어요."

디딤이는 빙그레 웃었어.

"제가 아가씨를 위해 편안하고 예쁜 신을 지어 드리겠습니다. 걱
25 정 말고 기다려 주세요."

디딤이는 흠이 없는 매끄러운 가죽 천과 단단한 통가죽을 구했어.

빛깔이 곱고 부드러운 비단도 구했지. 비단에는 아름다운 꽃을 수
놓았어.

광목과 모시에 쌀풀을 먹여 가을볕에 말리고 새벽이슬에 적셔 하
30 루, 이틀, 사흘, 나흘, 팽팽하고 빳빳한 배악비를 만들었지.

가죽 위에 비단을 붙이고 울타리를 한 땀 한 땀 정성스레 꿰맸어.
신발의 가장자리 둘레
콧날이 오똑 서게 좌우를 맞춘 뒤 방망이로 두드려 신 모양을 잡았지.
신발의 앞쪽에 사람의 콧날처럼 오똑 솟게 만든 부분
그러고는 오른쪽 신발 안에 티 나지 않게 굽을 만들어 넣었어.

꽃신은 아가씨처럼 곱고 아름다웠어.

5 글 ㉮에서 시간적 배경이 어떻게 변하였는지 쓰시오.

(   ) → (   )

6 디딤이는 무엇을 배웠습니까?

(   )

① 글 읽는 법
② 인사하는 법
③ 문 만드는 법
④ 옷 만드는 법
⑤ 신발 만드는 법

7 이 글에서 일어난 일을 정리하여 빈칸에 알맞은 말을 쓰시오.

추운 겨울날 아가씨가 디딤이에게 꽃신을 벗어 주었다.
↓
(1)
↓
디딤이가 사람들에게 신발을 만들어 주었다.
↓
(2)
↓
디딤이가 아가씨에게 꽃신을 만들어 주었다.

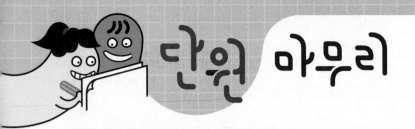

단원 마무리

준비

≫ 들은 내용 간추리기

1. 듣는 ❶ ☐☐ 을/를 생각합니다.
2. 아는 내용이나 경험을 떠올립니다.
3. 들은 내용을 어떻게 할지 생각합니다.

예 「일기 예보」를 듣고 간추려 쓰기

일기 예보

• 오늘 날씨: 전국적으로 맑음.

• 일요일 날씨 – 산책하기 좋은 날씨
  – 춘천 낮 기온 20도
  – 아침저녁으로 기온 차가 큼.
  ➡ • 나들이 가능
     • 따뜻한 옷 필요

• ❷ ☐☐☐ 낱말만 씁니다.
• 일기 예보에서 알려 준 중요한 날씨 정보를 씁니다.
• 나들이 갈 때 필요한 준비물도 씁니다.

기본

≫ 글의 내용을 간추리는 방법 알기

예 「동물이 내는 소리」를 읽고 중심 문장을 연결해 간추려 보기

	문단	중심 문장
처음	❶	동물들이 소리를 내는 방식은 다양합니다.
가운데	❷	개나 닭은 사람과 같이 ❸ ☐☐ 을/를 울려 소리를 내지만 다양한 소리를 내지는 못합니다.
	❸	매미는 ❹ ☐☐☐ (으)로 소리를 냅니다.
	❹	물고기는 몸속에 있는 ❺ ☐☐ (으)로 여러 가지 소리를 냅니다.
끝	❺	동물들은 저마다 다른 방법으로 소리를 낼 수 있습니다.

⬇

동물들이 소리를 내는 방식은 다양합니다. 개나 닭은 사람과 같이 성대를 울려 소리를 내지만 다양한 소리를 내지는 못합니다. 매미는 발음근으로 소리를 냅니다. 물고기는 몸속에 있는 부레로 여러 가지 소리를 냅니다. 이렇게 동물들은 저마다 다른 방법으로 소리를 낼 수 있습니다.

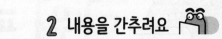
기본 ......

》 이야기의 흐름에 따라 내용 간추리기

㈀ 「나무 그늘을 산 총각」을 읽고 중요한 사건 정리하기

시간	어느 더운 여름날
장소	욕심쟁이 영감의 집 앞 느티나무 그늘
사건	총각이 욕심쟁이 영감에게 나무 그늘을 삼.

➡

시간	그날 오후
장소	욕심쟁이 영감의 집 ❻☐☐과/와 안방
사건	총각은 그늘을 따라 욕심쟁이 영감의 집 마당과 안방으로 들어감.

➡

시간	그날 ❼☐☐
장소	욕심쟁이 영감의 집
사건	그늘이 사라지자 총각이 집으로 돌아감.

➡

시간	다음 날 이후
장소	욕심쟁이 영감의 집과 느티나무 그늘
사건	총각이 동네 사람들을 그늘로 부르자 욕심쟁이 영감이 마을을 떠남.

실천 ......

》 글의 전개에 따라 내용 간추리기

㈀ 「에너지를 절약하자」를 읽고 중요한 내용 간추리기

먼저, 의견을 내세운 글이라는 점을 생각해야 해.

글의 내용이 어떻게 전개되는지 살펴봐야 해.

문단의 중심 문장이나 중심 내용을 찾아봐야 해.

❽☐☐☐
지구의 에너지 자원은 한없이 있는 것이 아니라 다 쓰고 나면 더는 에너지 자원을 구할 수 없게 된다.

해결 방안 1	해결 방안 2
❾☐☐☐을/를 불필요하게 사용하지 않는다.	에너지 사용을 줄인다.
❿☐☐ 방법	실천 방법
• 쓰지 않는 꽂개는 반드시 뽑아 놓고, 빈방에 켜 놓은 전깃불은 끈다. • 뜨거운 음식은 식힌 뒤에 냉장고에 넣는다.	• 가전제품은 에너지 효율이 높은 것을 쓰고, 조명 기구는 전기가 적게 드는 제품을 사용한다. • 한여름에는 냉방기를 적게 쓰고 겨울에도 난방 기구를 덜 쓰도록 노력한다.

1 다음은 우성이가 일기 예보를 들으면서 한 생각입니다. 관련 있는 것에 ○표를 하시오.

> 우성: 작년 이맘때는 봄이었는데도 추웠던 것 같아.

(1) 듣는 목적을 생각한다. ( )
(2) 아는 내용이나 경험을 떠올린다. ( )
(3) 들은 내용을 어떻게 할지 생각한다.
( )

2~3 일기 예보를 읽고, 물음에 답하시오.

> 안녕하십니까? 날씨 정보입니다. 저는 지금 봄 꽃이 가득한 공원에 나와 있습니다. 날씨가 따뜻해지면서 공원에는 나들이를 나온 시민들이 많아졌습니다. 활짝 핀 벚꽃이 성큼 찾아온 봄을 느끼게 해 줍니다. 오늘 하루는 전국적으로 맑은 날씨가 되겠습니다. 서울, 춘천은 19도, 강릉, 청주, 전주 등은 20도까지 낮 기온이 올라가겠습니다. 일요일에도 산책하기 좋은 날씨가 되겠습니다. 서울, 춘천은 20도, 청주와 진주 등은 21도의 따뜻한 날씨가 예상됩니다. 하지만 아침저녁으로는 5도에서 6도의 쌀쌀한 날씨가 예상됩니다. 일교차가 크니 감기에 걸리지 않도록 조심하세요.

2 오늘 날씨는 어떠하다고 했습니까? ( )

① 맑다.　　　　② 흐리다.
③ 비가 온다.　　④ 눈이 내린다.
⑤ 바람이 많이 분다.

중요

3 이 일기 예보를 듣고 일요일에 춘천으로 나들이를 갈 준비를 하기 위해 메모할 내용으로 알맞지 <u>않은</u> 것은 어느 것입니까? ( )

① 우산 필요
② 따뜻한 옷 필요
③ 춘천 낮 기온 20도
④ 산책하기 좋은 날씨
⑤ 아침저녁으로 일교차가 큼.

4 자료를 읽거나 듣고 난 뒤 정리할 때 다음과 같이 정리하는 방법은 무엇인지 빈칸에 알맞은 말을 쓰시오.

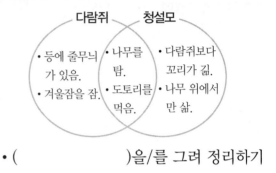

다람쥐　　　청설모

• 등에 줄무늬가 있음.
• 겨울잠을 잠.

• 나무를 탐.
• 도토리를 먹음.

• 다람쥐보다 꼬리가 긺.
• 나무 위에서만 삶.

• ( )을/를 그려 정리하기

5~9 글을 읽고, 물음에 답하시오.

> ❶ ㉠동물들이 소리를 내는 방식은 다양합니다. ㉡성대를 이용하여 소리를 내는 동물도 있고 다른 부위를 이용하는 동물도 있습니다.
> ❷ 개나 닭은 사람과 같이 성대를 울려 소리를 내지만 다양한 소리를 내지는 못합니다. 왜냐하면 성대나 입과 혀의 생김새가 사람과 다르기 때문입니다. 그래서 몇 가지 소리만 낼 수 있습니다. 동물들은 대개 서로를 부르거나 위협하기 위해서 소리를 냅니다.
> ❸ 매미는 발음근으로 소리를 냅니다. 매미는 수컷만 소리를 낼 수 있고, 암컷은 소리를 내지 못합니다. 매미의 배에 있는 발음막, 발음근, 공기주머니는 매미가 소리를 내게 도와줍니다. 그런데 암컷은 발음근이 발달되어 있지 않고 발음막이 없어서 소리를 낼 수 없답니다.

5 이 글에서 설명하는 것은 무엇입니까? ( )

① 동물들이 짝을 찾는 방법
② 동물들이 먹이를 먹는 방법
③ 동물들이 소리를 내는 방식
④ 동물들이 겨울을 나는 방법
⑤ 동물들이 상대를 위협하는 방법

6 다음 중 성대를 울려 소리를 내는 동물을 두 가지 고르시오. (,)

① 닭　　② 개　　③ 매미
④ 잠자리　　⑤ 물고기

7 매미의 암컷이 소리를 내지 못하는 까닭은 무엇입니까? ( )

① 성대가 없어서 ② 부레가 없어서
③ 혀가 없어서 ④ 꼬리가 없어서
⑤ 발음근이 발달되어 있지 않고 발음막이 없어서

8 글 ❶의 ㉠과 ㉡ 중 뒷받침 문장은 무엇입니까?

( )

서술형
9 글 ❸의 중심 문장을 찾아 쓰시오.

_____

_____

10~11 글을 읽고, 물음에 답하시오.

비가 올 때 사용하는 도구에는 어떤 것이 있을까? ㉠옛날 사람들은 비가 올 때면 삿갓이나 도롱이를 사용했다. ㉡삿갓은 대오리나 갈대로 거칠게 엮어 만든 모자이다. ㉢반면 도롱이는 짚이나 띠 같은 풀을 두껍게 엮어 만든 망토이다. ㉣삿갓과 도롱이를 함께 쓰면 비를 맞지 않고 양손을 자유롭게 움직일 수 있다. 그래서 농부들은 삿갓과 도롱이를 많이 활용했다.

국어 활동
10 도롱이를 만드는 재료는 무엇인지 두 가지를 고르시오. (,)

① 짚 ② 띠 ③ 갈대
④ 기와 ⑤ 대오리

국어 활동
11 ㉠~㉣을 중심 문장과 뒷받침 문장으로 구분하여 각각 기호를 쓰시오.

(1) 중심 문장: ( )
(2) 뒷받침 문장: ( )

12~14 글을 읽고, 물음에 답하시오.

㉮ 느티나무 앞에는 기와집이 한 채 있었어요. 욕심쟁이 부자의 집이었지요. 부자는 느티나무 그늘에서 낮잠 자는 걸 무척 좋아했어요.
어느 더운 여름날이었어요.
"어휴, 덥다. 그늘에서 잠깐 쉬어 갈까?"
총각이 뜨거운 볕을 피해 나무 그늘로 들어섰어요.
㉯ 부자는 총각을 보자 버럭버럭 소리를 질렀어요.
"너 이놈, 허락도 없이 남의 나무 그늘에서 잠을 자다니!"
㉰ "영감님, 저한테 이 나무 그늘을 파는 건 어때요?"
부자는 귀가 솔깃했어요.
'아니, 이런 멍청한 녀석을 봤나?'
부자는 억지로 웃음을 참으며 말했어요.
"흠, 자네가 원한다면 할 수 없지. 대신 나중에 무르자고 하면 절대로 안 되네!"
부자는 못 이기는 척 나무 그늘을 팔았답니다.

12 욕심쟁이 영감은 어떤 일을 하는 것을 좋아했습니까? ( )

① 느티나무를 바라보는 것
② 느티나무를 손질하는 것
③ 느티나무에 매달려 노는 것
④ 느티나무 그늘에서 낮잠 자는 것
⑤ 느티나무 아래에서 장기를 두는 것

13 글 ㉮에서 시간을 나타내는 말을 찾아 쓰시오.

( )

중요
14 이 글에서 일어난 중요한 사건을 정리하여 빈칸에 알맞은 말을 쓰시오.

• 총각이 욕심쟁이 영감에게 ( )을/를 샀다.

[15~17] 글을 읽고, 물음에 답하시오.

> 총각은 성큼성큼 부자 영감의 집 안으로 들어 갔어요. / "아니, 남의 집엔 왜 들어오는 거냐?"
>
> 부자 영감은 담뱃대를 휘둘렀어요. 총각은 나 무 그늘에 서서 말했어요.
>
> ㉠"하하하, 영감님, 여기는 제 그늘인걸요."
>
> 마당까지 들어온 그늘을 보고 부자 영감은 아 무 말도 할 수 없었지요.
>
> ㉡총각은 부자의 마당에서 뒹굴뒹굴 신이 났 어요.
>
> ㉢"역시 비싼 나무 그늘이라 시원하군!"
>
> ㉣마당을 빼앗긴 부자는 그늘을 피해 다니며 부글부글 속을 끓였지요. 시간이 지날수록 나무 그늘은 점점 더 길어져 안방까지 들어갔어요.
>
> 총각은 그늘을 따라 안방으로 들어갔어요.
>
> 부잣집 식구들이 깜짝 놀라 소리쳤어요.
>
> "아니, 여기가 어디라고 함부로 들어오는 거예 요?"
>
> "제가 영감님께 이 나무 그늘을 샀답니다."

15 총각이 욕심쟁이 영감의 집 안으로 들어간 까 닭에 ○표를 하시오.

(1) 햇볕을 피하기 위해서 ( )

(2) 욕심쟁이 영감이 들어오라고 해서 ( )

(3) 나무 그늘이 욕심쟁이 영감 집 마당까 지 들어가서 ( )

16 ㉠~㉣ 중 화가 나는 마음이 드러나는 것을 찾아 기호를 쓰시오.

( )

중요

17 욕심쟁이 영감의 안방에서 일어난 중요한 사 건은 무엇입니까? ( )

① 총각이 안방에서 물건을 훔쳤다.

② 욕심쟁이 영감이 담뱃대를 휘둘렀다.

③ 욕심쟁이 영감이 총각에게 돈을 주었다.

④ 욕심쟁이 영감이 총각에게 사과를 했다.

⑤ 총각이 그늘을 따라 안방으로 들어갔다.

[18~20] 글을 읽고, 물음에 답하시오.

> ㉮ 석탄, 석유, 가스, 전기 같은 에너지 자원은 한없이 있는 것이 아니다. 다 쓰고 나면 더는 에 너지 자원을 구할 수 없게 된다. 특히 석유는 우 리나라에서는 나지 않아 외국에서 수입해 오고 있다. 이처럼 중요한 에너지를 어떻게 절약해야 할까?
>
> ㉯ 우리가 에너지를 절약하는 방법은 두 가지로 나눌 수 있다. 먼저, 에너지를 불필요하게 사용 하지 않는 것이다. 쓰지 않는 꽂개는 반드시 뽑 아 놓고, 빈방에 켜 놓은 전깃불은 끈다. 그리고 뜨거운 음식은 식힌 뒤에 냉장고에 넣는다.

서술형

18 이 글에서 제기한 문제점은 무엇인지 정리하 여 쓰시오.

_____

_____

19 이 글의 전개 방식에 알맞게 순서대로 번호를 쓰시오.

(1) 문제점 제시 ( )

(2) 실천 방법 제안 ( )

(3) 해결 방안 제안 ( )

20 이 글을 읽고 에너지 절약을 바르게 실천하지 못한 사람은 누구인지 쓰시오.

> 윤아: 쓰지 않는 꽂개는 뽑아 두었어.
>
> 연우: 뜨거운 음식을 바로 냉장고에 넣었어.
>
> 혜윤: 빈방이나 아무도 없는 화장실에 켜 놓 은 전깃불은 껐어.

( )

서술형 평가

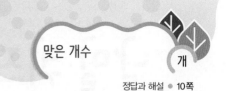

1 글 ❶과 ❷의 중심 문장을 각각 찾아 쓰시오.

> ❶ 물고기는 몸속에 있는 부레로 여러 가지 소리를 냅니다. 부레 안쪽 근육을 수축하거나 부레의 얇은 막을 진동해 소리를 낼 수 있습니다. 물고기가 조용하다고 느끼는 이유는 우리가 들을 수 없는 높낮이로 소리를 내기 때문입니다.
>
> ❷ 이와 같이 동물들은 성대나 발음근, 부레를 이용해 소리를 냅니다. 그 밖에도 날개를 비비거나 꼬리를 흔들어 소리를 내는 동물들도 있습니다. 이렇게 동물들은 저마다 다른 방법으로 소리를 낼 수 있습니다.

글 ❶	(1)
글 ❷	(2)

2~3 글을 읽고, 물음에 답하시오.

> ㉮ "여보게, 그늘을 다시 나에게 팔게. 내가 열 냥에다 열 냥을 더 보태 주겠네."
> "이렇게 좋은 그늘을 겨우 스무 냥에 팔라고요?"
> 총각은 눈도 깜짝하지 않았어요.
> 총각은 동네 사람들을 그늘로 불렀어요. 욕심쟁이 부자를 골려 주는 일이니 모두 신이 나서 달려왔지요. 부자 영감의 집은 날마다 사람들로 북적거렸어요.
> "이보게, 제발 이 그늘을 다시 팔게!"
> 부자 영감은 사정사정했어요.
> "그늘을 사고 싶으면 만 냥을 내십시오."
> ㉯ 결국 욕심쟁이 영감은 짐을 꾸려 마을을 떠나고 말았어요. 총각은 기와집과 나무 그늘을 큰 쉼터로 만들었어요.

2 나무 그늘을 산 총각은 욕심쟁이 영감을 어떻게 혼내 주었는지 쓰시오.

_____

_____

3 이 글에서 일어난 중요한 사건을 한 문장으로 정리하여 쓰시오.

_____

_____

4 다음 글의 내용을 간추려 쓰시오.

> 우리가 에너지를 절약하는 방법은 두 가지로 나눌 수 있다. 먼저, 에너지를 불필요하게 사용하지 않는 것이다. 쓰지 않는 꽂개는 반드시 뽑아 놓고, 빈방에 켜 놓은 전깃불은 끈다. 그리고 뜨거운 음식은 식힌 뒤에 냉장고에 넣는다.
>
> 다음은, 에너지 사용을 줄이는 것이다. 가전제품은 에너지 효율이 높은 것을 쓰고, 조명 기구는 전기가 적게 드는 제품을 사용한다. 한여름에는 냉방기를 적게 쓰고 겨울에도 난방 기구를 덜 쓰도록 노력해야 한다.
>
> 지금까지 에너지 절약 방법을 알아보았다. 에너지 절약은 말로 하는 것이 아니다. 생활 속에서 바로 실천해야 한다.

낱말 퀴즈

● 다음 교과서 문장의 파란색 낱말 중에서 알맞은 것을 골라 인물들이 한 말을 완성하시오.

- 일기 예보를 듣고 어떤 정보를 얻었나요?
- "허락도 없이 남의 나무 그늘에서 잠을 자다니!"
- 마당을 빼앗긴 부자는 그늘을 피해 다니며 부글부글 속을 끓였지요.
- 한여름에는 냉방기를 적게 쓰고 겨울에도 난방 기구를 덜 쓰도록 노력해야 한다.

정답 | ❶ 예보 ❷ 부글부글 ❸ 허락 ❹ 난방

3

느낌을 살려 말해요

무엇을 배울까요?

준비
- 상황에 알맞은 표정, 몸짓, 말투의 효과 알기

기본
- 적절한 표정, 몸짓, 말투를 사용해 말하기
- 듣는 사람을 고려해 상황에 맞게 말하기
- 읽는 사람을 고려해 생각 쓰기

실천
- 자신이 겪은 일을 실감 나게 말하기

1 상황에 알맞은 표정, 몸짓, 말투를 사용하면 좋은 점

① 자신의 생각을 분명하게 전달할 수 있습니다.
② 느낌을 잘 표현할 수 있습니다.
③ 듣는 사람이 잘 알아들을 수 있습니다.

2 표정, 몸짓, 말투를 사용해 말할 때 주의할 점

① 듣는 사람에게 맞아야 합니다.
② 표정, 몸짓, 말투가 서로 어울려야 합니다.
③ 사용하려는 목적을 생각해야 합니다.

> ➡ 듣는 사람을 고려해 상황에 맞게 말하면 좋은 점
> • 듣는 사람이 잘 이해할 수 있습니다.
> • 상대와의 오해가 줄어듭니다.

3 듣는 사람을 고려해 상황에 맞게 말하기

① 듣는 사람은 누구이고, 듣는 사람에게 말할 때 주의할 점은 무엇인지 생각합니다.
② 듣는 사람에게 말할 내용을 정리합니다.
③ 정리한 내용을 듣는 사람에게 맞게 말합니다.

📙 「돈을 왜 만들었을까?」를 읽고 듣는 사람을 고려해 말하는 방법

	동생	친구	여러 사람
말할 내용	사람들이 돈을 만든 까닭		
듣는 사람을 고려해 말하는 방법	알기 쉬운 말로 합니다.	친구가 관심을 보일 만한 내용을 흥미롭게 말해 줍니다.	높임말로 합니다.

④ 듣는 사람과 듣는 상황을 고려했는지, 내용을 말할 때 알맞은 표정, 몸짓, 말투를 사용했는지 확인해 봅니다.

4 읽는 사람을 고려해 생각 쓰기

① 읽는 사람의 나이를 고려해 어휘를 고릅니다.
② 읽는 사람의 처지를 생각합니다.
③ 읽는 사람이 내용을 잘 알고 있는지 생각합니다.
④ 읽는 사람의 기분이 상하지 않도록 예의를 지킵니다.

핵심 확 인 문 제

정답과 해설 ● 10쪽

1 상황에 알맞은 표정, 몸짓, 말투를 사용하면 좋은 점이 <u>아닌</u> 것을 찾아 ×표를 하시오.

(1) 느낌을 잘 표현할 수 있다. ( )

(2) 듣는 사람이 잘 알아들을 수 있다. ( )

(3) 자신의 생각을 분명하게 전달하지 않아도 된다. ( )

2 적절한 표정, 몸짓, 말투로 말할 때에는 □□□□ 에게 맞아야 합니다.

3 동생에게 말할 때에는 높임말로 합니다.

(○ , ×)

4 읽는 사람을 고려해 생각을 쓸 때 고려해야 하는 것을 <u>모두</u> 골라 기호를 쓰시오.

> ㉠ 읽는 사람의 나이
> ㉡ 읽는 사람의 처지
> ㉢ 읽는 사람이 사는 곳

( )

준비 상황에 알맞은 표정, 몸짓, 말투의 효과 알기

정답과 해설 ● 10쪽

📖 교과서 문제

1 그림 ㉮, ㉯의 남자아이가 말하면서 지은 표정을 보고 어떤 상황에서 지은 표정인지 보기 에서 찾아 기호를 쓰시오.

> 이번에도 잘해 보렴.
> 네, 그럴게요.
> 동생과 사이좋게 지내야지.
> 네, 그럴게요.

보기
┌─────────────────────────────┐
│ ㉠ 꾸중을 듣고 뉘우치는 상황 │
│ ㉡ 칭찬을 듣고 힘이 나서 대답하는 상황 │
└─────────────────────────────┘

(1) ㉮: (　　　　)　　(2) ㉯: (　　　　)

📖 교과서 문제

2 다음 그림에서 말하는 사람의 표정은 어떠한지 쓰시오.

> 제○회 학급 회의를 시작하겠습니다.

(　　　　　　　　　　　　　　　　　)

📖 교과서 문제

3 다음 중 바른 자세로 말하는 친구의 이름을 쓰시오.

> 제가 다녀온 박물관에 대해 말씀드리겠습니다.
> ◀ 민수

> 제가 다녀온 박물관에 대해 말씀드리겠습니다.
> ◀ 은정

(　　　　　　　　　　　　　　　　　)

📖 교과서 문제

4 그림 ㉮와 ㉯에서 말하는 사람의 말투를 비교하여 빈칸에 알맞은 말을 쓰시오.

> ㉮ 우승하신 소감 좀 말씀해 주세요.
> 기분이 매우 좋습니다. 운이 좋았던 것 같아요.

> ㉯ 우승하신 소감 좀 말씀해 주세요.
> 당연히 기분 좋죠. 누가 안 좋겠어요.

• 그림 ㉮에서는 (1) (　　　　)하게 기쁨을 표현했고, 그림 ㉯에서는 어색하고 (2) (　　　　) 없게 말했다.

논술형

5 다음 상황에 알맞은 표정이나 몸짓, 말투를 쓰시오.

> 안녕하세요? 기호 ○번 ○○○입니다. 저를 회장으로 뽑아 주시면 우리 반을 위해 열심히 노력하겠습니다.

▲ 회장 선거에 나가서 의견을 말할 때

_____

_____

핵심

6 상황에 알맞은 표정, 몸짓, 말투를 사용하면 좋은 점을 세 가지 고르시오. (　,　,　)

① 길게 말할 수 있다.
② 느낌을 잘 표현할 수 있다.
③ 듣는 사람이 잘 알아들을 수 있다.
④ 생각을 자세하게 전달하지 않아도 된다.
⑤ 자신의 생각을 분명하게 전달할 수 있다.

기본 〈 적절한 표정, 몸짓, 말투를 사용해 말하기

정답과 해설 ● 10쪽

1 인물의 표정이나 몸짓이 보기 의 뜻을 담고 있는 그림을 찾아 기호를 쓰시오.

보기
진심으로 고맙다는 뜻

가 잘했어!
나 고마워.
다 재미있다.
라 많이 아프니?

(   )

2~5 동영상 장면에서 일어난 일을 보고, 물음에 답하시오.

◀ 표정, 몸짓, 말투에 주의하며 동영상 보기 **가방 들어 주는 아이**

▲ 석우   ▲ 영택

　석우가 음료수 깡통을 발로 멀리 차고, 영택이에게도 발로 차 보라고 했습니다. 영택이가 자신 없어 하자 석우는 영택이에게 음료수 깡통을 가져다주며 한번 차 보라고 용기를 주었습니다. 석우의 응원을 받고 영택이가 깡통을 차자 석우는 영택이를 칭찬해 주었습니다.

📖 교과서 문제

2 석우와 영택이가 한 일은 무엇인지 쓰시오.

(   )

3 영택이의 표정은 어떠합니까? (   )

① 눈을 감고 있다.
② 눈물을 흘리고 있다.
③ 인상을 찌푸리고 있다.
④ 밝게 눈웃음을 짓고 있다.
⑤ 놀라는 것처럼 입을 오므리고 있다.

역량 논술형

4 다음 장면에서 깡통을 멀리 찬 영택이를 칭찬하는 석우의 표정과 몸짓을 빈칸에 알맞게 쓰시오.

▲ 석우

말	오, 민영택! 센데!
표정	(1)
몸짓	(2)

핵심

5 다음 대화에서 영택이에게 어울리는 말투를 쓰시오.

> 석우: 자, 멀리 찼지? 자, 네 차례야.
> 영택: 잘 못할 것 같은데…….
> 석우: 에이, 해 봐. 오, 민영택! 센데!

(   )

📖 교과서 문제

6 다른 사람을 설득할 때 어울리는 '표정, 말투'에 ○표를 하시오.

• (따뜻한 , 반가운) 표정으로 바라보며 손을 적절하게 활용하고 (장난이 섞인 , 부드러운) 말투를 사용합니다.

🔊 듣는 사람에 따라
말하는 방법을
생각하며 읽기

돈을 왜 만들었을까?

김성호

❶ 돈이 없어도 전혀 불편하지 않았던 시절이 있었어요. 우르르 몰려다니며 짐승을 사냥해서 먹거나 나무 열매와 식물을 ♥채집해서 먹으며 동굴에서 잠을 자던 원시 시대지요. 인류는 그런 생활을 무 5 려 수만 년이나 해 왔답니다. 당연히 돈 같은 게 필요 없었지요.

　중심 내용　돈이 없어도 불편하지 않았던 시절이 있었다.

❷ 하지만 농사를 짓기 시작하면서 상황은 달라졌어요. 그전까지 인류는 뭔가를 만들어 내는 '생산 활동'을 하지 않았어요. 자연에 널려 있는 짐승과 10 식물을 거두어 이용하는 것만으로도 충분했으니까요.

　처음에는 겨우겨우 먹고살 만큼만 농사를 지었어요. 그러다가 괭이나 쟁기 같은 농기구가 개발되고 농사 기술이 발전하면서 ♥수확하는 곡식의 15 양도 늘어났지요. 가족이 먹고도 남을 만큼요. 이렇게 남은 생산물을 ♥잉여 생산'이라고 해요. 이제

인류는 남는 곡식을 어떻게 처리할까 조금은 행복한 고민에 빠지게 되었어요.

　중심 내용　농사를 짓기 시작하면서 잉여 생산을 처리하기 위해 고민했다.

❸ 육천 년 전, 드디어 사람들은 저마다 남는 물건을 바꾸기 시작했어요. 물물 교환이 시작된 거예요.

　하지만 물물 교환은 쉽지 않았어요. 쌀을 가져온 5 농부가 어부의 고등어와 맞바꾸려면 어부 역시 쌀을 원해야 하잖아요? 그런데 어부가 원하는 것이 사냥꾼의 곰 가죽이라면 이 거래는 이루어질 수 없 겠지요. 또 운 좋게 그런 상대방을 만나도 교환이 늘 순조롭지만은 않았어요. 10

　"어부야, 고등어 한 마리랑 쌀 한 봉지랑 바꾸자."
　"두 봉지는 줘야지."

　중심 내용　육천 년 전, 물물 교환이 시작되었지만 늘 순조롭지만은 않았다.

- **글의 종류**: 설명하는 글
- **글의 내용**: 돈을 만든 까닭과 돈의 역할이 나타나 있습니다.

♥채집(採 캘 채, 集 모을 집) 널리 찾아서 얻거나 캐거나 잡아 모으 는 일. 📵 박사님은 희귀한 곤충을 채집한다.

♥수확 익은 농작물을 거두어들임. 또는 거두어들인 농작물.

♥잉여 쓰고 난 후 남은 것. 📵 잉여 농산물

📖 교과서 문제

1 원시 시대에 돈이 필요 없었던 까닭은 무엇인지 쓰시오.

(　　　　　　　　　　)

2 인류가 생산 활동을 하게 된 시기는 언제인지 빈칸에 알맞은 말을 쓰시오.

- (　　　　)을/를 짓기 시작하면서 생산 활동을 하게 되었다.

📖 교과서 문제

3 돈이 없을 때 사람들은 원하는 물건을 어떻게 구했습니까? (　　)

① 쌀을 주고 샀다.
② 고등어를 주고 샀다.
③ 직접 만들어 사용했다.
④ 필요한 물건을 서로 교환했다.
⑤ 원하는 물건을 가진 사람에게 빌려서 사용했다.

4 물건과 물건을 바꾸는 것을 무엇이라고 하는지 이 글에서 찾아 네 글자로 쓰시오.

(　　　　　　　　)

❹ 그래서 인류는 물건의 가격을 매길 수 있는 제삼의 물건을 생각해 냈어요. 바로 돈이었지요. ♥기록에 전해지는 최초의 돈은 중국인들이 사용한 조개껍데기예요.

5 '애걔, 그 흔한 조개껍데기를 돈으로 사용했단 말이야?'라고 생각하겠죠? 하지만 이 조개는 우리가 흔히 볼 수 있는 그런 조개가 아니라 더운 지방에서만 나는 '자안패'라는 귀한 조개였어요. 이 조개껍데기에 구멍을 뚫어 실을 꿰면 ♥장신구가 되기도 10 했지요.

[중심 내용] 인류는 물건의 가격을 매길 수 있는 제삼의 물건을 생각해 냈고, 최초의 돈은 중국인들이 사용한 조개껍데기이다.

❺ 조개껍데기가 나지 않는 지역은 다른 물건을 돈으로 사용했어요.

초콜릿의 원료인 카카오가 많이 나는 남아메리카에서는 카카오 열매를, 소금이 풍부했던 아프리카 15 와 지중해 지역에서는 소금을, 농경 지역에서는 곡식과 옷감을, 가축이 재산이었던 유목민은 동물을

각각 돈으로 사용했어요. 이렇게 물건을 돈으로 사용하는 것을 '물품 화폐' 또는 '상품 화폐'라고 해요.

[중심 내용] 조개껍데기가 나지 않는 지역은 다른 물건을 돈으로 사용했다.

❻ 그럼 이제 돈이 등장했으니 물물 교환은 사라졌을까요? 아니에요. 비록 물품 화폐가 나왔지만 여전히 대부분의 거래는 물물 교환으로 이루어졌어요. 5 물품 화폐는 물물 교환의 ♥보조 수단에 불과했지요.

[중심 내용] 돈이 등장했지만 대부분의 거래는 물물 교환으로 이루어졌다.

♥기록(記 기록할 기, 錄 기록할 록) 주로 후일에 남길 목적으로 어떤 사실을 적음. 또는 그런 글. ⑩ 기록을 살펴보았다.
♥장신구 몸치장을 하는 데 쓰는 물건.
♥보조 주되는 것에 상대하여 거들거나 도움. 또는 그런 사람.

교과서 핵심 ◦ 듣는 사람을 고려해 말하는 방법 정리하기 ⑩

	동생	친구	여러 사람
말할 내용	사람들이 돈을 만든 까닭		
듣는 사람을 고려해 말하는 방법	알기 쉬운 말로 한다.	친구가 관심을 보일 만한 내용을 흥미롭게 말해 준다.	높임말로 한다.

5 기록에 전해지는 최초의 돈은 무엇인지 쓰시오.

(   )

📖 교과서 문제

6 다음 민족이나 지역에서 사용한 물품 화폐를 보기 에서 골라 각각 기호를 쓰시오.

보기
㉠ 동물	㉡ 소금
㉢ 카카오 열매	㉣ 곡식과 옷감

(1) 유목민 (   )
(2) 농경 지역 (   )
(3) 남아메리카 (   )
(4) 아프리카와 지중해 지역 (   )

📖 교과서 문제

7 이 글의 내용을 다른 사람에게 소개할 때 말할 내용을 정한 것으로 알맞은 것은 무엇입니까? (   )

① 돈의 중요성
② 농기구가 개발된 시기
③ 물물 교환이 사라진 까닭
④ 사람들이 돈을 만든 까닭
⑤ 돈을 깨끗이 써야 하는 까닭

핵심
8 이 글의 내용을 듣는 사람을 고려해 말할 경우, 다음 방법으로 말하기에 알맞은 대상에 ○표를 하시오.

높임말로 한다.

(1) 동생 (   )
(2) 친구 (   )
(3) 여러 사람 (   )

돈의 재료

다른 사람에게
알려 줄 내용을
생각하며 읽기

김성호

❶ 돈은 크게 동전과 지폐로 나눌 수 있어요.

동전은 주재료가 구리인데, 여기에 아연이나 니켈, 알루미늄 같은 금속을 조금씩 섞어서 만들어요. 이 섞는 금속에 따라서 동전 색깔이 달라지지요.

5 옛날 10원 동전은 지금과 달리 누런색이었어요. 그것은 동전에 섞인 아연 때문이에요. 새로 나온 10원짜리는 구릿빛으로 붉어요. 그 이유는 아연을 빼고 구리를 씌운 알루미늄을 사용했기 때문이지요. 반면 100원, 500원 동전이 은백색인 것은 니

10 켈 때문이에요. 지금은 쓰이지 않지만 1원짜리 동전은 구리가 전혀 섞이지 않은 100퍼센트 알루미늄으로 만들었어요.

중심 내용 돈은 동전과 지폐로 나눌 수 있으며 동전의 주재료는 구리이다.

❷ 그럼 지폐는 무엇으로 만들까요?

당연히 종이라고 생각하겠지만, 지폐는 솜으로
15 만들어요. 방적 공장에서 옷감의 재료로 사용하고

남은 찌꺼기 솜인 낙면이 그 재료이지요. 이 솜으로 만든 지폐는 습기에도 강하고 정교하게 인쇄 작업을 할 수 있으며 위조를 ♥방지할 수 있다는 장점

솜씨나 기술 등이 정밀하고 교묘하게

이 있어요. 그래서 오늘날 대부분의 국가들은 솜으로 지폐를 만들어요. 5

그렇지만 ♥특이하게 플라스틱으로 지폐를 만드는 나라도 있어요. 호주와 뉴질랜드는 플라스틱의 일종인 폴리머라는 재료로 지폐를 만들어요.

중심 내용 지폐는 대부분의 국가들이 솜으로 만든다.

❸ 우리나라의 화폐 제조 기술은 세계적인 수준인데 동전의 경우 현재, 유럽과 미국을 포함한 40여 10 개 국가, 25억의 인구가 우리나라에서 생산한 소전으로 자기들의 동전을 만들어 쓰고 있어요. 소전이란 무늬를 새겨 넣기 전의 동전판을 말해요.

중심 내용 우리나라의 화폐 제조 기술은 세계적인 수준이다.

♥방지 어떤 일이나 현상이 일어나지 못하게 막음.
　예 사고 방지 대책을 의논하다.

♥특이하게 보통 것이나 보통 상태에 비하여 두드러지게 다르게.

---

9 동전을 만들 때 섞는 금속에 따라 달라지는 것은 무엇입니까? (　　)

① 색깔　　　② 두께
③ 무게　　　④ 모양
⑤ 크기

10 오늘날 대부분의 국가들이 사용하는 지폐의 재료는 무엇입니까? (　　)

① 솜　　　　② 니켈
③ 아연　　　④ 플라스틱
⑤ 알루미늄

핵심

11 이 글의 내용을 알려 주고 싶은 대상과 그 대상에게 말할 때 주의할 점을 쓰시오.

(　　　　　　　　　　　　)

역량　논술형

12 11번 답의 대상자에게 알려 줄 내용을 정리하여 쓰시오.

_____

_____

_____

📖 교과서 문제

13 12번 답의 내용을 듣는 사람을 고려해 말했는지 점검할 내용으로 알맞지 <u>않은</u> 것의 기호를 쓰시오.

┌─────────────────────────┐
│ ㉠ 말하는 사람의 기분을 생각했는가? │
│ ㉡ 듣는 사람과 듣는 상황을 고려했는가? │
│ ㉢ 내용을 말할 때 알맞은 표정, 몸짓, 말투 │
│ 　를 사용했는가? │
└─────────────────────────┘

(　　　　　　　　　　　　)

● 광고를 보고 생각이나 느낌 말하기

• **글의 종류**: 광고
• **광고 장면**: 북극곰 한 마리가 얼음덩어리 위에서 지친 모습으로 있습니다.
• **장면에서 알려 주는 내용**: 북극의 빙하가 녹아서 북극곰이 살아가는 환경이 파괴되고 있다는 것을 알려 주고 있습니다.

📖 교과서 문제

1 북극곰은 어떤 어려움을 겪고 있습니까?
( )

① 추위에 떨고 있다.
② 먹이 사냥에 실패해 굶고 있다.
③ 다른 동물들의 공격을 받고 있다.
④ 빙하가 녹아 생존에 위협을 받고 있다.
⑤ 북극곰을 잡으려는 사람들 때문에 위협 받고 있다.

3 이 광고를 보고 어떤 생각이 들었는지 쓰시오.

_____

_____

📖 교과서 문제

2 우리 주변에 있는 환경 문제가 <u>아닌</u> 것은 무엇입니까? ( )

① 수질 오염
② 토양 오염
③ 미세 먼지
④ 대기 오염
⑤ 교통 체증

📖 교과서 문제

4 환경을 보호하기 위해 우리가 할 수 있는 일로 알맞지 <u>않은</u> 것은 무엇입니까? ( )

① 학용품 아껴 쓰기
② 일회용품 사용하기
③ 음식물 쓰레기 줄이기
④ 재활용품 분리배출하기
⑤ 가까운 거리 걸어 다니기

◀◉ 전하고 싶은
생각이나 느낌
떠올리며 글 읽기

생태 마을 보봉

김영숙

❶ 보봉은 독일에 있는 생태 마을로, 태양 에너지, 녹색 교통, 주민 ♥자치 등 환경 정책이 두루 잘 실현되고 있는 곳입니다. 보봉은 1992년까지 군대가 있던 곳이었습니다. 군대가 ♥철수하고 난 뒤 마을 5 사람들은 이 지역을 어떻게 활용할지에 대해 고민하게 되었습니다. 여러 가지 활용 방안을 놓고 회의를 한 결과, 주민들은 이곳을 생태 마을로 만들기로 ♥합의하였습니다. 마을 사람들은 이곳을 어떻게 생태 마을로 만들까 고민했습니다. 오랫동안 토론한 10 끝에 다음과 같은 실천 조항들을 만들었습니다.

"태양광을 우리 마을의 주 에너지원으로 합시다."

"자동차 사용을 줄이고 물을 아낄 수 있는 곳으로 만듭시다."

"콘크리트를 쓰지 않는 곳으로 만듭시다."

15 이런 노력으로 보봉은 생태 마을이 되었습니다.

<u>중심 내용</u> 보봉은 독일에 있는 생태 마을이다.

❷ 보봉 생태 마을의 주민인 알뮤트 슈스터 씨는

다음과 같이 말했습니다.

"보봉 마을에는 전력 ♥생산 주택이 있습니다. 열 손실을 최소화한 주택에 태양 전지를 지붕 위에 얹은 공동 주택입니다. 이 주택의 태양 전지가 일 년간 생산하는 전기는 한 가구당 약 7000킬 5 로와트 정도입니다. 대개 가정에서 필요한 양이 5500킬로와트 정도입니다. 남는 전력은 인근 발전소에 팔아서 월 평균 100유로(약 14만 원) 정도의 수익을 얻습니다.

• **글의 특징**: 독일의 마을인 보봉이 어떻게 하여 지금의 생태 마을이 될 수 있었는지를 알려 주고 있는 글입니다.

♥**자치**(自 스스로 **자**, 治 다스릴 **치**) 자기 일을 스스로 다스림.
예 학생 자치 기구

♥**철수**(撤 거둘 **철**, 收 거둘 **수**) 진출하였던 곳에서 시설이나 장비 따위를 거두어 가지고 물러남.

♥**합의**(合 합할 **합**, 意 뜻 **의**) 서로 의견이 일치함. 또는 그 의견.
예 마을에 다리를 놓기로 합의하였다.

♥**생산**(生 날 **생**, 産 낳을 **산**) 인간이 생활하는 데 필요한 각종 물건을 만들어 냄.
예 중동은 세계적인 석유 생산 지역이다.

📖 교과서 문제

5 생태 마을이 되기 전에 보봉은 어떤 마을이었는지 빈칸에 알맞은 말을 쓰시오.

> 1992년까지 ( )이/가 있던 마을이었다.

📖 교과서 문제

6 보봉을 생태 마을로 가꾸려고 주민들이 실천하기로 한 것이 <u>아닌</u> 것은 무엇입니까? ( )

① 자동차 사용을 줄이자.
② 관광객을 위한 집을 만들자.
③ 물을 아낄 수 있는 곳으로 만들자.
④ 콘크리트를 쓰지 않는 곳으로 만들자.
⑤ 태양광을 마을의 주 에너지원으로 하자.

7 보봉에 있는 전력 생산 주택은 전기를 생산한 후, 남는 전력을 어떻게 활용하는지 쓰시오.

_____

_____

📖 교과서 문제

8 이 글을 읽고 든 생각을 말한 것으로 알맞지 <u>않은</u> 것의 기호를 쓰시오.

> ㉠ 보봉은 독일에 있는 생태 마을이야.
> ㉡ 태양광으로 전기 만드는 방법이 궁금해.
> ㉢ 우리나라에도 생태 마을이 있는지 찾아보고 싶어.

( )

또 보봉 마을에는 개인 주차장이 없습니다. 그 대신 정원과 공원, 어린이 놀이터, 자전거 주차장이 있습니다. 이 마을에 들어와 살려면 개인 주차장을 짓지 않겠다고 약속해야 합니다. 그 대신 유료 공동 주차장이 있는데, 차 한 대당 주차장 이용료로 3700유로(약 500만 원)를 내야 합니다. 상황이 이렇다 보니 아예 차를 사지 않는 주민이 많습니다.

전차 같은 대중교통을 이용하거나 자동차를 함께 타거나 빌려 타는 '승용차 함께 타기'가 활발하게 이루어지고 있습니다. 저도 보봉이 어린아이들의 천국이라는 점 때문에 이사를 했고, 이곳에서 아들을 낳고 길렀습니다.

보봉은 오랫동안 군대가 머무는 곳으로 묶여 있어 ♥생기라고는 찾아볼 수 없는 ♥스산한 마을이었습니다. 지금의 보봉으로 새롭게 태어날 수

있었던 것은 주민들의 뜻과 의지가 있었기 때문입니다. 주민들이 스스로 생태 마을을 만들자고 결정했고, 주민의 실천으로 생태 마을을 이루었습니다. 차 없는 마을, 자원 순환 마을, 태양광 에너지 주택 마을, 이것은 모두 주민이 실천하지 않았다면 불가능했을 것입니다."

중심 내용 보봉이 생태 마을이 될 수 있었던 것은 주민의 뜻과 의지가 있었기 때문이다.

♥생기(生 날 생, 氣 기운 기) 싱싱하고 힘찬 기운.
♥스산한 몹시 어수선하고 쓸쓸한.

교과서 핵심 ● 이 글을 읽고 읽는 사람을 고려해 글 쓰기 예

읽을 사람	글의 내용	읽는 사람을 위해 글을 쓸 때 고려할 점
학급 신문을 읽는 친구들	우리나라의 생태 마을을 조사한 내용	친구들이 관심을 보일 만한 내용을 쓰고, 신문 기사이므로 사진 자료를 활용한다.

교과서 문제

9 알뮤트 슈스터 씨가 보봉으로 이사 온 까닭은 무엇입니까? ( )

① 대중교통 이용료가 싸기 때문에
② 군대가 머물러 안전하기 때문에
③ 집을 무료로 제공해 주기 때문에
④ 어린아이들의 천국이라는 점 때문에
⑤ 승용차를 무료로 제공해 주기 때문에

10 이 글을 읽고 전하고 싶은 생각을 쓰시오.

_____

_____

논술형

11 학급 신문을 읽는 친구들을 위해 다음의 내용으로 글을 쓴다면 고려해야 할 점은 무엇인지 두 가지 쓰시오.

> 우리나라의 생태 마을을 조사한 내용

• _____

• _____

핵심

12 글을 쓸 때 읽는 사람을 위해 고려해야 할 점을 세 가지 고르시오. (, ,)

① 읽는 사람의 나이
② 읽는 사람의 처지
③ 읽는 사람의 친구의 수
④ 읽는 사람의 가족 관계
⑤ 읽는 사람이 궁금해할 내용

실천

● 재미있었던 일을 떠올려 실감 나게 말하기

가

나

다

• 가~다에서 겪은 일

가	친구들과 역할극을 했습니다.
나	부모님과 함께 경주에 놀러 갔습니다.
다	친구와 함께 놀이터에서 놀았습니다.

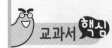 교과서 핵심

● 자신이 겪은 일을 친구에게 실감 나게 말하기 예

친구들과 수영장에 갔을 때 정말 신났어.

📖 교과서 문제

1 그림과 같이 재미있었던 일을 알맞게 말하지 <u>못한</u> 사람을 쓰시오.

수지: 학교에서 학예회를 할 때 재미있었어.
현우: 방학 때 가족들과 할머니 댁에 다녀온 일이 생각나.
상희: 친구들과 축구를 할 때 골을 넣어서 정말 짜릿했어.
미진: 연습을 못해서 태권도 승급 심사를 받으러 가기 싫었어.

( )

📖 교과서 문제

2 자신이 겪은 일 가운데에서 한 가지를 골라 누구에게 들려주고 싶은지 쓰시오.

(1) 들려주고 싶은 이야기: _____

_____

(2) 들려주고 싶은 사람: _____

논술형

3 2번 답의 이야기를 들려줄 대상에게 어떻게 정리하여 말하면 좋을지 다음 빈칸에 해당 내용을 정리하시오.

누구와	(1)
언제 어디에서	(2)
무엇을	(3)
말할 내용	(4)

핵심

4 자신이 겪은 일을 실감 나게 말하는 방법으로 알맞은 것을 <u>두 가지</u> 고르시오.(,)

① 항상 높임말을 사용한다.
② 몸짓으로 흉내 내면서 말한다.
③ 친구에게 말할 때와 선생님께 말씀드릴 때에는 같은 표현을 사용한다.
④ 그때의 기분을 떠올리며 기분에 어울리는 표정과 말투로 이야기한다.
⑤ 몸짓을 하며 말하면 듣는 사람이 이해하기 어려우므로 똑바로 서서 말한다.

국어 활동

기본 • 61~63쪽 듣는 사람을 고려해 상황에 맞게 말하기

● 상황에 맞는 표정, 몸짓, 말투 알아보기

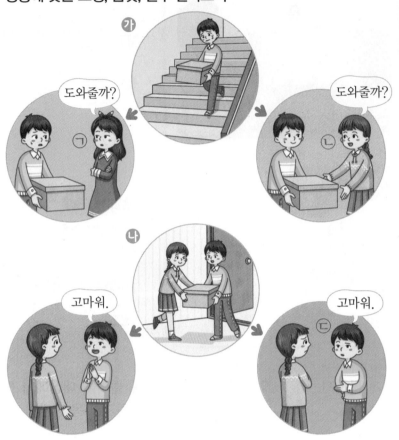

● 듣는 사람을 고려해 바르게 말하는 방법 알아보기

1 ㉠과 ㉡ 중 그림 ㉮의 상황에 맞는 표정과 몸짓, 말투로 말한 친구를 찾아 기호를 쓰시오.

(   )

2 그림 ㉯의 상황에서 남자아이가 ㉢과 같이 말했을 때, 여자아이의 기분은 어떠할지 쓰시오.

_____

_____

3 ㉰~㉲ 중 듣는 사람을 고려해 바르게 말하는 그림을 골라 기호를 쓰시오.

(   )

기본 • 64~66쪽 읽는 사람을 고려해 생각 쓰기

안전하게 계단 오르내리기

• 글: 이성률 • 그림: 이원희

복도와 계단에서는 반드시 <u>우측통행</u>을 해야 하는데, 천천히 걸어
길을 갈 때 오른쪽으로 감.
서 다른 사람의 활동을 방해하지 않아야 해요. 여러 사람이 함께 계
단을 오르내릴 때는 앞사람과 닿지 않도록 간격을 두어야 합니다.

계단에서 뛰거나 두세 칸씩 오르내리다가 헛디뎌 구를 수 있고,
5 한눈을 팔면 발을 잘못 디뎌 다치게 되니 주의해야 해요. 계단을 오
르내릴 때는 난간을 잡고 이동해야 안전합니다.

계단 난간을 넘거나 타고 내려오는 등의 위험한 행동은 절대 하지
않도록 하고, 친구를
밀치거나 잡아당기
10 는 등의 장난도 하지
말아요.

비나 눈이 오는 날
에는 특히 미끄러우
니 조심합니다.

애들아,
계단에서 그렇게
하면 위험해.

4 안전하게 계단을 오르내리는
방법으로 알맞지 <u>않은</u> 것은 어
느 것입니까? (　　　)

① 우측통행을 한다.
② 난간을 잡고 이동한다.
③ 계단 난간을 넘거나 타고
내려오지 않는다.
④ 천천히 걸어서 다른 사람의
활동을 방해하지 않는다.
⑤ 여러 사람이 함께 오르내
릴 때에는 앞사람과 간격
을 두지 않는다.

5 이 글을 읽고 학교에서 위험한
행동을 하는 친구에게 글을 쓸
때 고려할 점으로 알맞은 것의
기호를 쓰시오.

> ㉠ 읽는 사람이 이해할 수 있
> 을지 생각한다.
> ㉡ 읽는 사람이 무엇을 좋아
> 하는지 생각한다.

(　　　　　　　)

기초 다지기 바르게 띄어 쓰기

6 다음 밑줄 그은 부분 중 바르게 띄어 쓴 것을 <u>모두</u> 찾아 기호를 쓰시오.

> ㉠ <u>아는 것이</u> 힘입니다.　　　　㉡ 공사 중이니 <u>조심할 것.</u>
> ㉢ 나도 그럴 <u>줄은 몰랐어요.</u>　　㉣ 하다 보면 <u>그럴수도</u> 있지.
> ㉤ 너만 그걸 <u>할줄</u> 아는구나.　　㉥ 그 일은 찬혜만 <u>할수있어요.</u>

(　　　　　　　)

7 밑줄 그은 부분을 바르게 띄어 쓰시오.

• 효원이는 <u>하는수없이</u> 터벅터벅 집에 돌아왔어요.

　　→ (　　　　　　　　　　　)

단원 마무리

준비 ......

❯ 상황에 알맞은 표정, 몸짓, 말투의 효과 알기

예 상황에 알맞은 표정, 몸짓, 말투 살펴보기

장면	표정
제○회 학급 회의를 시작하겠습니다.	밝게 ❶ □□ 있습니다.

장면	몸짓
제가 다녀온 박물관에 대해 말씀드리겠습니다.	듣는 사람을 ❷ □□□ 서서 바라보고 있습니다.

장면	말투
우승하신 소감 좀 말씀해 주세요. / 기분이 매우 좋습니다. 운이 좋았던 것 같아요.	❸ □□하게 기쁨을 표현합니다.

기본 ......

❯ 적절한 표정, 몸짓, 말투를 사용해 말하기

예 「가방 들어 주는 아이」에서 인물의 표정과 몸짓, 말투 살펴보기

말		
에이, 해 봐.		
표정	몸짓	말투
❹ □□ 표정	친구의 등을 두드림.	밝고 장난스러운 말투

말		
오, 민영택! 센데!		
표정	몸짓	말투
친구의 성공을 반기는 표정	엄지손가락을 위로 올림.	밝고 장난스러운 말투

기본 ......

》 듣는 사람을
고려해 상황에
맞게 말하기

📖 「돈을 왜 만들었을까?」의 내용을 듣는 사람에게 맞게 말하기

동생에게 말할 때

> 사람들이 돈을 만든 까닭을 알고 있니? 물건과 물건을 바꾸어 쓰던 사람들이 불편해서 물건의 가격을 매길 수 있는 돈을 만들어 낸 거야. 처음 돈은 조개껍데기였대.

→ ❺ ☐☐ 쉬운 말로 합니다.

친구에게 말할 때

> 사람들이 돈을 만든 까닭을 알고 있니? 물물 교환을 할 때 사람들은 서로 원하는 것도 다르고 각자가 생각하는 물건의 가치도 달라서 불편했어. 그래서 사람들은 물건의 가격을 매길 수 있는 새로운 물건을 생각해 낸 거지. 그게 바로 돈이야. 최초의 돈은 중국인들이 사용한 조개껍데기래.

→ 친구가 ❻ ☐☐을/를 보일 만한 내용을 흥미롭게 말해 줍니다.

여러 사람 앞에서 말할 때

> 사람들이 왜 돈을 만들었는지 아시나요? 물물 교환을 할 때 사람들은 서로 원하는 것도 다르고 각자가 생각하는 물건의 가치도 달라서 불편했다고 합니다. 그래서 사람들은 물건의 가격을 매길 수 있는 새로운 물건을 생각해 낸 것이죠. 그것이 바로 돈이랍니다. 최초의 돈은 중국인들이 사용한 조개껍데기입니다.

→ ❼ ☐☐☐(으)로 합니다.

기본 ......

》 읽는 사람을
고려해 생각 쓰기

📖 「생태 마을 보봉」을 읽고 읽을 사람을 고려해 쓸 내용 정하기

읽을 사람	글의 내용	읽는 사람을 위해 글을 쓸 때 고려할 점
학급 신문을 읽는 친구들	우리나라의 생태 마을을 조사한 내용	친구들이 관심을 보일 만한 내용을 쓰고, 신문 기사이므로 사진 자료를 활용합니다.
마을 온라인 게시판을 이용하는 주민들	보봉 마을 사람들처럼 환경을 위해 자동차 사용을 줄이자고 제안하는 내용	보봉 마을의 예를 자세히 제시해 생활에 어떻게 활용할지 안내합니다.
부모님	가정에서 환경 보호를 위해 실천할 수 있는 일을 함께 지키자는 내용	부모님께 환경 보호를 함께 실천할 수 있도록 부탁드리는 내용을 씁니다.

→ 읽는 사람이 되어 ❽ ☐☐☐ 점이 무엇일지 떠올려 쓸 내용을 정합니다.

1~2 그림을 보고, 물음에 답하시오.

1 그림 **가**의 여자아이는 어떤 표정을 지으면서 말했습니까? ( )

① 기쁜 표정　　② 지루한 표정
③ 속상한 표정　④ 반성하는 표정
⑤ 화나는 표정

2 그림 **가**와 **나** 중 보기 의 상황인 것을 골라 그림의 기호를 쓰시오.

보기
내키지 않은 일을 억지로 해야 하는 상황

그림 ( )

3 다음 중 표정이 굳어 있는 사람은 누구인지 ○표를 하시오.

(1)
제○회 학급 회의를 시작하겠습니다.
( )

(2)
제○회 학급 회의를 시작하겠습니다.
( )

4~5 그림을 보고, 물음에 답하시오.

가 잘했어!　　나 재미있다.

서술형
4 그림 **가**에서 선생님의 표정과 몸짓이 무엇을 뜻하는지 쓰시오.

_____

_____

5 그림 **나**에서 여자아이의 마음은 어떠할지 쓰시오.

( )

6~7 동영상 장면을 보고, 물음에 답하시오.

▲ 석우　　　　　　　▲ 영택

에이, 해 봐.　　오, 민영택! 센데!

중요
6 장면 **가**는 석우가 영택이에게 깡통을 차 보라고 격려하면서 한 말입니다. 어떤 몸짓이 어울리겠습니까? ( )

① 쪼그려 앉는 몸짓
② 깡통을 멀리 던지는 몸짓
③ 친구의 팔을 뿌리치는 몸짓
④ 친구의 등을 두드리는 몸짓
⑤ 엄지손가락을 위로 올리는 몸짓

7 장면 ㉮와 ㉯에서 석우에게 어울리는 표정을 두 가지 고르시오.　(　,　)

① 우는 표정　　　② 밝은 표정
③ 무서운 표정　　④ 시무룩한 표정
⑤ 친구의 성공을 반기는 표정

8 표정, 몸짓, 말투를 사용해 말할 때 주의할 점이 <u>아닌</u> 것은 무엇입니까?　(　)

① 듣는 사람에게 맞아야 한다.
② 사용하려는 목적을 생각한다.
③ 항상 즐거운 표정과 말투로 말한다.
④ 표정, 몸짓, 말투가 서로 어울려야 한다.
⑤ 상대에게 자연스러운 표정을 지으며 말한다.

9~12 글을 읽고, 물음에 답하시오.

㉮ 육천 년 전, 드디어 사람들은 저마다 남는 물건을 바꾸기 시작했어요. 물물 교환이 시작된 거예요.

하지만 물물 교환은 쉽지 않았어요. 쌀을 가져온 농부가 어부의 고등어와 맞바꾸려면 어부 역시 쌀을 원해야 하잖아요? 그런데 어부가 원하는 것이 사냥꾼의 곰 가죽이라면 이 거래는 이루어질 수 없겠지요. 또 운 좋게 그런 상대방을 만나도 교환이 늘 순조롭지만은 않았어요.

㉯ 그래서 인류는 물건의 가격을 매길 수 있는 제삼의 물건을 생각해 냈어요. 바로 돈이었지요. 기록에 전해지는 최초의 돈은 중국인들이 사용한 조개껍데기예요.

㉰ 조개껍데기가 나지 않는 지역은 다른 물건을 돈으로 사용했어요.

초콜릿의 원료인 카카오가 많이 나는 남아메리카에서는 카카오 열매를, 소금이 풍부했던 아프리카와 지중해 지역에서는 소금을, 농경 지역에서는 곡식과 옷감을, 가축이 재산이었던 유목민은 동물을 각각 돈으로 사용했어요. 이렇게 물건을 돈으로 사용하는 것을 '물품 화폐' 또는 '상품 화폐'라고 해요.

9 기록에 전해지는 최초의 돈은 무엇입니까?　(　)

① 진주　　　　② 비단
③ 소금　　　　④ 곡식
⑤ 조개껍데기

10 카카오 열매를 돈으로 사용한 지역은 어디입니까?

(　　　　　　　　)

11 물건을 돈으로 사용하는 것을 무엇이라고 하는지 두 가지 고르시오.　(　,　)

① 자안패　　　② 물물 교환
③ 상품 화폐　　④ 잉여 생산
⑤ 물품 화폐

중요
12 다음은 이 글을 읽고 사람들이 돈을 만든 까닭에 대해 말한 내용입니다. 어떤 상황에서 말한 것일지 ○표를 하시오.

사람들이 왜 돈을 만들었는지 아시나요? 물물 교환을 할 때 사람들은 서로 원하는 것도 다르고 각자가 생각하는 물건의 가치도 달라서 불편했다고 합니다. 그래서 사람들은 물건의 가격을 매길 수 있는 새로운 물건을 생각해 낸 것이죠. 그것이 바로 돈이랍니다. 최초의 돈은 중국인들이 사용한 조개껍데기입니다.

(1) 동생에게 말한 상황　　(　　)
(2) 친구에게 말한 상황　　(　　)
(3) 여러 사람 앞에서 말한 상황　(　　)

13~16 글을 읽고, 물음에 답하시오.

> 돈은 크게 동전과 지폐로 나눌 수 있어요.
> 동전은 주재료가 구리인데, 여기에 아연이나 니켈, 알루미늄 같은 금속을 조금씩 섞어서 만들어요. 이 섞는 금속에 따라서 동전 색깔이 달라지지요.
> 옛날 10원 동전은 지금과 달리 누런색이었어요. 그것은 동전에 섞인 아연 때문이에요. 새로 나온 10원짜리는 구릿빛으로 붉어요. 그 이유는 아연을 빼고 구리를 씌운 알루미늄을 사용했기 때문이지요. 반면 100원, 500원 동전이 은백색인 것은 니켈 때문이에요. 지금은 쓰이지 않지만 1원짜리 동전은 구리가 전혀 섞이지 않은 100퍼센트 알루미늄으로 만들었어요.

13 돈은 크게 무엇과 무엇으로 나눌 수 있는지 쓰시오.

( )

14 동전의 주재료는 무엇인지 쓰시오.

( )

15 100퍼센트 알루미늄으로만 만들어진 동전은 무엇입니까? ( )

① 1원 ② 10원 ③ 50원
④ 100원 ⑤ 500원

논술형
16 이 글을 읽고 동전의 색깔이 다양한 까닭에 대해 동생에게 설명하는 말을 쓰시오.

_____

_____

국어 활동
17 다음 중 듣는 사람을 고려해 바르게 말한 상황에 ○표를 하시오.

(1) 시각 장애인이 길을 물어보아서 점자 블록으로 안내해 드렸어. ( )
(2) 외국인이 길을 물어보았는데 외국어를 잘 못해서 그냥 도망갔어. ( )

18~20 글을 읽고, 물음에 답하시오.

> ⑦ 또 보봉 마을에는 개인 주차장이 없습니다. 그 대신 정원과 공원, 어린이 놀이터, 자전거 주차장이 있습니다. 이 마을에 들어와 살려면 개인 주차장을 짓지 않겠다고 약속해야 합니다. 그 대신 유료 공동 주차장이 있는데, 차 한 대당 주차장 이용료로 3700유로(약 500만 원)를 내야 합니다. 상황이 이렇다 보니 아예 차를 사지 않는 주민이 많습니다.
> ⑭ 보봉은 오랫동안 군대가 머무는 곳으로 묶여 있어 생기라고는 찾아볼 수 없는 스산한 마을이었습니다. 지금의 보봉으로 새롭게 태어날 수 있었던 것은 주민들의 뜻과 의지가 있었기 때문입니다. 주민들이 스스로 생태 마을을 만들자고 결정했고, 주민의 실천으로 생태 마을을 이루었습니다.

18 보봉에 들어와 살기 위해 해야 하는 약속을 쓰시오.

( )

19 보봉에는 무엇이 오랫동안 있었습니까?

( )

① 군대 ② 공원
③ 학교 ④ 주차장
⑤ 주민 센터

중요
20 이 글을 읽고 글을 쓴다면 누구에게 어떤 내용을 쓸지 알맞게 말한 사람은 누구입니까?

> 지수: 학급 신문을 읽는 친구들에게 환경을 위해 자동차를 사지 말자는 제안을 할 거야.
> 은하: 부모님께 가정에서 환경 보호를 위해 실천할 수 있는 일을 함께 지키자고 부탁드리는 내용을 쓸 거야.

( )

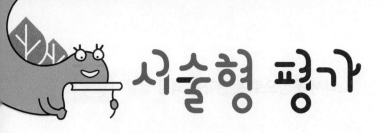

서술형 평가

1 다음 각 장면에서 말하는 사람의 몸짓이 어떠한지 쓰시오.

> 제가 다녀온 박물관에 대해 말씀드리겠습니다.

(1) _____

> 제가 다녀온 박물관에 대해 말씀드리겠습니다.

(2) _____

2 다음 그림 속 아이의 표정과 몸짓을 쓰고, 그 표정과 몸짓이 무엇을 뜻하는지 쓰시오.

> 많이 아프니?

표정과 몸짓	(1)
뜻	(2)

3~4 글을 읽고, 물음에 답하시오.

　그럼 지폐는 무엇으로 만들까요?
　당연히 종이라고 생각하겠지만, 지폐는 솜으로 만들어요. 방적 공장에서 옷감의 재료로 사용하고 남은 찌꺼기 솜인 낙면이 그 재료이지요. 이 솜으로 만든 지폐는 습기에도 강하고 정교하게 인쇄 작업을 할 수 있으며 위조를 방지할 수 있다는 장점이 있어요. 그래서 오늘날 대부분의 국가들은 솜으로 지폐를 만들어요.
　그렇지만 특이하게 플라스틱으로 지폐를 만드는 나라도 있어요. 호주나 뉴질랜드는 플라스틱의 일종인 폴리머라는 재료로 지폐를 만들어요.

3 이 글을 읽고 어떤 내용에 대해 말하고 싶은지 쓰시오.

_____

_____

4 3번 문제에서 정한 내용을 여러 사람 앞에서 발표하려고 합니다. 말할 내용을 자세히 정리하여 쓰시오.

_____

_____

_____

5 지난 주말에 있었던 재미있었던 일을 할아버지께 말씀드릴 때 말할 내용과 어울리는 표정이나 몸짓, 말투를 쓰시오.

_____

_____

낱말 퀴즈

● 다음 교과서 문장의 파란색 낱말 중에서 알맞은 것을 골라 인물들이 한 말을 완성하시오.

- 나무 열매와 식물을 채집해서 먹으며 동굴에서 잠을 자던 원시 시대지요.
- 농기구가 개발되고 농사 기술이 발전하면서 수확하는 곡식의 양도 늘어났지요.
- 이 솜으로 만든 지폐는 습기에도 강하고 정교하게 인쇄 작업을 할 수 있으며 위조를 방지할 수 있다는 장점이 있어요.
- 지금의 보봉으로 새롭게 태어날 수 있었던 것은 주민들의 뜻과 의지가 있었기 때문입니다.

정답 | ❶ 채집 ❷ 의지 ❸ 방지 ❹ 수확

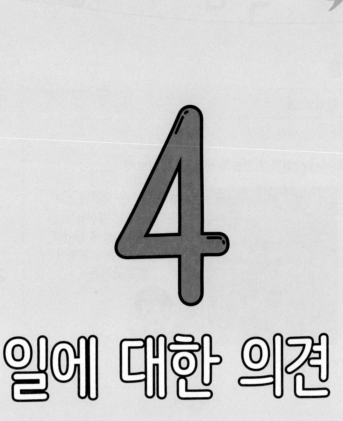

4
일에 대한 의견

무엇을 배울까요?

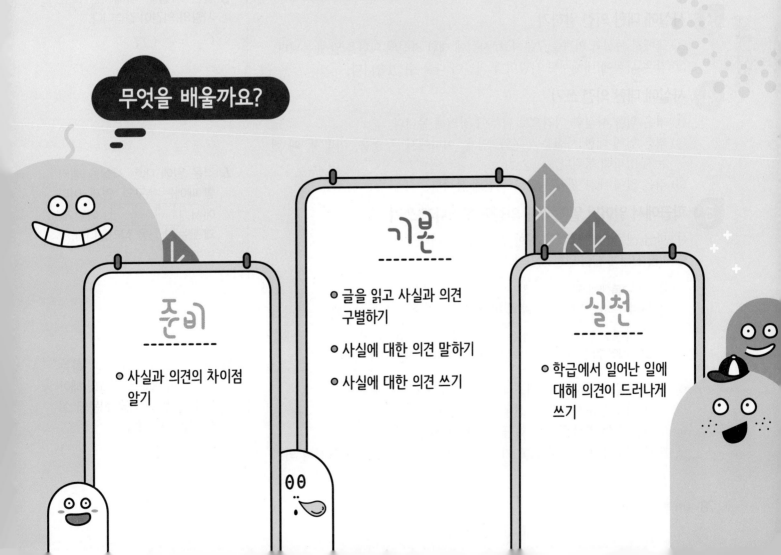

준비

○ 사실과 의견의 차이점 알기

기본

● 글을 읽고 사실과 의견 구별하기

● 사실에 대한 의견 말하기

● 사실에 대한 의견 쓰기

실천

○ 학급에서 일어난 일에 대해 의견이 드러나게 쓰기

1 사실과 의견의 차이점

사실	실제로 있었던 일
의견	대상이나 일에 대한 생각

예 정우와 석원이의 대화에서 사실과 의견을 말한 사람 살펴보기

→ 사실

→ 의견

박물관에 단원 김홍도의 그림이 있었어.

응, 맞아. 그 가운데에서 나는 씨름하는 장면을 그린 그림이 가장 마음에 들었어. 사람들의 모습과 표정이 실감 났거든.

정우 ▶

◀ 석원

2 글을 읽고 사실과 의견 구별하기

사실/의견	구별 근거
사실	한 일, 본 일, 들은 일
의견	생각, 느낌

3 사실에 대한 의견 말하기

① 글에서 사실과 의견을 구분하고, 사실에 대한 자신의 의견을 말해 봅니다.
② 같은 사실에 대해서도 사람마다 의견이 다를 수 있습니다.

4 사실에 대한 의견 쓰기

① 겪은 일을 사실과 의견으로 나누어 정리해 봅니다.
② 겪은 일에 대한 사실을 누구와, 언제, 어디에서, 무엇을, 어떻게, 왜 했는지 정리해 봅니다.
③ 겪은 일에 대한 생각을 글로 표현해 봅니다.

5 학급에서 일어난 일에 대해 의견이 드러나게 쓰기

① 학급 신문에 기사로 쓸 만한 일을 찾아봅니다.
예 학급 신문에 실릴 만한 사건이나 소식

친구들에게 꼭 알려야 하는 소식	• 친구가 상을 받은 일 • 우리 반이 독서 우수 학급으로 선정된 일
친구들과 함께 고민해야 할 문제	• 쉬는 시간에 복도나 교실에서 뛰는 문제 • 쓰레기 분리배출이 잘되지 않는 문제

② 학급 신문에 기사로 쓸 내용과 기사를 쓸 사람을 정해 봅니다.
③ 기사 내용을 조사해 학급 신문 기사를 씁니다.
④ 친구들이 쓴 기사를 모아 학급 신문을 편집합니다.
⑤ 학급 신문에서 기사를 읽고 기억에 남는 기사와 그에 대한 자신의 의견을 씁니다.

핵심 확인 문제

정답과 해설 ● 14쪽

1 실제로 있었던 일은 사실, 대상이나 일에 대한 생각은 ☐☐입니다.

2 '한 일, 본 일, 들은 일'은 사실과 의견 중 무엇의 구별 근거입니까?

( )

3 같은 사실에 대해서는 모든 사람의 의견이 같습니다.

(○ , ×)

4 겪은 일에 대한 사실을 정리할 때에는 누구와, 언제, 어디에서, ☐☐☐, 어떻게, 왜 했는지 등을 정리합니다.

5 친구들에게 꼭 알려야 하는 소식, 친구들과 함께 고민해야 할 문제 등은 학급 신문에 실릴 만한 일입니다.

(○ , ×)

1~2 다음을 보고, 물음에 답하시오.

● 박물관에 다녀온 정우와 석원이의 대화 살펴보기

박물관에 단원 김홍도의 그림이 있었어.

응, 맞아. 그 가운데에서 나는 씨름하는 장면을 그린 그림이 가장 마음에 들었어. 사람들의 모습과 표정이 실감 났거든.

▲ 정우   ▲ 석원

📖 교과서 문제

1 정우와 석원이는 박물관에서 무엇을 보았는지 쓰시오.

(   )

📖 교과서 문제

2 정우와 석원이 중 대상이나 일에 대한 생각을 말한 사람은 누구인지 쓰시오.

(   )

핵심
3 '사실'과 '의견'에 대한 설명으로 알맞은 것을 선으로 이으시오.

(1) 사실 •   • ㉠ 실제로 있었던 일

(2) 의견 •   • ㉡ 대상이나 일에 대한 생각

4~5 석원이의 일기를 읽고, 물음에 답하시오.

㉠정우와 함께 박물관 현장 체험학습을 다녀왔다. ㉡박물관에는 우리 조상의 생활 모습을 담은 그림들이 전시되어 있었다. ㉢그림에 나타난 조상의 생활 모습은 오늘날과는 많이 다르다는 생각이 들었다.

핵심
4 ㉠~㉢ 중 사실을 모두 골라 기호를 쓰시오.

(   )

서술형
5 석원이는 그림들을 보고 어떤 생각을 했는지 쓰시오.

_____

_____

6 다음 문장 중 사실은 어느 것입니까? (   )

① 책을 많이 읽자.
② 호랑이는 동물이다.
③ 교실을 깨끗이 하자.
④ 아침에 일찍 일어나야 한다.
⑤ 친구들과 사이좋게 지내야 한다.

📖 교과서 문제

7 다음 문장을 사실과 의견으로 구별하여 빈칸에 쓰시오.

| 물을 아껴 쓰자. | (1) |
| 동생이 자전거를 탄다. | (2) |

교과서 핵심

● 사실과 의견 구별하기

정우와 함께 박물관 현장 체험학습을 다녀왔다.	사실
박물관에는 우리 조상의 생활 모습을 담은 그림들이 전시되어 있었다.	사실
그림에 나타난 조상의 생활 모습은 오늘날과는 많이 다르다는 생각이 들었다.	의견

◀ 사실과 의견
구별하며 읽기

독도를 다녀와서

❶ ㉠지난 방학 때 나는 가족과 함께 독도를 다녀왔다. 평소에 독도에 관심이 많아 독도에 대한 책도 읽고 사진도 여러 장 찾아보았다. ㉡그런데 마침 아버지께서 독도를 다녀오자고 하셨다. ㉢책이나 인
5 터넷에서만 보던 독도를 직접 가 보는 것이 좋겠다고 생각했다.

❷ 우리는 울릉도에 가서 다시 독도로 가는 배를 탔다. 배는 항구를 떠나 독도로 향했다. 우리는 바다를 바라보며 독도에 대한 이야기를 나누었다.
10 한참을 지나 드디어 독도에 도착했다. 배에서 내려 독도에 발을 내딛는 순간 이상하게 가슴이 떨렸다. 수많은 괭이갈매기가 우리를 반겨 주었다.
밖이나 앞쪽으로 발을 옮겨 현재의 위치에서 다른 장소로 이동하는

❸ 독도에는 괭이갈매기뿐만 아니라 슴새, 바다제비 같은 새도 산다고 한다. 또 멧도요, 물수리, 노
15 랑지빠귀 들은 독도를 휴식처로 삼아 철마다 머물다 간다고 한다. 책에서만 보던 슴새나 바다제비를 직접 보니 신기하기만 했다.

❹ 독도는 화산섬이라서 식물이 잘 자라기 힘든 곳이다. 이러한 자연환경에서도 번행초, 괭이밥, 쇠비름 같은 풀이 잘 자란다고 한다.

❺ 독도에서 동해를 바라보니 가슴이 탁 트이는 것 같았다. 우리나라 동쪽 끝 섬인 독도를 아끼고 독도에 ♥관심을 가져야겠다고 생각했다. 아름답고 생명력 넘치는 독도가 우리 땅이라는 것이 아주 자랑스러웠다.

♥관심 어떤 것에 마음이 끌려 주의를 기울임. 또는 그런 마음이나 주의.

교과서 핵심 ○ 글을 읽고 사실과 의견 구별하기

글	사실/의견	구별 근거
우리는 ~ 독도로 가는 배를 탔다.	사실	한 일
배는 항구를 떠나 독도로 향했다.	사실	본 일
독도에는 괭이갈매기뿐만 아니라 ~ 새도 산다고 한다.	사실	들은 일
독도에서 동해를 바라보니 ~ 같았다.	의견	생각이나 느낌
아름답고 생명력 ~ 자랑스러웠다.	의견	생각이나 느낌

📖 교과서 문제

1 글쓴이가 독도에 가서 본 것이 아닌 것은 무엇입니까? ( )

① 동해   ② 슴새
③ 바다제비   ④ 독수리
⑤ 괭이갈매기

📖 교과서 문제

2 글쓴이가 독도에 가서 생각한 것은 무엇무엇입니까? (,)

① 독도를 아껴야겠다.
② 독도 사진을 많이 찍어야겠다.
③ 독도에 대한 책을 읽어야겠다.
④ 독도에 관심을 가져야겠다.
⑤ 책에서 보았던 것보다 아름답지 않아 실망스럽다.

서술형

3 ㉠~㉢ 중 사실을 모두 찾아 기호를 쓰고, 그 까닭도 함께 쓰시오.

_____

_____

핵심

4 보기 에서 알맞은 말을 찾아 빈칸에 쓰시오.

보기
| 사실 | 의견 | 생각이나 느낌 | 한 일 |

글	아름답고 생명력 넘치는 독도가 우리 땅이라는 것이 아주 자랑스러웠다.
사실/의견	(1)
구별 근거	(2)

◀ 글을 읽고 새롭게 안 사실과 그에 대한 의견 쓰기

묵직한 수박 위로 나비가 훨훨!

이광표

❶ 「초충도」는 여덟 폭으로 이루어진 병풍 작품입니다. _{바람을 막거나 무엇을 가리거나 또는 장식용으로 방안에 치는 물건} 이 그림들은 섬세한 필체와 부드럽고 세련된 색감이 돋보이지요. 전체적으로 ♥구도가 비슷합니다. 화면의 중앙에 핵심이 되는 식물을 두고,
5 그 주변에 각종 벌레와 곤충을 배치했어요. 그림의 화면은 정사각형에 가깝고 식물과 곤충이 화면을 비교적 꽉 채우고 있습니다. 이 중 '수박과 들쥐' 그림을 자세히 살펴볼까요?

❷ 화면 가운데 아래쪽에 큼지막한 수박 두 개가
10 있습니다. ㉠참으로 당당해 보이는 수박 덩어리이지요. 수박 덩굴줄기가 왼쪽에서 오른쪽으로 휘어져 뻗어 있고, 뻗어 나간 줄기 위에 나비 두마리가 예쁘고 우아하
15 게 날갯짓을 하고 있네요. 큰 수박 오른쪽에는 패랭이꽃 한 그루가 조용히 피어 있습니다.

▲ 수박과 들쥐

수박 옆으로 뻗어 올라간 줄기를 볼까요? 왼쪽
20 수박에서 위쪽으로 화면 한복판을 가로질러 둥근

곡선을 그리며 뻗어 올라간 줄기가 매우 인상적입니다. 줄기에 작은 수박 하나가 더 매달려 있군요. 수박 밑부분은 검게 표시해 땅임을 알 수 있게 해주고 있네요.

수박 줄기 위로는 예쁜 나비 두 마리가 아름답게
5 날갯짓을 하고 있어요. 붉은 나비와 호랑나비인데, 모두 사실적으로 묘사되어 있군요. 나비의 색깔이 서로 대비를 이루어 인상적입니다.

이제 아래쪽으로 시선을 옮겨 수박을 자세히 들여다보죠. 수박의 껍질이 요즘 보는 수박과 다르
10 지요? 조선 시대 사람들이 먹었던 수박은 아마도 표면이 이러했던 모양입니다. 같은 땅에서 나온 수박인데도 시대가 흐르면서 그 모습이 바뀌었다는 사실이 참 흥미롭습니다.

당시의 사람들은 수박이 아이를 많이 낳는 것을
15 상징하고 나비는 화목과 사랑을 상징한다고 생각했습니다. 그렇다면 이 그림 속의 수박과 나비는 아이를 많이 낳아 서로 행복하게 잘 살아가길 바라는 마음을 담고 있는 것으로 생각할 수 있겠지요.

• 글의 특징: 신사임당의 「초충도」 중 '수박과 들쥐' 그림에 대해 소개하고 있습니다.

♥구도(構 얽을 구, 圖 그림 도) 그림에서 모양, 색깔, 위치 따위의 짜임새. ⑩ 구도를 잡다.

📖 교과서 문제

1 「초충도」에는 주로 무엇을 그렸습니까?
( )

① 대장간이나 빨래터
② 농부들이 일하는 모습
③ 산과 물이 어우러진 모습
④ 당시 차별을 받았던 여성들
⑤ 식물과 그 주변에 벌레와 곤충

2 '수박과 들쥐' 그림에서 큰 수박의 오른쪽에는 무엇이 그려져 있습니까?
( )

📖 교과서 문제

3 그림에서 아이를 많이 낳아 서로 행복하게 잘 살아가기를 바라는 마음을 담고 있는 것을 두 가지 고르시오. (,)

① 수박   ② 들쥐   ③ 나비
④ 호박   ⑤ 패랭이꽃

핵심
4 ㉠은 사실과 의견 중 무엇에 해당합니까?
( )

그런데 가장 큰 수박 ♥밑동을 보니 재미있는 일이 벌어졌습니다. 작은 쥐들이 커다란 수박을 열심히 파먹고 있는 게 아니겠어요? ㉠수박 껍질을 뚫어 내고 수박씨를 먹고 있는 모습입니다. 그래서 수박의 붉은 속과 씨들이 그대로 드러나 있습니다. 참 재미있는 풍경입니다. 쥐들이 수박을 좋아한다는 것도 흥미로운 사실이지요. 맛있는 수박을 먹고 있기 때문인지 들쥐들의 표정이 매우 만족스러워 보입니다.

전체적으로 보면 수박 주변에서 벌어지는 다양한 생명체의 움직임을 사실적이고 섬세하게 표현해 놓았습니다.

❸ 이번에는 화면의 색감을 볼까요? 수박은 검은 초록, 수박과 꽃의 줄기는 초록이고, 꽃과 나비 한 마리, 쥐들이 파먹고 있는 수박의 속 부분은 붉은색입니다. 초록빛과 붉은빛이 서로 색상의 대비를 이루고 있습니다.

구도도 안정적입니다. 커다란 수박 두 덩어리가 화면의 무게 중심을 잡고 있고 여기에 둥글게 휘어져 올라간 수박 줄기와 오른쪽 패랭이꽃의 반듯한

직선 줄기가 서로 대비를 이룹니다. 그래서 다른 「초충도」에서 발견할 수 없는 모습을 보여 줍니다. ㉡안정감 속에 변화와 ♥생동감이 은근히 배어 있지요.

왼쪽 수박에서 둥글게 뻗어 올라간 줄기는 이 그림의 여러 요소 가운데 단연 눈에 띕니다. 수박의 줄기를 크게 타원형으로 배치해 율동감을 살려 냈어요. 반면 오른쪽 패랭이꽃은 곧게 서 있어 화면에 안정감과 생동감을 부여해 주고 있습니다. 또한 두 개의 수박을 아래쪽 한가운데에 배치하지 않고 왼쪽에 치우치게 배치함으로써 화면의 단조로움을 극복하고 변화와 움직임을 주었습니다. 이것이 바로 신사임당이 화가로서 지닌 재능과 감각이라고 할 수 있겠지요.

길쭉하게 둥근 타원으로 된 평면 도형. 또는 그런 모양

♥밑동 채소 따위 식물의 굵게 살진 뿌리 부분.

♥생동감 생기 있게 살아 움직이는 듯한 느낌.

교과서 **핵심** ○ 이 글을 읽고 새롭게 안 사실과 그것에 대한 의견 쓰기 **에**

새롭게 안 사실	조선 시대와 지금의 수박 껍질 모습이 다르다. / 쥐들이 수박을 좋아한다.
그것에 대한 의견	참 흥미롭다. / 새롭게 알게 되어 기쁘다. / 신기하다.

📖 교과서 문제

5 그림에서 안정감을 느낄 수 있는 까닭을 생각하여 빈칸에 알맞은 말을 써넣으시오.

> 커다란 수박 두 덩어리가 화면의 무게 중심을 잡고 있고, 휘어져 올라간 수박 줄기와 패랭이꽃의 반듯한 직선 줄기가 서로 (   )을/를 이루고 있기 때문이다.

6 이 글에서 설명하고 있는 그림을 그린 사람은 누구입니까?

(   )

7 ㉠과 ㉡ 중 사실에 해당하는 것은 무엇인지 기호를 쓰시오.

(   )

역량 논술형

8 이 글을 읽고 새롭게 안 사실을 쓰고 그것에 대한 의견을 쓰시오.

새롭게 안 사실	(1)
그것에 대한 의견	(2)

● 학교나 집에서 있었던 일을 떠올려 사실과 의견이 잘 드러나게 글을 쓰기

▲ 현장 체험학습

▲ 과학의 날 행사

▲ 전통 결혼식

○ 겪은 일을 정리하기

• 누구와 함께 있었나요?
• 언제 어디에서 있었던 일인가요?
• 무엇을 했나요?
• 어떻게 했나요?
• 왜 했나요?
• 어떤 생각을 했나요?

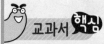
교과서 핵심

○ 겪은 일을 사실과 의견으로 나누어 정리하기

```
        겪은 일
          │
  ┌───────┼───────┐
 본 일   들은 일   한 일
```

사실	예 지난주 수요일 에너지 박물관으로 현장 체험학습을 다녀왔다.
의견	예 나부터 소중한 에너지를 아껴 써야겠다고 생각했다.

📖 교과서 문제

1 그림과 같이 학교나 집에서 있었던 일을 한 가지 쓰시오.

(   )

📖 교과서 문제

2 다음 중 겪은 일을 쓸 때 정리할 내용이 <u>아닌</u> 것은 어느 것입니까?   ( )

① 어떻게 했나요?
② 어떤 생각을 했나요?
③ 무엇을 하고 싶은가요?
④ 누구와 함께 있었나요?
⑤ 언제 어디에서 있었던 일인가요?

논술형

3 자신이 겪은 일 중 한 가지를 정해 사실과 의견이 잘 드러나게 글을 쓰시오.

제목: _____

실천

학급에서 일어난 일에 대해 의견이 드러나게 쓰기

정답과 해설 ● 16쪽

● 학급 신문에 기사로 쓸 만한 일을 찾아 기사 쓰기

● **기사 내용을 조사해 학급 신문 기사를 쓰는 방법**
• 어떤 일이 있었는지 사실을 정확하게 조사해야 합니다.
• 친구가 한 말, 선생님이나 부모님께서 하신 말씀도 써 봅니다.

📖 교과서 문제

1 ㉠에 들어갈, 학급 신문에 실릴 만한 일로 알맞지 않은 것은 어느 것입니까? ( )

① 어제 동생의 숙제를 도와준 일
② 지각하는 친구들이 많아진 문제
③ 쓰레기 분리배출이 잘되지 않는 문제
④ 우리 반이 학급 독서 이어 가기 대회에서 일 등을 한 일
⑤ 우리 반이 지난주 쉬는 시간에 운동장에 떨어진 쓰레기를 줍는 봉사활동을 한 일

📖 교과서 문제

2 학급 신문에 기사로 쓸 내용을 한 가지 정하여 쓰시오.

( )

3 학급 신문 기사를 쓰는 방법으로 알맞은 것을 두 가지 골라 기호를 쓰시오.

> ㉠ 제목을 쓰지 않는다.
> ㉡ 선생님, 친구가 한 말도 쓸 수 있다.
> ㉢ 어떤 일이 있었는지 사실을 정확하게 조사해서 쓴다.

( )

역량 논술형

4 다음 학급 신문 기사를 읽고 자신의 의견을 쓰시오.

제목	고운 말을 쓰자
내용	지난주 우리 반 친구들끼리 거친 말을 쓰다가 다투게 되어서 선생님께 꾸중을 들은 일이 있었다. 앞으로는 고운 말을 사용하는 습관을 기르자.

기본 · 80쪽 **글을 읽고 사실과 의견 구별하기**

『장영실』을 읽고

㉠장영실은 조선 세종 때 살았던 사람입니다. 장영실은 천체의 움직임과 그 위치를 측정하는 기구인 간의와 혼천의를 만들었고, 시간을 알려 주는 기구인 자격루를 만들었습니다.

_{우주에 있는 모든 물체}

5 장영실은 어렸을 때부터 손재주가 있어 집 안 물건들을 깨끗이 다듬기도 하고, 장난감을 스스로 만들기도 했습니다. ㉡저도 장난감을 만들어 가지고 노는 것을 좋아해서 장영실과 비슷하다고 생각했습니다. 저도 장영실처럼 발명을 잘하는 것 같아서 기분이 좋았습니다.

_{아직까지 없던 기술이나 물건을 새로 생각하여 만들어 냄.}

10 관가에 노비로 들어온 장영실은 이른 아침부터 늦은 밤까지 심부름을 했습니다. 힘들 때마다 장영실은 커서 세상에 필요한 사람이 되겠다는 다짐을 했다고 합니다. 제가 만약 장영실이라면 일하기가 너무 힘들고 노비로 살기 싫어서 도망쳤을 것 같습니다. 하지만 장영실은 오히려 어머니를 걱정했다고 합니다. 장영실의 마음가짐을 15 알고 나니 힘든 일을 피해 가려고 생각했던 제가 부끄러웠습니다.

지혜롭고 남을 배려해 주는 장영실처럼 저도 이 세상에 필요한 사람이 되어야겠습니다.

▲ 혼천의

1 ㉠과 ㉡은 사실과 의견 중 무엇이 나타난 문장인지 각각 쓰시오.

(1) ㉠: (　　　　　　)

(2) ㉡: (　　　　　　)

2 이 글에서 글쓴이의 다짐이 나타난 문장을 찾아 쓰시오.

_____

_____

_____

기본 · 83쪽 **사실에 대한 의견 쓰기**

● 글을 읽고 의견 찾아보기

지리산 반달가슴곰, '세쌍둥이' 출산

지난겨울 지리산에서 반달가슴곰이 세쌍둥이를 출산했다고 한다. 야생 반달가슴곰은 한꺼번에 두 마리 이상 새끼를 낳는 일이 드물

_{산이나 들에서 저절로 나서 자람. 또는 그런 생물}

20 다. 그런데 세쌍둥이를 낳은 것은 지리산의 자연 생태가 곰이 살아가는 데 알맞다는 증거라고 한다. 우리는 지리산의 자연 생태계를 보전하려고 노력해야 한다. 그러기 위해서는 숲을 가꾸고 사람들이 들어갈 수 없는 곳을 정해야 한다.

3 지난겨울 지리산에서 반달가슴곰은 새끼를 몇 마리 낳았습니까?

(　　　　　　)

4 이 글에서 의견을 찾아 밑줄 그으시오.

● 사진을 보고 의견 떠올리기

여러 사람이 쓰레기를 마구 버려서 모래밭이 지저분해졌어.

▲ 효리

자기 쓰레기는 자기가 치워야 해.

▲ 상순

쓰레기가 흩어져 있는 지저분한 모래밭을 보니 기분이 나빴어.

▲ 재원

5 친구들이 말한 내용은 사진을 보고 의견을 떠올리는 방법 중 무엇에 해당하는지 보기 에서 골라 기호를 쓰시오.

보기
㉠ 사실이 무엇인지 생각한다.
㉡ 사실에 대한 감정이나 기분을 떠올린다.
㉢ 문제를 해결할 수 있는 방법을 떠올린다.

효리	(1)
상순	(2)
재원	(3)

기초 다지기 **바르게 소리 내어 읽기**

6 다음 중 낱말의 발음이 바르지 <u>못한</u> 것은 어느 것입니까? (   )

① 칼날 → [칼랄]   ② 신라 → [실라]
③ 연료 → [열료]   ④ 생산량 → [생살냥]
⑤ 판단력 → [판단녁]

7 다음 낱말의 올바른 발음을 찾아 ○표를 하시오.

(1) 의견란 → [의견난, 의결난]
(2) 등산로 → [등살로, 등산노]

8 다음 낱말의 발음을 쓰시오.

(1) 훈련 → [   ]
(2) 물난리 → [   ]

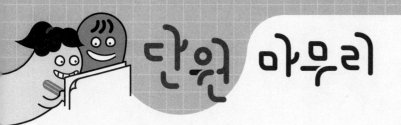

준비 ······

》 사실과 의견의 차이점 알기

❶ ☐☐	실제로 있었던 일
의견	대상이나 일에 대한 ❷ ☐☐

예 석원이가 박물관에 다녀와서 쓴 일기를 읽고 사실과 의견 구별하기

정우와 함께 박물관 현장 체험학습을 다녀왔다.	〰 사실
박물관에는 우리 조상의 생활 모습을 담은 그림들이 전시되어 있었다.	〰 사실
그림에 나타난 조상의 생활 모습은 오늘날과는 많이 다르다는 생각이 들었다.	〰 의견

4 단원

기본 ······

》 글을 읽고 사실과 의견 구별하기

예 「독도를 다녀와서」를 읽고 사실과 의견 구별하기

사실	지난 방학 때 나는 가족과 함께 독도를 다녀왔다. 평소에 독도에 관심이 많아 독도에 대한 책도 읽고 사진도 여러 장 찾아보았다. 그런데 마침 아버지께서 독도를 다녀오자고 하셨다.	책이나 인터넷에서만 보던 독도를 직접 가 보는 것이 좋겠다고 생각했다. ❸ ☐☐

기본 ······

》 사실에 대한 의견 말하기

예 「묵직한 수박 위로 나비가 훨훨!」을 읽고 새롭게 안 사실과 그것에 대한 의견 말하기

새롭게 안 사실	• 조선 시대와 지금의 수박 껍질 모습이 다르다. • 쥐들이 수박을 좋아한다.
그것에 대한 의견	• 같은 수박인데도 시대가 다르다고 그 모습이 변한 것이 참 신기하고 예전에는 사진 기술 등이 발전하지 못했을 텐데 조선 시대의 수박 껍질을 그림으로 알게 되어 재미있다. • 쥐들이 달콤한 수박을 좋아해 껍질을 뚫고 파먹고 있는 모습과 만족스러운 표정이 인상 깊고 신기하다.

→ 같은 사실에 대해서도 사람마다 의견이 ❹ ☐☐ 수 있습니다.

1 대상이나 일에 대한 생각을 무엇이라고 하는지 쓰시오.

(   )

2~4 다음을 보고, 물음에 답하시오.

박물관에 단원 김홍도의 그림이 있었어.

응, 맞아. 그 가운데에서 나는 씨름하는 장면을 그린 그림이 가장 마음에 들었어. 사람들의 모습과 표정이 실감 났거든.

◀ 정우   석원 ▶

2 정우와 석원이는 어디에 다녀왔습니까?

(   )

① 동물원   ② 미술관   ③ 박물관
④ 공연장   ⑤ 민속촌

3 석원이는 김홍도의 그림 중 어떤 장면을 그린 그림이 가장 마음에 들었다고 했습니까?

(   )

① 씨름하는 장면
② 머리를 감는 장면
③ 고양이를 쫓는 장면
④ 훈장님께 혼나는 장면
⑤ 춤추는 아이를 그린 장면

중요

4 정우와 석원이 중 실제로 있었던 일을 말한 사람은 누구입니까?

(   )

5 다음 글에서 의견을 나타내는 문장을 찾아 밑줄을 그으시오.

정우와 함께 박물관 현장 체험학습을 다녀왔다. 박물관에는 우리 조상의 생활 모습을 담은 그림들이 전시되어 있었다. 그림에 나타난 조상의 생활 모습은 오늘날과는 많이 다르다는 생각이 들었다.

6 다음 중 사실을 나타내는 문장을 세 가지 고르시오. (,   ,   )

① 아기의 울음소리를 들었다.
② 물을 아껴 쓰자.
③ 책을 많이 읽자.
④ 토마토는 채소이다.
⑤ 호랑이는 동물이다.

7~10 글을 읽고, 물음에 답하시오.

『지난 방학 때 나는 가족과 함께 독도를 다녀왔다. 평소에 독도에 관심이 많아 독도에 대한 책도 읽고 사진도 여러 장 찾아보았다. 그런데 마침 아버지께서 독도를 다녀오자고 하셨다. 책이나 인터넷에서만 보던 독도를 직접 가 보는 것이 좋겠다고 생각했다.』

㉠우리는 울릉도에 가서 다시 독도로 가는 배를 탔다. 배는 항구를 떠나 독도로 향했다. 우리는 바다를 바라보며 독도에 대한 이야기를 나누었다. 한참을 지나 드디어 독도에 도착했다. 배에서 내려 독도에 발을 내딛는 순간 이상하게 가슴이 떨렸다. 수많은 괭이갈매기가 우리를 반겨 주었다.

㉡독도에는 괭이갈매기뿐만 아니라 슴새, 바다제비 같은 새도 산다고 한다. 또 멧도요, 물수리, 노랑지빠귀 들은 독도를 휴식처로 삼아 철마다 머물다 간다고 한다. 책에서만 보던 슴새나 바다제비를 직접 보니 신기하기만 했다.

7 '나'는 언제 독도에 다녀왔습니까?

(   )

8 '내'가 독도에 가게 된 까닭은 무엇입니까?
( )

① 아버지께서 다녀오자고 하셔서
② 독도로 모두 이사를 가게 되어서
③ 독도에 친한 친척이 살고 있어서
④ 학교에서 체험학습을 가게 되어서
⑤ 독도에 살고 있는 친구가 초대해서

서술형

9 『 』부분에서 의견을 나타내는 문장을 찾아 쓰시오.

_____

_____

중요

10 ㉠과 ㉡ 중 들은 일을 나타낸 것은 어느 것입니까?

( )

11~14 글을 읽고, 물음에 답하시오.

㉮ 이 중 '수박과 들쥐' 그림을 자세히 살펴볼까요?

㉠화면 가운데 아래쪽에 큼지막한 수박 두 개가 있습니다. ㉡참으로 당당해 보이는 수박 덩어리이지요. 수박 덩굴줄기가 왼쪽에서 오른쪽으로 휘어져 뻗어 있고, 뻗어 나간 줄기 위에 나비 두 마리가 예쁘고 우아하게 날갯짓을 하고 있네요. 큰 수박 오른쪽에는 패랭이꽃 한 그루가 조용히 피어 있습니다.

㉯ 당시의 사람들은 수박이 아이를 많이 낳는 것을 상징하고 나비는 화목과 사랑을 상징한다고 생각했습니다. 그렇다면 이 그림 속의 수박과 나비는 아이를 많이 낳아 서로 행복하게 잘 살아가길 바라는 마음을 담고 있는 것으로 생각할 수 있겠지요.

그런데 가장 큰 수박 밑동을 보니 재미있는 일이 벌어졌습니다. 작은 쥐들이 커다란 수박을 열심히 파먹고 있는 게 아니겠어요? 수박 껍질을 뚫어 내고 수박씨를 먹고 있는 모습입니다. 그래서 수박의 붉은 속과 씨들이 그대로 드러나 있습니다. ㉢참 재미있는 풍경입니다.

11 이 글의 내용으로 보아 다음 중 이 글에서 설명하는 그림은 무엇일지 ○표를 하시오.

(1) 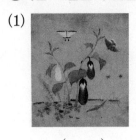 (2)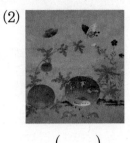
( ) ( )

12 그림에서 수박의 속과 붉은 씨들이 그대로 드러나 있는 까닭은 무엇입니까? ( )

① 수박을 먹으려고 잘라서
② 쥐들이 수박을 파먹어서
③ 아이들이 수박을 깨뜨려서
④ 개미들이 수박을 파먹어서
⑤ 당시의 수박이 그렇게 생겨서

13 ㉠~㉢ 중 의견을 나타내는 문장이 아닌 것은 어느 것입니까?

( )

14 이 글을 읽고 새롭게 안 사실과 그것에 대한 의견을 알맞게 말하지 못한 사람은 누구인지 쓰시오.

주아: 쥐들이 수박을 좋아한다는 사실이 신기하고 재미있어.
슬기: 수박 덩굴줄기가 왼쪽에서 오른쪽으로 휘어져 뻗어 있다고 했어.
가람: 수박과 나비가 아이를 많이 낳아 행복하게 살아가길 바라는 마음을 담고 있다는 새로운 사실을 알게 되어 기뻐.

( )

논술형

15 자신이 겪은 일을 떠올려 보고, 자신이 한 일과 그에 대한 의견을 쓰시오.

한 일	(1)
의견	(2)

16~17 글을 읽고, 물음에 답하시오.

> ㉠지난겨울 지리산에서 반달가슴곰이 세쌍둥이를 출산했다고 한다. 야생 반달가슴곰은 한꺼번에 두 마리 이상 새끼를 낳는 일이 드물다. 그런데 세쌍둥이를 낳은 것은 지리산의 자연 생태가 곰이 살아가는 데 알맞다는 증거라고 한다. ㉡우리는 지리산의 자연 생태계를 보전하려고 노력해야 한다. ㉢그러기 위해서는 숲을 가꾸고 사람들이 들어갈 수 없는 곳을 정해야 한다.

국어 활동

16 반달가슴곰이 세쌍둥이를 낳은 것이 의미하는 것은 무엇입니까? ( )

① 반달가슴곰의 번식력이 왕성하다.
② 반달가슴곰은 새끼를 무척 아낀다.
③ 반달가슴곰을 복제하는 데 성공했다.
④ 지리산의 생태계가 많이 파괴되었다.
⑤ 지리산의 자연 생태가 곰이 살아가는 데 알맞다.

국어 활동

17 ㉠~㉢ 중 의견이 아닌 것의 기호를 쓰시오.
( )

18 다음 학급 신문 기사 내용에 대한 자신의 의견을 알맞게 말한 것을 찾아 ○표를 하시오.

> 지난주 우리 반 친구들끼리 거친 말을 쓰다가 다투게 되어서 선생님께 꾸중을 들은 일이 있었다. 앞으로는 고운 말을 사용하는 습관을 기르자.

(1) 친구들과 서로 양보하며 사이좋게 지내야 한다. ( )
(2) 나부터 고운 말을 쓰기 위해 노력한다면 주변의 많은 친구가 고운 말을 쓸 것이라고 생각한다. ( )

19~20 글을 읽고, 물음에 답하시오.

> ㉠중국과 일본의 지붕은 처마 양 끝이 살짝 들려 있지만 가운데는 반듯한 직선이야. ㉡그런데 한옥 지붕은 처마 전체가 휘어진 듯 부드러운 곡선을 이루어 좀 더 가볍고 산뜻한 느낌을 줘. 중국, 일본과 달리 한옥 지붕이 부드러운 곡선을 이루게 된 데에는 한국의 자연환경이 큰 영향을 끼친 것 같아. 한국은 국토의 대부분이 산이기 때문에 자연스럽게 산으로 둘러싸인 곳에 건축물을 짓는 일이 많았거든. 그래서 건축물 지붕을 얹을 때도 지붕 선이 주변 산봉우리와 잘 어울리도록 부드러운 곡선이 되도록 한 거야.

19 한옥 지붕이 부드러운 곡선을 이루는 것에 큰 영향을 끼친 것은 무엇입니까? ( )

① 건축 재료   ② 신분 계급
③ 좁은 국토   ④ 한국의 자연환경
⑤ 한국인의 식습관

중요

20 ㉠, ㉡을 사실과 의견으로 구분하여 기호를 쓰시오.

(1) 사실: ( )
(2) 의견: ( )

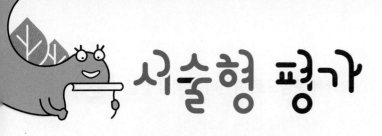

서술형 평가

4
단원

1 다음 그림을 보고 자신의 의견을 쓰시오.

_____

_____

2~3 글을 읽고, 물음에 답하시오.

> 가 지난 방학 때 나는 가족과 함께 독도를 다녀왔다. 평소에 독도에 관심이 많아 독도에 대한 책도 읽고 사진도 여러 장 찾아보았다. 그런데 마침 아버지께서 독도를 다녀오자고 하셨다.
> 나 독도에는 괭이갈매기뿐만 아니라 슴새, 바다제비 같은 새도 산다고 한다. 또 멧도요, 물수리, 노랑지빠귀 들은 독도를 휴식처로 삼아 철마다 머물다 간다고 한다. 책에서만 보던 슴새나 바다제비를 직접 보니 신기하기만 했다.

2 글쓴이가 독도에 관심을 가지고 무엇을 했는지 쓰시오.

_____

_____

3 글 나에서 글쓴이의 의견이 나타난 문장을 찾아 쓰시오.

_____

_____

4~5 글을 읽고, 물음에 답하시오.

> ㉠「초충도」는 여덟 폭으로 이루어진 병풍 작품입니다. 이 그림들은 섬세한 필체와 부드럽고 세련된 색감이 돋보이지요. 전체적으로 구도가 비슷합니다. 화면의 중앙에 핵심이 되는 식물을 두고, 그 주변에 각종 벌레와 곤충을 배치했어요. 그림의 화면은 정사각형에 가깝고 식물과 곤충이 화면을 비교적 꽉 채우고 있습니다. 이 중 '수박과 들쥐' 그림을 자세히 살펴볼까요?
> 화면 가운데 아래쪽에 큼지막한 수박 두 개가 있습니다. 참으로 당당해 보이는 수박 덩어리이지요. 수박 덩굴줄기가 왼쪽에서 오른쪽으로 휘어져 뻗어 있고, 뻗어 나간 줄기 위에 나비 두 마리가 예쁘고 우아하게 날갯짓을 하고 있네요.

4 「초충도」는 어떤 구도를 가지고 있는지 쓰시오.

_____

_____

5 ㉠의 사실에 대한 의견을 쓰시오.

_____

_____

6 학교나 집에서 있었던 일을 떠올려 사실과 의견을 간단히 쓰시오.

사실	(1)
의견	(2)

낱말 퀴즈

● 다음 교과서 문장의 파란색 낱말 중에서 알맞은 것을 골라 인물들이 한 말을 완성하시오.

- 전체적으로 구도가 비슷합니다.
- 붉은 나비와 호랑나비인데, 모두 사실적으로 묘사되어 있군요.
- 맛있는 수박을 먹고 있기 때문인지 들쥐들의 표정이 매우 만족스러워 보입니다.
- 안정감 속에 변화와 생동감이 은근히 배어 있지요.

정답 | ❶ 묘사 ❷ 구도 ❸ 생동감 ❹ 만족

5

내가 만든 이야기

무엇을 배울까요?

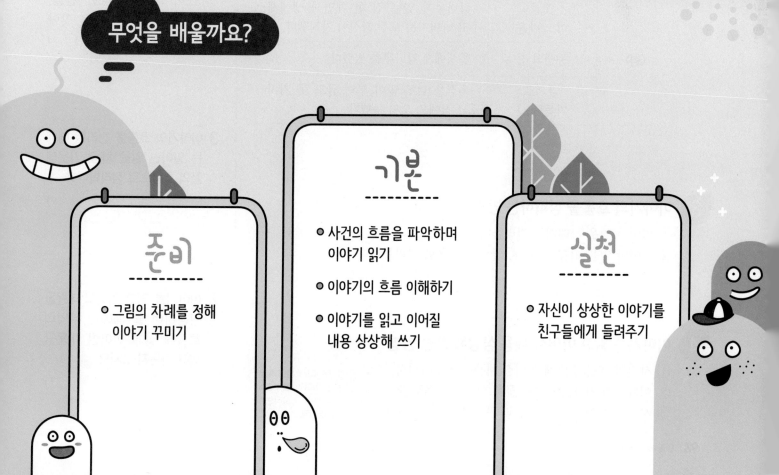

준비

● 그림의 차례를 정해 이야기 꾸미기

기본

● 사건의 흐름을 파악하며 이야기 읽기

● 이야기의 흐름 이해하기

● 이야기를 읽고 이어질 내용 상상해 쓰기

실천

● 자신이 상상한 이야기를 친구들에게 들려주기

교과서 핵심

1 그림의 차례를 정해 이야기를 꾸밀 때 생각할 점
① 이야기의 흐름이 자연스러운지 살펴봅니다.
② 이야기가 그림과 어울리는지 살펴봅니다.
③ 일어난 일들이 서로 원인과 결과로 연결되었는지 살펴봅니다.

2 이야기를 읽고 사건의 흐름을 파악하는 방법
① 이야기에 나타난 인물, 장소, 일어난 일을 찾아봅니다.
② 이야기에서 일어난 중요한 일을 찾아봅니다.
③ 일이 일어난 차례를 살펴봅니다.
예 「까마귀와 감나무」에서 인물에게 일어난 일 정리하기

인물	장소	일어난 일
〈동생〉	옛날 어느 마을	감나무가 있는 집 한 채만 받았다.
	동생의 집	까마귀가 감을 다 먹어 버렸다.
	금으로 가득한 산	금을 가져와 부자가 되었다.

인물	장소	일어난 일
〈형〉	옛날 어느 마을	감나무가 있는 집 한 채만 동생에게 주고 나머지는 모두 자신이 차지했다.
	동생의 집	동생에게 감나무를 빌렸다.
	금으로 가득한 산	욕심을 너무 많이 부려 금도 못 가져오고 집에도 오지 못했다.

3 이야기의 흐름을 정리하는 방법
① 일어난 일을 차례대로 정리합니다.
② 일어난 일을 처음, 가운데, 끝의 흐름으로 정리합니다.

4 이야기를 읽고 이어질 내용 상상해 쓰는 방법
① 사건의 흐름에 맞게 이어질 내용을 상상합니다. ┐
② 이야기의 처음, 가운데, 끝을 생각하고 씁니다. ┘ → 사건과 사건의 흐름이 자연스러운지, 이야기 앞부분에 나온 내용과도 어울리는지 생각하며 씁니다.
③ 사건들 사이에 원인과 결과 관계가 있도록 씁니다.

핵심 확 인 문 제

정답과 해설 ● 18쪽

1 그림의 차례를 정해 이야기를 꾸밀 때 생각할 점으로 알맞은 것을 모두 찾아 ○표를 하시오.
(1) 일어난 일들이 재미있는가? ( )
(2) 이야기가 그림과 어울리는가? ( )
(3) 이야기의 흐름이 자연스러운가? ( )

2 사건의 흐름을 파악하는 방법이 아닌 것을 찾아 ×표를 하시오.
(1) 맨 처음 일어난 일만 살펴본다. ( )
(2) 이야기에서 일어난 중요한 일을 찾아본다. ( )
(3) 이야기에 나타난 인물, 장소, 일어난 일을 찾아본다. ( )

3 이야기의 흐름을 정리할 때에는 일어난 일을 처음, 가운데 끝의 흐름으로 정리합니다.
(○ , ×)

4 이야기를 읽고 이어질 내용을 상상하여 쓸 때에는 무엇의 흐름에 맞게 이어질 내용을 써야 하는지 쓰시오.
( )

● 인물의 말이나 행동을 상상하며 그림을 보고 이야기 꾸미기

● **그림 설명**: 한 소년이 장난꾸러기 구름 사람을 만나 구름 공항에 가서 일어나는 일을 나타낸 것으로, 그림의 순서를 정해 이야기를 꾸며 봄으로써 상상력을 키울 수 있습니다.

교과서 핵심

● 그림의 순서를 정해 이야기 꾸미기 예

그림의 순서
❶ → ❷ → ❺ → ❻ → ❸ → ❹
이야기 꾸미기
추운 겨울, 한 소년이 높은 건물 꼭대기에서 구름 사람을 만났다. 구름 사람은 모자도, 장갑도 없이 추위에 떨고 있는 소년이 안쓰러워 구름으로 모자와 목도리를 만들어 주었다. ……

1 이 그림에 등장하는 인물은 누구누구입니까?
(,)

① 소년　　② 나무　　③ 비행기
④ 구름 사람　⑤ 산타클로스

2 그림을 보고 일어난 일을 상상한 것으로 알맞지 <u>않은</u> 것은 무엇입니까? ( )

① 소년이 구름 사람으로 변신했다.
② 구름 사람이 소년을 태우고 날아 구름 공항에 갔다.
③ 구름 사람이 소년에게 모자와 목도리를 만들어 주었다.
④ 구름 사람은 친구들에게 소년과 소년의 멋진 그림 솜씨를 소개했다.
⑤ 소년은 구름들에게 물고기 그림을 그려 주고 구름들을 물고기 모양으로 바꾸어 주었다.

논술형
3 이야기의 시작 장면을 정하고 그렇게 정한 까닭을 쓰시오.

(1) 시작 장면: 그림 ( )

(2) 그 까닭: _____

_____

핵심
4 이야기를 꾸민 뒤에 살펴볼 점으로 알맞은 것을 <u>모두</u> 찾아 ○표를 하시오.

(1) 이야기가 그림과 어울리는가? ( )

(2) 이야기의 길이가 충분히 긴가? ( )

(3) 일어난 일들이 서로 원인과 결과로 연결되었는가? ( )

까마귀와 감나무

🔊 일어난 일을 정리하며 읽기

❶ 옛날에 두 아들을 둔 아버지가 많은 재산을 남겨 두고 세상을 떠났습니다. 형은 동생에게 감나무가 있는 ♥허름한 집 한 채만 주었습니다. 그리고 나머지는 모두 자기가 차지했습니다. 그러나 마음

5 씨 착한 동생은 아무 말 없이 감나무가 있는 집만 받았습니다.

(중심 내용) 두 아들을 둔 아버지가 많은 재산을 남겨 두고 세상을 떠났는데 형은 동생에게 감나무가 있는 집 한 채만 주었다.

❷ 어느 가을날, 까마귀가 ♥떼 지어 날아와 감을 다 먹어 버렸습니다. 이 모습을 본 동생은 까마귀들에게 말했습니다.

10 "내 재산이라고는 이 감나무 하나뿐이야. 너희가 감을 모두 먹었으니, 나는 어떻게 살아가야 하니?"

까마귀 한 마리가 대답했습니다.

"당신은 마음이 착하고 욕심이 없군요. 감을 따

15 먹은 대신 금을 드릴게요. 저희가 모레 금이 있는

커다란 산으로 데리고 갈 테니 조그만 주머니를 만들어 두세요."

말을 끝내자 까마귀 떼는 어디론가 날아갔습니다. 동생은 까마귀들 말대로 조그만 주머니를 만들어 두었습니다.

5

(중심 내용) 까마귀들은 동생의 집 감을 따 먹은 대신 금이 있는 산에 데려다 주겠다고 했다.

- 글의 종류: 옛이야기
- 글의 특징: 마음씨 착한 동생은 금을 가져와 부자가 되고, 욕심 많은 형은 금을 가져오지 못한 것을 통해 지나치게 욕심을 부리면 안 된다는 것과 착하게 살면 복을 받는다는 교훈을 전해 줍니다.

♥허름한 좀 헌 듯한. 예 아이는 허름한 옷을 입고 있었다.
♥떼 목적이나 행동을 같이하는 무리.

교과서 핵심 ● 일어난 일을 차례대로 정리하기 ①

글 ❶	욕심 많은 형은 아버지가 남긴 재산 가운데 감나무가 있는 허름한 집 한 채만 동생에게 주고 나머지는 모두 자신이 차지했다.
글 ❷	동생의 감나무에 있는 감을 모두 먹은 까마귀는 감을 따 먹은 대신 동생을 금이 있는 커다란 산으로 데려다주겠다고 했다.

1 이 글에 등장하는 인물을 모두 고르시오.
(, ,)

① 형　　　② 까치　　　③ 동생
④ 어머니　　⑤ 까마귀

📖 교과서 문제

2 까마귀 떼가 동생을 도와주기로 한 까닭은 무엇입니까? ( )

① 동생이 불쌍해 보였기 때문에
② 동생의 감을 모두 먹었기 때문에
③ 동생이 감을 준다고 했기 때문에
④ 동생이 도와달라고 했기 때문에
⑤ 동생이 까마귀 다리를 고쳐 주었기 때문에

3 이 글의 내용으로 보아, 동생의 성격은 어떠합니까?
( )

핵심

4 글 ❶과 글 ❷에서 일어난 일을 정리하여 빈칸에 알맞은 말을 쓰시오.

글 ❶	형은 아버지가 남긴 재산 가운데 (1)( ) 이/가 있는 허름한 집 한 채만 동생에게 주었다.
글 ❷	까마귀는 동생을 (2)( )이/가 있는 커다란 산으로 데려다주겠다고 했다.

❸ 정말 이틀이 지난 뒤에 ♥우두머리 까마귀가 찾아와서 말했습니다.

"주머니를 다 만들었나요?"

"여기 다 만들어 두었단다."

5 동생이 대답했습니다. 그러자 까마귀는 땅으로 내려와 말했습니다.

"주머니를 꼭 쥐고 제 등에 타세요."

동생이 등 위에 올라타자 까마귀는 날개를 펴고 훨훨 날기 시작했습니다. 까마귀는 하늘 위로 날았

10 습니다.

까마귀는 바다를 지나고 또 다른 바다를 지나, 이 산꼭대기와 저 산꼭대기를 지났습니다. 드디어 온통 금으로 가득한 산 위에 내려앉았습니다.

"여기가 바로 우리가 찾던 곳이에요. 금은 얼마

15 든지 가져도 좋습니다."

동생은 눈이 부신 금덩이들 한가운데에 서 있는 것을 알고 깜짝 놀랐습니다. 그는 주변에 흩어져

있는 금을 주머니에 주워 담았습니다. 우두머리 까마귀가 물었습니다.

"다 담았어요? 그러면 제 등에 오르세요. 제가 당신 집까지 데려다줄게요."

5 동생은 한 손에 금이 든 작은 주머니를 들고, 다른 손으로는 우두머리 까마귀 등을 꼭 잡았습니다. 까마귀는 날개를 펴고 하늘로 날아올랐습니다. ♥첩첩이 쌓인 이 구름 저 구름을 지나 한참 만에 감나무 바로 아래로 내려왔습니다.

중심 내용 까마귀는 동생을 금 산에 데려다주었고, 동생은 금을 가지고 집으로 돌아왔다.

♥우두머리 어떤 일이나 단체에서 으뜸인 사람.

♥첩첩(疊 거듭 첩, 疊 거듭 첩)이 여러 겹으로 겹쳐 있는 모양.
예 그는 첩첩이 쌓인 먼 산을 바라보았다.

교과서 핵심 ○일어난 일을 차례대로 정리하기 ②

글 ❸	우두머리 까마귀는 동생을 금으로 가득한 산에 데려다주고 동생은 주머니에 금을 담아 와 부자가 되었다.

📖 교과서 문제

5 우두머리 까마귀가 동생을 데려간 곳은 어디입니까?

(   )

6 글 ❸에서 사건이 일어나는 배경이 어떻게 바뀌었습니까? (   )

① 강 → 산꼭대기
② 동생의 집 → 형의 집
③ 형의 집 → 동생의 집
④ 감나무 밭 → 동생의 집
⑤ 동생의 집 → 금으로 가득한 산

7 이 글을 읽고 동생에 대해 생각한 것으로 알맞은 것을 골라 기호를 쓰시오.

> ㉠ 착한 일을 하니 복을 받은 것 같아.
> ㉡ 도움 받은 것을 잊지 않고 보답하는 마음을 지녔어.
> ㉢ 주변에 흩어진 금까지 주머니에 담는 것을 보니 욕심이 많은 것 같아.

(   )

서술형

8 글 ❸에서 동생에게 일어난 일을 정리하여 쓰시오.

_____

_____

④ 아버지 ♥제삿날이 돌아왔습니다. 동생이 형을 초대하였습니다. 형은 동생이 큰 부자가 된 것을 보고 그 까닭을 물었습니다. 동생은 사실대로 이야기를 해 주었습니다.

5 　그러자 욕심이 생긴 형은 동생에게 감나무를 빌려 달라고 ♥사정하였습니다. 동생은 형에게 감나무를 빌려주었습니다. 가을이 되자 또 까마귀들이 날아와 감을 먹었습니다. 형도 동생과 같이 말하였습니다. 그리고 형은 아주 큰 자루를 만들었습

10 니다. 까마귀 우두머리는 형도 그 산으로 데려다 주었습니다. 형은 무척 기뻤습니다. 자기가 동생보다 더 큰 부자가 될 것이라고 생각했습니다. 형은 큰 자루에 금을 꾹꾹 채워 넣고, 그것도 모자라 옷 속에도, 입속에도, 그리고 귓구멍 속에도 가

15 득 채워 넣었습니다. 까마귀가 말하였습니다.

> 금으로 가득한 산

"다 담았어요? 그러면 제 등에 오르세요. 제가 당신 집까지 데려다줄게요."

까마귀가 날아올랐습니다. 그런데 금 자루가 너무 무거워 형은 까마귀 등에서 떨어지고 말았습니다. 까마귀는 형을 금 산 위에 놓아두고 혼자 날아

5 갔습니다.

(중심 내용) 형은 동생에게 감나무를 빌려 금 산으로 갔지만, 욕심을 부리는 바람에 까마귀 등에서 떨어져 금 산에 남겨지고 말았다.

♥제삿날 제사를 지내는 날.
♥사정(事 일 사, 情 뜻 정) 어떤 일의 형편이나 까닭을 남에게 말하고 무엇을 간청함.
(예) 장난감을 한 번만 갖고 놀게 해 달라고 형에게 사정하였다.

교과서 핵심 ● 일어난 일을 차례대로 정리하기 ③

글 ④	형은 부자가 된 동생을 보고 동생을 따라 했다. 하지만 무거운 금 자루 때문에 까마귀 등에서 떨어져 금 산에 남겨졌다.

📖 교과서 문제

9 이 글에서 형에게 일어난 일을 정리하여 빈칸에 알맞은 말을 쓰시오.

인물	장소	일어난 일
〈형〉	금으로 가득한 산	

(핵심)

10 이야기를 읽고 사건의 흐름을 파악할 때 살펴보아야 하는 것이 아닌 것은 무엇입니까?
(　　)

① 인물　　　　② 장소
③ 일어난 일　　④ 등장인물의 수
⑤ 일이 일어난 차례

📖 교과서 문제

11 이 글에서 글쓴이가 전하고 싶은 생각을 두 가지 고르시오. (　, 　)

① 웃어른을 공경하자.
② 부모님께 효도하자.
③ 동물을 잘 보살피자.
④ 욕심을 부리지 말자.
⑤ 착한 사람은 복을 받는다.

(역량)

12 「까마귀와 감나무」의 내용과 비슷한 내용을 담은 옛이야기를 두 가지 쓰시오.
(　　　　　　　　　　)

5
단원

🔊 이야기의 흐름에 따라 생각이나 느낌 떠올리며 읽기

아름다운 꼴찌

• 글: 이철환 • 그림: 장경혜

❶ ♥종례 시간, 선생님이 반 아이들에게 말했습니다.

"다음 주 금요일에 마라톤 대회가 열릴 거예요.
_{육상 경기에서 42.195킬로미터를 달리는 장거리 경주 종목}
그동안 열심히 연습해서 모두 ♥완주할 수 있도
록 해요."

5 수현이는 마라톤이라는 말에 덜컥 걱정이 되었
습니다.

'끝까지 못 뛸 게 뻔한데…… . 친구들에게 놀림
을 당하면 어쩌지?'

그러자 꼭 완주하고 싶다는 마음이 들었습니다.

10 그날 이후, 수현이는 날마다 공원에 가서 달리기
연습을 했습니다.

중심 내용 마라톤 대회가 열린다는 말을 듣고 수현이는 날마다 공원에 가서
달리기 연습을 했다.

❷ 드디어 마라톤 대회가 열리는 날입니다.

화창한 날씨는 수현이의 마음을 설레게 했습니다.

"우리 아들, 파이팅! 마라톤 잘 뛰고 와."

엄마, 아빠도 수현이에게 힘을 불어넣어 주었습
니다. 출발선에 섰을 때, 같은 반 친구인 재혁이가
수현이의 등을 토닥이며 싱긋 웃어 보였습니다. 수
현이는 끝까지 포기하지 않겠다고 다짐했습니다.

중심 내용 마라톤 대회가 열리는 날, 수현이는 부모님과 친구의 응원을 받
으며 끝까지 포기하지 않겠다고 다짐했다.

• 글의 종류: 이야기
• 글의 특징: 마라톤 대회에서 아들의 뒤에서 꼴찌로 뛴 아버지의
모습을 통해 아들에 대한 아버지의 사랑을 느낄 수 있습니다.

♥종례(終 마칠 종, 禮 예도 례) 학교에서, 하루 일과를 마친 뒤에 담
임 선생님과 학생이 한자리에 모여 나누는 인사. 주의 사항이나 지
시 사항 등을 전달하기도 한다.

♥완주(完 완전할 완, 走 달릴 주) 목표한 지점까지 다 달림.
예 마라톤 경기에 참가하는 일반 시민들은 대부분 기록보다는
완주가 목표이다.

🐛 교과서 핵심 ○ 이야기의 흐름에 따라 일어난 일 정리하기 ①

글 ❶ (처음)	마라톤 대회에 참가하려고 수현이는 달리기 연습을 한다.
글 ❷ (가운데)	수현이는 마라톤에 참가해 끝까지 달리겠다고 다짐한다.

---

1 선생님께서 마라톤 대회는 언제 열린다고 하셨습니까?

(   )

2 수현이는 마라톤 대회에 대해 어떤 생각을 했는지 두 가지 고르시오.   (,   )

① 완주하고 싶다.
② 공부를 쉴 수 있어서 좋다.
③ 누가 일 등을 할지 궁금하다.
④ 자신의 실력을 보여 줄 수 있겠다.
⑤ 끝까지 못 뛰어서 놀림을 받을까 봐 걱
정이다.

핵심

3 글 ❶에서 일어난 일을 바르게 정리한 것에 ○표를 하시오.

(1) 마라톤 대회에 참가하려고 수현이는 달
리기 연습을 한다.   (   )
(2) 마라톤 대회에서 응원을 하려고 수현이
는 응원 연습을 한다.   (   )
(3) 마라톤 대회에서 완주하지 못한 수현이
는 친구들에게 놀림을 당한다. (   )

📖 교과서 문제

4 마라톤 대회의 출발선에서 수현이는 어떤 다짐을 했습니까?   (   )

① 일 등을 하겠다.
② 꼴찌를 하지 않겠다.
③ 순위권 안에 들겠다.
④ 끝까지 포기하지 않겠다.
⑤ 적당히 뛰다가 포기하겠다.

❸ 탕! / 출발을 알리는 총소리가 하늘을 가르자 가벼운 발걸음들이 앞을 향해 내달리기 시작했습니다.

한참을 달리다 ♥경사진 언덕을 오를 때였습니다. 갑자기 가슴이 뻐근해지고, 어질어질 현기증이 일었습니다. 다른 친구들은 이미 수현이를 앞질러 간 상태였습니다.

㉠'헉, 헉! 숨이 차서 더는 못 달리겠어.'

수현이는 너무 힘든 나머지 도중에 포기해야겠다고 생각하고는 몇 걸음 천천히 걸었습니다. / 그때 등 뒤에서 사람들의 ♥환호 소리가 들렸습니다.

㉡"와, 조금만 더 힘내요!"

그것은 수현이와 100미터 이상 떨어진 거리에서 쓰러질 듯 달려오는 한 친구에게 보내는 격려의 소리였습니다. 수현이는 꼴찌가 아니라는 사실에 안도하면서 조금씩 힘을 내기 시작했습니다.
어떤 일이 잘 진행되어 마음을 놓음.

'이제 거의 다 왔어. 나도 조금만 더 힘을 내자!'

수현이는 숨이 턱까지 차오르고, 땀이 비 오듯 흘렀지만 마지막까지 온 힘을 다해 뛰기로 마음먹었습니다.

드디어 결승점에 도착했습니다!

깊은숨을 훅훅 몰아쉬는 수현이의 가슴이 산처럼 솟았다 가라앉기를 여러 차례 반복했습니다. 선생님과 친구들은 끝까지 포기하지 않고 달린 수현이를 향해 뜨거운 박수를 보냈습니다.

수현이는 꼴찌로 들어올 친구를 기다렸습니다. 그 친구에게 응원의 박수를 보내 주고 싶었습니다. 그런데 잠시 후, 그 친구가 결승점을 얼마 남기지 않고 경기를 포기했다는 사실을 알게 되었습니다. 수현이는 왠지 마음이 아팠습니다.

중심 내용 힘들어서 뛰는 것을 포기하려던 수현이는 자신이 꼴찌가 아니라는 것을 알고 온 힘을 다해 뛰어서 결승점에 도착했다.

♥경사진 땅이나 바닥 등이 한쪽으로 기울어진.

♥환호(歡 기쁠 환, 呼 부를 호) 기뻐서 큰 소리로 부르짖음.
예 우리 편이 경기에서 이겨서 환호했다.

교과서 핵심 ● 이야기의 흐름에 따라 일어난 일 정리하기 ②

글 ❸ (가운데)	힘들어서 달리기를 포기하려고 했을 때, 자신의 뒤에서 꼴찌로 달리는 친구가 있다는 것을 알게 된 수현이는 힘을 얻어 결승점까지 달린다.

📖 교과서 문제

5 ㉠에서 수현이의 마음은 어떠하겠습니까?
(   )
① 긴장된다.   ② 재미있다.
③ 화가 난다.   ④ 포기하고 싶다.
⑤ 자신이 자랑스럽다.

6 ㉡과 같이 사람들이 환호한 까닭은 무엇입니까?
(   )
① 마라톤이 흥미진진해서
② 수현이가 친구를 앞질러서
③ 수현이에게 힘을 주기 위해서
④ 넘어졌던 친구가 다시 일어나 달려서
⑤ 수현이 뒤에서 달려오는 친구를 격려하기 위해서

7 수현이가 꼴찌로 들어올 친구를 기다린 까닭은 무엇입니까?
(   )
① 꼴찌가 누구인지 궁금해서
② 고맙다고 인사를 하고 싶어서
③ 응원의 박수를 보내 주고 싶어서
④ 꼴찌로 들어온 친구를 놀려 주려고
⑤ 자신이 꼴찌가 아닌 것을 자랑하려고

핵심
8 글 ❸에서 일어난 일을 파악해 보고 생각이나 느낌을 바르게 말한 사람을 쓰시오.

민수: 열심히 노력해서 일 등을 한 수현이가 정말 대단한 것 같아.
수아: 힘든 상황에서도 마라톤을 포기하지 않고 끝까지 완주한 수현이의 모습이 아름다워.

(   )

④ 집으로 돌아온 수현이는 아빠, 엄마에게 마라톤에서 완주한 일을 몇 번이고 자랑했습니다.

"내 뒤에서 달려오던 친구가 없었다면 나도 중간에 포기하고 말았을 거예요."

아빠와 엄마는 그런 수현이가 무척 ♥대견했습니다.

(중심 내용) 집으로 돌아온 수현이는 부모님께 마라톤에서 완주한 일을 자랑했다.

⑤ 그날 밤, 모두가 잠든 시각이었습니다. 안방 문틈 사이로 아빠의 낮은 ♥신음 소리가 들렸습니다. 그리고 가느다란 엄마의 목소리도 들렸습니다.

"당신도 몸이 약한데, 수현이 뒤에서 함께 뛰다

니....... 너무 ♥무리한 것 같아요. 병원에 안 가도 되겠어요?"

수현이는 그제야 알았습니다. 자신 뒤에서 꼴찌로 달렸던 사람은 바로 아빠였던 것입니다.

(중심 내용) 수현이는 자신의 뒤에서 꼴찌로 달렸던 사람이 아빠였다는 것을 알게 되었다.

♥대견했습니다 흐뭇하고 자랑스러웠습니다.
♥신음(呻 읊조릴 신, 吟 읊을 음) 앓는 소리를 냄. 또는 그 소리. ⓔ 넘어진 은수는 신음 소리를 냈다.
♥무리(無 없을 무, 理 다스릴 리) 도리나 이치에 맞지 않거나 정도에서 지나치게 벗어남.

교과서 **핵심** ●이야기의 흐름에 따라 일어난 일 정리하기 ③

글 ④ (가운데)	수현이는 끝까지 달린 사실을 부모님께 자랑한다.
글 ⑤ (끝)	수현이 뒤에서 달렸던 사람이 아빠였다는 것을 알게 된다.

9 마라톤 대회가 있었던 날 밤, 수현이가 알게 된 사실은 무엇인지 빈칸에 알맞은 말을 써넣으시오.

> 자신 뒤에서 달렸던 사람이 (   )였다는 것을 알게 된다.

(핵심)
10 다음 중 이 글에서 가장 마지막에 일어난 일을 나타낸 그림은 무엇입니까? (   )

①  ②

③  ④

(논술형)
11 이 글의 끝부분에 대한 자신의 생각이나 느낌을 쓰시오.

_____

_____

📖 교과서 문제
12 이 글의 마지막 장면을 보고, 이 이야기의 주제는 무엇일지 두 가지 고르시오. (,   )

> 수현이의 두 볼에 주르륵 눈물이 흘렀습니다. 꼴찌로 달리며 수현이에게 안도감을 주고 싶었던 아빠의 마음이 수현이에게도 고스란히 전해졌습니다. 그날 아빠가 흘린 땀은 수현이가 힘겨울 때마다 힘이 되고 격려가 되는 징검다리가 될 것입니다.

① 아버지의 사랑   ② 자연의 위대함
③ 아름다운 우정   ④ 어머니의 희생
⑤ 포기하지 않고 끝까지 노력하는 모습의 아름다움

◀ 이어질 내용
상상하며 읽기

초록 고양이

• 글: 위기철 • 그림: 안미영

❶ 어느 날 엄마가 사라졌어요.

이 닦으러 ♥욕실에 들어가서 나오지 않았어요.

꽃담이는 욕실 문을 열어 봤어요.

엄마가 없었어요. ♥감쪽같이 사라져 버린 거예요.

5 꽃담이는 엄마가 틀어 놓은 수돗물을 잠갔어요.

그때 낄낄낄 웃음소리
가 들렸어요.

"너희 엄마는 내가 데
려갔어."

10 초록 고양이가 말했어
요. 빨간 우산을 쓰고 노
란 장화를 신고 있었어
요.

꽃담이가 말했어요.

"우리 엄마를 돌려줘!"

초록 고양이가 수염을
쓰다듬으며 말했어요.

"쉽게 돌려줄 수는 없
어. 엄마를 찾고 싶으
면 나를 따라와."

초록 고양이가 빨간 우
산을 빙글빙글 돌렸어요.

중심 내용 꽃담이 엄마를 데려간 초록 고양이가 엄마를 찾고 싶으면 자신을
따라오라고 했다.

• 글의 종류: 이야기
• 글의 특징: 초록 고양이가 꽃담이네 욕실에 나타나 꽃담이 엄마를
데려갔다가 돌려준 뒤 꽃담이를 데려가는 이야기로, 재미있는 상
상력이 나타나 있는 글입니다.

♥욕실(浴 목욕할 욕, 室 집 실) 목욕할 수 있도록 시설을 갖춘 방.
♥감쪽같이 꾸미거나 고친 것이 전혀 알아챌 수 없을 정도로 티가
나지 않게.
예 현수는 나를 감쪽같이 속였다.

📖 교과서 문제

1 꽃담이 엄마는 어디로 사라졌습니까? ( )

① 욕실에 들어가서 나오지 않았다.
② 안방에 들어가서 나오지 않았다.
③ 장을 보러 가서 돌아오지 않았다.
④ 빨래를 널러 가서 돌아오지 않았다.
⑤ 초록 고양이의 집에 놀러가서 오지 않
았다.

2 초록 고양이의 모습으로 알맞은 것을 두 가지
고르시오. (,)

① 빨간 우산을 썼다.
② 노란 우산을 썼다.
③ 빨간 모자를 썼다.
④ 노란 장화를 신었다.
⑤ 빨간 운동화를 신었다.

3 글 ❶에서 사건이 일어난 장소는 어디인지 쓰
시오.

( )

📖 교과서 문제

4 글 ❶에서 일어난 일을 정리하여 빈칸에 쓰
시오.

초록 고양이는 욕실에
있던 엄마를 어디론가 데
려간다.

❷ 커다란 동굴 안에 하얀 항아리들이 잔뜩 놓여 있었어요.

"항아리는 모두 40개야. 이 가운데 하나에 너희 엄마가 있어. 어느 항아리에 있는지 찾아봐. 항아리를 두드려 봐도 안 되고, 엄마를 불러서도 안 돼."

초록 고양이는 또 낄낄낄 웃었어요.

"기회는 딱 한 번뿐이야. 만일 틀린 항아리를 고르면, 너는 엄마를 영영 못 찾게 될 거야."

꽃담이는 ♥어이가 없었어요.

"만일 내가 찾으면 어떻게 할 건데?"

초록 고양이는 빨간 우산을 접으며 말했어요.

"그야 엄마를 집으로 돌려보내 주지."

"겨우 그뿐이야?"

초록 고양이 눈이 커졌어요. 꽃담이가 조금도 겁을 먹지 않아서 화가 났나 봐요.

"좋아, 이 빨간 우산을 너한테 주겠어."

"그 우산으로 뭘 할 수 있는데?"

"그냥…… 비 올 때 쓸 수 있지."

초록 고양이는 더욱 화가 난 듯이 말했어요.

"너는 우산이 중요하니, 엄마가 중요하니? 엄마를 찾고 싶지 않아?"

꽃담이가 빙긋 웃으며 말했어요.

"그건 너무 간단한 일이야. 아마 너는 엄마가 없는 모양이구나."

초록 고양이가 ♥따졌어요.

"나도 엄마 있어! 진짜야!"

"알았어. 믿어 줄게."

(중심 내용) 초록 고양이는 꽃담이에게 항아리 40개 가운데에서 엄마가 들어 있는 항아리를 한 번에 찾으라고 했다.

♥어이가 없었어요 일이 너무 뜻밖이어서 기가 막히는 듯하였어요.

♥따졌어요 문제가 되는 일을 상대에게 캐묻고 분명한 답을 요구하였어요. (예) 친구에게 잘잘못을 따졌어요.

📖 교과서 문제

5 초록 고양이는 엄마가 들어 있는 항아리를 찾을 때 꽃담이에게 무엇을 하면 안 된다고 했는지 두 가지 고르시오. (,)

① 냄새를 맡지 않는다.
② 엄마를 부르지 않는다.
③ 항아리를 두드리지 않는다.
④ 항아리를 깨뜨리지 않는다.
⑤ 초록 고양이에게 물어보지 않는다.

6 초록 고양이는 꽃담이가 틀린 항아리를 고르면 어떻게 된다고 했습니까? ( )

① 항아리가 폭발한다.
② 엄마를 영영 못 찾게 된다.
③ 초록 고양이를 따라가야 한다.
④ 초록 고양이에게 꿀밤을 맞는다.
⑤ 꽃담이가 대신 항아리에 갇히게 된다.

📖 교과서 문제

7 글 ❷에서 일어난 일을 정리하여 빈칸에 알맞은 말을 쓰시오.

• 초록 고양이는 항아리 40개 가운데에서 엄마가 들어가 있는 항아리를 ( ) 번에 찾으라고 한다.

8 이 글을 읽고 생각이나 느낌을 알맞게 말하지 못한 사람은 누구인지 쓰시오.

> 진주: 초록 고양이는 장난이 너무 심한 것 같아.
> 한별: 꽃담이는 정말 용감한 것 같아. 나였으면 아마 엄마를 돌려 달라고 계속 울었을 것 같아.
> 은하: 고양이를 싫어한다고 함부로 대하는 모습을 보니 꽃담이는 동물을 사랑하지 않는 것 같아.

( )

❸ 꽃담이가 항아리들이 놓여 있는 곳으로 갔어요. 초록 고양이가 ♥비아냥거렸어요.

"흥! 못 찾기만 해 봐라. 엄마를 영영 안 돌려줄 테야."

5 꽃담이는 ♥킁킁 냄새를 맡았어요.

"바로 이 항아리야!"

그 항아리에서 고소하고 달콤하고 ♥향긋한 냄새가 났거든요. 바로

10 엄마 냄새였지요.

꽃담이가 너무 쉽게 찾으니까 초록 고양이가 ♥심통이 났나 봐요.

"쳇! 좋아, 엄마를 데려가!"

그 말을 하고 초록 고양이는 뿅 사라졌어요.

중심 내용 꽃담이는 엄마 냄새를 맡고 엄마가 들어 있는 항아리를 찾았다.

❹ 어느 날 꽃담이가 사라졌어요.

세수하러 욕실에 들어가서 나오지 않았어요.

엄마는 욕실 문을 열어 봤지만, 꽃담이가 없었어요. 감쪽같이 사라진 거예요.

그때 낄낄낄 웃음소리가 들렸어요.

"꽃담이는 내가 데려갔어요."

초록 고양이가 말했어요. 발에 노란 장화를 신고 있었어요.

♥비아냥거렸어요 얄밉게 빈정거리며 자꾸 놀렸어요.
　예 언니는 나에게 할 수 있겠느냐며 비아냥거렸어요.

♥킁킁 콧구멍으로 숨을 세차게 띄엄띄엄 내쉬는 소리.
　예 강아지가 킁킁거리며 고기 냄새를 맡았다.

♥향긋한 은근히 향기로운 느낌이 있는.
　예 향긋한 봄나물 냄새가 났다.

♥심(心 마음 심)통 마땅치 않게 여기는 나쁜 마음.
　예 나는 괜히 심통이 나서 아무 말도 하지 않았다.

📖 교과서 문제

9 꽃담이는 엄마를 어떻게 찾았습니까? (　　)

① 엄마를 불러서 찾았다.
② 엄마 냄새를 맡아서 찾았다.
③ 초록 고양이에게 물어봐서 찾았다.
④ 엄마가 좋아하는 음식의 냄새로 찾았다.
⑤ 엄마가 좋아하는 노래를 불러서 찾았다.

11 꽃담이가 엄마를 찾자 초록 고양이가 어떻게 했는지 두 가지 고르시오. (　　,　　)

① 꽃담이 앞에서 사라졌다.
② 엄마를 데려가라고 했다.
③ 꽃담이에게 노란 장화를 주었다.
④ 꽃담이에게 미안하다고 사과했다.
⑤ 엄마를 다른 곳으로 다시 데려갔다.

10 초록 고양이가 심통이 난 까닭은 무엇입니까?
(　　)

① 꽃담이가 자신을 놀려서
② 꽃담이 엄마가 꽃담이만 예뻐해서
③ 꽃담이가 엄마를 너무 쉽게 찾아서
④ 꽃담이가 자신과 놀아 주지 않아서
⑤ 꽃담이가 자신이 아끼는 항아리를 숨겨서

📖 교과서 문제

12 이야기의 흐름을 생각하며 글 ❸에서 일어난 일을 알맞게 정리한 것은 어느 것입니까?
(　　)

① 꽃담이가 사라졌다.
② 초록 고양이가 나타났다.
③ 꽃담이가 세수하러 욕실에 들어갔다.
④ 꽃담이와 초록 고양이가 친구가 되었다.
⑤ 꽃담이는 엄마 냄새를 맡고 엄마가 있는 항아리를 찾았다.

엄마가 말했어요.

"우리 꽃담이를 돌려줘!"

초록 고양이가 수염을 쓰다듬으며 말했어요.

"쉽게 돌려줄 수는 없어요. 딸을 찾고 싶으면 나를 따라와요."

초록 고양이가 노란 장화 신은 발을 ♥탁탁 굴렀어요.

커다란 동굴 안에 하얀 항아리들이 잔뜩 놓여 있었어요.

"항아리는 모두 40개예요. 저 가운데 하나에 꽃담이가 들어 있어요. 어느 항아리에 들어 있는지 찾아보세요. 뚜껑을 열어 봐서도 안 되고, 딸 이름을 불러서도 안 돼요."

초록 고양이는 또 낄낄낄 웃었어요.

"기회는 딱 한 번뿐이에요. 만일 틀린 항아리를 고르면, 딸을 영영 못 찾게 될 거예요."

(중심 내용) 심통이 난 초록 고양이가 꽃담이를 항아리에 숨기고 엄마에게 찾으라고 했다.

♥탁탁 단단한 물건을 자꾸 두드리거나 먼지 따위를 떠는 소리. 또는 그 모양.

교과서 핵심 ○이야기를 읽고 이어질 내용 상상해 쓰기 (예)

> 꽃담이를 영영 못 찾게 될 수도 있다는 초록 고양이의 말에 엄마는 화가 났어요.
> "만일 내가 찾으면 어떻게 할 건데?"
> 초록 고양이는 노란 장화를 신은 발을 탁탁 구르며 말했어요. / "그야 꽃담이를 집으로 돌려보내 주지요."
> 화가 난 엄마는 초록 고양이의 말은 듣지도 않고 항아리를 하나씩 깨기 시작했어요. 초록 고양이는 반칙이라며 소리를 질러 댔지만, 엄마는 멈추지 않았어요. 드디어 한 항아리가 깨지며 꽃담이가 나왔어요. 엄마는 꽃담이를 안고 울었어요.

13 (교과서 문제) 엄마가 꽃담이를 찾을 때 무엇을 하면 안 되는지 쓰시오.

( )

14 (교과서 문제) 이 이야기 전체에서 일어난 일에 맞게 순서대로 기호를 쓰시오.

> ㉠ 초록 고양이는 욕실에 있던 엄마를 어디론가 데려간다.
> ㉡ 꽃담이는 엄마 냄새를 맡고 엄마가 있는 항아리를 찾는다.
> ㉢ 심통이 난 초록 고양이는 꽃담이를 항아리에 숨기고 엄마에게 찾으라고 한다.
> ㉣ 엄마를 데려간 초록 고양이는 꽃담이에게 엄마를 찾고 싶으면 자신을 따라오라고 한다.
> ㉤ 초록 고양이는 항아리 40개 가운데에서 엄마가 들어가 있는 항아리를 한 번에 찾으라고 한다.

( )→( )→( )→( )→( )

15 (논술형) 이 글 뒤에 이어질 내용의 줄거리를 상상하여 두세 문장으로 쓰시오.

_____

_____

_____

16 (핵심) 이어질 내용을 상상해 쓰는 방법으로 알맞지 않은 것에 ×표를 하시오.

(1) 이야기의 처음, 가운데, 끝을 생각하고 쓴다. ( )

(2) 사건의 흐름에 맞게 이어질 내용을 상상한다. ( )

(3) 사건들 사이에 원인과 결과 관계는 생각하지 않는다. ( )

● 사진을 보고 이야기를 꾸며 발표하기

교과서 핵심

● 사진 라를 보고 떠오른 생각을 바탕으로 자신이 상상한 이야기에서 어떤 일이 일어날지 정리해 보기 예

주인공이 우주여행을 떠남.

↓

연료 부족으로 한 행성에 불시착하게 됨.

↓

우연히 착륙한 행성에서 외계인을 만나 지구의 과학 지식으로 외계인을 도와줌.

↓

외계인의 도움을 받아 연료를 구해 지구로 돌아옴.

---

1 이 사진을 보고 떠오르는 생각을 알맞게 말하지 <u>못한</u> 사람은 누구입니까?

> 지훈: 동물원에 갔던 기억이 나.
> 슬아: 강에서 물고기를 잡았던 일이 떠올라.
> 동욱: 우주인에 대한 이야기를 다룬 영화가 떠올라.
> 혜진: 장난감 가게에서 본 민속놀이 장난감이 생각나.

( )

2 가~라의 사진 중 하나를 골라 상상하여 이야기를 꾸미려고 할 때, 어느 것으로 꾸미고 싶은지 기호를 쓰시오.

( )

역량 논술형

3 2번 문제에서 고른 사진을 보고 자신이 상상한 이야기에서 어떤 일이 일어날지 쓰시오.

처음	(1)
가운데	(2)
끝	(3)

4 친구가 꾸민 이야기를 들을 때 생각할 점으로 알맞은 것을 <u>모두</u> 골라 기호를 쓰시오.

> ㉠ 바른 자세와 적극적인 태도로 발표를 하는가?
> ㉡ 글의 짜임보다 이야기의 재미를 먼저 생각했는가?
> ㉢ 앞뒤 내용이 원인과 결과로 자연스럽게 연결되고 있는가?

( )

기본 • 102~105쪽 이야기를 읽고 이어질 내용 상상해 쓰기

신기한 그림 족자

이영경

옛날옛날 한 옛날에 전우치라는 선비 도사가 살았단다.
우리 옛이야기 「전우치전」의 주인공

하루는 산 아래에서 사람 우는 소리가 들려 전우치는 멀리 굽어보았지.

"어허, 그 무슨 어려운 사연일꼬? 내려가 살펴보리라."

5 전우치가 바람처럼 날아가 보니 어느 오두막이었어.

아버지는 그저께 돌아가시고, 눈먼 어머니를 모시고 어렵게 살아가는 어떤 사람이 굶주려 쓰러져 있었단다. 그 사람이 바로 이 이야기의 주인공 한자경이야.

전우치는 소매에서 그림 족자를 꺼내 한자경에게 건네주며 말했어.
그림이나 글씨 따위를 벽에 걸거나 말아 둘 수 있도록 양 끝에 가로로 막대를 대어 만든 물건

10 "이 족자를 방에 걸어 두고 고지기를 부르시오. 첫날에는 백 냥을
창고, 묘, 정자 따위를 지키는 사람
달라 해서 아버님 장례를 치러 드리고, 그다음 날부터는 하루 한 냥씩이면 그럭저럭 먹고살 수 있을 것이외다."

"당신은 누구신데 저를 이리 도와주십니까?"

"나는 전우치올시다. 다시 한번 당부하는데 반드시 하루에 한 냥

15 이오. 더한 욕심은 큰 화를 부를 것이니 그리 명심하시오."

한자경이 족자를 걸어 두고 보니

곳간 하나, 고지기 하나 달랑

그려져 있더래.

㉠『"고지기야……."

20 하고 불렀더니

"예."

하며 고지기가 나와 꾸벅 절을 하네.

어찌나 놀랐는지 가슴이 쿵쾅쿵쾅, 정수리가 시큰시큰, 무르팍이 욱신욱신, 손마디가 저리저리했어.』

---

1 전우치가 한자경에게 무엇을 주었습니까?

(   )

2 전우치가 한자경에게 당부한 내용은 무엇입니까? (   )

① 어머니께 효도해야 한다.
② 족자에 매일 그림을 그려야 한다.
③ 하루에 한 번 고지기에게 절을 해야 한다.
④ 고지기에게 하루에 한 냥만 달라고 해야 한다.
⑤ 전우치를 보았다는 말을 아무에게도 하면 안 된다.

3 ㉠『　』에서 한자경의 마음으로 알맞은 것을 두 가지 고르시오.

(,   )

① 놀랍다.
② 답답하다.
③ 신기하다.
④ 지루하다.
⑤ 심심하다.

"배, 배, 백 냥만 다오."

"예."

고지기가 집어다 준 돈 백 냥으로 아버지를 편안하게 장례 치러 드렸지.

5 하루 한 냥씩 얻어다가 어머니께 효도하며 참 행복했단다.

"아이구메, 맛 좋다. 야야, 이 참조구 어데서 났노. 참말로 맛있대
_{'참조기'의 방언}
이, 쩝쩝쩝."

그러던 어느 날 한자경이 장터에 나갔다가 밥집에 들러 밥을 먹고 있었는데…….

10 근데 어떤 사람들이 쑥덕쑥덕 얘기를 하고 있었어.

엿들어 보니 말이야, 만석꾼 맹 대감이 어찌어찌하다 팍삭 망해
_{곡식 만 섬가량을 거두어들일 만한 논밭을 가진 큰 부자를 가리키는 말}
가지고는 넓은 땅을 급히 팔아 치우려고 헐값에 내놓았다네.

"보소 보소, 그게 도대체 얼마요?"

"그 구만 평 논마지기가 단돈 백 냥이라우."

15 "으익! 백 냥?"

한자경은 골똘골똘 생각에 잠겼어.

'백 냥, 백 냥, 백 냥……. 백 냥만 있으면 땅 부자가 된다고? 부자가 되면 예쁜 색시 얻어서 장가도 가고, 비단옷 입고, 고깃국도 만날 먹고, 기와집 짓고, 하인도 두고……! 백 냥…… 백 냥…….'

20 부자가 되는 꿈을 그리니 하루에 고작 한 냥 타서 쓰는 일이 참 바보같이 생각됐어.

---

4 장터에 간 한자경이 들은 이야기는 무엇입니까?　（　　　）

① 맹 대감이 아프다는 것

② 전우치를 본 사람이 있다는 것

③ 장터에 새로운 밥집이 생겼다는 것

④ 맹 대감이 신기한 족자를 가지고 있다는 것

⑤ 맹 대감이 넓은 땅을 헐값에 내놓았다는 것

5 한자경이 어떻게 했을지 상상해 뒷이야기를 간략히 쓰시오.

_____

_____

_____

_____

기초 다지기　바르게 띄어 쓰기

6 다음 중 밑줄 그은 부분을 바르게 띄어 쓴 것을 찾아 기호를 쓰시오.

┌───┐
│ ㉠ <u>노력한만큼</u> 얻게 될 거야.　　　㉡ <u>원하는 대로</u> 해 주겠습니다. │
│ ㉢ 될 수 <u>있는대로</u> 빨리 오세요.　　㉣ 소문으로만 <u>들었을뿐이에요.</u> │
└───┘

（　　　　　　　）

7 밑줄 그은 부분을 바르게 띄어 쓰시오.

(1) 교실 안은 숨소리가 <u>들릴만큼</u> 조용했어요. → （　　　　　　　）

(2) 솔직히 아는대로 말해 봅시다. → （　　　　　）

(3) 말만 하지 <u>않았을뿐이지</u> 모두가 알고 있어요. → （　　　　　　　）

기본 ......

》사건의 흐름을
파악하며 이야기
읽기

예 「까마귀와 감나무」에서 일어난 일을 차례대로 정리하기

글 ❶	욕심 많은 형은 아버지가 남긴 재산 가운데 ❶[ ][ ][ ]이/가 있는 허름한 집 한 채만 동생에게 주고 나머지는 모두 자신이 차지했다.
글 ❷	동생의 감나무에 있는 감을 모두 먹은 까마귀는 감을 따 먹은 대신 동생을 금이 있는 커다란 산으로 데려다주겠다고 했다.
글 ❸	우두머리 까마귀는 동생을 금으로 가득한 산에 데려다주고 동생은 주머니에 금을 담아 와 ❷[ ][ ]이/가 되었다.
글 ❹	형은 부자가 된 동생을 보고 동생을 따라 했다. 하지만 무거운 금 자루 때문에 까마귀 등에서 떨어져 금 산에 남겨졌다.

기본 ......

》이야기의 흐름
이해하기

예 이야기의 흐름에 따라 「아름다운 꼴찌」에서 일어난 일 정리하기

처음	마라톤 대회에 참가하려고 수현이는 달리기 연습을 한다.
❸[ ][ ][ ]	수현이는 마라톤에 참가해 끝까지 달리겠다고 다짐한다.
	힘들어서 달리기를 포기하려고 했을 때, 자신의 뒤에서 꼴찌로 달리는 친구가 있다는 것을 알게 된 수현이는 힘을 얻어 결승점까지 달린다.
	수현이는 끝까지 달린 사실을 부모님께 자랑한다.
끝	수현이 뒤에서 달렸던 사람이 ❹[ ][ ]였다는 것을 알게 된다.

기본 ......

》이야기를 읽고
이어질 내용
상상해 쓰기

예 「초록 고양이」에서 일어난 일을 정리하고, 이어질 내용 상상해 쓰기

일어난 일	이어질 내용 예
초록 고양이는 욕실에 있던 엄마를 어디론가 데려간다.	꽃담이를 영영 못 찾게 될 수도 있다는 초록 고양이의 말에 엄마는 화가 났어요.
엄마를 데려간 초록 고양이는 꽃담이에게 엄마를 찾고 싶으면 자신을 따라오라고 한다.	"만일 내가 찾으면 어떻게 할 건데?" 초록 고양이는 노란 장화를 신은 발을 탁탁 구르며 말했어요. / "그야 꽃담이를 집으로 돌려보내 주지요."
초록 고양이는 ❺[ ][ ][ ] 40개 가운데에서 엄마가 들어가 있는 항아리를 한 번에 찾으라고 한다.	화가 난 엄마는 초록 고양이의 말은 듣지도 않고 항아리를 하나씩 깨기 시작했어요. 초록 고양이는 반칙
꽃담이는 엄마 냄새를 맡고 엄마가 있는 항아리를 찾는다.	이라며 소리를 질러 댔지만, 엄마는 멈추지 않았어요. 드디어 한 항아리
심통이 난 초록 고양이는 꽃담이를 항아리에 숨기고 엄마에게 찾으라고 한다.	가 깨지며 꽃담이가 나왔어요.

단원 평가

• 단원 평가 더 풀기 ≫ 평가 교재 26~31쪽

1~3 그림을 보고, 물음에 답하시오.

1 구름 사람은 구름으로 소년에게 무엇무엇을 만들어 주었습니까? (,)

① 안경   ② 모자   ③ 장화
④ 귀마개   ⑤ 목도리

2 이 그림으로 이야기를 꾸밀 때 일이 벌어지는 장소로 알맞은 곳은 어디입니까? ( )

① 하늘   ② 우주   ③ 바다
④ 땅속   ⑤ 동굴

3 이 그림으로 이야기를 꾸밀 때 이야기의 시작 장면을 무엇으로 할지 알맞게 이야기한 사람을 쓰시오.

> 정우: 그림 ❸을 시작 장면으로 하는 것이 좋겠어. 물고기 그림이 마음에 들어.
> 가현: 그림 ❶을 시작 장면으로 하는 것이 좋겠어. 구름 사람이 소년을 만나는 장면이기 때문이야.

( )

4~7 글을 읽고, 물음에 답하시오.

② 형은 동생에게 감나무가 있는 허름한 집 한 채만 주었습니다. 그리고 나머지는 모두 자기가 차지했습니다. 그러나 마음씨 착한 동생은 아무 말 없이 감나무가 있는 집만 받았습니다.

④ ⊙어느 가을날, 까마귀가 떼 지어 날아와 감을 다 먹어 버렸습니다. 이 모습을 본 동생은 까마귀들에게 말했습니다.

"내 재산이라고는 이 감나무 하나뿐이야. 너희가 감을 모두 먹었으니, 나는 어떻게 살아가야 하니?"

까마귀 한 마리가 대답했습니다.

"당신은 마음이 착하고 욕심이 없군요. 감을 따 먹은 대신 금을 드릴게요. 저희가 모레 금이 있는 커다란 산으로 데리고 갈 테니 조그만 주머니를 만들어 두세요."

중요

4 글 ②에서 동생에게 일어난 일을 쓰시오.

( )

5 ⊙에서 일이 일어난 때를 알 수 있는 말을 찾아 쓰시오.

( )

6 까마귀는 감을 따 먹은 대신 동생에게 무엇을 주겠다고 했습니까? ( )

① 금   ② 사과   ③ 엽전
④ 보석   ⑤ 비단

7 까마귀가 감을 따 먹은 일이 일어난 장소는 어디인지 ○표를 하시오.

(1) 형의 집   ( )
(2) 동생의 집   ( )
(3) 금으로 가득한 산   ( )

중요

8 이야기를 읽고 사건의 흐름을 파악하는 방법으로 알맞지 <u>않은</u> 것은 어느 것입니까? (   )

① 일이 일어난 차례를 살펴본다.
② 이야기에 나타난 장소를 찾아본다.
③ 이야기에 나타난 인물을 찾아본다.
④ 이야기에서 재미있는 부분을 찾아본다.
⑤ 이야기에서 일어난 중요한 일을 찾아본다.

9~11 글을 읽고, 물음에 답하시오.

㉮ 수현이는 마라톤이라는 말에 덜컥 걱정이 되었습니다.
㉠'끝까지 못 뛸 게 뻔한데……. 친구들에게 놀림을 당하면 어쩌지?'
그러자 꼭 완주하고 싶다는 마음이 들었습니다.
그날 이후, 수현이는 날마다 공원에 가서 달리기 연습을 했습니다.
㉯ 수현이는 너무 힘든 나머지 도중에 포기해야겠다고 생각하고는 몇 걸음 천천히 걸었습니다.
그때 등 뒤에서 사람들의 환호 소리가 들렸습니다.
"와, 조금만 더 힘내요!"
그것은 수현이와 100미터 이상 떨어진 거리에서 쓰러질 듯 달려오는 한 친구에게 보내는 격려의 소리였습니다. 수현이는 꼴찌가 아니라는 사실에 안도하면서 조금씩 힘을 내기 시작했습니다.
'이제 거의 다 왔어. 나도 조금만 더 힘을 내자!'

9 ㉠에 나타난 수현이의 마음은 어떠합니까? (   )

① 지루한 마음   ② 설레는 마음
③ 재미있는 마음   ④ 화가 나는 마음
⑤ 걱정스러운 마음

서술형

10 글 ㉮에서 일어난 일을 한 문장으로 정리하여 쓰시오.

_____

_____

11 이 글을 읽고 수현이에게 해 줄 말로 알맞은 것을 찾아 기호를 쓰시오.

㉠ 꼴찌를 놀리는 모습에 실망했어.
㉡ 끝까지 포기하지 않고 힘을 내는 모습이 아름다워.
㉢ 넘어진 친구에게 다가가 같이 달리는 모습을 보고 감동받았어.

(   )

12~13 글을 읽고, 물음에 답하시오.

㉮ 어느 날 엄마가 사라졌어요.
이 닦으러 욕실에 들어가서 나오지 않았어요.
꽃담이는 욕실 문을 열어 봤어요.
엄마가 없었어요. 감쪽같이 사라져 버린 거예요.
㉯ "너희 엄마는 내가 데려갔어."
초록 고양이가 말했어요. 빨간 우산을 쓰고 노란 장화를 신고 있었어요.
꽃담이가 말했어요.
"우리 엄마를 돌려줘!"
초록 고양이가 수염을 쓰다듬으며 말했어요.
"쉽게 돌려줄 수는 없어. 엄마를 찾고 싶으면 나를 따라와."

12 꽃담이 엄마는 어디에 들어가서 나오지 않았습니까?

(   )

13 이 글에서 일어난 일을 알맞게 정리한 것은 어느 것입니까? (   )

① 초록 고양이가 사라짐.
② 꽃담이가 초록 고양이를 데려옴.
③ 초록 고양이가 꽃담이에게 놀자고 함.
④ 초록 고양이가 꽃담이에게 우산을 빌려 달라고 함.
⑤ 엄마를 데려간 초록 고양이가 꽃담이에게 엄마를 찾고 싶으면 자신을 따라오라고 함.

14~16 글을 읽고, 물음에 답하시오.

> 초록 고양이가 비아냥거렸어요.
> "흥! 못 찾기만 해 봐라. 엄마를 영영 안 돌려 줄 테야."
> 꽃담이는 킁킁 냄새를 맡았어요.
> "바로 이 항아리야!"
> 그 항아리에서 고소하고 달콤하고 향긋한 냄 새가 났거든요. 바로 엄마 냄새였지요.
> 꽃담이가 너무 쉽게 찾으니까 초록 고양이가 심통이 났나 봐요.
> "쳇! 좋아. 엄마를 데려가!"

14 꽃담이 엄마는 어디에 들어가 있었습니까?

( )

15 꽃담이 엄마에게서는 어떤 냄새가 났는지 세 가지 고르시오. (, ,)

① 빵 냄새
② 향긋한 냄새
③ 달콤한 냄새
④ 고소한 냄새
⑤ 독한 향수 냄새

서술형

16 일어난 일을 생각하며 뒤에 어떤 내용이 이어 질지 상상하여 쓰시오.

_____

_____

17~18 글을 읽고, 물음에 답하시오.

> 전우치는 소매에서 그림 족자를 꺼내 한자경 에게 건네주며 말했어.
> "이 족자를 방에 걸어 두고 고지기를 부르시 오. 첫날에는 백 냥을 달라 해서 아버님 장례 를 치러 드리고, 그다음 날부터는 하루 한 냥 씩이면 그럭저럭 먹고살 수 있을 것이외다."
> "당신은 누구신데 저를 이리 도와주십니까?"
> "나는 전우치올시다. 다시 한번 당부하는데 반 드시 하루에 한 냥이오. 더한 욕심은 큰 화를 부를 것이니 그리 명심하시오."

국어 활동

17 전우치는 한자경에게 족자를 걸어 두고 누구 를 부르라고 했습니까?

( )

국어 활동

18 이 글 뒤에 이어질 내용을 알맞게 상상한 사 람은 누구인지 쓰시오.

> 은아: 한자경이 욕심을 부려서 한 냥보다 더 많은 돈을 달라고 할 것 같아.
> 가은: 한자경이 족자를 이용해서 아버지를 잘 모시고 행복하게 살 것 같아.

( )

19~20 사진을 보고, 물음에 답하시오.

19 이 사진을 보고 꾸밀 이야기를 알맞게 말한 것을 찾아 기호를 쓰시오.

> ㉠ 바다에서 잠수함을 타며 벌어지는 내용으 로 꾸밀 거야.
> ㉡ 우주선에 문제가 생겨서 다른 행성에 불 시착하는 이야기를 꾸며 볼래.
> ㉢ 사막에 떨어진 주인공이 더위와 싸우며 물을 찾는 내용으로 꾸며 볼래.

( )

20 이야기를 꾸밀 때 생각할 점으로 알맞은 것을 두 가지 고르시오. (,)

① 주인공은 꼭 한 명으로 정한다.
② 이야기가 재미있게 끝나도록 쓴다.
③ 처음, 가운데, 끝의 흐름에 맞게 쓴다.
④ 장소가 변하지 않게 주의하면서 쓴다.
⑤ 앞뒤 내용이 자연스럽게 연결되게 쓴다.

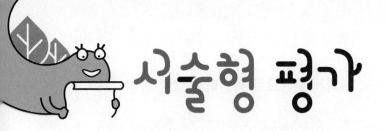

1 다음 그림의 차례대로 이야기를 만들어 쓰시오.

 →

_____

_____

_____

2~3 글을 읽고, 물음에 답하시오.

까마귀 우두머리는 형도 그 산으로 데려다주었습니다. 형은 무척 기뻤습니다. 자기가 동생보다 더 큰 부자가 될 것이라고 생각했습니다. 형은 큰 자루에 금을 꾹꾹 채워 넣고, 그것도 모자라 옷 속에도, 입속에도, 그리고 귓구멍 속에도 가득 채워 넣었습니다. 까마귀가 말하였습니다.

"다 담았어요? 그러면 제 등에 오르세요. 제가 당신 집까지 데려다줄게요."

까마귀가 날아올랐습니다. 그런데 금 자루가 너무 무거워 형은 까마귀 등에서 떨어지고 말았습니다. 까마귀는 형을 금 산 위에 놓아두고 혼자 날아갔습니다.

2 이 글에서 일어난 일을 정리하여 쓰시오.

_____

_____

3 이 글에서 글쓴이가 전하고 싶은 생각은 무엇일지 쓰시오.

_____

_____

4~5 글을 읽고, 물음에 답하시오.

아름다운 꼴찌

❶ 집으로 돌아온 수현이는 아빠, 엄마에게 마라톤에서 완주한 일을 몇 번이고 자랑했습니다.

"내 뒤에서 달려오던 친구가 없었다면 나도 중간에 포기하고 말았을 거예요."

아빠와 엄마는 그런 수현이가 무척 대견했습니다.

❷ 그날 밤, 모두가 잠든 시각이었습니다. 안방 문틈 사이로 아빠의 낮은 신음 소리가 들렸습니다. 그리고 가느다란 엄마의 목소리도 들렸습니다.

"당신도 몸이 약한데, 수현이 뒤에서 함께 뛰다니……. 너무 무리한 것 같아요. 병원에 안 가도 되겠어요?"

수현이는 그제야 알았습니다. 자신 뒤에서 꼴찌로 달렸던 사람은 바로 아빠였던 것입니다.

4 글 ❶과 글 ❷에서 일어난 일을 각각 한 문장으로 정리하여 쓰시오.

(1)

(2)

5 이 글의 제목이 뜻하는 것은 무엇일지 쓰시오.

_____

_____

낱말 퀴즈

● 다음 교과서 문장의 파란색 낱말 중에서 알맞은 것을 골라 인물들이 한 말을 완성하시오.

- 그러자 꼭 완주하고 싶다는 마음이 들었습니다.
- 수현이는 끝까지 포기하지 않겠다고 다짐했습니다.
- 그때 등 뒤에서 사람들의 환호 소리가 들렸습니다.
- "당신도 몸이 약한데, 수현이 뒤에서 함께 뛰다니……. 너무 무리한 것 같아요."

6

회의를 해요

무엇을 배울까요?

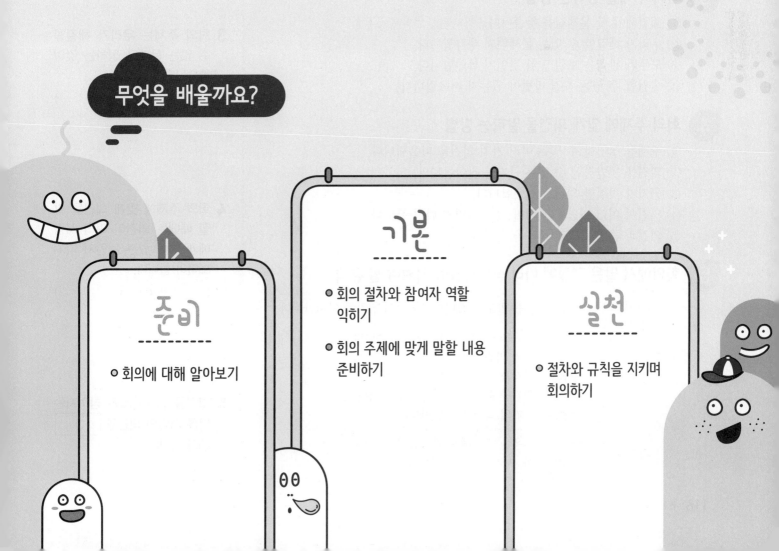

준비
- 회의에 대해 알아보기

기본
- 회의 절차와 참여자 역할 익히기
- 회의 주제에 맞게 말할 내용 준비하기

실천
- 절차와 규칙을 지키며 회의하기

교과서 핵심

1 회의의 절차

| 회의가 필요한 까닭 | ─ 문제를 해결하는 좋은 방법을 찾을 수 있다.
─ 같이 해야 할 일을 결정할 수 있다.
─ 여러 사람의 의견을 들을 수 있다. |

개회	회의 시작을 알립니다.
주제 선정	회의 주제를 정합니다.
주제 토의	선정한 주제에 맞는 의견을 제시합니다.
표결	찬성과 반대 의견을 헤아려 다수결로 결정합니다.
결과 발표	결정한 의견을 발표합니다.
폐회	회의 마침을 알립니다.

2 회의 참여자의 역할

사회자	• 회의 절차를 안내합니다. • 말할 기회를 줍니다.
회의 참여자	• 의견을 발표합니다. • 다른 사람의 의견을 주의 깊게 듣습니다.
기록자	• 회의 날짜, 시간, 장소를 기록합니다. • 회의 내용을 기록합니다.

3 회의 주제를 정하는 방법

① 해결해야 할 문제점을 찾습니다.
② 우리가 해결할 수 있는 문제인지 생각합니다.
③ 모두가 관심을 보일 만한 것인지 확인합니다.
④ 실천할 수 있는 해결 방법이 있는지 떠올립니다.

4 회의 주제에 맞게 의견을 말하는 방법

① 주제를 실천할 수 있는 여러 가지 의견을 떠올립니다.
② 의견을 뒷받침할 수 있는 근거를 찾아봅니다.
③ 근거가 적절한 의견을 선택합니다.
④ 의견이 여러 사람에게 의미 있는 것인지 따져 봅니다.
⑤ 의견과 근거로 말할 내용을 정리합니다.

5 회의에서 맡은 역할에 따라 참여자들이 지켜야 할 규칙

사회자	• 말할 기회를 골고루 줍니다. • 회의 절차를 안내합니다.
회의 참여자	• 친구가 의견을 말할 때 끼어들지 않습니다. • 다른 사람의 의견을 존중합니다. • 사회자 허락을 얻고 말합니다. • 자신의 의견만 옳다고 주장하지 않습니다. • 알맞은 크기의 목소리로 말합니다.
기록자	• 중요한 내용을 요약해서 기록합니다. • 회의 날짜, 시간, 장소를 기록합니다.

핵심 확 인 문 제

정답과 해설 ● 22쪽

1 회의는 개회, 주제 선정, 주제 토의, ☐☐, 결과 발표, 폐회의 절차로 이루어집니다.

2 회의에서 다음 역할은 누가 합니까?

> 회의 절차를 안내하고 말할 기회를 줌.

(1) 사회자 (　　)
(2) 회의 참여자 (　　)
(3) 기록자 (　　)

3 회의 주제는 우리가 해결할 수 없는 문제로 정하는 것이 좋습니다.
(○ , ×)

4 회의 주제에 맞게 의견을 말할 때에는 의견이 여러 사람에게 의미 있는 것인지 따져 보아야 합니다.
(○ , ×)

5 회의를 할 때 회의 참여자는 다른 사람의 의견을 ☐☐ 해야 합니다.

준비

● 회의를 하거나 회의하는 모습을 본 경험 말하기

▲ 가족회의

전교 학생회 회의

▲ 전교 학생회 회의

▲ 마을 회의

• 그림 설명: 가족회의, 전교 학생회 회의, 마을 회의를 하고 있는 장면이 나타나 있습니다.

교과서 핵심

● 회의를 하거나 회의하는 모습을 본 경험을 떠올려 정리하기 예

회의 주제	여행 장소
회의 목적	가족 여행 장소 정하기
회의 참석자	아버지, 어머니, 나, 남동생
회의 내용	아버지께서는 산으로 캠핑을 가자고 하셨고, 나는 놀이공원에 가자고 했다.
회의 결과	아버지께서 추천하신 산 캠핑을 여름에 먼저 가고, 내가 추천한 놀이공원에는 겨울에 가기로 했다.

6 단원

📖 교과서 문제

1 이 세 그림에서는 모두 무엇을 하고 있습니까? ( )

① 독서 ② 발표
③ 회의 ④ 역할놀이
⑤ 현장 체험학습

핵심

2 회의를 하거나 회의하는 모습을 본 경험을 떠올려 다음 표에 정리해 쓰시오.

(1) 회의 목적	
(2) 회의 내용	
(3) 회의 결과	

3 모둠별로 회의를 한다면 어떤 주제가 좋은지 회의 주제를 한 가지 정해 쓰시오.

( )

4 회의가 필요한 까닭으로 알맞은 것을 <u>모두</u> 골라 기호를 쓰시오.

> ㉠ 여러 사람의 의견을 들을 수 있다.
> ㉡ 혼자 해야 할 일을 결정할 수 있다.
> ㉢ 문제를 해결하는 좋은 방법을 찾을 수 있다.

( )

● 글을 읽고 회의 절차와 참여자 역할 알아보기

개회	사회자: 제5회 학급 회의를 시작하겠습니다.
	기록자: (칠판이나 ♥회의록에 내용을 기록한다.)
5 주제 선정 10 15	사회자: 이번 주 학급 회의 주제를 무엇으로 정하면 좋을지 말씀해 주십시오. / 김영이 친구가 의견을 발표해 주십시오.
	회의 참여자 1: 요즘 교실이 많이 지저분합니다. 그래서 "깨끗한 교실을 만들자."를 주제로 ♥제안합니다.
	사회자: 박지희 친구도 의견을 발표해 주십시오.
	회의 참여자 2: 지난주에 복도에서 뛰다가 다친 친구를 봤습니다. 저는 "학교생활을 안전하게 하자."를 주제로 제안합니다.
	사회자: 이제 어떤 주제로 할지 ♥표결을 하겠습니다. 참석자의 반이 넘는 수가 찬성하는 것으로 주제를 정하겠습니다.
	두 주제 가운데에서 첫 번째 주제에 찬성하시는 분은 손을 들어 주십시오. 두 번째 주제에 찬성하시는 분은 손을 들어 주십시오. / 27명 가운데 18명이 두 번째 주제를 선택했습니다. 이번 주 학급 회의 주제는 "학교생활을 안전하게 하자."입니다.
	기록자: (칠판이나 회의록에 내용을 기록한다.)

• 글의 특징: 학급 회의를 열어서 이번 주 학급 회의 주제를 정하고, 그에 따른 실천 내용을 정하고 있습니다.

♥회의록 회의의 진행 과정이나 내용, 결과 따위를 적은 기록.

♥제안(提 끌 제, 案 책상 안) 궁리하여 내놓은 생각이나 계획을 의견으로 내놓음.

♥표결(表 겉 표, 決 결단할 결) 회의에서 어떤 안건에 대하여 찬성과 반대를 표시하여 결정함.

논술형

1 이와 같은 학급 회의를 해 본 경험을 떠올려 다음 질문에 알맞은 답을 간단하게 쓰시오.

(1) 무엇을 주제로 회의했습니까?

＿＿＿＿＿＿＿＿＿＿＿＿＿

(2) 어떤 절차로 회의를 했습니까?

＿＿＿＿＿＿＿＿＿＿＿＿＿
＿＿＿＿＿＿＿＿＿＿＿＿＿

2 이 학급 회의에 참여한 역할에는 어떤 것이 있는지 세 가지를 쓰시오.

(　　　　　　　　　　　　)

3 이 회의에서 친구들은 이번 주 학급 회의 주제로 어떤 것을 정했는지 찾아 쓰시오.

(　　　　　　　　　　　　)

핵심

4 이 회의에서 사회자는 어떤 역할을 하는지 두 가지를 고르시오.　(　　, 　　)

① 회의록을 쓴다.
② 주제를 선택한다.
③ 의견을 발표한다.
④ 말할 기회를 준다.
⑤ 회의 절차를 안내한다.

주제 토의	사회자: 학교생활을 안전하게 하려면 실천해야 할 일이 무엇인지 발표해 주십시오. / 이정수 친구가 의견을 발표해 주십시오.
	회의 참여자 3: 안전 게시판을 만들면 좋겠습니다. 학교생활을 안전하게 하는 방법을 써 붙이면 안전사고를 예방할 수 있습니다.
	사회자: 좋은 의견 고맙습니다. 다른 의견이 있으면 발표해 주십시오. / 윤지호 친구가 의견을 발표해 주십시오.
	회의 참여자 4: 모둠별로 안전 지킴이 활동을 하면 좋겠습니다. 사고를 예방할 수 있기 때문입니다.
	사회자: 좋은 의견입니다. 다른 의견은 없습니까?
	회의 참여자 5: 학교에서 위험한 행동을 했을 때 ♥벌점을 받는 제도를 만들었으면 좋겠습니다. 벌점을 받지 않으려고 행동을 조심하면 서로 피해를 주는 일이 없을 것이기 때문입니다.
	사회자: 네. 그리고 이정수 친구가 발표해 주십시오.
	회의 참여자 3: 벌점 제도는 위험한 행동을 강력히 규제할 수 있다는 장점이 있지만 학생들이 스스로 노력하기보다 벌점만 피하면 된다는 생각을 할 단점도 있습니다.
	기록자: (칠판이나 회의록에 내용을 기록한다.)

행 번호: 5, 10, 15

♥벌점(罰 벌할 벌, 點 점 점) 잘못한 것에 대하여 벌로 따지는 점수.

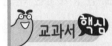 교과서 핵심

○ 회의 참여자의 역할

사회자	• 회의 절차를 안내한다. • 말할 기회를 준다.
회의 참여자	• 의견을 발표한다. • 다른 사람의 의견을 주의 깊게 듣는다.
기록자	• 회의 날짜, 시간, 장소를 기록한다. • 회의 내용을 기록한다.

5 다음 참여자들은 실천 내용으로 어떤 의견을 냈는지 보기 에서 각각 골라 기호를 쓰시오.

보기
ㄱ 안전 게시판을 만들자.
ㄴ 안전 지킴이 활동을 하자.
ㄷ 안전한 생활을 위한 벌점 제도를 만들자.

(1) 회의 참여자 3: (   )
(2) 회의 참여자 4: (   )
(3) 회의 참여자 5: (   )

논술형

6 자신이 이 회의의 참여자라면 어떤 실천 내용을 발표할 것인지 그 까닭과 함께 쓰시오.

_____

_____

역량

7 이와 같은 회의에서 회의 참여자의 역할을 두 가지 고르시오. (,   )

① 의견을 발표한다.
② 회의의 시작을 알린다.
③ 간단하게 자기소개를 한다.
④ 회의에서 지켜야 할 규칙을 안내한다.
⑤ 다른 사람의 의견을 주의 깊게 듣는다.

핵심

8 이와 같은 회의에서 회의 날짜와 시간, 장소, 회의 내용을 기록하는 것은 누구의 역할인지 쓰시오.

(   )

	사회자: 다른 의견 없습니까? 그러면 지금까지 나온 의견에서 실천 내용을 정해도 되겠습니까?
	회의 참여자들: 네, 좋습니다.
	사회자: 먼저, "안전 게시판을 만들자."를 실천 내용으로 정하는
5 표결	것에 찬성하시는 분은 손을 들어 주십시오. 참석 인원의 반 이상이 찬성하면 채택하겠습니다.
	27명 가운데 21명이 찬성했습니다.
	다음, "안전 지킴이 활동을 하자."를 실천 내용으로 정하는
	것에 찬성하시는 분은 손을 들어 주십시오. / 27명 가운데 9명
10	이 찬성했으므로 실천 내용으로 ♥채택하지 않겠습니다.
	마지막으로, "안전한 생활을 위한 벌점 제도를 만들자."를 실천 내용으로 정하는 것에 찬성하시는 분은 손을 들어 주십시오.
	27명 가운데 12명이 찬성했습니다.
	기록자: (칠판이나 회의록에 내용을 기록한다.)
15 결과 발표	사회자: 이번 주 학급 회의 주제는 "학교생활을 안전하게 하자." 이고, 실천 내용은 "안전 게시판을 만들자."로 정했습니다.
폐회	사회자: 이상으로 학급 회의를 마치겠습니다. 고맙습니다.

♥채택(採 캘 채, 擇 가릴 택) 작품, 의견, 제도 따위를 골라서 다루거나 뽑아 씀.
⑩ 그 사건을 해결하려면 새로운 증거를 채택해야 해요.

교과서 핵심

● 회의의 절차

개회	회의 시작을 알린다.
주제 선정	회의 주제를 정한다.
주제 토의	선정한 주제에 맞는 의견을 제시한다.
표결	찬성과 반대 의견을 헤아려 다수결로 결정한다.
결과 발표	결정한 의견을 발표한다.
폐회	회의 마침을 알린다.

📖 교과서 문제

9 제시한 의견들 중 실천 내용을 정한 방법은 무엇입니까? ( )

① 사회자가 결정했다.
② 제비뽑기로 결정했다.
③ 가위바위보로 결정했다.
④ 사다리 타기로 결정했다.
⑤ 찬성과 반대 의견을 헤아려 다수결로 결정했다.

서술형

10 이 회의에서 결정한 실천 내용이 무엇인지 쓰시오.

_____

_____

11 회의의 절차 중 회의 마침을 알리는 것을 무엇이라고 하는지 쓰시오.

( )

핵심

12 학급 회의 절차에 맞게 빈칸에 알맞은 말을 쓰시오.

개회 ➡ (1)

➡ (2) ➡ (3)

➡ (4) ➡ 폐회

● 회의 주제를 정하는 방법 알아보기

❶ 회의 주제는 어떻게 정하지? / 친구들이 관심을 보일 만한 것을 찾아봐야 해.

❷ 예를 들면 어떤 것이 있을까? / "아침에 일찍 일어나자."는 어때?

❸ 그건 친구들이 공통으로 관심을 보일 만한 것이 아니라고 생각해. / 그래? 그럼 전체가 관심을 보일 만한 좋은 주제가 없을까? / 그럼 "점심밥을 먹을 때 누가 먼저 먹으면 좋을까?"는 어때?

❹ 그래, 그것을 주제로 정해서 회의해 보자.

● 회의 주제에 맞게 의견을 말하는 방법 알아보기

회의 주제와 관련이 있는지 생각해야 해. / 여러 가지 의견과 근거를 떠올려 봐야 해. / ♥실천할 수 있어야 해.

♥실천(實 열매 실, 踐 밟을 천) 생각한 바를 실제로 행함.
예 아무리 좋은 계획도 실천을 하지 않으면 소용 없다.

🐌 **교과서 핵심** ● 회의 주제에 맞게 말할 내용 준비하기

| 주제를 실천할 수 있는 여러 가지 의견을 떠올리고, 의견을 뒷받침할 수 있는 근거 찾아보기 | ➡ | 근거가 적절한 의견 선택하기 |

| ➡ | 의견이 여러 사람에게 의미 있는 것인지 따져 보기 | ➡ | 의견과 근거로 말할 내용 정리하기 |

📖 교과서 문제

1 회의 주제를 정하는 방법으로 알맞지 <u>않은</u> 것은 무엇입니까? ( )

① 모두의 관심사인지 확인한다.
② 해결해야 할 문제점을 찾는다.
③ 쉽게 해결할 수 있는 문제를 고른다.
④ 우리가 해결할 수 있는 문제인지 생각한다.
⑤ 실천할 수 있는 해결 방법이 있는지 떠올린다.

2 회의 주제로 적절하지 <u>않은</u> 것은 무엇입니까? ( )

① 아침에 일찍 일어나자.
② 깨끗한 교실을 만들자.
③ 학급 문고 정리를 잘하자.
④ 점심밥을 먹는 순서를 정하자.
⑤ 쓰레기를 제대로 분리해서 버리자.

핵심

3 회의에서 말할 의견의 내용으로 알맞은 것에 모두 ○표를 하시오.

(1) 실천할 수 있는 내용 ( )
(2) 나에게 도움이 되는 내용 ( )
(3) 회의 주제와 관련 있는 내용 ( )

역량 논술형

4 다음 회의 주제에 맞는 의견과 근거를 정하여 쓰시오.

회의 주제	친구들과 사이좋게 지내자.
(1) 의견	
(2) 근거	

실천 〰️〰️〰️〰️〰️〰️〰️〰️〰️〰️ 〉 절차와 규칙을 지키며 회의하기

정답과 해설 ● 23쪽

● 글을 읽고 회의할 때 어떤 규칙을 지켜야 할지 생각하기

❶ 사회자: "친구들과 사이좋게 지냅시다."라는 주제에 맞게 의견을 발표해 주시기 바랍니다.

회의 참여자 1: (갑자기 ♥벌떡 일어나며) 친구들끼리 고운 말을 썼으면 좋겠습니다.

사회자: (당황하며) 사회자 허락을 얻고 말씀해 주시기 바랍니다.

❷ 회의 참여자 2: 친구들끼리 서로 별명을 부르지…….

회의 참여자 3: (중간에 말을 가로채며) 별명을 부르는 것은 서로 가깝기 때문입니다. 저는 함께 어울려 노는 것이…….

회의 참여자 2: 제 의견을 끝까지 들어 주시기 바랍니다.

❸ 회의 참여자 2: 친구들끼리 서로 별명을 부르지 않았으면 합니다. 별명을 들으면 기분이 나쁠 때가 많기 때문입니다.

사회자: 또 다른 의견이 있습니까? (여러 친구가 손을 들지만 다시 회의 참여자 2를 가리키며) 네, 김현수 친구, 발표해 주십시오.

회의 참여자 4: 사회자님, 말할 기회를 골고루 주시기 바랍니다.

• 글의 내용: 회의 규칙을 지키지 않아 문제점이 나타난 학급 회의 장면입니다.

♥벌떡 눕거나 앉아 있다가 조금 큰 동작으로 갑자기 일어나는 모양.

🐌 교과서 핵심

● 장면 ❶~❸에서 회의 참여자들이 지켜야 할 규칙

장면	지켜야 할 규칙
❶	사회자 허락을 얻고 말해야 한다.
❷	친구가 의견을 말할 때 끼어들지 않아야 한다.
❸	사회자는 말할 기회를 골고루 주어야 한다.

📖 교과서 문제

1 장면 ❶에서 회의 참여자 1은 어떤 잘못을 했습니까?

( )

📖 교과서 문제

2 장면 ❷에서 나타난 문제점은 무엇입니까?

( )

① 높임말을 사용하지 않았다.
② 너무 작은 목소리로 발언했다.
③ 친구의 의견에 동의하지 않았다.
④ 친구가 의견을 말할 때 중간에 말을 가로챘다.
⑤ 자신의 의견이 아닌 친구의 의견을 말했다.

핵심

3 장면 ❸에서 사회자가 지키지 않은 회의 규칙을 찾아 ○표를 하시오.

(1) 회의 절차를 안내한다. ( )
(2) 말할 기회를 골고루 준다. ( )

4 회의 참여자가 회의에서 지켜야 할 규칙으로 알맞지 <u>않은</u> 것은 무엇입니까? ( )

① 다른 사람의 의견을 존중한다.
② 알맞은 크기의 목소리로 말한다.
③ 자신의 의견만 옳다고 주장하지 않는다.
④ 회의의 모든 내용을 빠짐없이 기록한다.
⑤ 친구가 의견을 말할 때 끼어들지 않는다.

기본 ● 118~120쪽 **회의 절차와 참여자 역할 익히기**

● 회의에서 맡은 역할에 따라 하는 일 알아보기

사회자	• 회의 절차를 안내한다. • 말할 기회를 준다.
회의 참여자	• 의견을 발표한다. • 다른 사람의 의견을 주의 깊게 듣는다.
기록자	• 회의 날짜, 시간, 장소를 기록한다. • 회의 내용을 기록한다.

● 회의 참여자가 잘못한 부분을 찾아보며 회의 내용 읽기

차례	절차	회의 내용
1	개회	사회자: 제6회 학급 회의를 시작하겠습니다.
2	주제 선정	사회자: ㉠이번 주 학급 회의 주제를 무엇으로 정하면 좋을지 발표해 주십시오. 이하린 친구가 의견을 발표해 주십시오. 회의 참여자 1: 지난 체육 시간에 편을 나누어 놀이를 한 뒤, 우리 반 친구들 사이가 나빠진 것 같습니다. 그래서 "친구들과 친하게 지내자."를 주제로 하면 좋겠습니다. …… 사회자: 세 가지 주제를 두고 표결한 결과, 25명 가운데에서 13명이 첫 번째 주제에 찬성했습니다. 따라서 이번 주 학급 회의 주제는 "친구들과 친하게 지내자."로 정했습니다.
3	주제 토의	사회자: ㉡우리가 어떤 일을 하면 친구들과 친하게 지낼 수 있을지 발표해 주십시오. 김용일 친구가 의견을 발표해 주십시오. 회의 참여자 2: 노래를 하나 정해 우리 모두가 한마음으로 하는 기악 합주를 하면 좋겠습니다. 사회자: ㉢기악 합주를 하면 시끄러워 다른 학급에 방해가 됩니다. 다른 더 좋은 의견을 말씀해 주십시오. 허윤성 친구가 의견을 발표해 주십시오. 회의 참여자 3: 그러면 우리 반 친구 모두가 '○○산 둘레 길 탐방하기'에 참여하면 좋겠습니다. 함께 걷고, 이야기도 하고, 음식도 나누어 먹으면 다시 친해질 수 있을 것 같습니다. / 사회자: 좋은 의견입니다. 또 다른 의견이 있습니까? / ……

1 다음은 회의에서 어떤 역할이 하는 일인지 각각 쓰시오.

(1) 회의 내용을 기록한다.
(   )

(2) 회의 절차를 안내한다.
(   )

(3) 의견을 발표한다.
(   )

2 ㉠~㉢ 중 사회자가 잘못한 부분을 찾아 기호를 쓰시오.
(   )

3 사회자가 잘못한 점을 어떻게 고쳐야 하는지 바르게 말한 친구의 이름을 쓰시오.

> 준영: 사회자는 회의 참여자의 의견을 자신이 판단해 마음대로 무시할 수 있어.
> 조이: 사회자는 회의 참여자가 발표한 의견을 잘 들은 뒤에 다른 회의 참여자와 함께 판단해야 해.

(   )

4	표결	사회자: 그러면 지금까지 나온 의견 가운데에서 실천 내용을 정해도 되겠습니까? 회의 참여자들: 네, 좋습니다. 사회자: 그럼 먼저, '○○산 둘레 길 탐방하기'를 실천 내용으로 정하는 것에 찬성하시는 분은 손을 들어 주십시오. (잠시 뒤) 25명 가운데에서 18명이 찬성했습니다. …… 회의 참여자 4: 사회자님, 이제 생각이 났는데 실천 내용을 하나 제안하겠습니다. 사회자: 표결까지 끝났으므로 더 이상 의견은 받지 않겠습니다. 정한 내용을 말씀드리겠습니다.
5	결과 발표	사회자: 이번 주 학급 회의 주제는 "친구들과 친하게 지내자."이고 실천 내용은 첫째, '○○산 둘레 길 탐방하기'와 둘째, '서로에게 다정하게 말하기' 입니다.
6	폐회	사회자: 이상으로 학급 회의를 마치겠습니다. 고맙습니다.

4 회의 참여자 4는 어떤 잘못을 했습니까? ( )

① 표결에 참여하지 않았다.
② 회의 절차를 지키지 않았다.
③ 다른 사람의 의견을 무시했다.
④ 사회자를 쳐다보지 않고 말했다.
⑤ 주제와 관련 없는 실천 내용을 발표했다.

> **기초 다지기** **받침이 있는 낱말 발음하기**

5 초록색으로 쓰인 낱말을 소리 나는 대로 쓰시오.

(1)

밥 먹을 시간입니다.

[   ]

(2)

먼저 찾은 사람은 누구일까?

[   ]

(3)

개가 강아지를 낳았다.

[   ]

(4)

나는 친구가 좋아요.

[   ]

6 초록색으로 쓰인 낱말의 발음으로 알맞은 것에 ○표를 하시오.

(1) 책장 위에 있는 책이 겨우 손에 닿았다.   (다앋따 , 다핟따)
(2) 물건을 조심히 내려놓아라.   (내려노아라 , 내려노하라)
(3) 짐이 많아서 너무 무거워.   (만하서 , 마나서)

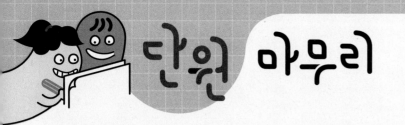

> **기본** ......

》 회의 절차와 참여자 역할 익히기

회의 절차		회의 내용 예
❶ ☐☐	회의 시작을 알립니다.	사회자: 제5회 학급 회의를 시작하겠습니다.
주제 선정	회의 주제를 정합니다.	사회자: 이번 주 학급 회의 주제를 무엇으로 정하면 좋을지 말씀해 주십시오. 김영이 친구가 의견을 발표해 주십시오. 회의 참여자 1: 요즘 교실이 많이 지저분합니다. 그래서 "깨끗한 교실을 만들자."를 주제로 제안합니다.
주제 토의	선정한 주제에 맞는 의견을 제시합니다.	사회자: 학교생활을 안전하게 하려면 실천해야 할 일이 무엇인지 발표해 주십시오. 이정수 친구가 의견을 발표해 주십시오. 회의 참여자 3: 안전 게시판을 만들면 좋겠습니다. 학교생활을 안전하게 하는 방법을 써 붙이면 안전사고를 예방할 수 있습니다.
표결	찬성과 반대 의견을 헤아려 ❷ ☐☐☐로 결정합니다.	사회자: 먼저, "안전 게시판을 만들자."를 실천 내용으로 정하는 것에 찬성하시는 분은 손을 들어 주십시오. 참석 인원의 반 이상이 찬성하면 채택하겠습니다. 27명 가운데 21명이 찬성했습니다.
결과 발표	결정한 의견을 발표합니다.	사회자: 이번 주 학급 회의 주제는 "학교생활을 안전하게 하자."이고, 실천 내용은 "안전 게시판을 만들자."로 정했습니다.
폐회	회의 마침을 알립니다.	사회자: 이상으로 학급 회의를 마치겠습니다. 고맙습니다.

> **실천** ......

》 절차와 규칙을 지키며 회의하기

사회자
- 말할 ❸ ☐☐을/를 골고루 줍니다.
- 회의 절차를 안내합니다.

❹ ☐☐☐
- 중요한 내용을 요약해서 기록합니다.
- 회의 날짜와 시간, 장소를 기록합니다.

회의 참여자
- 친구가 의견을 말할 때 끼어들지 않습니다.
- 다른 사람의 의견을 ❺ ☐☐합니다.
- 사회자 허락을 얻고 말합니다.
- 자신의 의견만 옳다고 주장하지 않습니다.
- 알맞은 크기의 목소리로 말합니다.

• 단원 평가 더 풀기 >> 평가 교재 32~37쪽

1 가족회의를 하고 있는 모습에 ○표를 하시오.

(1)

(   )

(2)

(   )

2 학급 회의의 주제로 적절하지 않은 것은 무엇입니까? (   )

① 짝 정하기
② 모둠 규칙 정하기
③ 모둠 역할 정하기
④ 가족 여행 장소 정하기
⑤ 아침 활동 시간에 할 것 정하기

3 회의가 필요한 까닭으로 알맞은 것을 세 가지 고르시오. (,   ,   )

① 내 의견만 고집할 수 있다.
② 여러 사람의 의견을 들을 수 있다.
③ 같이 해야 할 일을 결정할 수 있다.
④ 누구의 의견이 옳은지 판단할 수 있다.
⑤ 문제를 해결하는 좋은 방법을 찾을 수 있다.

4 다음은 학급 회의를 하는 모습입니다. ㉠ 친구의 역할은 무엇입니까?

제4회 학급 회의를 시작 하겠습니다.

(   )

5~7 글을 읽고, 물음에 답하시오.

㉮ 사회자: 제5회 학급 회의를 시작하겠습니다.
기록자: (칠판이나 회의록에 내용을 기록한다.)
㉯ 사회자: 이번 주 학급 회의 주제를 무엇으로 정하면 좋을지 말씀해 주십시오.
　　김영이 친구가 의견을 발표해 주십시오.
회의 참여자 1: 요즘 교실이 많이 지저분합니다. 그래서 "깨끗한 교실을 만들자."를 주제로 제안합니다.
사회자: 박지희 친구도 의견을 발표해 주십시오.
회의 참여자 2: 지난주에 복도에서 뛰다가 다친 친구를 봤습니다. 저는 "학교생활을 안전하게 하자."를 주제로 제안합니다.

중요

5 회의 절차 중 ㉮는 무엇에 해당합니까? (   )

① 개회　　② 표결　　③ 결과 발표
④ 주제 선정　⑤ 주제 토의

6 ㉯의 회의 절차에서 참여자들이 하는 일은 무엇인지 ○표를 하시오.

(1) 회의 주제를 정한다. (   )
(2) 결정한 의견을 발표한다. (   )
(3) 선정한 주제에 맞는 의견을 제시한다. (   )

7 이 학급 회의 주제로 제안한 의견을 두 가지 고르시오. (,   )

① 어려운 이웃을 돕자.
② 깨끗한 교실을 만들자.
③ 친구와 사이좋게 지내자.
④ 쉬는 시간에 조용히 하자.
⑤ 학교생활을 안전하게 하자.

8~10 글을 읽고, 물음에 답하시오.

> 가 사회자: 학교생활을 안전하게 하려면 실천해야 할 일이 무엇인지 발표해 주십시오.
>   이정수 친구가 의견을 발표해 주십시오.
> 회의 참여자 3: 안전 게시판을 만들면 좋겠습니다. 학교생활을 안전하게 하는 방법을 써 붙이면 안전사고를 예방할 수 있습니다.
> 사회자: 좋은 의견 고맙습니다. 윤지호 친구가 의견을 발표해 주십시오.
> 나 사회자: 먼저, "안전 게시판을 만들자."를 실천 내용으로 정하는 것에 찬성하시는 분은 손을 들어 주십시오. 참석 인원의 반 이상이 찬성하면 채택하겠습니다.
>   27명 가운데 21명이 찬성했습니다.
> 다 사회자: 이번 주 학급 회의 주제는 "학교생활을 안전하게 하자."이고, 실천 내용은 "안전 게시판을 만들자."로 정했습니다.

8 이번 주 회의 주제에 대한 실천 내용으로 결정된 것은 무엇입니까? ( )

① 안전모를 착용하자.
② 안전 게시판을 만들자.
③ 안전 지킴이 활동을 하자.
④ 학교생활을 안전하게 하자.
⑤ 안전한 생활을 위한 벌점 제도를 만들자.

9 가~다 중 회의에서 '표결'에 해당하는 부분의 기호를 쓰시오.

( )

10 다의 뒤에 이어질, 회의의 가장 마지막 절차는 무엇인지 쓰시오.

( )

중요

11 회의에서 기록자의 역할로 알맞은 것을 두 가지 고르시오. (,)

① 의견을 발표한다.
② 말할 기회를 준다.
③ 회의 내용을 기록한다.
④ 회의 절차를 안내한다.
⑤ 회의 날짜와 시간, 장소를 기록한다.

12~13 글을 읽고, 물음에 답하시오.

> 사회자: 우리가 어떤 일을 하면 친구들과 친하게 지낼 수 있을지 발표해 주십시오. 김용일 친구가 의견을 발표해 주십시오.
> 회의 참여자 2: 노래를 하나 정해 우리 모두가 한마음으로 기악 합주를 하면 좋겠습니다.
> 사회자: 기악 합주를 하면 시끄러워 다른 학급에 방해가 됩니다. 다른 더 좋은 의견을 말씀해 주십시오. 허윤성 친구가 의견을 발표해 주십시오.
> 회의 참여자 3: 그러면 우리 반 친구 모두가 '○○산 둘레 길 탐방하기'에 참여하면 좋겠습니다.

국어 활동

12 이 회의의 주제는 무엇입니까? ( )

① 학예 발표를 하자.
② 현장 체험학습을 가자.
③ 친구들과 친하게 지내자.
④ 수업 시간에 떠들지 말자.
⑤ 아침 활동 시간에 운동을 하자.

국어 활동

13 이 회의에서 맡은 역할에 맞지 않는 행동을 한 사람은 누구입니까?

( )

서술형

14 오른쪽 그림에 알맞은 회의 주제를 쓰시오.

_____

_____

15 회의 주제에 맞게 의견을 말하는 방법으로 알맞지 <u>않은</u> 것은 무엇입니까? ( )

① 근거가 적절한 의견을 선택한다.

② 친구들이 재미있어하는 의견일지 생각한다.

③ 의견을 뒷받침할 수 있는 근거를 찾아본다.

④ 주제를 실천할 수 있는 여러 가지 의견을 떠올린다.

⑤ 의견이 여러 사람에게 의미 있는 것인지 따져 본다.

논술형

16 다음 회의 주제에 맞게 말할 내용을 정리해 쓰시오.

회의 주제	교통 규칙을 잘 지키자.
(1) 의견	
(2) 근거	

17~19 글을 읽고, 물음에 답하시오.

㉮ 사회자: "친구들과 사이좋게 지냅시다."라는 주제에 맞게 의견을 발표해 주시기 바랍니다.

회의 참여자 1: (갑자기 벌떡 일어나며) 친구들끼리 고운 말을 썼으면 좋겠습니다.

㉯ 회의 참여자 2: 친구들끼리 서로 별명을 부르지……

회의 참여자 3: (중간에 말을 가로채며) 별명을 부르는 것은 서로 가깝기 때문입니다. 저는 함께 어울려 노는 것이……

㉰ 회의 참여자 2: 친구들끼리 서로 별명을 부르지 않았으면 합니다. 별명을 들으면 기분이 나쁠 때가 많기 때문입니다.

사회자: 또 다른 의견이 있습니까? (여러 친구가 손을 들지만 다시 회의 참여자 2를 가리키며) 네, 김현수 친구, 발표해 주십시오.

17 ㉮에서 회의 참여자 1이 잘못한 점은 무엇입니까? ( )

① 회의에 집중하지 않았다.

② 친구의 의견을 무시했다.

③ 사회자 허락을 얻지 않고 말했다.

④ 자신의 의견만 옳다고 주장했다.

⑤ 회의 주제와 관련 없는 의견을 말했다.

18 ㉯에서 회의 참여자 2가 회의 참여자 3에게 할 수 있는 말은 무엇이겠습니까? ( )

① 회의 날짜가 틀렸습니다.

② 회의 절차를 안내해 주시기 바랍니다.

③ 제 의견을 끝까지 들어 주시기 바랍니다.

④ 중요한 내용만 기록해 주시기 바랍니다.

⑤ 알맞은 크기의 목소리로 말해 주시기 바랍니다.

19 ㉰의 상황으로 알맞은 것에 ○표를 하시오.

(1) 사회자가 특정 회의 참여자에게만 말할 기회를 준 상황 ( )

(2) 사회자가 회의 규칙을 지키지 않은 참여자에게 주의를 준 상황 ( )

중요

20 다음 중 규칙을 잘 지키며 회의를 하고 있는 참여자의 이름을 쓰시오.

> • 무조건 큰 목소리로 말하는 진우
> • 다른 사람의 의견을 존중하는 제희
> • 친구가 의견을 말할 때 끼어드는 준영
> • 자신의 의견만 옳다고 주장하는 수지

( )

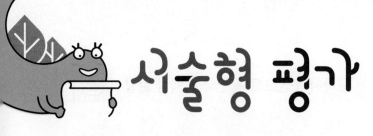

서술형 평가

1 학급 회의를 해 본 경험을 떠올려서 정리해 쓰시오.

(1) 회의 주제	
(2) 회의 참석자	
(3) 회의 결과	

2~3 글을 읽고, 물음에 답하시오.

㉠ 사회자: 학교생활을 안전하게 하려면 실천해야 할 일이 무엇인지 발표해 주십시오.
  이정수 친구가 의견을 발표해 주십시오.
㉡ 회의 참여자 5: 학교에서 위험한 행동을 했을 때 벌점을 받는 제도를 만들었으면 좋겠습니다. 벌점을 받지 않으려고 행동을 조심하면 서로 피해를 주는 일이 없을 것이기 때문입니다.

2 회의 참여자 5가 발표한 의견과 근거를 정리해 쓰시오.

(1) 의견	
(2) 근거	

3 이 글에 나타난 회의 절차는 무엇인지 쓰고, 이 절차에서 하는 일을 쓰시오.

(1) 절차	
(2) 하는 일	

4 회의 참여자의 역할을 각각 한 가지씩 쓰시오.

(1) 사회자	
(2) 회의 참여자	
(3) 기록자	

5 회의 주제로 알맞은 것을 떠올려 회의 주제를 한 가지 쓰시오.

6 다음 회의에서 회의 규칙을 지키지 <u>않은</u> 참여자는 누구인지 쓰고, 고쳐야 할 점을 쓰시오.

회의 참여자 2: 친구들끼리 서로 별명을 부르지 않았으면 합니다. 별명을 들으면 기분이 나쁠 때가 많기 때문입니다.
사회자: 또 다른 의견이 있습니까? (여러 친구가 손을 들지만 다시 회의 참여자 2를 가리키며) 네, 김현수 친구, 발표해 주십시오.

(1) 규칙을 지키지 않은 참여자	
(2) 고쳐야 할 점	

낱말 퀴즈

● 다음 교과서 문장의 파란색 낱말 중에서 알맞은 것을 골라 인물들이 한 말을 완성하시오.

- 이번 주 학급 회의 주제를 무엇으로 정하면 좋을지 말씀해 주십시오.
- "깨끗한 교실을 만들자."를 주제로 제안합니다.
- 이제 어떤 주제로 할지 표결을 하겠습니다.
- 사회자 허락을 얻고 말씀해 주시기 바랍니다.

정답 | ❶ 회의 ❷ 제안 ❸ 표결 ❹ 허락

7

사전은 내 친구

무엇을 배울까요?

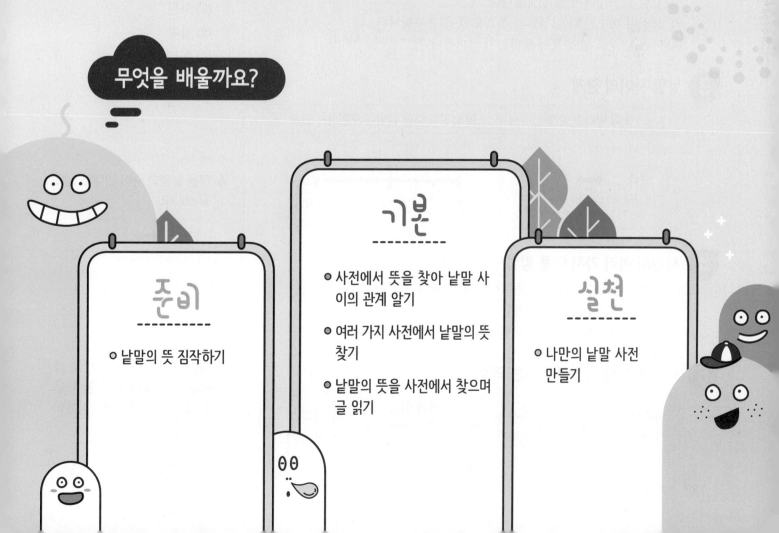

준비
○ 낱말의 뜻 짐작하기

기본
○ 사전에서 뜻을 찾아 낱말 사이의 관계 알기

○ 여러 가지 사전에서 낱말의 뜻 찾기

○ 낱말의 뜻을 사전에서 찾으며 글 읽기

실천
○ 나만의 낱말 사전 만들기

1 국어사전에서 낱말 찾기

① 형태가 바뀌는 낱말인지 형태가 바뀌지 않는 낱말인지 살펴봅니다.

② 형태가 바뀌지 않는 낱말은 그대로 국어사전에서 찾습니다.

③ 형태가 바뀌는 낱말은 낱말에서 형태가 바뀌지 않는 부분에 '–다'를 붙여 기본형을 만듭니다. 이 기본형을 국어사전에서 찾습니다.

④ 국어사전에서 낱말을 찾을 때에는 낱말이 실리는 차례를 생각해야 합니다.

첫 자음자가 실린 차례
ㄱ, ㄲ, ㄴ, ㄷ, ㄸ, ㄹ, ㅁ, ㅂ, ㅃ, ㅅ, ㅆ, ㅇ, ㅈ, ㅉ, ㅊ, ㅋ, ㅌ, ㅍ, ㅎ
모음자가 실린 차례
ㅏ, ㅐ, ㅑ, ㅒ, ㅓ, ㅔ, ㅕ, ㅖ, ㅗ, ㅘ, ㅙ, ㅚ, ㅛ, ㅜ, ㅝ, ㅞ, ㅟ, ㅠ, ㅡ, ㅢ, ㅣ
받침이 실린 차례
ㄱ, ㄲ, ㄳ, ㄴ, ㄵ, ㄶ, ㄷ, ㄹ, ㄺ, ㄻ, ㄼ, ㄽ, ㄾ, ㄿ, ㅀ, ㅁ, ㅂ, ㅄ, ㅅ, ㅆ, ㅇ, ㅈ, ㅊ, ㅋ, ㅌ, ㅍ, ㅎ

2 낱말의 뜻을 짐작하는 방법

① 문맥의 앞뒤 내용을 살펴보고 상황에 맞는 뜻을 찾아 짐작합니다.

② 낱말을 쪼개어 뜻을 짐작합니다.

③ 모양이 비슷한 다른 낱말의 뜻으로 뜻을 <u>유추</u>합니다.

④ 다른 낱말을 넣어 뜻이 통하는지 살펴봅니다. → 미루어 추측합니다.

3 낱말 사이의 관계

뜻이 반대인 관계	한 낱말이 다른 낱말을 포함하는 관계
낮다 ⟷ 높다	움직이다 ├─ 날다 ├─ 뛰다 └─ 헤엄치다

4 사전의 여러 가지 이용 방법

① 스마트폰으로 인터넷 사전을 이용할 수 있습니다.

② 컴퓨터에 있는 사전을 이용할 수 있습니다.

③ 도서관에 가서 국어사전을 빌려 와 이용할 수 있습니다.

5 나만의 낱말 사전을 만드는 과정

만들고 싶은 사전 정하기 ▶ 사전에 실을 낱말 정하기 ▶ 사전에 실을 낱말의 차례 정하기 ▶ 낱말의 뜻 찾아 쓰기

핵심 **확인문제**

정답과 해설 ● 25쪽

1 낱말에서 형태가 바뀌지 않는 부분에 '–다'를 붙여 ☐☐ ☐을/를 만들 수 있습니다.

2 다음 낱말의 기본형을 쓰시오.

> 찢으면

( )

3 국어사전에 낱말이 실리는 차례대로 숫자를 쓰시오.

(1) 고원 ( )

(2) 협곡 ( )

(3) 동료 ( )

4 다음 낱말과 뜻이 반대인 낱말을 쓰시오.

낮다 ⟷ ☐

5 나만의 낱말 사전을 만들 때에는 실을 낱말을 정한 다음 실을 ☐☐을/를 정해야 합니다.

📖교과서 문제

1 다음 중 형태가 바뀌지 않는 낱말을 찾아 <u>모두</u> ○표를 하시오.

> 벽지   접는다   창호지
> 묶어서   갱지   찢으면

핵심

2 1번 문제의 낱말이 국어사전에 실리는 차례로 알맞은 것에 ○표를 하시오.

(1) 갱지 → 벽지 → 창호지 → 묶어서 → 접는다 → 찢으면 ( )

(2) 갱지 → 묶어서 → 벽지 → 접는다 → 찢으면 → 창호지 ( )

(3) 묶어서 → 갱지 → 벽지 → 찢으면 → 접는다 → 창호지 ( )

3 다음 보기 의 모음자들을 국어사전에 실리는 차례대로 쓰시오.

보기

> ㅑ   ㅟ   ㅘ   ㅡ   ㅒ

( ) → ( ) → ( ) → ( ) → ( )

📖교과서 문제

4 다음 초록색으로 쓰인 낱말에서 형태가 바뀌지 않는 부분과 바뀌는 부분을 찾아 쓰시오.

> 동생이 색종이로 꽃잎을 접는다. 누나는 색종이 끝을 묶어서 꽃받침을 만든다. 엄마가 색종이를 찢으면 아빠는 꽃자루에 붙인다.

낱말	형태가 바뀌지 않는 부분	형태가 바뀌는 부분
(1) 접는다		
(2) 묶어서		
(3) 찢으면		

📖교과서 문제

5 다음 낱말에서 형태가 바뀌지 않는 부분에 '-다'를 붙여 기본형을 쓰시오.

(1) 뽑는다, 뽑아서, 뽑으니, 뽑겠다
( )

(2) 밝아서, 밝으니, 밝고, 밝은
( )

(3) 달아나서, 달아나니, 달아나는
( )

(4) 잡아, 잡으니, 잡고, 잡을
( )

6 다음 글에서 초록색으로 쓰인 낱말과 그 기본형이 바르게 연결되지 <u>않은</u> 것은 무엇입니까?
( )

> 나는 한지 공예를 좋아합니다. 한지를 작은 모양으로 잘라서 색깔을 맞추어 붙여 아름다운 그릇을 만듭니다. 내가 만든 작품을 보고 있으면 기분이 좋습니다.

	낱말		기본형
①	좋아합니다	–	좋아한다
②	작은	–	작다
③	붙여	–	붙이다
④	보고	–	보다
⑤	있으면	–	있다

🐛 교과서 핵심

● 국어사전에서 낱말 찾기 예

첫 자음자가 실린 차례	ㄱ, ㄲ, ㄴ, ㄷ, ㄸ, ㄹ, ㅁ, ㅂ, ㅃ, ㅅ, ㅆ, ㅇ, ㅈ, ㅉ, ㅊ, ㅋ, ㅌ, ㅍ, ㅎ
모음자가 실린 차례	ㅏ, ㅐ, ㅑ, ㅒ, ㅓ, ㅔ, ㅕ, ㅖ, ㅗ, ㅘ, ㅙ, ㅚ, ㅛ, ㅜ, ㅝ, ㅞ, ㅟ, ㅠ, ㅡ, ㅢ, ㅣ
받침이 실린 차례	ㄱ, ㄲ, ㄳ, ㄴ, ㄵ, ㄶ, ㄷ, ㄹ, ㄺ, ㄻ, ㄼ, ㄽ, ㄾ, ㄿ, ㅀ, ㅁ, ㅂ, ㅄ, ㅅ, ㅆ, ㅇ, ㅈ, ㅊ, ㅋ, ㅌ, ㅍ, ㅎ

• '벽지' 찾는 차례: 첫 번째 글자 '벽' → 두 번째 글자 '지'
• '벽' 찾는 차례: 첫 자음자 'ㅂ' → 모음자 'ㅕ' → 받침 'ㄱ'

낱말의 뜻을 생각하며 글 읽기 **최첨단 과학, 종이**

김해보 · 정원선

❶ 최근, 컴퓨터는 사용이 일반화되어 생활필수품이 되었습니다. 처음 컴퓨터가 보급되기 시작할 때 많은 사람이 종이 사용이 점점 줄어들 것이라고 예상했습니다. 컴퓨터의 모니터가 종이를 대신할 5 것으로 여겼던 것이지요. 그러나 그 예상과는 반대로 종이 소비량은 오히려 점점 더 늘고 있습니다. 왜냐하면 모니터로 보는 것보다 종이에 인쇄하여 보는 것이 익숙하기 때문입니다. 또한 종이책은 전자책과는 다른 특유의 ♥질감에서 오는 매 10 력이 있기 때문이죠.

종이는 정보를 전달하는 매체로, 물건을 포장하는 재료로, 기타 여러 가지 용도로 쓰입니다. 종이가 가볍고, 값싸고, 비교적 질기고, 위생적이기 때문입니다. 이와 같이 종이는 많은 장점이 있어 생 15 활에 많이 활용되고 있습니다. 그래서 종이는 다양한 종류와 품질을 가진 것으로 개발되고 발전되

었습니다. 앞으로도 우리는 계속 종이를 새롭게 만들어 사용할 것입니다.

(중심 내용) 종이 소비량은 점점 더 늘고 있으며, 앞으로도 우리는 계속 종이를 새롭게 만들어 사용할 것이다.

❷ 새롭게 개발되고 있는 종이 중에 ♥최첨단 과학 기술로 만들어지는 것들이 있습니다. 그중 몇 가지를 예로 들어 보겠습니다. 첫째는 밝을 때 빛을 5 저장해 두었다가 어두울 때 스스로 빛을 내는 축광지입니다. 둘째는 종이에 인쇄되거나 쓴 내용이 복사가 안 되는 종이입니다. 셋째는 기록한 지 한 시간 뒤에는 자동으로 그 내용이 없어져서 ㉠극비 문서로 사용되는 종이입니다. 이런 종이들은 공상 10 과학 영화에서나 볼 수 있었던 것들이지요.

• 글의 종류: 설명하는 글
• 글의 내용: 과학 기술의 발달로 신기한 종이가 만들어지고 있다는 내용의 글입니다.

♥질감(質 바탕 질, 感 느낄 감) 재료가 가지는 성질의 차이에서 받는 느낌.
　예 맨발로 밟으니 대리석 바닥의 차가운 질감이 더 잘 느껴졌다.
♥최첨단(最 가장 최, 尖 뾰족할 첨, 端 끝 단) 시대나 유행의 맨 앞.

7 종이 소비량이 점점 늘고 있는 까닭은 무엇입니까? ( )

① 컴퓨터 보급에 문제가 있어서
② 전자책을 쉽게 구입할 수 없어서
③ 컴퓨터를 점점 사용하지 않게 되어서
④ 종이책은 특유의 질감에서 오는 매력이 있어서
⑤ 종이에 인쇄하여 보는 것보다 모니터로 보는 것이 익숙해서

8 이 글에서 종이의 장점으로 소개한 내용이 아닌 것은 무엇입니까? ( )

① 가볍다. ② 값싸다.
③ 딱딱하다. ④ 위생적이다.
⑤ 비교적 질기다.

9 이 글을 읽으면서 뜻을 모르는 낱말이 나올 때, 그 낱말의 뜻을 짐작할 수 있는 방법으로 알맞지 않은 것의 기호를 쓰시오.

㉠ 낱말을 쪼개어 뜻을 짐작한다.
㉡ 다른 낱말을 넣어 뜻이 통하는지 살펴본다.
㉢ 낱말에 어떤 자음자와 모음자가 있는지 살펴본다.
㉣ 문맥의 앞뒤 내용을 살펴보고 상황에 맞는 뜻을 찾는다.

( )

핵심
10 ㉠'극비'의 뜻을 짐작해 쓰시오.

( )

주변에서 볼 수 있는 첨단 종이로는 온도에 따라 색깔이 변하는 온도 ㉠감응 종이, 과일의 ♥신선도는 유지하고 벌레나 세균은 생기지 않도록 하는 포장지가 있습니다. 신용 카드 영수증처럼 앞 장에
5 글씨를 쓰면 뒷장까지 글씨가 적히도록 하는 종이도 있습니다. 이런 특수 기능 종이들은 이미 우리 주위에서도 많이 사용되고 있답니다.

더욱 놀라운 것은, 전자 신호를 이용해 ㉡원격으로 스스로 인쇄를 하고, 지면의 인쇄 내용을 완
10 전히 바꿀 수 있는 '전자 종이'가 등장했다는 것입니다. 느낌은 종이와 같은데 컴퓨터 모니터처럼 언제든지 새로운 신호를 보내면 완전히 다른 내용으로 인쇄할 수도 있고, 멀리서 무선 신호로 내용을 바꿀 수도 있습니다. 이것이 ㉢상용화되면 전
15 자 종이로 된 신문이 한 장만 있으면, 매일 아침 새로운 기사들을 받아서 ♥즉석에서 인쇄해서 보

고, 다음 날도 똑같은 신문에 새로운 내용을 받아서 볼 수 있을 거예요.

중심 내용 축광지, 온도 감응 종이, 전자 종이 등 최첨단 과학 기술로 새롭게 개발되고 있는 종이들이 있다.

♥신선도(新 새 신, 鮮 고울 선, 度 법도 도) 채소나 과일, 생선 따위가 싱싱한 정도.
♥즉석(卽 곧 즉, 席 자리 석) 어떤 일이 진행되는 바로 그 자리.
예 친구와 즉석 떡볶이를 맛있게 먹었다.

교과서 핵심 ● 낱말의 뜻 짐작하기 예

낱말	짐작한 뜻	그렇게 짐작한 까닭	짐작한 방법
극비	매우 비밀스러운	기록한 다음에 자동으로 지워진다고 하니까 감추려는 것처럼 생각되어서	문맥의 앞뒤 내용을 살펴보고 상황에 맞는 뜻을 찾아 짐작함.
상용	사용되는 것	문맥에 매일 사용할 수 있다는 설명이 나와서	
감응	받아들이고, 응답하는 것	감지할 때 '감'과 응답할 때 '응'이 들어가는 낱말이어서	낱말을 쪼개어 뜻을 짐작함.

🔖 교과서 문제

11 ㉠~㉢의 낱말들을 국어사전에 실리는 차례대로 쓰시오.

(   ) → (   ) → (   )

핵심

12 다음에서 ㉠'감응'의 뜻을 어떤 방법으로 짐작했는지 알맞은 것에 ○표를 하시오.

'감응'은 '받아들이고, 응답하는 것'이라는 뜻일 것 같아. 감지할 때 '감'과 응답할 때 '응'이 들어가는 낱말이잖아.

(1) 낱말을 쪼개어 뜻을 짐작했다. (   )
(2) 다른 낱말을 넣어 뜻이 통하는지 살펴보았다. (   )
(3) 문맥의 앞뒤 내용을 살펴보고 상황에 맞는 뜻을 찾아 짐작했다. (   )

🔖 교과서 문제

13 ㉡'원격'의 뜻을 알맞게 짐작하지 **못한** 친구의 이름을 쓰시오.

우진: 전자 신호를 이용한다고 했으니까 손으로 눌러서 하는 건가 봐.
연후: 스스로 인쇄를 한다고 했으니까 사람이 직접 인쇄하지 않는 것을 말하나 봐.
동화: 뒷부분에 멀리서 무선 신호를 보낸다고 되어 있으니까 거리가 떨어져 있는 것을 말하나 봐.

(   )

논술형

14 ㉢'상용'의 뜻을 짐작해 쓰고, 그렇게 짐작한 까닭을 쓰시오.

(1) 짐작한 뜻	
(2) 그렇게 짐작한 까닭	

낱말 사이의 관계를 생각하며 글 읽기 **수아의 봉사 활동**

• 글: 고수산나 • 그림: 이해정

❶ 일요일 아침이라 더 자고 싶었는데 엄마가 깨웠다.

"수아야, 오늘이 무슨 요일인지 알지? 가족 봉사 활동 가기로 한 일요일이잖아. 얼른 일어나."

5 나는 다시 이불을 뒤집어썼지만 곧 엄마에게 빼앗기고 말았다.

우리 가족이 ㉠간 곳은 할머니, 할아버지 들이 계시는 ♥요양원이었다.

뭘 해야 할까 두리번거리고 있을 때 안경 쓴 할머니가 나에게 ㉡오라고 손짓을 했다.

"여기 책 좀 읽어 줄래? 내가 이래 봬도 예전에는 문학소녀여서 책을 많이 읽었는데 요즘은 눈이 ㉢침침해서 글씨가 잘 안 보이는구나."

할머니는 낡은 책 한 권을 내미셨다. 다른 책이 15 없어서 같은 책만 스무 번을 넘게 읽으셨다고 했다.

할머니는 눈을 감고 책 읽는 내 목소리에 귀를 기울이셨다.

"할머니, 다음에 올 때 재미있는 책을 가지고 올 게요."

나는 할머니와 약속을 했다.   5

중심 내용 요양원으로 봉사 활동을 간 수아는 할머니께 다음에 올 때 재미있는 책을 가지고 오겠다고 약속했다.

• **글의 특징**: 요양원에 가서 가족 봉사 활동을 하고 온 수아의 감상이 잘 드러납니다.

• ♥**요양원**(療 고칠 요, 養 기를 양, 院 집 원) 환자들을 수용하여 편안히 쉬면서 병이 치료될 수 있도록 시설을 갖추어 놓은 보건 기관.

---

1 수아네 가족이 봉사 활동을 하기 위해 찾아간 곳은 어디입니까?

(   )

2 수아는 할머니와 어떤 약속을 했습니까?

(   )

① 매일 찾아오겠다.
② 다음에 오면 노래를 불러 드리겠다.
③ 다음에 올 때 안경을 가지고 오겠다.
④ 다음에 올 때 사탕과 과자를 가지고 오겠다.
⑤ 다음에 올 때 재미있는 책을 가지고 오겠다.

핵심

3 ㉠, ㉡의 기본형 '가다'와 '오다'는 서로 어떤 관계에 있는 낱말입니까?   (   )

① 뜻이 같다.
② 뜻이 비슷하다.
③ 아무 관계도 없다.
④ 뜻이 서로 반대이다.
⑤ 한 낱말이 다른 낱말을 포함한다.

📖 교과서 문제

4 ㉢의 뜻을 국어사전에서 확인하고, 이와 뜻이 반대인 낱말을 한 가지 쓰시오.

> 침침하다: 눈이 어두워 물건이 똑똑히 보이지 아니하고 흐릿하다.

(   )

② 일주일 뒤, 골라 놓은 동화책을 가지고 요양원에 갈 준비를 했다.

"수아야, 오늘은 안 가. 오늘은 엄마랑 아빠가 친척 결혼식에 가야 해."

5 나는 할머니와의 약속이 생각났다.

'할머니가 내 동화책을 기다리고 계실 텐데.'

일주일 뒤, 요양원에 도착하자마자 할머니에게 달려갔다. 할머니는 나를 기다렸다며 서랍에서 사탕이랑 과자를 꺼내 주셨다.

10 "할머니 드시지……."

♥사양했지만 ㉠할머니가 내 생각을 하며 모아 두셨다며 호주머니에 사탕을 넣어 주셨다.

나는 가져간 동화책을 읽어 드렸다. 할머니는 내 이야기를 듣고 어린아이처럼 웃기도 하고 눈물을 15 ♥글썽이기도 하셨다.

봉사 활동이 힘들어도 왜 계속하는지 이제 알 것

같다. 나를 기다리며 반가워하는 할머니 생각을 하면 일요일 아침이 기다려진다.

중심 내용 골라 놓은 동화책을 가지고 다시 요양원에 간 수아는 할머니와 동화책을 읽으며 즐거운 시간을 보냈다.

♥사양했지만 겸손하여 받지 아니하거나 응하지 아니했지만. 또는 남에게 양보했지만.

♥글썽이기도 눈에 눈물이 넘칠 듯이 그득하게 고이기도.

교과서 핵심 ●낱말의 관계 예

뜻이 반대인 관계	한 낱말이 다른 낱말을 포함하는 관계
가다 ⟷ 오다	책 / 동화책 · 사전
침침하다 ⟷ 선명하다	요일 / 일요일 · 월요일

---

5 ㉠을 통해 알 수 있는, 수아에 대한 할머니의 마음은 무엇입니까? ( )

① 슬픈 마음
② 속상한 마음
③ 두려운 마음
④ 화가 나는 마음
⑤ 그립고 반가운 마음

서술형

6 봉사 활동을 하고 수아가 느낀 점은 무엇인지 쓰시오.

_____

_____

핵심

7 글 ②에 나온 낱말 중 '책'이라는 낱말에 포함되는 낱말은 무엇입니까? ( )

① 일주일   ② 동화책
③ 요양원   ④ 결혼식
⑤ 호주머니

교과서 문제

8 다음 빈칸에 보기 의 낱말을 알맞게 써넣어 낱말의 관계를 완성하시오.

보기

날다   높다   움직이다

(1) 뜻이 반대인 낱말

낮다 ⟷ [ ]

(2) 포함하는 낱말과 포함되는 낱말

①

② / 뛰다 / 헤엄치다

🔊 여러 가지 사전에서 낱말의 뜻을 찾으며 글 읽기

화성 탐사의 현재와 미래

❶ 화성은 중세 이전에도 하늘을 관측하던 과학자들에게 매우 중요한 ♥천체였다. 화성은 밝게 빛나는 붉은 별이기에 많은 사람이 관심을 가졌다. 1976년 미국의 바이킹 우주선이 화성에 착륙해 표
5 면의 모습을 지구에 알려 주었다. 화성의 표면은 삭막하지만 군데군데 강줄기가 마른 것처럼 보이는 곳도 있었고, 북극에는 두꺼운 얼음처럼 하얗게 보이는 부분도 있었다.

◀ 화성

그 뒤 1997년에 미국의 화성 탐사선 마스 글로벌 서베이어는 화성의 궤도에 진입해 화성 표면의 모습을 상세하게 사진으로 찍어 지구로 보내 주었다. 이 사진에는 높이 솟은 고원 지대도 있고, 길
5 게 뻗은 좁은 협곡도 있었다. 또 태양계 행성 가운데 가장 거대한 화산 지형도 있었다. 같은 해에 마스 패스파인더는 화성 표면에 착륙해 강줄기처럼 보이는 부분에서 화성 암석을 조사했다. 그 결과, 화성에서 강물의 ♥침식과 퇴적 작용이 있었음을 확인했다. 이러한 것은 아주 오래전에 화성 표면
10 에 물이 흘렀다는 증거이다.

중심 내용 1976년과 1997년의 화성 탐사 결과, 화성 표면의 지형에 대해 상세하게 알 수 있게 되었다.

• 글의 종류: 설명하는 글
• 글의 내용: 화성 탐사의 역사를 시간 순으로 정리하고, 미래의 화성 탐사 계획에 대하여 소개하고 있습니다.

♥천체(天 하늘 천, 體 몸 체) 우주에 존재하는 모든 물체.
♥침식 비, 강, 바람 등의 자연 현상이 땅의 겉면을 깎는 일.

서술형

1 오래전에 화성 표면에 물이 흘렀다는 것을 알 수 있는 증거는 무엇인지 쓰시오.

_____

_____

2 이 글에 나온 다음 두 낱말의 뜻을 짐작해 보고, 두 낱말 사이의 관계를 바르게 설명한 것에 ○표를 하시오.

화성   행성

(1) 뜻이 반대인 관계이다. ( )
(2) 한 낱말이 다른 낱말을 포함하는 관계이다. ( )

핵심

3 사전에서 찾은 다음 뜻에 알맞은 낱말을 보기 에서 각각 찾아 쓰시오.

보기

관측   협곡

(1) 험하고 좁은 골짜기. ( )
(2) 육안이나 기계로 자연 현상, 특히 천체나 기상의 상태, 추이, 변화 따위를 관찰하여 측정하는 일. ( )

4 이 글에서 '자갈, 모래 따위가 물, 바람에 의해 운반되어 쌓이는 현상'이라는 뜻의 낱말은 무엇입니까? ( )

① 착륙　　② 궤도　　③ 고원
④ 화산　　⑤ 퇴적

❷ 화성에 물이 있는지는 과학자들은 물론 일반인들도 관심이 많다. 물이 있다는 것은 화성인 또는 외계인까지는 아니더라도 생명체가 있을 수 있다는 것을 뜻하기 때문이다. 2004년에 미국의 쌍둥이 화성 로봇 탐사선인 스피릿 로버와 오퍼튜니티 로버가 서로 화성 반대편에 착륙했다. 이들 탐사선은 물의 영향을 받은 암석을 발견했다. 이 암석들은 물속과 물 밖의 환경이 번갈아 바뀌는 곳에서 만들어진 것이다. 이것은 화성 표면에서 오랜 시간에 걸쳐 물이 있다가 증발하는 과정이 반복되었다는 것을 알려 준다.

미국의 화성 탐사선인 큐리오시티는 2012년에 화성의 ♥적도 부근에 착륙했다. 이 탐사선은 화성 표면 바로 아래에 있는 얼음을 발견했다.

[중심 내용] 2004년과 2012년에 있었던 화성 탐사를 통해 화성에 물과 얼음이 있음이 밝혀졌다.

❸ 미국은 2030년까지 사람들이 화성을 여행할 수 있도록 준비를 하고 있다. 큐리오시티는 이 연구 과제의 준비 단계로서 화성에서 사람들이 사는 데 필요한 정보를 모으고 있다. 미국은 화성 여행을 위해 마스 2020 로버를 준비했으며, 이 탐사선은 화성에서 사람이 살아가는 데 필요한 산소와 자원을 조사할 예정이다.

[중심 내용] 미국은 2030년까지 사람이 화성을 여행할 수 있도록 준비를 하고 있다.

♥적도(赤 붉을 적, 道 길 도) 지구 표면에서 해가 가장 뜨겁게 내리쬐는 지대의 중심이 되는 선. 위도의 기준이며, 위도 0도의 선.

교과서 핵심 ○뜻을 잘 모르는 낱말을 여러 사전에서 찾아 그 뜻 쓰기 예

낱말	사전의 종류	낱말의 뜻
관측	국어사전	육안이나 기계로 자연 현상, 특히 천체나 기상의 상태, 추이, 변화 따위를 관찰하여 측정하는 일.
협곡	백과사전	단단한 암석이 수직에 가까운 절벽으로 깎여 형성된 좁고 깊은 계곡의 하나.
퇴적	인터넷 백과사전	자갈, 모래 따위가 물, 바람에 의해 운반되어 쌓이는 현상.

📖 교과서 문제

5 물의 영향을 받은 암석의 발견으로 무엇을 알 수 있는지 다음 빈칸에 알맞은 말을 쓰시오.

• 화성 표면에서 오랜 시간에 걸쳐
(   )
과정이 반복되었다는 것을 알 수 있다.

📖 교과서 문제

6 큐리오시티는 화성에서 어떤 정보를 모으고 있습니까? (   )

① 화성에 있는 생명체에 대한 정보
② 화성 탐사에 필요한 장비에 관한 정보
③ 화성에서 사람들이 사는 데 필요한 정보
④ 화성에 물이 있다고 판단할 수 있는 정보
⑤ 화성 표면의 상세한 모습을 알 수 있는 정보

[핵심]

7 이 글에서 뜻을 잘 모르는 낱말을 찾고, 알맞은 사전을 선택해 그 뜻을 찾아 쓰시오.

(1) 낱말	
(2) 사전의 종류	
(3) 낱말의 뜻	

[역량]

8 다음에서 설명하는 사전이 무엇인지 쓰시오.

특징	여러 가지 속담의 뜻과 쓰임을 자세하게 설명해 준다.
쓰임과 좋은 점	책을 읽다가 모르는 속담을 보았을 때나 글을 쓰다가 효과적으로 표현하고 싶을 때 속담을 찾아볼 수 있다.

(   )

🔊 낱말의 뜻을 생각하며 글 읽기

동물 속에 인간이 보여요

최재천

❶ 인간은 종종 자신을 동물과 다르다고 생각합니다. 다를 뿐만 아니라 여러 면에서 동물보다 훨씬 뛰어나고 특별하다고 여기지요. 이런 눈으로 세상을 보면 인간 외의 다른 생명은 작고 ㉠하찮게 생각돼요. 우리가 사는 지구도 마치 인간을 위해 생겨난 것처럼 잘못 생각할 수도 있고요. 지구의 주인은 인간이 아니고, 인간만이 특별한 ♥생명체도 아니랍니다. 왜 그런지 볼까요?

중심 내용 인간은 종종 자신을 동물과 다르다고 생각하지만, 인간만이 특별한 생명체는 아니다.

❷ 인간은 엄연히 동물에 속하지요. 그것도 새끼를 일정 기간 몸속에서 키워 내보낸 뒤 젖을 먹여 키우는 포유동물이에요. 새끼를 갖고 키우는 방식에서 인간은 돼지나 개, 고양이와 다를 바 없어요. 그뿐인가요? 인간의 조상이 지구에 처음으로 나타난 때가 지금으로부터 20~25만 년 전이에요. 지구의 나이가 46억 년, 생명이 처음 생겨나 오늘에 이르기까지 40억 년쯤 되었으니 인간은 지구에서 아주 짧은 시간을 살아온 셈이에요. 그에 비하면 바퀴벌레, 까치, 돼지는 인간보다 훨씬 오랫동안 ♥지구촌 주민으로 살아왔어요.

자연계에도 어른을 공경하는 문화가 있다면 지금 인간에게 무시당하고 고통받는 많은 동물의 마음은 나이 ♥지긋한 어른이 한참 어린 아이에게 ♥험한 욕을 듣고 흠씬 두들겨 맞았을 때의 느낌과 비슷할 거예요.

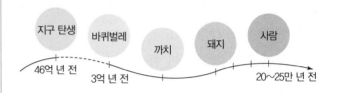

지구 탄생 바퀴벌레 까치 돼지 사람
46억 년 전 ┼ ┼ ┼ ┼
3억 년 전 20~25만 년 전

- **글의 내용:** 동물도 인간과 함께 살아가는 생명이므로 소중히 여겨야 한다는 것을 말하고 있습니다.

- ♥**생명체**(生 날 생, 命 목숨 명, 體 몸 체) 생명이 있는 물체.

- ♥**지구촌** 지구 전체를 한 마을처럼 여겨 이르는 말.
  예 통신 기술의 발달로 전 세계는 하나의 지구촌이 되었다.

- ♥**지긋한** 나이가 비교적 많아 듬직한.

- ♥**험한** 말이나 행동 따위가 버릇없고 난폭한.

---

1 이 글에서 인간은 어떤 동물에 속한다고 했습니까?

( )

2 다음 보기 의 생명체들을 지구에 먼저 나타난 차례대로 쓰시오.

보기
사람 돼지 까치 바퀴벌레

( ) → ( )
→ ( ) → ( )

핵심

3 ㉠'하찮다'의 뜻을 짐작한 것으로 알맞은 것을 두 가지 고르시오. (,)

① 특별하다.
② 훨씬 뛰어나다.
③ 대단하지 않다.
④ 평범하지 않다.
⑤ 중요하지 않다.

4 이 글에 나오는 낱말 중 다음 뜻을 지닌 낱말은 무엇입니까? ( )

아무도 부인할 수 없을 만큼 명백하게.

① 종종 ② 훨씬
③ 마치 ④ 흠씬
⑤ 엄연히

7 단원

인간은 지구의 막내예요. 최초의 생명이 수십억 년에 걸쳐 다양하게 가지를 뻗으며 진화하는 과정에서 우연히 생겨난 생물의 한 ♥종일 뿐이지요.

(중심 내용) 인간은 동물에 속하며, 지구의 막내라고 할 수 있다.

❸ 지구의 막내이지만 인간은 지능이 높고 다른 동 5 물보다 뛰어난 점이 분명 있어요. 하지만 인간에게만 있다고 여겼던 능력이 다른 동물에게서 발견되는 경우도 많아요. 예를 들어 언어는 인간만이 가진 능력이라고 생각했는데, 꿀벌에게도 언어가 있다는 것이 밝혀졌어요. 인간은 말과 글을 사용하 10 지만 꿀벌은 춤을 이용한다는 것만 다를 뿐이에요.

(중심 내용) 언어는 인간에게만 있다고 여겼던 능력인데, 꿀벌에게도 언어가 있다는 것이 밝혀졌다.

❹ 흔히 인간에게만 있다고 잘못 생각하는 게 또 있어요. 바로 아름답고 훌륭한 ♥감정이에요. 우리는 다른 사람의 아픔과 슬픔을 내 일처럼 여기는 따뜻한 마음을 높이 쳐주고 본받고 싶어 하지요.

또 나만 생각하는 ♥이기심을 넘어서 남을 돌볼 줄 아는 마음을 동물과 인간을 가르는 기준으로 삼기도 해요. 하지만 동물의 세계에서도 그처럼 아름다운 마음을 볼 수 있답니다.

♥종(種 씨 종) 생물 분류의 기초 단위.
♥감정(感 느낄 감, 情 뜻 정) 어떤 현상이나 일에 대하여 일어나는 마음이나 느끼는 기분.
♥이기심 자기 자신의 이익만을 꾀하는 마음.

교과서 핵심 ◦ 낱말의 뜻을 짐작해 보고, 여러 가지 사전에서 뜻 알아보기 예

낱말	짐작한 뜻	이용한 사전	사전에서 찾은 뜻
하찮다	중요하지 않다. / 대단하지 않다.	국어사전	그다지 훌륭하지 아니하다. / 대수롭지 아니하다.
진화	발전	국어사전	생물이 오랜 기간에 걸쳐 조금씩 변화하여 복잡하고 우수한 종류로 됨.
흠씬	아주 많이	국어사전	매 따위를 심하게 맞는 모양.

5 인간에게만 있다고 잘못 생각한 것이 무엇이라고 했는지 <u>모두</u> ○표를 하시오.

(1) 언어 ( )
(2) 아름답고 훌륭한 감정 ( )
(3) 나만 생각하는 이기심 ( )

6 꿀벌이 쓰는 언어는 무엇입니까? ( )

① 말　　② 글　　③ 춤
④ 노래　　⑤ 표정

📖 교과서 문제

7 이 글에 나오는 낱말 중 뜻을 정확히 모르는 낱말과 처음 보는 낱말을 하나씩 찾아 쓰시오.

(1) 뜻을 정확히 모르는 낱말	
(2) 처음 보는 낱말	

핵심 역량

8 7번 문제에서 답한 두 낱말의 뜻을 짐작해 보고, 여러 가지 사전 중 하나를 이용해 뜻을 찾아 쓰시오.

낱말		
짐작한 뜻		
이용한 사전		
사전에서 찾은 뜻		

고래는 몸이 불편한 ♥동료를 결코 나 몰라라 하지 않아요. 다친 동료가 있으면 여러 마리가 둘러싸고 거의 들어 올리듯 떠받치며 보살핍니다. 고래는 물에서 살지만 물 위로 몸을 내밀어 허파로 숨을 쉬어야 하는 포유동물이에요. 그래서 다친 동료가 있으면 기운을 차릴 때까지 숨을 쉴 수 있도록 이런 식으로 도와준답니다. 고래는 그물에 걸린 친구를 구하기 위해 그물을 물어뜯는가 하면, 다친 동료와 고래잡이배 사이에 용감하게 뛰어들어 사냥을 방해하기도 합니다. 때로는 무언가로 괴로워하는 친구 곁에 그냥 오랫동안 함께 있어 주기도 하고요. 이야기만 들어도 마음이 ♥훈훈해지지요?

중심 내용 동물에게도 인간처럼 아름답고 훌륭한 감정이 있다.

❺ 그렇게 몸과 마음을 다해 부모와 형제, 친구를 지켜 주려 해도 어쩔 수 없이 떠나보내야 하는 경우가 있지요. 그럴 때 인간은 깊은 슬픔에 잠겨 서럽게 웁니다. 슬픔이 너무 크면 오랫동안 괴로워하다 몸을 상하기도 하지요. 다른 동물은 어떨까요? 가까운 이의 죽음을 슬퍼하는 건 다른 동물도 마찬가지예요.

제인 구달 박사는 어미의 죽음을 슬퍼하다 ♥숨을 거둔 어린 침팬지 이야기를 들려주었어요. 슬픔이 얼마나 컸으면 아무것도 먹지 못하고 어미 곁을 지키다 숨을 거두었을까요. 구달 박사는 어미 침팬지가 축 ♥늘어진 자식의 시체를 차마 버리지 못하고 품에 안고 다니는 모습 또한 종종 보았답니다.

♥동료(同 한가지 동, 僚 동료 료) 같은 직장이나 같은 부문에서 함께 일하는 사람.

♥훈훈해지지요 마음을 부드럽게 녹여 주는 따스함이 있지요.

♥숨을 거둔 '죽은'을 듣는 사람의 감정이 상하지 않도록 모나지 않고 부드럽게 이르는 말.
예 현충일은 나라를 위하여 싸우다 숨을 거둔 분들의 충성을 기리기 위한 날이다.

♥늘어진 기운이 풀려 몸을 가누지 못하는.
예 지훈이는 감기에 걸려서 축 늘어진 모습이었다.

9 고래는 몸이 불편한 동료를 어떻게 도와줍니까? ( )

① 먹이를 구해다 준다.
② 다친 곳을 치료해 준다.
③ 들어 올려서 육지로 옮겨다 준다.
④ 주위를 둘러싸고 빙글빙글 돌며 헤엄친다.
⑤ 여러 마리가 둘러싸고 들어 올리듯 떠받치며 보살핀다.

10 글쓴이는 고래가 몸이 불편한 동료를 도와준다는 보기를 제시함으로써 무엇을 알려 주려고 했습니까? ( )

① 고래는 쉽게 다친다.
② 고래는 포유동물이다.
③ 동물은 인간과 다르다.
④ 동물에게도 감정이 있다.
⑤ 고래는 물 위에서 숨을 쉰다.

11 제인 구달 박사의 이야기를 통해 알 수 있는 사실은 무엇입니까? ( )

① 동물에게는 모성이 없다.
② 동물은 슬픔을 느끼지 못한다.
③ 동물도 가까운 이의 죽음을 슬퍼한다.
④ 동물은 죽음에 대해 크게 관심이 없다.
⑤ 동물은 부모에 대한 사랑을 느끼지 않는다.

핵심
12 이 글을 읽고 친구와 묻고 답하기 놀이를 하려고 합니다. 친구에게 묻고 싶은 내용을 한 가지 떠올려 쓰시오.

죽음을 슬퍼하는 침팬지의 모습이 인간을 닮았다면, 코끼리의 경우는 죽은 이를 기억하는 방식이 좀 특이합니다. 코끼리는 다른 동물의 뼈에는 아무런 관심이 없지만 코끼리의 뼈를 발견하면 큰 관심을 보입니다. 긴 코로 뼈 냄새를 맡아 보기도 하고, 뼈를 이리저리 굴려 보기도 하지요. 때로는 오랫동안 들고 다니기도 합니다. 뼈를 보고 죽은 어미를 떠올리기 때문이에요. 코끼리는 늘 신선한 물과 풀을 찾아다니는데, 도중에 어미의 머리뼈가 놓여 있는 곳에 들러 한참 동안 그 뼈를 굴리며 시간을 보내곤 합니다. 눈물도 한숨도 없지만, 코끼리가 죽은 어미를 얼마나 그리워하는지 가슴 깊이 느낄 수 있지요.

[중심 내용] 인간뿐 아니라 다른 동물도 인간과 마찬가지로 가까운 이의 죽음을 슬퍼한다.

❻ 인간은 동물과 다르다고 자꾸 선을 그으려 하지만, 동물의 세계를 들여다보면 볼수록 그 속에 자꾸 인간의 모습이 보입니다. 인간만이 가지고 있

다고 내세우는 능력이 동물에게서 발견되는 것만 봐도 알 수 있지요. 물론 인간이 참으로 대단한 동물인 것은 사실이에요. 하지만 그 대단함은 인간이 혼자 스스로 만들어 낸 것이 아니에요.

그 옛날 바닷속에서 처음으로 생겨난 생명은 ㉠숱한 멸종의 위기를 넘기고 ♥다채로운 모습으로 살아남아 생명의 기운이 가득한 아름답고 풍성한 지구를 이루었어요. 아주 작은 세균부터 이끼와 풀, 나무, 온갖 새와 벌레와 물고기, 원숭이 들에 이르기까지 지구에서 귀하지 않은 생명은 없어요. 인간은 그처럼 수많은 생명이 닦아 놓은 길 위를 걷고 있는 거예요. 그러니 생명 앞에서 ♥우쭐할 게 아니라 고맙고 겸손한 마음을 가져야겠지요?

[중심 내용] 인간이 동물과 다르다고 자꾸 선을 긋지 말고, 생명 앞에서 고맙고 겸손한 마음을 가지자.

♥다채로운 여러 가지 색채나 형태, 종류 따위가 한데 어울리어 호화스러운.

♥우쭐할 의기양양하여 뽐낼.
예 그건 친구들 앞에서 우쭐할 일이 아니야.

---

13 코끼리가 다른 코끼리의 뼈를 발견하면 큰 관심을 보이는 까닭은 무엇입니까? ( )

① 뼈 냄새를 좋아하기 때문이다.
② 뼈를 굴리며 놀 수 있기 때문이다.
③ 뼈를 모아 두는 습성이 있기 때문이다.
④ 뼈를 보고 죽은 어미를 떠올리기 때문이다.
⑤ 뼈를 이용하여 다른 동물로부터 자기 자신을 지키기 때문이다.

14 글쓴이는 우리가 생명에 대해 어떤 마음을 가져야 한다고 했습니까? ( )

① 하찮게 여겨야 한다.
② 우쭐한 마음을 가져야 한다.
③ 인간과는 다르다고 여겨야 한다.
④ 고맙고 겸손한 마음을 가져야 한다.
⑤ 미안하고 부끄러운 마음을 가져야 한다.

[핵심]

15 ㉠'숱하다'의 뜻을 국어사전에서 찾아 쓰고, 이 낱말을 넣어 문장을 만들어 쓰시오.

(1) 뜻	
(2) 문장	

[논술형]

16 다음 문장에 대한 자신의 생각을 쓰시오.

> 생명 앞에서 우쭐할 게 아니라 고맙고 겸손한 마음을 가져야겠지요?

_____

_____

📖 교과서 문제

1 우리 주변에 있는 여러 가지 사전을 떠올려 쓰시오.

(   )

역량

2 다음 사전들을 참고하여 자신이 만들고 싶은 사전을 한 가지 생각해 쓰시오.

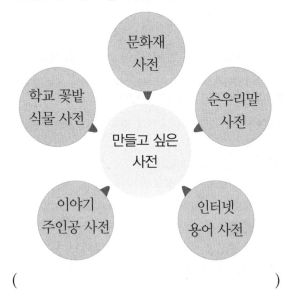

(문화재 사전 / 순우리말 사전 / 인터넷 용어 사전 / 이야기 주인공 사전 / 학교 꽃밭 식물 사전 / 만들고 싶은 사전)

(   )

핵심

3 나만의 낱말 사전을 만드는 과정을 생각하며 차례대로 알맞게 기호를 쓰시오.

┌─────────────────────────────┐
│ ㉠ 낱말의 뜻 찾아 쓰기   │
│ ㉡ 만들고 싶은 사전 정하기   │
│ ㉢ 사전에 실을 낱말 정하기   │
│ ㉣ 사전에 실을 낱말의 차례 정하기 │
└─────────────────────────────┘

(   ) → (   ) → (   ) → (   )

4 나만의 낱말 사전에서 낱말 옆에 덧붙일 내용으로 가장 알맞지 <u>않은</u> 것은 무엇입니까?

(   )

① 예문
② 낱말의 뜻
③ 낱말의 발음
④ 낱말의 글자 수
⑤ 비슷한말이나 반대말

5 다음은 나만의 낱말 사전의 표지를 꾸미는 방법입니다. 앞표지를 꾸미는 방법에는 '앞', 뒤표지를 꾸미는 방법에는 '뒤'라고 쓰시오.

(1) 자신이 만든 사전의 장점을 쓰거나 사전을 활용하면 좋은 점을 쓴다.

(   )

(2) 자신이 정한 사전의 제목을 쓰고, 그림을 그리거나 사전을 알릴 수 있는 간단한 글을 쓴다. (   )

논술형

6 나만의 낱말 사전을 만들면 어떤 점이 좋은지 쓰시오.

_____

_____

_____

기본 ● 138~139 쪽 여러 가지 사전에서 낱말의 뜻 찾기

영국 노팅힐 축제

유경숙

㉮ 영국의 노팅힐 축제는 많은 시민이 참여할 수 있도록 매년 여름 휴가철인 8월 마지막 주에 열려요. 영국에서 8월 마지막 주 월요일은 '뱅크 홀리데이'라는 법정 공휴일인데, 노팅힐 축제는 바로 이 마

_{영국을 비롯한 유럽의 여러 나라에서 시행하는 공휴일로 은행이 쉬는 날에서 유래함.}

지막 주 월요일까지 열리는 거예요. 축제 기간이 2~4일 정도로 길

5 지는 않지만 주말과 공휴일에 열리는 만큼 많은 사람이 참여할 수 있어요. 끝이 보이지 않는 퍼레이드와 한껏 들뜬 사람들을 보면 누구라도 흥이 날 정도예요.

　노팅힐 축제의 기원을 알면 그 매력에 더욱 빠질 수밖에 없어요. 제2차 세계 대전이 끝나고 난 뒤, 영국은 일손이 많이 모자랐다고

10 해요. 그래서 영국 식민지였던 지역에서 영국 국적을 가진 유색 노동자들을 데려오기 시작하였어요.

　이때 인도, 파키스탄, 홍콩 등의 지역에서 많은 사람이 일을 하기 위하여 영국으로 건너왔는데, 특히 자메이카 등 카리브해에 살던 흑인들이 많이 이주하여 왔어요. 돈을 벌기 위하여 자기 나라를 떠

15 나온 가난한 흑인들은 런던 변두리 노팅힐에 하나둘씩 모여들어 살게 되었어요. 한국인들끼리 모여 사는 코리아타운이나 중국인들이 모여 사는 차이나타운처럼 말이에요.

　노팅힐에 정착한 흑인 노동자들은 영국 사람들의 ㉠냉대와 차별을 이겨 내며 힘든 시간을 보냈어요. 힘들고 외롭게 외국 생활을 하

20 다 보니 고향에 대한 그리움도 매우 컸지요.

　그래서 1964년부터 다 함께 모여 고향을 그리며 작은 잔치를 벌이던 것이 오늘날 세계 최고의 축제인 노팅힐 축제로 명성을 떨치게 되었답니다. 오늘날에는 흑인 이주자뿐 아니라 다양한 지역에서 온 이주자들이 모두 참여하는 축제가 되었지요.

25 축제라고 해서 무조건 웃고 즐기는 것만 있는 게 아니라 이렇듯 고단한 삶을 위로하고 그리움을 함께 나누는 축제도 있는 거예요.

　축제를 즐기는 좋은 방법을 한 가지 알려 줄게요. 세계 곳곳에서 열리는 다양한 축제에 참여할 때 겉으로 드러나는 모습만 보지 말고 '어째서 저런 축제가 생겨나게 되었을까?' 하고 한 번쯤 더 생각해

30 보세요. 어떤 축제든 저마다 흥미로운 사연이 담겨 있으니까요.

1 노팅힐 축제는 언제 열린다고 했는지 쓰시오.

(　　　　　　　　)

2 ㉠'냉대'의 뜻을 국어사전에서 찾아 쓰시오.

_____

_____

_____

3 이 글에 나온 낱말 중 다음 뜻에 해당하는 것은 무엇입니까?

(　　　)

> 일의 앞뒤 사정과 까닭.

① 명성
② 사연
③ 식민지
④ 변두리
⑤ 퍼레이드

㉯ 노팅힐 축제는 공식적으로 노팅힐의 그레이트 웨스턴 로드에서 시작해서 쳅스터 로드와 웨스트본 그로브를 거쳐 래드브로크 그로브까지 퍼레이드가 이어져요. 이곳에는 언제나 사람들이 붐비기 때문에 축제가 시작되는 날에 일찍 가서 자리를 잡아야 할 정도랍
5 니다.

퍼레이드가 끝나면 노팅힐 곳곳에서 밤늦도록 파티가 열려요. 물론 어린이들은 일찍 잠자리에 들어야 할 테니 부모님이 허락하지 않으면 파티에 참가할 수가 없겠죠?

축제 하면 지역 전통 음식도 빼놓을 수 없어요. 노팅힐 축제는 영
10 국 런던에서 열리지만, 노팅힐 축제에서 인기 있는 음식은 당연히 카리브인들의 음식이에요. 특히 유명한 음식은 저크치킨인데, 카리
<u>카리브해 근처의 육지와 섬에 사는 사람들</u>
브인들의 향신료로 맛을 낸 저크소스를 발라 구운 닭 요리예요. 저크소스에는 매운맛 ㉠향신료가 들어가 있어서 축제가 열리는 곳곳에서 매콤한 치킨 냄새가 진동해요. 닭 굽는 냄새와 함께 거리마다
15 ㉡레게 음악도 흥겹게 연주되어요. 그래서 치킨을 사 먹는 사람도, 치킨을 굽는 사람도 음악에 빠져서 춤을 추느라 맛있는 저크치킨이 조금 타도 아무도 모른대요.

참, 노팅힐 축제의 색다른 점을 알려 줄게요. 이 축제에는 많은 예술가가 참가하지만 무엇보다 노팅힐 주민들이 화려한 의상과 분
20 장을 하고 퍼레이드에 참가해요.

학교나 여러 문화 단체에서도 매년 한 번뿐인 노팅힐 축제의 퍼레이드를 위하여 미리 연습을 하고 의상을 준비해요. 축제를 통하여 자연스럽게 주민들이 화합하고, 고장에 대한 애정도 키우는 것이지요. 축제도 즐기고, 화합도 하고, ㉢일석이조이지요? 이것을 조금
25 어려운 말로 하면 축제의 '사회적 기능'이라고 해요.

축제의 도시가 된 노팅힐에 모이는 사람의 수도 엄청나요. 퍼레이드에 참가하는 예술가만 무려 4만여 명에 달하고, 축제를 즐기기 위하여 런던으로 모여드는 관광객은 200만 명에 달해요. 참고로 노팅힐은 런던 시내의 서쪽에 위치한 작은 동네예요. 우리나라로 치면
30 서울의 목동 정도라고 할 수 있지요. 이렇게 많은 사람이 모여 있다니, 온 동네가 얼마나 북적북적할지 상상해 보세요.

가히 세계 축제라 할 만큼 인종, 성별, 나이, 국적을 떠나 많은 사람이 이 작은 마을에 모여요. 축제 기간 내내 음악 소리도 온 도시를 쾅쾅 울려 대서 유리창들이 덜덜 흔들릴 정도랍니다.

4 ㉠'향신료'의 뜻으로 알맞은 것에 ○표를 하시오.

(1) 좋은 향을 가지고 있는 약제를 통틀어 이르는 말. ( )
(2) 음식을 만들 때 음식에 향기나 매운맛을 더해 주려고 넣는 조미료. ( )

5 ㉡'레게'의 뜻을 국어사전에서 찾아 쓰시오.

_____

_____

_____

6 ㉢'일석이조'의 뜻을 바르게 말한 친구의 이름을 쓰시오.

시우: 한 가지의 일로 두 가지 또는 그 이상의 손해를 본다는 뜻이야.
주영: 한 가지의 일로 두 가지 또는 그 이상의 이득을 얻는다는 뜻이야.

( )

7 ㉠~㉢의 낱말이 국어사전에 실리는 차례대로 기호를 쓰시오.

( ) → ( ) → ( )

가을이네 장 담그기

이규희

㉮ "할머니, 어떡해요. 메주가 썩었나 봐요. 곰팡이도 나고 아주 못
   _{콩을 삶아서 찧은 다음, 덩이를 지어서 띄워 말린 것}
   생겨졌어요!"

"호호, 썩은 게 아니라 우리 몸에 좋은 곰팡이 꽃이 핀 거란다. 세
상에서 가장 예쁜 꽃이지."

5 "치, 그래도 너무 이상해요!"

가을이는 입술을 쑥 내밀었어요.

어느새 하얗고 노란 곰팡이가 메주를 ㉠소복이 덮었어요.

"허허, 고 녀석들, 꽃이 참 예쁘게도 피었구나."

할머니는 메주를 볏짚으로 잘 묶어 건넌방에 조롱조롱 매달아 놓

10 았어요.

날이 풀리자 메주를 꺼내 처마 끝에 매달고 햇볕이랑 바람을 쐬어

주었어요.

메주는 점점 노르스름하고 불그스름해졌어요.

㉡거죽은 딱딱하고 속은 말랑말랑해요.

15 "메주가 아주 잘 떴구나! 어디 보자, 낼모레가 정월 말날이니 장

을 담가야겠다."

할머니가 달력을 보며 말했어요.

"할머니, 말날이 뭐예요?"

"응, 우리 가을이가 양띠 해에 태어나서 양띠지? 해마다 띠 동물이

20 있는 것처럼 날에도 띠 동물이 있단다. 장은 그중에서도 음력 정월

말날에 담가야 가장 맛있지. 자, 우리 식구 모두 장 담그는 날까지

몸가짐을 바르게 해야 한다. 복실이도 함부로 나무라지 말고."

할머니가 단단히 일렀어요.

아침부터 온 식구가 부산스러워요.

25 메주는 솔로 박박 씻어 햇볕에 말려 놓았고요, 함지박 가득 소금

물도 만들어 놓았어요.

아빠는 볏짚에 불을 붙이고, 그 위에 항아리를 엎어 놓았어요.

"항아리에 실금이 간 건 아닌지 알아보려는 거란다. 나쁜 벌레도

잡아내고."

30 항아리 바닥에 숯불을 피우고 꿀도 한 종지 부어 태웠어요.
   _{간장이나 고추장 따위를 작은 그릇에 담아 그 분량을 세는 단위}
"항아리에서 ㉢고약한 냄새가 나면 안 되거든."

8 ㉠'소복이'의 뜻을 짐작해 쓰고, 그렇게 짐작한 까닭도 쓰시오.

(1) 짐작한 뜻:

_____

(2) 그렇게 짐작한 까닭:

_____

9 ㉡'거죽'의 뜻에 알맞게 만든 문장을 골라 ○표를 하시오.

(1) 거죽으로 작은 가방을 만들어서 선물했다. (   )

(2) 낡은 가방이 거죽과 다르게 안은 매우 예뻤다.
                              (   )

10 ㉢'고약한'을 넣어 새로운 문장을 만들어 쓰시오.

_____

_____

_____

11 이 글에서 다음 뜻을 가진 낱말을 찾아 기본형으로 쓰시오.

> 보기에 급하게 서두르거나 시끄럽게 떠들어 어수선한 데가 있다.

(   )

❹ 항아리에 가만히 귀를 갖다 대면 뽀글뽀글 공기 방울 터지는 소리도 들렸어요.

　장이 익어 가는 소리래요.

　그렇게 하루, 이틀, 사흘…… 한 달도 더 지났어요.

5 　"이제 장을 뜨자꾸나!"

　할머니랑 엄마는 항아리에서 메주를 건져 냈어요.

　남은 찌꺼기는 베 보자기에 밭쳐서 걸렀어요.

　"앗, 까만 물이 줄줄 나와요!"

　"이게 바로 짭짤하고 달큰한 간장이란다."

10 　할머니는 걸러 낸 날간장을 가마솥에 붓고는 ㉠뭉근한 불에다 오래오래 달였어요.

　뭉글뭉글 올라오는 거품은 모두 걷어 내고요.

　항아리에서 건져 낸 메주는 커다란 함지박에 넣고 잘 치대서 다시 항아리에 꾹꾹 눌러 담았어요.

15 　하얀 소금도 술술 뿌리고요.

　이대로 더 익히면 구수한 된장이 된대요.

12 ㉠'뭉근하다'의 뜻으로 알맞은 것에 ○표를 하시오.

(1) 굵은 사물의 끝이 아주 짧고 무디다.　（　　　）

(2) 세지 않은 불기운이 끊이지 않고 꾸준하다.
　　　　　　　　　（　　　）

13 메주로 무엇과 무엇을 만들 수 있는지 두 가지를 찾아 쓰시오.

（　　　　　　　　　　）

기초 다지기　올바른 띄어쓰기 알기

14 올바른 띄어쓰기를 찾아 ○표를 하시오.

(1)

이해를 하다

↓

① 이해 하다	
② 이해하다	

(2)

이해가 되다

↓

① 이해 되다	
② 이해되다	

(3)

이해를 시키다

↓

① 이해 시키다	
② 이해시키다	

15 올바른 띄어쓰기를 생각하며 다음 문장에 들어갈 알맞은 말에 ○표를 하시오.

(1) 지우개를 (사용해서 , 사용 해서) 글자를 지워요.

(2) 공장에서 나온 폐수가 땅에 (흡수되면 , 흡수 되면) 환경이 오염돼요.

(3) 동생을 (공부시키기가 , 공부 시키기가) 힘들어요.

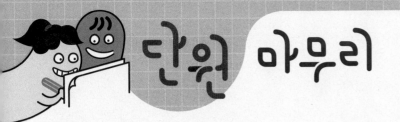

기본 ......

》 사전에서
뜻을 찾아
낱말 사이의 관계
알기

예 「수아의 봉사 활동」을 읽고 낱말 사이의 관계 생각하기

뜻이 반대인 관계	가다 ⟷ ❶□□	침침하다 ⟷ 선명하다
한 낱말이 다른 낱말을 ❷□□하는 관계	책 ┌──┴──┐ 동화책 사전	요일 ┌──┴──┐ 일요일 월요일

기본 ......

》 여러 가지
사전에서
낱말의 뜻 찾기

예 「화성 탐사의 현재와 미래」를 읽고 뜻을 잘 모르는 낱말을 여러 사전에서 찾아보기

낱말	사전의 종류	낱말의 뜻
관측	국어사전	육안이나 기계로 자연 현상, 특히 천체나 기상의 상태, 추이, 변화 따위를 관찰하여 측정하는 일.
협곡	백과사전	단단한 암석이 수직에 가까운 절벽으로 깎여 형성된 좁고 깊은 계곡의 하나.
❸□□	인터넷 백과사전	자갈, 모래 따위가 물, 바람에 의해 운반되어 쌓이는 현상.

기본 ......

》 낱말의 뜻을
사전에서 찾으며
글 읽기

예 「동물 속에 인간이 보여요」를 읽고 낱말의 뜻을 짐작해 보고, 여러 가지 사전에서 뜻 알아보기

낱말	짐작한 뜻	이용한 사전	사전에서 찾은 뜻
하찮다	중요하지 않다. / 대단하지 않다.	국어사전	그다지 훌륭하지 아니하다. / 대수롭지 아니하다.
❹□□	발전	백과사전	생물이 맨 처음에 지구상에 나타나서 오늘날 볼 수 있는 것과 같은 생물이 되기까지의 변천 과정.
흠씬	아주 많이	국어사전	매 따위를 심하게 맞는 모양.

1 다음 중 형태가 바뀌는 낱말을 세 가지 고르시오. (, ,)

① 벽지　② 갱지　③ 접는다
④ 묶어서　⑤ 찢으면

2 1번 문제의 보기 ①~⑤ 중 국어사전에 가장 먼저 실리는 낱말은 무엇입니까?

( )

중요
3 다음 낱말의 기본형을 각각 쓰시오.

(1) 뽑는다 → ( )
(2) 밝아서 → ( )
(3) 달아나서 → ( )

4~6 글을 읽고, 물음에 답하시오.

㉮ 종이는 정보를 전달하는 매체로, 물건을 포장하는 재료로, 기타 여러 가지 용도로 쓰입니다. 종이가 가볍고, 값싸고, 비교적 질기고, 위생적이기 때문입니다. 이와 같이 종이는 ㉠많은 장점이 있어 생활에 많이 활용되고 있습니다.
㉯ 새롭게 개발되고 있는 종이 중에 최첨단 과학 기술로 만들어지는 것들이 있습니다. 그중 몇 가지를 예로 들어 보겠습니다. 첫째는 밝을 때 빛을 저장해 두었다가 어두울 때 스스로 빛을 내는 축광지입니다. 둘째는 종이에 인쇄되거나 쓴 내용이 복사가 안 되는 종이입니다. 셋째는 기록한 지 한 시간 뒤에는 자동으로 그 내용이 없어져서 ㉡극비 문서로 사용되는 종이입니다.

4 밝을 때 빛을 저장해 두었다가 어두울 때 스스로 빛을 내는 종이를 무엇이라고 하는지 이 글에서 찾아 쓰시오.

( )

5 ㉠'많은'에서 형태가 바뀌지 않는 부분을 찾고, 낱말의 기본형을 쓰시오.

낱말	형태가 바뀌지 않는 부분	기본형
많은	(1)	(2)

논술형
6 ㉡'극비'의 뜻이 무엇인지 짐작해 쓰고, 그렇게 짐작한 까닭도 쓰시오.

(1) 짐작한 뜻	
(2) 그렇게 짐작한 까닭	

7~10 글을 읽고, 물음에 답하시오.

"수아야, 오늘이 무슨 요일인지 알지? 가족 봉사 활동 가기로 한 일요일이잖아. 얼른 일어나."
나는 다시 이불을 뒤집어썼지만 곧 엄마에게 빼앗기고 말았다.
우리 가족이 ㉠간 곳은 할머니, 할아버지 들이 계시는 요양원이었다.
뭘 해야 할까 두리번거리고 있을 때 안경 쓴 할머니가 나에게 오라고 손짓을 했다.
"여기 책 좀 읽어 줄래? 내가 이래 봬도 예전에는 문학소녀여서 책을 많이 읽었는데 요즘은 눈이 ㉡침침해서 글씨가 잘 안 보이는구나."
할머니는 낡은 책 한 권을 내미셨다. 다른 책이 없어서 같은 책만 스무 번을 넘게 읽으셨다고 했다.
할머니는 눈을 감고 책 읽는 내 목소리에 귀를 기울이셨다.

7 수아가 요양원에 간 까닭은 무엇입니까?

( )

8 수아가 요양원에서 한 일은 무엇입니까?

( )

① 할머니를 씻겨 드렸다.
② 할머니와 뜨개질을 했다.
③ 할머니께 책을 읽어 드렸다.
④ 할머니 대신 편지를 써 드렸다.
⑤ 할머니께 글자를 가르쳐 드렸다.

9 ㉠'가다'와 뜻이 반대인 낱말은 무엇입니까?

( )

① 먹다   ② 보다   ③ 오다
④ 자다   ⑤ 기다

10 ㉡'침침하다'의 뜻은 무엇입니까? ( )

① 생김새 따위가 매끈하고 깨끗하다.
② 모습이나 마음 따위가 조용하고 평화롭다.
③ 급하게 서두르거나 시끄럽게 떠들어 어수선하다.
④ 산뜻하고 뚜렷하여 다른 것과 혼동되지 아니하다.
⑤ 눈이 어두워 물건이 똑똑히 보이지 아니하고 흐릿하다.

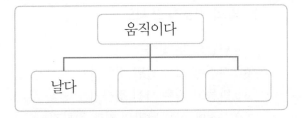

11 다음 빈칸에 들어갈 낱말로 알맞지 않은 것은 무엇입니까? ( )

```
        움직이다
   ┌───────┼───────┐
  날다
```

① 뛰다   ② 걷다   ③ 높다
④ 흔들다   ⑤ 헤엄치다

12~14 글을 읽고, 물음에 답하시오.

그 뒤 1997년에 미국의 화성 탐사선 마스 글로벌 서베이어는 화성의 ㉠궤도에 진입해 화성 표면의 모습을 상세하게 사진으로 찍어 지구로 보내 주었다. 이 사진에는 높이 솟은 ㉡고원 지대도 있고, 길게 뻗은 좁은 ㉢협곡도 있었다. 또 태양계 행성 가운데 가장 거대한 화산 지형도 있었다. 같은 해에 마스 패스파인더는 화성 표면에 착륙해 강줄기처럼 보이는 부분에서 화성 암석을 조사했다. 그 결과, 화성에서 강물의 침식과 퇴적 작용이 있었음을 확인했다. 이러한 것은 아주 오래전에 화성 표면에 물이 흘렀다는 증거이다.

화성에 [   ]이/가 있는지는 과학자들은 물론 일반인들도 관심이 많다. 물이 있다는 것은 화성인 또는 외계인까지는 아니더라도 생명체가 있을 수 있다는 것을 뜻하기 때문이다.

12 화성 탐사선 마스 글로벌 서베이어가 찍은 화성의 모습이 아닌 것에 ×표를 하시오.

(1) 거대한 화산 지형   ( )
(2) 높이 솟은 고원 지대   ( )
(3) 길게 뻗은 좁은 협곡   ( )
(4) 화성 표면 아래의 얼음   ( )

13 이 글의 [   ]에 들어갈 알맞은 말을 쓰시오.

( )

14 ㉠~㉢ 중 '험하고 좁은 골짜기'라는 뜻을 가진 낱말의 기호를 쓰시오.

( )

15~17 글을 읽고, 물음에 답하시오.

인간은 종종 자신을 동물과 다르다고 생각합니다. 다를 뿐만 아니라 여러 면에서 동물보다 훨씬 뛰어나고 특별하다고 여기지요. 이런 눈으로 세상을 보면 인간 외의 다른 생명은 작고 ㉠하찮게 생각돼요. 우리가 사는 지구도 마치 인간을 위해 생겨난 것처럼 잘못 생각할 수도 있고요. 지구의 주인은 인간이 아니고, 인간만이 특별한 생명체도 아니랍니다. 왜 그런지 볼까요?

인간은 엄연히 동물에 속하지요. 그것도 새끼를 일정 기간 몸속에서 키워 내보낸 뒤 젖을 먹여 키우는 포유동물이에요. 새끼를 갖고 키우는 방식에서 인간은 돼지나 개, 고양이와 다를 바 없어요. 그뿐인가요? 인간의 조상이 지구에 처음으로 나타난 때가 지금으로부터 20~25만 년 전이에요. 지구의 나이가 46억 년, 생명이 처음 생겨나 오늘에 이르기까지 40억 년쯤 되었으니 인간은 지구에서 아주 짧은 시간을 살아온 셈이에요. 그에 비하면 바퀴벌레, 까치, 돼지는 인간보다 훨씬 오랫동안 지구촌 주민으로 살아왔어요.

15 글쓴이가 "인간은 지구에서 아주 짧은 시간을 살아온 셈"이라고 말한 까닭은 무엇입니까?

• (   )이/가 처음 생겨난 것은 40억 년 전쯤인데 (   )은/는 20~25만 년 전에 처음 생겨났기 때문입니다.

16 다음 중 지구에서 가장 짧은 시간을 살아온 생명체를 찾아 ○표를 하시오.

| 까치 | 돼지 | 인간 | 바퀴벌레 |

서술형

17 ㉠'하찮다'의 뜻을 생각해 보고, 이 낱말을 활용해 문장을 만들어 쓰시오.

_____

_____

18~19 글을 읽고, 물음에 답하시오.

어느새 하얗고 노란 곰팡이가 메주를 소복이 덮었어요.

"허허, 고 녀석들, 꽃이 참 예쁘게도 피었구나."

할머니는 메주를 볏짚으로 잘 묶어 건넌방에 조롱조롱 매달아 놓았어요.

날이 풀리자 메주를 꺼내 처마 끝에 매달고 햇볕이랑 바람을 쐬어 주었어요.

메주는 점점 노르스름하고 불그스름해졌어요.

㉠거죽은 딱딱하고 속은 말랑말랑해요.

"메주가 아주 잘 떴구나! 어디 보자, 낼모레가 정월 말날이니 장을 담가야겠다."

할머니가 달력을 보며 말했어요.

국어 활동

18 할머니는 메주를 무엇으로 묶어 건넌방에 매달아 놓았습니까?

(   )

국어 활동

19 이 글에 쓰인 ㉠'거죽'의 뜻으로 알맞은 것은 무엇입니까?   (   )

① 사람의 피부.
② 물체의 겉 부분.
③ 옷, 이불 따위의 겉을 이루는 천.
④ 동물의 몸을 감싸고 있는 질긴 껍질.
⑤ 동물의 몸에서 벗겨 낸 껍질을 가공해서 만든 물건.

중요

20 나만의 낱말 사전을 만들 때 가장 나중에 하는 일의 기호를 쓰시오.

㉠ 낱말의 뜻 찾아 쓰기
㉡ 사전에 실을 낱말 정하기
㉢ 만들고 싶은 사전 정하기
㉣ 사전에 실을 낱말의 차례 정하기

(   )

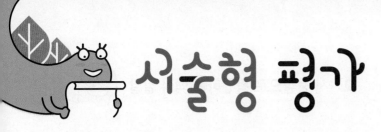

1 형태가 바뀌는 낱말의 뜻을 국어사전에서 찾는 방법을 쓰시오.

_____

_____

3 ㉡'책'과 ㉢'동화책'은 어떤 관계에 있는 낱말인지 쓰시오.

_____

_____

2~3 글을 읽고, 물음에 답하시오.

㉮ 일요일 아침이라 더 자고 싶었는데 엄마가 깨웠다.

"수아야, 오늘이 무슨 ㉠요일인지 알지? 가족 봉사 활동 가기로 한 일요일이잖아. 얼른 일어나."

나는 다시 이불을 뒤집어썼지만 곧 엄마에게 빼앗기고 말았다.

우리 가족이 간 곳은 할머니, 할아버지 들이 계시는 요양원이었다.

뭘 해야 할까 두리번거리고 있을 때 안경 쓴 할머니가 나에게 오라고 손짓을 했다.

㉯ 할머니는 눈을 감고 ㉡책 읽는 내 목소리에 귀를 기울이셨다.

"할머니, 다음에 올 때 재미있는 책을 가지고 올게요."

나는 할머니와 약속을 했다.

일주일 뒤, 골라 놓은 ㉢동화책을 가지고 요양원에 갈 준비를 했다.

4 자신이 알고 있는 사전의 종류를 한 가지 쓰고, 그 사전의 쓰임과 좋은 점을 쓰시오.

(1) 사전의 종류	
(2) 쓰임과 좋은 점	

5 다음 글에서 ㉠'엄연히'의 뜻을 생각해 보고, 이 낱말을 넣어 문장을 만들어 쓰시오.

인간은 ㉠엄연히 동물에 속하지요. 그것도 새끼를 일정 기간 몸속에서 키워 내보낸 뒤 젖을 먹여 키우는 포유동물이에요.

_____

_____

2 ㉠'요일'의 뜻을 국어사전에서 찾아 쓰고, 이 낱말에 포함되는 낱말을 쓰시오.

(1) 국어사전에서 찾은 뜻	(2) '요일'에 포함되는 낱말

낱말 퀴즈

● 다음 교과서 문장의 파란색 낱말 중에서 알맞은 것을 골라 인물들이 한 말을 완성하시오.

> • 이런 종이들은 공상 과학 영화에서나 볼 수 있었던 것들이지요.
> • 화성은 중세 이전에도 하늘을 관측하던 과학자들에게 매우 중요한 천체였다.
> • 미국은 화성 여행을 위해 마스 2020 로버를 준비했으며, 이 탐사선은 화성에서 사람이 살아가는 데 필요한 산소와 자원을 조사할 예정이다.

8
이런 제안 어때요

무엇을 배울까요?

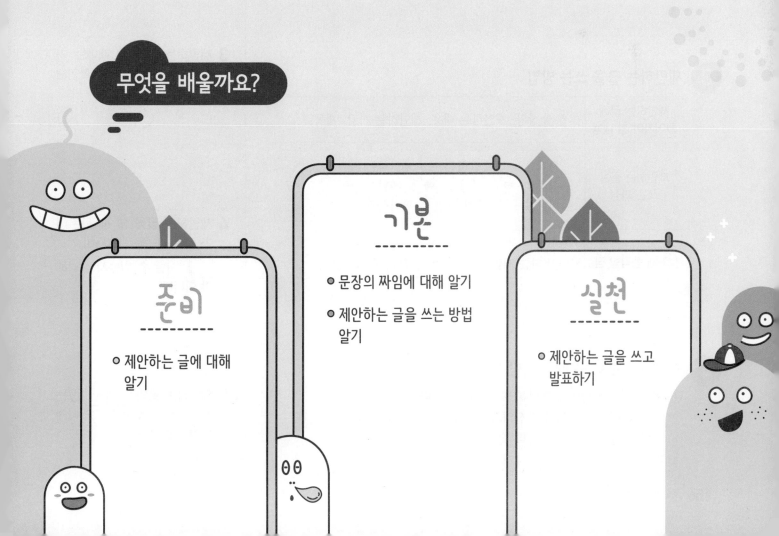

준비

● 제안하는 글에 대해 알기

기본

● 문장의 짜임에 대해 알기
● 제안하는 글을 쓰는 방법 알기

실천

● 제안하는 글을 쓰고 발표하기

1 제안하는 글의 특성

제안하는 글의 짜임	문제 상황, 제안하는 내용, 제안하는 까닭이 드러나 있습니다.
제안하는 글에 주로 사용하는 표현	제안하는 글을 쓸 때에는 "~합시다.", "~하면 좋겠습니다.", "~하면 어떨까요?" 같은 표현을 사용합니다.
제안하는 글을 쓰면 좋은 점	• 문제 상황과 해결 방법을 알릴 수 있습니다. • 더 좋은 쪽으로 일을 해결할 수 있습니다.

2 문장의 짜임

문장은 '누가+어찌하다', '누가+어떠하다', '무엇이+어찌하다', '무엇이+어떠하다'와 같은 짜임으로 나눌 수 있습니다.

예

누가/무엇이	어찌하다/어떠하다
우리 모두	운동을 합시다.
날씨가	따뜻합니다.

3 제안하는 글을 쓰는 방법

제안하는 글에 들어가야 할 내용	문제 상황, 제안하는 내용, 제안하는 까닭, 제목
제안하는 글을 쓰는 과정	문제 상황 확인하기 ➡ 제안하는 내용 정하기 ➡ 제안하는 까닭 파악하기 ➡ 제안하는 글 쓰기
제안하는 글을 쓸 때 생각할 점	• 제안하는 글을 읽을 사람이 누구인가? • 내가 하는 제안을 사람들이 실천할 수 있는가?

4 제안하는 글을 쓸 때 주의할 점

① 어떤 문제 상황인지 파악하고 자세히 씁니다.
② 문제를 해결하기 위한 자신의 의견을 제안합니다.
③ 제안에 알맞은 까닭을 씁니다.
④ 제안하는 내용이 잘 드러나게 알맞은 제목을 붙입니다.

핵심 확인 문제

정답과 해설 ● 30쪽

1 제안하는 글에는 문제 상황, 제안하는 내용, 제안하는 ☐☐이/가 드러나 있습니다.

2 다음 문장을 '(누가/무엇이)+(어찌하다/어떠하다)'로 나누어 쓰시오.

> 우리 모두 운동을 합시다.

(1)	(2)

3 제안하는 글을 쓸 때에는 가장 먼저 문제 상황을 확인해야 합니다.
(○ , ×)

4 제안하는 글을 쓸 때에는 내가 하는 제안을 사람들이 ☐☐할 수 있는지 생각해야 합니다.

5 제안하는 글의 ☐☐은/는 제안하는 내용이 잘 드러나게 붙여야 합니다.

1~2 글을 읽고, 물음에 답하시오.

◀: 글을 읽고 어떤 일이 있었는지 알아보기

진영이에게 있었던 일

진영이는 지난 주말에 동생과 함께 집 앞 꽃밭에 꽃을 심었습니다. 그런데 오늘 물을 주려고 보니 쓰레기가 꽃 주위에 흩어져 있었습니다. 진영이와 동생은 그 모습을 보고 실망을 했습니다.

진영이는 꽃밭에 버려진 쓰레기를 보면서 깨끗한 꽃밭을 만들려면 어떻게 하면 좋을지 곰곰이 생각했습니다. 그리고 자신의 의견을 알리고자 아파트 주민에게 글을 써서 붙이기로 결심했습니다. 얼마 뒤, 꽃밭은 몰라보게 깨끗해졌습니다.

📖 교과서 문제

1 진영이와 진영이 동생이 실망한 까닭은 무엇입니까? ( )

① 꽃밭에 잡초가 많아서
② 꽃밭의 흙이 파헤쳐져 있어서
③ 꽃밭에 쓰레기가 버려져 있어서
④ 꽃밭에 심어 놓은 꽃이 시들어서
⑤ 꽃밭에 있던 꽃을 누군가가 꺾어 가서

📖 교과서 문제

2 진영이는 문제를 어떻게 해결하기로 했습니까? ( )

① 꽃밭을 매일 청소하기로 했다.
② 꽃밭 주위에 울타리를 만들기로 했다.
③ 꽃밭에 쓰레기를 버린 사람을 찾기로 했다.
④ 아파트 주민에게 자신의 의견을 직접 말로 전하기로 했다.
⑤ 아파트 주민이 볼 수 있게 자신의 의견을 글로 써서 붙이기로 했다.

3~5 글을 읽고, 물음에 답하시오.

● 진영이가 쓴 글 읽기

지난 주말에 저는 동생과 함께 집 앞 꽃밭에 꽃을 심었습니다. 그런데 오늘 물을 주려고 보니 쓰레기가 꽃 주위에 흩어져 있었습니다. 그 모습을 보니 속이 상했습니다. ⟩─㉠

꽃밭에 쓰레기를 버리지 않으면 좋겠습니다. ⟩─㉡ 꽃은 쓰레기가 없는 깨끗한 꽃밭에서 건강하게 자랄 수 있습니다. ⟩─㉢ 우리가 노력하면 꽃밭을 더 아름답게 가꿀 수 있습니다.

3 진영이는 어떤 의견을 전하기 위해서 이 글을 썼습니까? ( )

① 꽃밭에 꽃을 많이 심자.
② 꽃밭에 매일 물을 주자.
③ 꽃밭에 쓰레기를 버리지 말자.
④ 꽃밭 옆에 쓰레기통을 설치하자.
⑤ 꽃밭에 있는 꽃을 함부로 꺾지 말자.

핵심

4 ㉠~㉢에 해당하는 것을 각각 찾아 기호를 쓰시오.

(1) 문제 상황: ( )
(2) 제안하는 내용: ( )
(3) 제안하는 까닭: ( )

서술형

5 이와 같은 제안하는 글을 쓰면 좋은 점을 한 가지 쓰시오.

_____

_____

● 글을 읽고 문장의 짜임 알아보기

운동을 합시다

날씨가 따뜻합니다. 우리 모두 운동을 합시다. 운동이 건강을 지켜 줍니다.

● 글의 종류: 제안하는 글
● 글의 내용: 우리 모두 운동을 하여 건강을 지키자는 내용입니다.

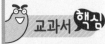 교과서 핵심

● 문장의 짜임 예

누가/무엇이	어찌하다/어떠하다
날씨가	따뜻합니다.
우리 모두	운동을 합시다.
운동이	건강을 지켜 줍니다.

📖 교과서 문제

1 이 글의 첫 번째 문장을 보고 다음 물음에 답하시오.

(1) '무엇이' 따뜻합니까?

( )

(2) 날씨가 '어떠합니까'?

( )

핵심

2 이 글의 나머지 문장을 살펴보고 다음 표의 빈칸에 알맞은 말을 쓰시오.

누가/무엇이	어찌하다/어떠하다
우리 모두	(1)
(2)	건강을 지켜 줍니다.

3 다음 문장을 '(누가/무엇이)+(어찌하다/어떠하다)'로 나누어 쓰시오.

(1)

하늘이 푸르다.

(2)

영수가 축구를 합니다.

4 '(누가/무엇이)+(어찌하다/어떠하다)'로 나눌 수 있는 문장을 만들어 쓰고, 다음 보기 와 같이 '/' 표시로 나누어 보시오.

보기

민희가 / 아침밥을 먹었습니다.

( )

● 그림의 내용을 문장의 짜임에 맞게 표현하기

📖 교과서 문제

5 이 그림을 살펴보고 다음 친구와 같이 그림의 내용을 문장으로 표현해 보시오.

> 남자가 자전거를 타고 있어.

(   )

6 그림 ㉮의 내용을 문장으로 표현한 것으로 알맞은 것은 무엇입니까?   (   )

① 공의 색깔이 빨갛다.
② 남자아이가 골을 넣었다.
③ 남자아이가 혼자 서 있다.
④ 아이들이 축구를 하고 있다.
⑤ 아이들이 긴 바지를 입고 있다.

핵심

7 그림 ㉯의 내용을 다음 보기 와 같이 문장의 짜임에 맞게 쓰시오.

보기

누가/무엇이	어찌하다/어떠하다
할머니가	아이를 쳐다봅니다.

(1) 누가/무엇이	(2) 어찌하다/어떠하다

8 이 그림의 한 부분을 보고 다음과 같이 문장으로 표현하였습니다. 문장으로 표현한 대상이 누구인지 이 그림에서 찾아 ○표를 하시오.

> 남자아이가 사진을 찍고 있습니다.

● 깨끗한 물의 소중함을 생각하며 동영상을 보고 물음에 답하기

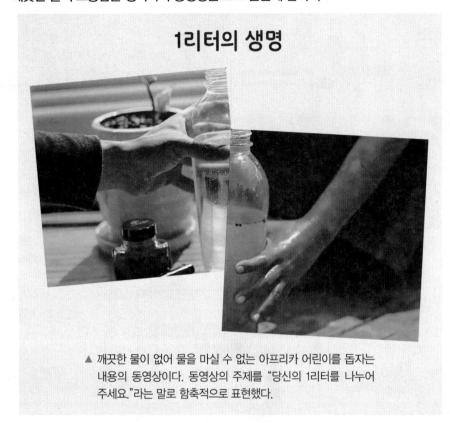

1리터의 생명

▲ 깨끗한 물이 없어 물을 마실 수 없는 아프리카 어린이를 돕자는 내용의 동영상이다. 동영상의 주제를 "당신의 1리터를 나누어 주세요."라는 말로 함축적으로 표현했다.

• **동영상 설명**: 아프리카 어린이들이 깨끗한 물이 없어 어려움을 겪고 있으므로 도움이 필요하다는 내용입니다.

🐌 교과서 핵심

○ 제안하는 글을 쓰는 과정

문제 상황 확인하기
예 깨끗한 물이 나오는 우물이 없다.
↓
제안하는 내용 정하기
예 이웃 돕기 모금 운동에 참여하자.
↓
제안하는 까닭 파악하기
예 깨끗한 우물을 만드는 것을 도울 수 있다.
↓
제안하는 글 쓰기

📖 교과서 문제

1 동영상 속 아프리카 어린이는 어떤 어려움을 겪고 있습니까?

( )

📖 교과서 문제

2 "당신의 1리터를 나누어 주세요."라는 말은 무슨 뜻입니까? ( )

① 물을 아껴 쓰자.
② 물을 사용하지 말자.
③ 아프리카로 여행을 가자.
④ 아프리카 어린이들을 돕자.
⑤ 물을 하루에 1리터씩 마시자.

핵심 역량

3 이 동영상을 보고 제안하는 글을 쓰려고 합니다. 어떤 제안을 하고 싶은지, 그 까닭은 무엇인지 쓰시오.

(1) 제안하는 내용	
(2) 제안하는 까닭	

4 제안하는 글을 쓸 때 생각할 점으로 알맞은 것에 <u>모두</u> ○표를 하시오.

(1) 제안하는 글을 읽을 사람이 누구인지 생각한다. ( )
(2) 내가 하는 제안을 사람들이 실천할 수 있을지 생각한다. ( )
(3) 실천에 옮겼을 때 재미를 느낄 수 있는 제안인지 생각한다. ( )

● 제안하는 글의 특징을 생각하며 글 완성하기

⊙

    물은 사람이 살아가는 데 매우 중요합니다. 우리는 어디에서든지 물을 쉽게 구할 수 있습니다. 그러나 동영상에 나오는 아이는 깨끗한 물을 구하지 못해 어려움을 겪고 있습니다. 많은 아이가 더러운 물을 마셔 생명이 위험할 수 있습니다.

    깨끗한 물을 마시지 못하는 아이들을 위해 _____

• 글의 종류: 제안하는 글
• 글의 내용: 깨끗한 물을 마시지 못하는 아이들을 돕자는 내용입니다.

교과서 핵심

● 제안하는 글에 들어갈 내용

문제 상황	어떤 점이 문제인지 다른 사람들이 알 수 있게 자세히 쓴다.
제안하는 내용	문제를 해결하기 위한 자신의 제안을 쓴다.
제안하는 까닭	왜 그런 제안을 했는지, 제안한 내용대로 했을 때 무엇이 더 나아지는지를 쓴다.
제목	제안하는 내용이 잘 드러나게 제목을 붙인다.

📖 교과서 문제

5 제안하는 글을 쓰기 전에 글에 들어갈 내용을 정리했습니다. 알맞은 것끼리 선으로 이으시오.

(1) 문제 상황 •

(2) 제안 하는 내용 •

(3) 제안 하는 까닭 •

• ① 깨끗한 물을 구하지 못하는 어린이들을 위해 기부 운동에 참여합시다.

• ② 깨끗한 물을 구하지 못해 어려움을 겪고 있는 아이들이 있습니다.

• ③ 어린이들이 깨끗한 물을 마시고 사용할 수 있기 때문입니다.

📖 교과서 문제

6 ⊙에 들어갈 알맞은 제목을 생각해 쓰시오.

(   )

논술형

7 제안하는 글의 특징을 생각하며 이 글의 뒤에 이어질 내용을 쓰시오.

핵심

8 제안하는 글을 쓸 때 주의할 점으로 알맞지 않은 것은 무엇입니까? (   )

① 제안에 알맞은 까닭을 쓴다.
② 어떤 문제 상황인지 파악하고 자세히 쓴다.
③ 문제를 해결하기 위한 자신의 의견을 제안한다.
④ 제목은 반드시 미리 정해 놓고 쓸 내용을 정리한다.
⑤ 제안하는 내용이 잘 드러나게 알맞은 제목을 붙인다.

제안하는 글을 쓰고 발표하기

정답과 해설 ● 31쪽

● 어떤 제안을 하면 좋을지 생각해 보기

▲ 학교 앞 과속

▲ 어두운 골목

▲ 친구 놀리기

?

・**그림 설명**: 우리 주변에서 해결했으면 하는 문제들이 나타나 있습니다.

교과서 핵심

● **제안이 필요한 상황** 예

불편하거나 바꾸었으면 하는 점

・학교 앞에서 과속을 한다.
・골목이 어둡다.
・친구를 놀린다.

함께 결정해야 할 문제

・집안일을 아버지 혼자서 하시다 보니 피곤하고 힘이 드신다.
・우리 반의 이번 달 학급 행사를 무엇으로 할지 정해야 한다.

핵심

1 이와 같이 우리 주변에서 해결했으면 하는 문제를 한 가지 떠올려 쓰시오.

(   )

역량 논술형

2 1번 문제에서 답한 문제를 해결하기 위해 제안할 내용과 그것을 제안하는 까닭을 쓰시오.

(1) 제안할 내용	
(2) 제안하는 까닭	

3 제안하는 글을 쓰고 나서 확인할 내용으로 알맞지 <u>않은</u> 것은 무엇입니까? (   )

① 대상의 특징이 잘 드러났는지 확인한다.
② 제안하는 내용이 잘 드러났는지 확인한다.
③ 문제 상황을 뚜렷하게 제시했는지 확인한다.
④ 제안하는 까닭이 잘 드러났는지 확인한다.
⑤ 제목에 제안하는 내용이 잘 드러났는지 확인한다.

4 제안하는 글을 써서 어느 곳에 써 붙이면 좋은지 쓰시오.

(   )

162 한끝 초등 국어 4-1 나

● 글을 읽고 글의 내용 간추리기

복도에 안전 거울을 설치해 주세요

새 학기가 되고 며칠 지나지 않아, 우리 반에 석고 붕대를 하고 다니는 친구가 있었다. 그 친구는 복도 끝부분에서 갑자기 나타난 친구 때문에 놀라 멈추려 하다가 미끄러져 다리에 금이 갔다고 한다. 석고 붕대를 한 친구는 우리 반뿐만 아니라 다른 반에도 여러
5 명이 있다.

이런 일은 비단 우리 학교에만 일어나는 일이 아니라고 본다. 20
_{부정하는 말 앞에서 '다만', '오직'의 뜻으로 쓰이는 말}
○○년 ○○월 ○○일 □□신문에 따르면 최근 1년 동안 학교 안에서 일어난 안전사고가 16퍼센트 이상 늘었다고 한다. 사고는 꾸준히 늘어나는 추세이며 그 가운데 복도에서 일어난 사고는 1만 7653
_{어떤 현상이 일정한 방향으로 나아가는 경향}
10 건으로 전체 사고 장소에서 4위를 차지한다. / 친구들이 복도를 지나다닐 때 앞을 보기 때문에 앞에서 누가 나타나면 미리 비킬 수 있다. 하지만 복도 끝부분에서는 누가 언제 튀어나올지 몰라 그곳에서 사고가 많이 일어난다. 친구들이 갑자기 튀어나오는 것처럼 보이기 때문이다. / 우리 학교 앞 도로에 잘 보이지 않는 부분까지 볼
15 수 있도록 하는 거울이 있다. 이런 안전 거울을 학교 복도에 설치하면 복도에서 일어나는 사고를 줄일 수 있을 것이다.

복도에 안전 거울을 설치해야 한다. 그렇게 하면 학교 안에서 일어나는 안전사고를 줄여 학생들이 더 즐겁게 지낼 수 있을 것이다.

● 광고의 내용에 어울리는 제안하는 말 쓰기

광고 속 그림에서 화살표는 마우스를 누르라는 뜻이고, 손 모양은 책장을 넘기라는 뜻입니다.

인터넷에서 찾아보면 금방 알 수 있다? 쉽게 얻은 정답은 지식으로 오래 남기 어렵습니다. 내가 지식인이 되는 방법, 인터넷 검색이 아닌 독서입니다.

1 다음은 이 글의 내용을 정리한 것입니다. 각각 무엇에 해당하는지 **보기** 에서 골라 기호를 쓰시오.

> **보기**
> ㉠ 문제 상황
> ㉡ 제안하는 내용
> ㉢ 제안하는 까닭

(1) 복도에 안전 거울을 설치해야 한다. ( )
(2) 복도에서 일어나는 안전사고가 많다. ( )
(3) 학교 안에서 일어나는 사고를 줄여 학생들이 즐겁고 더 즐겁게 지낼 수 있도록 하기 위해서이다. ( )

2 이 광고에서 말한 문제는 무엇인지 빈칸에 알맞은 말을 쓰시오.

• 사람들이 지식을 얻고자 할 때 ( )을/를 하지 않고 인터넷을 ( )한다는 것이다.

3 이 광고에 나타난 문제를 해결하기 위해 어떤 제안을 할 수 있을지 쓰시오.

_____

_____

단원 마무리

1. 제안하는 글의 특성

문제 상황 ──── 지난 주말에 저는 동생과 함께 집 앞 꽃밭에 꽃을 심었습니다. 그런데 오늘 물을 주려고 보니 쓰레기가 꽃 주위에 흩어져 있었습니다. 그 모습을 보니 속이 상했습니다.

❶ ☐☐ 하는 내용 ──── 꽃밭에 쓰레기를 버리지 않으면 좋겠습니다. 꽃은 쓰레기가 없는

제안하는 까닭 ──── 깨끗한 꽃밭에서 건강하게 자랄 수 있습니다. 우리가 노력하면 꽃밭을 더 아름답게 가꿀 수 있습니다.

──── 제안하는 글을 쓸 때에는 "~합시다.", "~하면 좋겠습니다.", "~하면 어떨까요?" 같은 표현을 사용합니다.

2. 제안하는 글을 쓰면 좋은 점

문제 상황과 해결 방법을 알릴 수 있어.

더 ❷ ☐☐ 쪽으로 일을 해결할 수 있어.

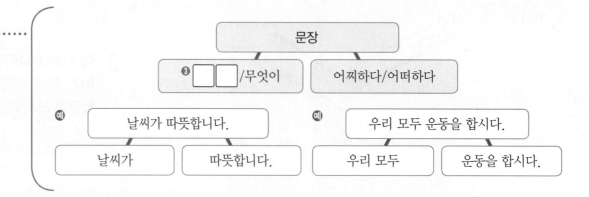

문장

❸ ☐☐ /무엇이　　　어찌하다/어떠하다

예 날씨가 따뜻합니다.　　　예 우리 모두 운동을 합시다.

날씨가　　　따뜻합니다.　　　우리 모두　　　운동을 합시다.

기본 ......

» 제안하는 글을
쓰는 방법 알기

1. 제안하는 글을 쓰는 과정

| 문제 상황 확인하기 | ➡ | 제안하는 내용 정하기 | ➡ | ❹ □□ 파악하기 | ➡ | 제안하는 글 쓰기 |

2. 제안하는 글에 들어갈 내용

문제 상황	어떤 점이 문제인지 다른 사람들이 알 수 있게 자세히 씁니다.	예 깨끗한 물을 구하지 못해 어려움을 겪고 있는 아이들이 있습니다.
제안하는 내용	문제를 해결하기 위한 자신의 제안을 씁니다.	예 깨끗한 물을 구하지 못하는 어린이들을 위해 기부 운동에 참여합시다.
제안하는 까닭	왜 그런 제안을 했는지, 제안한 내용대로 했을 때 무엇이 더 나아지는지를 씁니다.	예 어린이들이 깨끗한 물을 마시고 사용할 수 있기 때문입니다.
❺ □□	제안하는 내용이 잘 드러나게 제목을 붙입니다.	예 당신의 1리터를 나누어 주세요

실천 ......

» 제안하는 글을
쓰고 발표하기

1. 제안이 필요한 상황 예

| 학교 앞에서 과속하는 문제 | 골목이 어두운 문제 | 친구를 놀리는 문제 |

2. 제안하는 글을 써 붙이는 방법 예

읽을 사람	우리 반 친구들	⬅ ❼ □□에게 제안하는 내용인지 생각합니다.
장소와 위치	교실 앞 게시판	⬅ 읽을 사람이 잘 볼 수 있는 곳을 고릅니다.
글씨의 크기, 모양, 색깔	제목이나 강조하고 싶은 부분은 ❻ □□ 진한 글씨로 씁니다.	⬅ 강조하고 싶은 내용이 잘 전달되도록 만듭니다.

단원 평가

• 단원 평가 더 풀기 ≫ 평가 교재 44~49쪽

1~3 글을 읽고, 물음에 답하시오.

> ㉠지난 주말에 저는 동생과 함께 집 앞 꽃밭에 꽃을 심었습니다. ㉡그런데 오늘 물을 주려고 보니 쓰레기가 꽃 주위에 흩어져 있었습니다. 그 모습을 보니 속이 상했습니다.
>
> 꽃밭에 쓰레기를 버리지 않으면 좋겠습니다. ㉢꽃은 쓰레기가 없는 깨끗한 꽃밭에서 건강하게 자랄 수 있습니다. 우리가 노력하면 꽃밭을 더 아름답게 가꿀 수 있습니다.

1 글쓴이는 꽃 주위에 버려진 쓰레기를 보고 어떤 마음이 들었습니까?

( )

2 글쓴이가 제안하는 내용은 무엇입니까?

( )

① 꽃을 꺾지 않았으면 좋겠습니다.
② 집 앞에 꽃밭을 만들면 좋겠습니다.
③ 주말에 가족과 시간을 보내면 좋겠습니다.
④ 꽃밭에 꽃 말고 나무를 심으면 좋겠습니다.
⑤ 꽃밭에 쓰레기를 버리지 않으면 좋겠습니다.

3 ㉠~㉢ 중 제안하는 까닭에 해당하는 것은 무엇입니까?

( )

4 제안하는 글을 쓸 때 주로 사용하는 표현을 두 가지 고르시오. (,)

① ~합시다.
② ~해야 합니까?
③ ~이/가 싫어요.
④ ~하면 좋겠습니다.
⑤ ~을/를 갖고 싶습니다.

5~6 글을 읽고, 물음에 답하시오.

> 날씨가 따뜻합니다. 우리 모두 운동을 합시다. 운동이 건강을 지켜 줍니다.

5 이 글에서 제안하는 것은 무엇입니까?

( )

① 운동을 하자.
② 꾸준히 공부하자.
③ 몸을 따뜻하게 하자.
④ 건강한 사람이 되자.
⑤ 건강한 음식을 먹자.

중요

6 이 글에서 '누가/무엇이'에 해당하는 말을 세 가지 고르시오. (, ,)

① 날씨가
② 운동이
③ 우리 모두
④ 따뜻합니다
⑤ 운동을 합시다

7 '(누가/무엇이)+(어찌하다/어떠하다)'로 문장을 바르게 나누지 <u>못한</u> 것에 ○표를 하시오.

(1) 하늘이 푸르다.
→ 하늘이 + 푸르다. ( )
(2) 영수가 축구를 합니다.
→ 영수가 + 축구를 합니다. ( )
(3) 우리 반 친구들이 도서관에서 책을 읽습니다.
→ 우리 반 친구들이 도서관에서 + 책을 읽습니다. ( )

8~10 그림을 보고, 물음에 답하시오.

8 이 그림의 내용에 어울리는 문장이 되도록 알맞은 말끼리 선으로 이으시오.

(1) | 할머니가 | ·   ·① | 빵을 먹는다. |

(2) | 남자아이가 | ·   ·② | 아이를 쳐다본다. |

9 ㉠의 아이는 무엇을 하고 있습니까? (   )
① 빵을 먹고 있다.
② 춤을 추고 있다.
③ 사진을 찍고 있다.
④ 자전거를 타고 있다.
⑤ 꽃에 물을 주고 있다.

서술형
10 이 그림의 내용에 어울리게 '(누가/무엇이)
+(어찌하다/어떠하다)'와 같은 문장을 한 가지 만들어 쓰시오.

_____

_____

11~13 글을 읽고, 물음에 답하시오.

당신의 1리터를 나누어 주세요

물은 사람이 살아가는 데 매우 중요합니다. 우리는 어디에서든지 물을 쉽게 구할 수 있습니다. 그러나 동영상에 나오는 아이는 깨끗한 물을 구하지 못해 어려움을 겪고 있습니다. 많은 아이가 더러운 물을 마셔 생명이 위험할 수 있습니다.

깨끗한 물을 마시지 못하는 아이들을 위해 [㉠   ] 기부 운동에 참여하면 아프리카 어린이들이 깨끗한 물을 마시고 사용할 수 있습니다.

11 이 글은 어떤 영상을 보고 쓴 글이겠습니까?
(   )
① 아이가 위험한 일을 하는 모습
② 아이가 병에 걸려 누워 있는 모습
③ 아이가 가혹한 노동에 시달리는 모습
④ 아이가 먹을 것을 구하지 못해 어려움을 겪는 모습
⑤ 아이가 깨끗한 물을 구하지 못해 어려움을 겪는 모습

12 ㉠에 들어갈 제안으로 가장 알맞은 것은 무엇입니까?   (   )
① 우물을 파 줍시다.
② 물을 아껴 씁시다.
③ 정수기를 보내 줍시다.
④ 기부 운동에 참여합시다.
⑤ 깨끗한 물을 아껴 씁시다.

중요
13 이와 같은 제안하는 글에 필요한 내용을 세 가지 고르시오.   (,   ,   )
① 문제 상황
② 제안하는 내용
③ 제안하는 까닭
④ 제안을 생각한 날짜
⑤ 제안에 찬성하는 사람

중요

14 제안하는 글을 쓸 때 주의할 점을 알맞게 말하지 **못한** 친구의 이름을 쓰시오.

> 준후: 제안에 알맞은 까닭을 써야 해.
> 효민: 문제 상황은 자세히 쓰지 않아도 돼.
> 세진: 문제를 해결하기 위한 자신의 의견을 제안해야 해.

( )

15~16 글을 읽고, 물음에 답하시오.

> **가** 새 학기가 되고 며칠 지나지 않아, 우리 반에 석고 붕대를 하고 다니는 친구가 있었다. 그 친구는 복도 끝부분에서 갑자기 나타난 친구 때문에 놀라 멈추려 하다가 미끄러져 다리에 금이 갔다고 한다.
> **나** 우리 학교 앞 도로에 잘 보이지 않는 부분까지 볼 수 있도록 하는 거울이 있다. 이런 안전 거울을 학교 복도에 설치하면 복도에서 일어나는 사고를 줄일 수 있을 것이다.
> 복도에 안전 거울을 설치해야 한다. 그렇게 하면 학교 안에서 일어나는 안전사고를 줄여 학생들이 더 즐겁게 지낼 수 있을 것이다.

국어 활동

15 이 글에 나타난 문제 상황은 무엇입니까?

( )

① 복도가 너무 미끄럽다.
② 복도에 쓰레기를 많이 버린다.
③ 복도에서 안전사고가 일어났다.
④ 친구들이 교통 규칙을 지키지 않는다.
⑤ 친구들이 복도에서 장난을 많이 친다.

국어 활동

16 글쓴이는 복도에 무엇을 설치하자고 제안했습니까?

( )

17 오른쪽 그림과 같은 상황에서 할 수 있는 제안은 무엇입니까?

( )

① 운동을 꾸준히 하자.
② 친구와 사이좋게 지내자.
③ 웃어른께 인사를 잘하자.
④ 골목에 가로등을 설치하자.
⑤ 밤에는 골목에 나오지 말자.

서술형

18 오른쪽 그림에 나타난 문제 상황을 파악하여 제안할 내용을 쓰시오.

_____

19 제안할 내용을 떠올릴 때 먼저 생각해야 하는 것은 무엇입니까? ( )

① 누구에게 제안할 것인가?
② 어떤 제목을 붙일 것인가?
③ 어떤 장소에 글을 써 붙일 것인가?
④ 어떤 크기의 글씨로 글을 쓸 것인가?
⑤ 읽을 사람의 시선을 어떻게 끌 것인가?

20 제안하는 글을 써야 하는 상황으로 알맞은 것을 두 가지 고르시오. (,)

① 우리 가족을 소개할 때
② 친구에게 사과하는 글을 쓸 때
③ 주변의 문제를 해결하고 싶을 때
④ 친구에게 고마운 마음을 전할 때
⑤ 학급 친구들에게 부탁하고 싶은 일이 있을 때

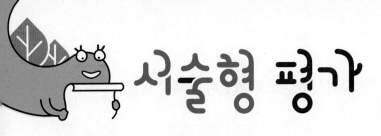

1~3 글을 읽고, 물음에 답하시오.

> 지난 주말에 저는 동생과 함께 집 앞 꽃밭에 꽃을 심었습니다. 그런데 오늘 물을 주려고 보니 쓰레기가 꽃 주위에 흩어져 있었습니다. 그 모습을 보니 속이 상했습니다.
> ［ ㉠ ］ 꽃은 쓰레기가 없는 깨끗한 꽃밭에서 건강하게 자랄 수 있습니다. 우리가 노력하면 꽃밭을 더 아름답게 가꿀 수 있습니다.

1 글쓴이가 지난 주말에 한 일은 무엇인지 쓰시오.

_____

_____

2 이 글에 나타난 문제 상황은 무엇인지 정리해 쓰시오.

_____

_____

3 ㉠에 들어갈 제안하는 내용은 무엇일지 생각해 쓰시오.

_____

_____

4 다음 그림의 내용에 알맞게 문장을 세 가지 만들어 쓰시오.

누가/무엇이	어찌하다/어떠하다

5 제안하는 글을 쓰는 과정에 맞게 다음 빈칸에 알맞은 내용을 쓰시오.

(1)

↓

제안하는 내용 정하기

↓

(2)

↓

제안하는 글 쓰기

낱말 퀴즈

교과서 문장으로 확인하는 핵심 낱말

● 다음 교과서 문장의 파란색 낱말 중에서 알맞은 것을 골라 인물들이 한 말을 완성하시오.

- 진영이는 꽃밭에 버려진 쓰레기를 보면서 깨끗한 꽃밭을 만들려면 어떻게 하면 좋을지 **곰곰이** 생각했습니다.
- 자신의 의견을 알리고자 아파트 주민에게 글을 써서 붙이기로 **결심**했습니다.
- 이웃 돕기 **모금** 운동에 **참여**하자.

9
자랑스러운 한글

무엇을 배울까요?

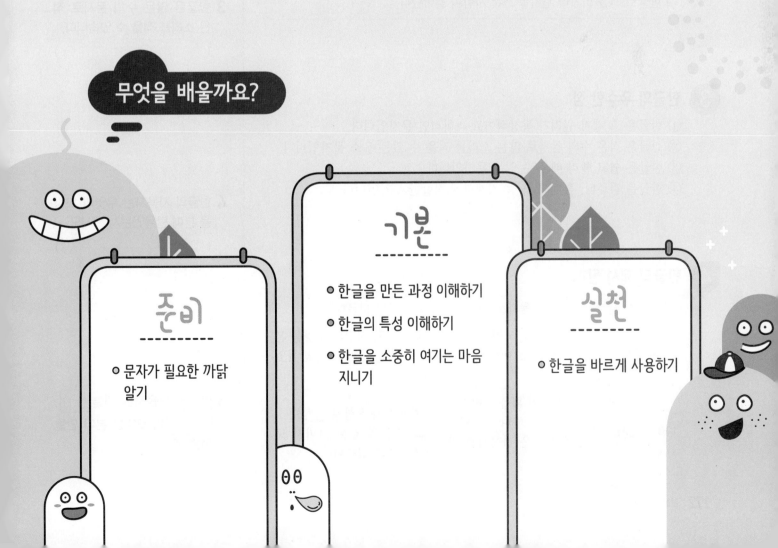

기본

- 한글을 만든 과정 이해하기
- 한글의 특성 이해하기
- 한글을 소중히 여기는 마음 지니기

준비

- 문자가 필요한 까닭 알기

실천

- 한글을 바르게 사용하기

교과서 핵심

1 문자가 필요한 까닭

① 문자가 없으면 정확하게 기록을 할 수 없습니다.
② 문자로 생각을 표현하면 더 자세히 나타낼 수 있습니다.

1 문자로 생각을 표현하면 더
☐☐☐ 나타낼 수 있습니다.

2 세종 대왕이 한글을 만든 배경과 과정

- 글을 읽지 못해 억울한 일을 당하는 백성이 많았다.
- 우리말을 적을 문자가 필요하다고 생각했다.

↓

- 말소리를 연구한 책을 구해 읽으며 문자를 연구했다.
- 신하들의 반대를 피해 새로운 문자 만드는 일을 비밀에 부쳤다.

↓

- 세종은 눈이 나빠져도 문자를 계속 연구했다.
- 훈민정음 28자를 완성했다.

↓

- 억울한 일을 당하는 사람들이 줄었다.
- 한글로 책을 읽거나 편지를 쓰는 사람이 늘어났다.

2 훈민정음 28자를 만든 사람은
누구인지 쓰시오.
( )

3 한글은 많은 수의 문자로 적
은 소리를 적을 수 있습니다.
(○ , ×)

3 한글의 우수한 점

① 한글은 그 제자 원리가 독창적이고 과학적인 문자입니다.
② 한글은 적은 수의 문자로 많은 소리를 적을 수 있는 음소 문자입니다.
③ 한글은 쉽고 빨리 배울 수 있는 문자입니다.
④ 한글은 컴퓨터, 휴대 전화 등 기계화에 적합한 문자입니다.

4 한글의 자음자는 무엇의 모양
을 본떠 만들었는지 쓰시오.
( )

4 한글의 제자 원리

	자음자	모음자
기본 문자	발음 기관의 모양을 본떠 'ㄱ, ㄴ, ㅁ, ㅅ, ㅇ'을 만들었습니다.	하늘, 땅, 사람의 모양을 본떠 '•', 'ㅡ', 'ㅣ'를 만들었습니다.
나머지 문자	기본 문자에 획을 더하거나 같은 문자를 하나 더 써서 'ㅋ, ㄲ'과 같은 자음자를 만들었습니다.	기본 문자를 합쳐 'ㅗ', 'ㅏ', 'ㅜ', 'ㅓ'와 같은 나머지 모음자를 만들었습니다.

5 한글의 모음자는 하늘, ☐,
☐☐의 모양을 본떠 만들었습니다.

1~2 사진을 보고, 물음에 답하시오.

● 문자가 없었을 때 사람들은 생각을 어떻게 기록했을지 짐작하기

▲ 울주 대곡리 반구대 암각화
바위, 동굴의 벽면 따위에 칠하기, 새기기, 쪼기와 같은 방법으로 그린 그림

▲ 아르헨티나 리오 핀투라스 암각화

▲ 스페인 알타미라 동굴 벽화

📖 교과서 문제

1 이 사진에 있는 그림들은 무엇을 나타낸 것입니까?

• (   )이/가 없었던 시절에 사람들이 생각한 것이나 기억하고 싶은 말을 큰 바위나 벽에 (   )을/를 그리거나 새겨 놓은 것이다.

서술형

2 문자가 없었을 때 사람들은 생각을 어떻게 기록했을지 쓰시오.

_____

_____

3~4 다음을 보고, 물음에 답하시오.

● 세계 여러 나라의 옛날 그림 문자 살펴보기

지역＼뜻	㉠	왕	신	㉡	태양	하늘	㉢
이집트							
수메르							
중국							

📖 교과서 문제

3 ㉠~㉢에 어떤 말이 들어갈지 다음 보기에서 골라 각각 쓰시오.

보기

양   사람   물

(1) ㉠: (   )
(2) ㉡: (   )
(3) ㉢: (   )

4 이 그림 문자들처럼 태양을 뜻하는 자신만의 그림 문자를 만들어 보시오.

핵심

5 그림으로 자기 생각을 표현할 때와 비교하여 문자가 필요한 까닭은 무엇일지 두 가지를 고르시오.   (,   )

① 문자가 없으면 정확하게 기록을 못하기 때문에
② 문자를 사용하면 종이를 사용하지 않아도 되기 때문에
③ 문자를 사용하면 생각을 더 자세히 나타낼 수 있기 때문에
④ 문자를 사용하면 사물과 비슷한 형태로 표현할 수 있기 때문에
⑤ 문자로 생각을 표현하면 전 세계인들이 모두 알아볼 수 있기 때문에

🔊 여러 가지 문자가
있다는 것을
생각하며 뉴스 보기

사라져 가는
세계 문자를 다시 보다

뉴스 내용 요약: 우리가 알지 못하는 세계 문자를 다시 보고 그 아름다움을 나누자는 ♥프로젝트가 서울 서촌 일대에서 다양한 행사로 진행 중이다. 이 프로젝트는 인터넷이 전 세계에 보급되면서 영어를 비롯한 상위 언어에 밀려 소수 전통 언어들이 하루가 다르게 사라지는 현실에서, 문자 생태계를 보존하자는 움직임으로 시작된 것이다. 실제로 지구촌에서는 현재 2주에 하나 꼴로 소수 언어가 사라지고 있으며, 지난 2010년 유네스코에서는 제주어를 소멸 위기 언어로 등재했다. 하나의 언어가 사라진다는 것은 그 언어를 ♥구사한 이들이 지켜온 전통과 지혜, 그것을 ♥아우르는 모든 문화를 잃는 것이므로 우리 언어와 문자가 생명력을 잃지 않도록 지금부터 노력해야 한다.

• **동영상 설명**: 점점 잊혀지고 있는 세계 언어와 문자를 다시 보고 그 예술성을 되새기는 축제에 대해 소개하고 있는 뉴스입니다.

♥프로젝트 연구나 사업. 또는 그 계획.

♥구사한 말이나 수사법, 기교, 수단 따위를 능숙하게 마음대로 부려 씀.

♥아우르는 여럿을 모아 한 덩어리나 한 판이 되게 하는.
📣 우리 팀 친구들 모두를 아우르는 구호가 필요하다.

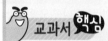 교과서 핵심

● 사라져 가는 문자를 지키기 위한 노력이 필요한 까닭
문자에는 그 문자를 사용하는 사람들이 지켜온 전통과 지혜, 그것을 아우르는 모든 문화가 담겨 있기 때문이다.

📖 교과서 문제

6 어떤 행사를 소개하는 동영상입니까? (　　)

① 세계 음식을 맛볼 수 있는 행사
② 가장 좋아하는 문자를 뽑는 행사
③ 세계 전통 의상을 전시하는 행사
④ 세계 언어와 문자를 전시하는 행사
⑤ 가장 훌륭한 문자에 상을 주는 행사

7 이 행사가 열린 목적을 찾아 기호를 쓰시오.

> ㉠ 재미있는 문자를 소개하려는 목적
> ㉡ 새로운 문자를 가르쳐 주려는 목적
> ㉢ 사라져 가는 문자를 보존하려는 목적

(　　　　　)

8 한국어 중에서 소멸 위기 언어로 유네스코에 등재된 언어는 무엇입니까?

(　　　　　　　)

핵심

9 사라져 가는 문자를 지키기 위한 노력이 필요한 까닭을 알맞게 말한 친구의 이름을 쓰시오.

> 현지: 문자에는 전통과 지혜 등의 문화가 담겨 있기 때문이야.
> 세운: 문자가 사라지면 다시 그림 문자를 사용해야 하기 때문이야.

(　　　　　　　)

● 세종 대왕이 한글을 만든 까닭을 생각하며 만화 읽기

❶ 조선 시대.
백성은 나라의 ♥근본이요, 근본이 튼튼해야만 나라가 ♥평안하다고 여겼던 세종 대왕.
억울한 사람이 없고 ♥태평한 세상, 이것이 바로 세종 대왕이 꿈꾸던 조선이었다.
그러던 어느 날……

전하, 어느 젊은이가 제 아비에게 불효를 저질렀습니다.

어찌 그런 일이…….

여봐라! 효자, 효녀들의 이야기를 백성에게 알려 ♥효행을 깨우치게 하라!

한자로 쓰여 있으니 암만 봐도 모르겠군.

여기 뭐라고 적힌 거야?

저기 그림이라도 봐야지!

에이, 그거 읽다가 해 넘어가겠어!

• 만화 설명: 글을 읽지 못해 어려움을 겪는 백성을 보며 고민하는 세종 대왕의 모습이 드러나 있는 만화로, 세종 대왕이 한글을 만든 까닭을 알 수 있습니다.

♥근본(根 뿌리 근, 本 근본 본) 사물의 본질이나 본바탕.

♥평안(平 평평할 평, 安 편안 안) 걱정이나 탈이 없음. 또는 무사히 잘 있음.
예 제자는 스승에게 그간 평안하셨는지 여쭈었다.

♥태평(太 클 태, 平 평평할 평)한 나라가 안정되어 아무 걱정 없고 평안한.

♥효행(孝 효도 효, 行 다닐 행) 부모를 잘 섬기는 행실.

1 세종 대왕은 무엇이 나라의 근본이라고 생각했는지 찾아 쓰시오.

( )

서술형
3 세종 대왕은 백성이 효행을 깨우치게 하기 위해 어떻게 하라고 했는지 쓰시오.

_____

_____

2 세종 대왕이 꿈꾸는 나라는 어떤 나라였습니까? ( )

① 영토가 넓은 나라
② 백성이 평안하게 잘 사는 나라
③ 조선보다 큰 나라에 충성하는 나라
④ 일하지 않아도 먹고살 수 있는 나라
⑤ 자신에게 충성하는 신하가 많은 나라

핵심
4 백성이 안내문을 읽지 못한 까닭은 무엇입니까? ( )

① 한자를 읽을 줄 몰라서
② 안내문에 그림이 없어서
③ 다른 일을 하느라 바빠서
④ 안내문의 글이 너무 길어서
⑤ 안내문의 내용이 재미가 없어서

♥펴낸 잡지나 서적 따위를 발행한.

♥제구실 제가 마땅히 해야 할 일이나 책임.
예 오래되어 제구실을 못하는 선풍기를 버리고 새것을 샀다.

♥억울한 아무 잘못 없이 꾸중을 듣거나 벌을 받거나 하여 분하고 답답한.
예 빵이 없어졌는데 모두 내가 먹었다고 해서 억울한 마음이 들었다.

교과서 핵심

● 세종 대왕이 한글을 만든 까닭
• 백성이 문자를 알지 못해 어려움을 겪는 것이 안타까웠다.
• 백성의 삶에 도움이 되는 일을 하고 싶었다.
• 백성이 알기 쉬운 문자를 만들고 싶었다.

5 문자를 모르는 백성이 겪었던 어려움을 두 가지 고르시오. (,)

① 억울한 일을 당했다.
② 책을 읽을 수 없었다.
③ 농사를 지을 수 없었다.
④ 옷을 지어 입을 수 없었다.
⑤ 임금님을 직접 볼 수 없었다.

6 문자를 모르는 백성이 많았던 까닭을 가장 알 맞게 말한 친구의 이름을 쓰시오.

> 정인: 문자를 배울 여유가 없어서 같아.
> 단영: 공부하는 것을 좋아하지 않아서야.
> 혜주: 문자를 배울 필요가 없어서 같은데?

( )

7 <핵심> 세종 대왕이 안타까워한 일은 무엇입니까? ( )

① 백성이 물건을 낭비하는 것
② 백성이 부모를 공경하지 않는 것
③ 백성이 나라에 충성하지 않는 것
④ 백성이 자신을 알아보지 못하는 것
⑤ 백성이 문자를 알지 못해 어려움을 겪는 것

8 7번 문제에서 답한 일을 본 세종 대왕은 무엇을 만들기로 마음먹었겠습니까?

( )

◀: 한글을 만든 목적과
배경을 생각하며
글 읽기

훈민정음의 탄생

이은서

❶ "명나라에 가는 사신들이 있거든 말소리 연구
<u>임금이나 국가의 명령을 받고 외국에 사절로 가는 신하</u>
에 대한 책을 구해 오도록 하라."

"전하, 말소리 연구에 관한 책은 무슨 이유로 구
해 오라 하시나이까?"

5 "허허, 그저 궁금해서 그런 것뿐이오. 과인이 관
<u>임금이 자기를 낮추어 이르던 말</u>
심을 둔 학문이 어디 한두 가지요?"

나라가 안정을 되찾자 세종은 새로운 문자를 만
드는 일에 온 힘을 기울였습니다. 가장 먼저 한 일
은 구해 온 책을 읽는 것이었습니다.

10 신하들은 세종이 새 문자를 만들고 있는 줄은 꿈에
도 생각하지 못했습니다. 세종은 평소에도 워낙 많은
책을 읽는 터라 누구의 의심도 받지 않았습니다.

세종 또한 새 문자를 만드는 일을 철저히 비밀에
부쳤습니다. 신하들 중에는 중국의 문자인 한자를
15 쓰는 데 ♥자부심을 느끼는 이가 많아 그들이 새 문
자를 만들고 있다는 사실을 알았다가는 벌 떼처럼
들고일어날 게 뻔했기 때문입니다.

<중심 내용> 세종은 새로운 문자를 만드는 일을 비밀에 부쳤다.

❷ 하지만 세종에게는 시간이 그리 많지 않았습니다.
"왜 이렇게 방 안이 어두운가. 서둘러 방을 환히
밝혀라." / "저, 전하……."

♥어의가 바닥에 납작 엎드려 울먹였습니다.

"불을 밝히지 않고 무엇을 하고 있느냐!"   5

"전하, 방이 어두운 게 아니오라 전하의 눈이 점
점 어두워지는 것이옵니다." / "뭐라?"

어의의 말에 세종은 하늘이 무너지는 것만 같았
습니다. 지금도 온 세상이 눈을 감은 듯 캄캄한데,
조만간 영영 시력을 잃을지도 몰랐습니다.   10

세종은 대낮에도 깜깜한 어둠 속에 있는 것 같은
날들이 하루하루 늘어 갔지만, 식사를 하거나 휴
식을 취할 때조차 늘 문자를 생각했습니다.

<중심 내용> 세종은 시력이 점점 나빠지는 와중에도 늘 문자를 생각했다.

• 글의 내용: 세종 대왕이 백성을 위해 한글을 만든 과정이 잘 나타나
있습니다.

♥자부심(自 스스로 자, 負 질 부, 心 마음 심) 자기 자신 또는 자기
와 관련되어 있는 것에 대하여 스스로 그 가치나 능력을 믿고 당
당히 여기는 마음.

♥어의(御 거느릴 어, 醫 의원 의) 궁궐 내에서, 임금이나 왕족이 걸
린 병을 치료하던 의원.

9 세종은 명나라에 가는 사신에게 어떤 책을 구
해 오라고 했습니까?

( )

📖 교과서 문제

10 세종이 9번 문제에서 답한 책을 구해 오라고
한 까닭은 무엇입니까?   ( )

① 명나라와 친해지기 위해서

② 명나라의 우수한 지식을 얻고 싶어서

③ 명나라에서 유행하는 책을 알고 싶어서

④ 명나라의 책이 재미있다고 소문이 나서

⑤ 새로운 문자를 만드는 데 활용하기 위
해서

서술형

11 세종이 새로운 문자를 만드는 일을 비밀로 한
까닭을 쓰시오.

_____

_____

12 세종은 새로운 문자를 만드는 과정에서 어떤
어려움을 겪었습니까?   ( )

① 어의가 반대했다.

② 몸에 종기가 났다.

③ 방이 너무 어두웠다.

④ 눈이 심하게 나빠졌다.

⑤ 중국의 반발이 심했다.

9
단원

❸ "글은 말과 같아야 한다. 글로는 '天(천)'이라고 하고, 말로는 '하늘'이라고 하면 안 된다. 쉽고 단순한 문자이지만, 그 안에 담긴 의미는 세상 어떤 것보다 깊어야 한다. 이 우주 ♥만물에는 하늘과 땅이 있고 그 가운데 사람이 있다. 이 원리를 바탕으로 문자를 만들면 어떨까? 또 사람이 말소리를 내는 기관을 본떠 문자를 만드는 것도 좋을 것이다."

오랜 시간을 ♥묵묵히 연구한 끝에 세종은 '훈민정음' 28자를 완성했습니다.

그 뒤, 훈민정음은 백성들 사이에 퍼져 나갔습니다. 이제는 글을 읽지 못해 억울한 일을 당하는 사람이 줄었습니다. 한자를 배울 기회조차 적었던 여자들도 훈민정음을 익혀 책을 읽거나 편지를 썼습니다. 훈민정음은 그야말로 세종이 백성들에게 준 가장 큰 선물이었습니다.

(중심 내용) 세종은 훈민정음 28자를 완성했고, 훈민정음은 백성들 사이에 퍼져 나갔다.

♥만물(萬 일만 만, 物 물건 물) 세상에 있는 모든 것.
♥묵묵히 말없이 잠잠하게.
 예 하고 싶은 말은 많았지만 묵묵히 밥을 먹었다.

▲ 훈민정음해례본 → 조선 세종 28년(1446년)에 훈민정음 스물여덟 자를 세상에 알릴 때 나뭇조각에 새긴 글씨를 찍어 낸 원본

교과서 핵심 ● 세종 대왕이 한글을 만든 까닭과 과정

• 글을 읽지 못해 억울한 일을 당하는 백성이 많았다.
• 우리말을 적을 문자가 필요하다고 생각했다.

➡ • 말소리를 연구한 책을 구해 읽으며 문자를 연구했다.
• 신하들의 반대를 피해 새로운 문자 만드는 일을 비밀에 부쳤다.

➡ • 세종은 눈이 나빠져도 문자를 계속 연구했다.
• 훈민정음 28자를 완성했다.

➡ • 억울한 일을 당하는 사람들이 줄었다.
• 한글로 책을 읽거나 편지를 쓰는 사람이 늘어났다.

13 세종은 글이 무엇과 같아야 한다고 했는지 한 글자의 낱말을 찾아 쓰시오.

(　　　　　　　　)

14 세종은 어떤 원리로 새로운 문자를 만들고자 했는지 두 가지를 고르시오. (　 , 　)
① 어렵고 복잡하게 만들려고 했다.
② 기본이 되는 문자를 최대한 많이 만들려고 했다.
③ 사람이 말소리를 내는 기관을 본떠 만들려고 했다.
④ 중국의 문자를 만든 원리를 바탕으로 만들려고 했다.
⑤ 우주 만물에는 하늘과 땅이 있고 그 가운데 사람이 있다는 원리를 바탕으로 만들려고 했다.

핵심
15 세종 대왕이 새로운 문자를 만든 과정을 생각하며 다음 빈칸에 알맞은 말을 쓰시오.

말소리를 연구한 책을 구해 읽으며 문자를 연구했다.

⬇

(　　　　　　) 28자를 완성했다.

서술형
16 훈민정음을 익힌 백성의 삶은 어떻게 달라졌는지 쓰시오.

_____

_____

_____

◀ 한글의 특성을 생각하며 글 읽기

한글이 위대한 이유

박영순

❶ 이 지구상에는 많은 언어가 있으나, 현재 사용하고 있는 문자의 종류는 약 50개밖에 안 된다. 말은 있지만 문자가 없는 언어도 많고, 말은 다르지만 같은 문자를 쓰는 경우도 있기 때문이다. 이 50여 개의 문자 가운데 우리가 사용하고 있는 한글이 우수한 문자라는 것은 이미 많은 사람이 인정하고 있다.

재러드 다이아몬드라는 학자는 한글은 ♥독창성이 있고 과학적인 문자라고 칭찬하면서 한국인의 ♥문맹률이 낮은 것은 바로 한글 덕분이라고 말하였다. 또 노벨 문학상을 받은 유명한 작가 펄 벅은 한글은 익히기 쉬운 훌륭한 문자이며, 한글을 창제한 세종 대왕은 '한국의 레오나르도 다빈치'라며 칭찬을 아끼지 않았다.

그렇다면 구체적으로 어떤 점에서 한글이 우수한 문자 체계라고 말할 수 있는 것일까?

중심 내용 한글은 많은 사람이 인정한 우수한 문자이다.

❷ 첫째, 한글은 그 제자 원리가 독창적이고 과학적인 문자이다. 한글 모음자의 경우 하늘, 땅, 사람을 본떠 각각 '•', 'ㅡ', 'ㅣ'의 기본 문자를 먼저 만들고, 이 기본 문자를 합쳐 'ㅗ', 'ㅏ', 'ㅜ', 'ㅓ'와 같은 나머지 모음자를 만들었다.

한글 자음자의 경우 발음 기관의 모양을 본떠 'ㄱ, ㄴ, ㅁ, ㅅ, ㅇ'의 기본 문자를 만들고, 이 기본 문자에 획을 더하거나 같은 문자를 하나 더 써서 'ㅋ, ㄲ'과 같은 자음자를 만들었다.

중심 내용 한글은 제자 원리가 독창적이고 과학적인 문자이다.

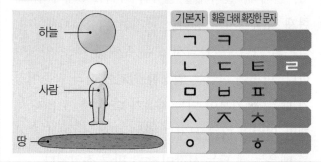

- **글의 종류**: 설명하는 글
- **글의 특징**: 한글의 우수한 점과 특성을 설명하여 한글의 위대함을 일깨워 줍니다.

♥**독창성**(獨 홀로 독, 創 비롯할 창, 性 성품 성) 다른 것을 모방함이 없이 새로운 것을 처음으로 만들어 내거나 생각해 내는 성향이나 성질

♥**문맹률**(文 글월 문, 盲 소경 맹, 率 비율 률) 배우지 못하여 글을 읽거나 쓸 줄 모르는 사람의 비율.

---

1 언어와 문자에 대한 설명으로 알맞은 것에 모두 ○표를 하시오.

(1) 지구상에는 약 50개의 언어가 있다. ( )

(2) 말은 있지만 문자가 없는 언어도 있다. ( )

(3) 말은 다르지만 같은 문자를 쓰는 경우도 있다. ( )

📖 교과서 문제

2 한글 자음자와 모음자의 기본 문자는 무엇을 본떠 만들었는지 각각 알맞게 쓰시오.

(1) 자음자: ( )

(2) 모음자: ( )

핵심

3 문자의 형태와 관계있는 발음 기관의 모양을 찾아 선으로 이으시오.

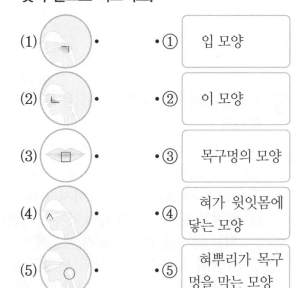

(1) • • ① 입 모양

(2) • • ② 이 모양

(3) • • ③ 목구멍의 모양

(4) • • ④ 혀가 윗잇몸에 닿는 모양

(5) • • ⑤ 혀뿌리가 목구멍을 막는 모양

❸ 둘째, 한글은 적은 수의 문자로 많은 소리를 적을 수 있는 음소 문자이다. 한글은 자음자와 모음자 스물넉 자의 문자로 많은 ♥음절을 적을 수 있다. 한글은 사람의 입에서 나오는 대부분의 소리를 효과적으로 적을 수 있는 문자이다.

중심 내용 한글은 적은 수의 문자로 많은 소리를 적을 수 있는 문자이다.

❹ 셋째, 한글은 쉽고 빨리 배울 수 있는 문자이다. 영어 알파벳이 스물여섯 자이지만, 소문자, 대문자, 인쇄체, 필기체를 알아야 하니 100개가 넘고, 현재 중국에서 사용하는 문자는 약 3500자이며, 일본의 가나 문자 역시 모든 문자를 따로 익혀야 한다. 반면에 한글은 일정한 원리에 따라 만들어졌기 때문에, 기본이 되는 자음자 다섯 개, 모음자 세 개만 익히면 다른 문자도 쉽게 익힐 수 있어 문자를 배우는 데 드는 시간이 놀랄 만큼 절약된다.

예를 들어 한글의 자음자는 'ㄱ, ㄴ, ㅁ, ㅅ, ㅇ' 등과 같이 기본 문자를 바탕으로 새로운 문자를 만

들어 그것들이 서로 연관 있는 소리임을 ♥미루어 짐작할 수 있다. 기본 자음자에 획을 더 그으면 ♥거센소릿자가 되고 겹쳐 쓰면 된소릿자가 된다.('ㄲ', 'ㄸ', 'ㅃ', 'ㅆ', 'ㅉ') 한글의 모음자는 소리의 변화가 없이 한 문자가 한 소리만 나타낸다. 한글의 '아'는 언제나 [아]로만 발음되지만, 영어의 'a'는 낱말에 따라 여러 가지로 발음되기 때문에 영어는 발음법을 배우는 데 상당한 노력을 기울여야 한다. 이렇게 한글이 배우기 쉽고 과학적인 까닭에 세계 언어학자들은 한글을 '알파벳의 꿈'이라고 표현한다.

중심 내용 한글은 쉽고 빨리 배울 수 있는 문자이다.

♥음절(音 소리 음, 節 마디 절) 하나의 종합된 음의 느낌을 주는 말소리의 단위.

♥미루어 이미 알려진 것으로써 다른 것을 비추어 헤아려.
예 너희들 말로 미루어 보니 집에 무슨 일이 생긴 것 같아.

♥거센소릿자 숨이 거세게 나오는 자음자. 국어의 'ㅊ', 'ㅋ', 'ㅌ', 'ㅍ' 따위가 있다.

---

4 다음 문자 중 적은 수의 문자로 많은 소리를 적을 수 있는 음소 문자를 찾아 ○표를 하시오.

| 한자　　한글　　알파벳　　가나 문자 |

5 📖 교과서 문제
한글을 쉽게 익힐 수 있는 까닭을 <u>두 가지</u> 고르시오. (　　, 　　)
① 한 문자가 여러 소리를 가지기 때문에
② 모든 문자를 따로 익혀야 하기 때문에
③ 소문자와 대문자로 나누어지기 때문에
④ 일정한 원리에 따라 만들어져서 기본이 되는 문자만 익히면 되기 때문에
⑤ 한글의 모음자는 소리의 변화가 없이 한 문자가 한 소리만 가지기 때문에

6 세계 언어학자들이 배우기 쉽고 과학적인 한글을 무엇이라고 표현했는지 찾아 쓰시오.

(　　　　　　　　　)

7 핵심
글 ❸~❹에서 알 수 있는 한글이 지닌 특성을 두 가지 고르시오. (　　, 　　)
① 쉽고 빨리 배울 수 있다.
② 문자를 배우는 시간이 많이 걸린다.
③ 적은 수의 문자로 많은 소리를 적을 수 있다.
④ 소문자, 대문자, 인쇄체, 필기체를 알아야 한다.
⑤ 발음법을 배우는 데 상당한 노력을 기울여야 한다.

9
단원

❺ 넷째, 한글은 컴퓨터, 휴대 전화 등 기계화에 적합한 문자이다. 오늘날과 같은 정보 통신 시대에 사용하기 좋은 '디지털 문자'로서 ♥탁월하다. ㉠휴대 전화로 문자를 보낼 때에 한글로는 5초면 되는 문장을 중국어나 일본어로는 35초가 걸린다는 연구가 있다. 휴대 전화의 한글 자판은 한글의 자음자와 모음자의 획을 더하는 원리에 기초하여 설계되었다. 그렇기 때문에 누구나 쉽고 빠르게 글자를 입력할 수 있다.

중심 내용 한글은 컴퓨터, 휴대 전화 등 기계화에 적합한 문자이다.

▲ 휴대 전화 자판

❻ 로버트 램지 교수는 "한글은 소리와 문자가 서로 체계적 ♥연관성을 지닌 과학적인 문자"라면서 "한글 창제는 그 어느 문자에서도 찾아볼 수 없는 위대한 성취"라고 하였다. 한글의 우수성은 널리 외국에도 알려졌고, 한글을 배우고자 하는 외국인의 수도 늘어나고 있다.

중심 내용 한글의 우수성은 널리 외국에도 알려졌고, 한글을 배우고자 하는 외국인의 수도 늘어나고 있다.

♥탁월(卓 높을 탁, 越 넘을 월)하다 남보다 두드러지게 뛰어나다.
    예 이 세제는 옷의 얼룩을 지우는 데 탁월하다.

♥연관성(聯 연이을 연, 關 관계할 관, 性 성품 성) 사물이나 현상이 일정한 관계를 맺는 특성이나 성질.

교과서 핵심 ●한글이 지닌 특성

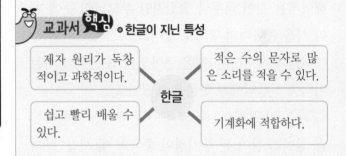

핵심

8 ㉠의 연구에서 알 수 있는 한글이 지닌 특성은 무엇입니까? ( )

① 한글은 문맹률을 낮게 만들었다.
② 한글은 기계화에 적합한 문자이다.
③ 한글은 발음 기관을 본떠 만들었다.
④ 중국어나 일본어보다 한글이 문자 수가 더 많다.
⑤ 한글로 휴대 전화 메시지를 보내는 것은 힘들다.

9 휴대 전화의 한글 자판은 어떤 원리에 기초하여 설계되었다고 했는지 찾아 쓰시오.

( )

서술형

10 로버트 램지 교수가 한글을 과학적인 문자라고 한 까닭은 무엇인지 쓰시오.

_____

_____

역량

11 이 글 전체를 읽고 한글이 지닌 특성을 친구들에게 알리기 위해 만든 광고 문구로 바르지 <u>않은</u> 것은 무엇입니까? ( )

① 독창적이고 과학적인 문자, 한글!
② 한글이 적을 수 없는 소리는 없다!
③ 한글은 누구나 쉽고 빠르게 배울 수 있습니다.
④ 한글은 전 세계에서 가장 많이 쓰이는 문자입니다.
⑤ 정보 통신 시대에 사용하기 좋은 디지털 문자, 한글!

◀ 한글을 사랑하는 마음을
생각하며 글 읽기

주시경

• 글: 이은정 • 그림: 김혜리

❶ 1876년 12월 22일 황해도 봉산에서 태어난 주시경은 과거 시험을 잘 보기 위해서 하루도 공부를 게을리하지 않았어요.

주시경이 열두 살이던 무렵이었어요. 서울에서 장사를 하는 큰아버지가 찾아왔어요. 병으로 자식들을 모두 잃은 큰아버지는 조카 한 명을 데려가 아들로 키우려고 했어요.

부모님은 곰곰이 의논한 끝에 둘째 아들인 주시
<u>여러모로 깊이 생각하는 모양</u>
경을 큰집에 보내기로 했어요. 주시경은 가족과 헤어지는 것이 너무나 슬펐지만 부모님의 뜻에 따라 서울 큰아버지 댁으로 갔어요.

서울에 온 뒤 주시경은 큰아버지 댁 근처에 사는 이회종 선생님에게 한문을 배웠어요.

중심 내용 주시경은 열두 살이던 무렵 큰아버지의 양자가 되어 서울로 갔다.

❷ 열여덟 살이 된 주시경이 중국의 옛 시집인 『시경』을 알기 쉽게 풀이한 『시전』을 공부할 때의 일이에요.

"내가 한 ♥구절을 읽을 테니 따라 ♥읊으려무나. '벌목정정 조명앵앵'."

학생들은 멍하니 선생님을 따라 읊었어요. 도무지 무슨 뜻인지 알 수가 없었거든요. 주시경도 뜻을 모르기는 마찬가지였지요.

"벌목정정, 나무 찍는 소리는 쩡쩡 울리고. 조명앵앵, 새들은 짹짹 울음을 우네. 이리 쉬운 시도 풀이를 못 하다니 공부를 게을리하였구나!"

선생님이 못마땅한 얼굴로 뜻을 가르쳐 주었어요. 주시경은 저도 모르게 힘이 빠졌어요.

'저 뜻 모를 말이 겨우 나무 찍는 소리와 새 울음 소리였다니! 왜 알아듣기 힘든 한문으로 읽고, 우리말로 다시 풀이해야 할까? 처음부터 우리말로 하면 바로 알아들을 텐데.'

• 글의 특징: 한글의 대중화와 근대화에 선구자적 역할을 한 주시경에 대한 이야기로, 한글을 사랑하는 주시경의 마음이 잘 나타나 있습니다.

♥구절(句 글귀 구, 節 마디 절) 한 토막의 말이나 글.

♥읊으려무나 억양을 넣어서 소리를 내어 시를 읽거나 외우려무나.

📖 교과서 문제

1 주시경은 언제 태어났습니까?

(   )

2 주시경이 열두 살 무렵 큰아버지 댁으로 가게 된 까닭은 무엇입니까? (   )

① 공부를 하기 위해서
② 과거 시험을 보기 위해서
③ 방학 동안 머물기 위해서
④ 큰아버지의 양자가 되어서
⑤ 부모님이 모두 돌아가셔서

3 '벌목정정 조명앵앵'의 뜻은 무엇인지 선으로 알맞게 이으시오.

| (1) | 벌목정정 | • | | • ① | 새들은 짹짹 울음을 운다. |
| (2) | 조명앵앵 | • | | • ② | 나무 찍는 소리는 쩡쩡 울린다. |

4 주시경은 '벌목정정 조명앵앵'의 뜻을 듣고 어떤 생각을 했는지 ○표를 하시오.

(1) 한문 공부를 더 해야겠구나. (   )
(2) 선생님이 뜻을 잘못 알려 주신 것 같은데? (   )
(3) 처음부터 우리말로 하면 바로 알아들을 텐데. (   )

주시경은 그전에도 한문 ♥글귀를 못 알아들은 적이 몇 번 있었어요. 그때마다 공부를 열심히 안 한 스스로를 탓했지요. 그런데 오늘은 도무지 잘 못했다는 마음이 들지 않았어요.

5 공부를 마치고 집으로 가는 동안 주시경은 골똘히 생각에 잠겼어요.

'나무 찍는 소리 쩡쩡은 쩡이라 읽는 한자가 없어 정을 쓰고, 새 울음소리 짹짹도 짹이라 읽는 한자가 없어 새가 운다는 뜻의 한자 앵을 쓴 거

10 야. '쩡쩡'과 '짹짹'이라 쓰면 훨씬 알아듣기 쉽고 본디 소리에도 가까운데 말이야.'

주시경은 답답한 마음에 철퍼덕 주저앉았어요. 그리고는 몇 해 전 배운 한글을 흙바닥에 ♥끼적였어요. 십 년을 넘게 배워도 아직 다 깨우치지 못한

15 한문과 달리 한글은 며칠 만에 읽고 쓸 수 있었어요.

그날 이후 주시경은 점점 한글에 빠져들었어요.

중심 내용 주시경은 한문보다 배우기 쉬운 한글에 관심을 두게 되었다.

❸ 1894년 열아홉 살이 된 주시경은 ♥배재학당에 입학해 지리, 수학, 영어 등 여러 가지를 공부하며

한글 연구에 필요한 지식을 다져 나갔어요. 주시경은 집안 형편이 어려워 수업이 끝나면 인쇄소에서 일하며 생활에 필요한 돈을 마련해야 했지요. ㉠집에 돌아오면 몹시 피곤했지만 주시경은 한글을 연구했어요.

5 당시 우리나라에는 사람들이 두루 볼 만한 우리말 문법책이 없었어요. 많은 사람이 한문만을 글로 여기고 우리글에는 관심을 가지지 않았기 때문이지요. 주시경은 사람들이 쉽게 알아볼 수 있는 우리말 문법책을 만들기로 마음먹었어요. 도움이

10 될 만한 자료가 있다는 얘기를 들으면 먼 길도 마다하지 않고 찾아갔어요. 빌려 봐야 하는 자료는 일일이 베껴서 모았지요.

중심 내용 주시경은 배재학당에 입학해 한글을 연구하며 우리말 문법책을 만들기로 마음먹었다.

♥글귀 글의 구나 절.

♥끼적였어요 글씨나 그림 따위를 아무렇게나 쓰거나 그렸어요.

♥배재학당 조선 고종 22년(1885)에 미국의 북감리회 선교사인 아펜젤러가 서울에 세운 우리나라 최초의 근대식 사립 학교.

📖 교과서 문제

5 주시경이 한글에 관심을 두게 된 까닭은 무엇인지 알맞은 말에 ○표를 하시오.

> (1) (한글, 한문)은 그 한자들의 뜻을 알기 위해 다시 우리말로 풀이해야 하지만 (2) (한글, 한문)은 며칠 만에 읽고 쓸 수 있어서이다.

📖 교과서 문제

6 1894년에 주시경이 한 일은 무엇입니까?
( )

① 과거를 보았다.
② 독립운동을 했다.
③ 독립신문을 만들었다.
④ 배재학당에 입학했다.
⑤ 한문 공부를 다시 하기 시작했다.

핵심

7 ㉠에서 알 수 있는 주시경의 마음은 무엇입니까? ( )

① 유명해지고 싶은 마음
② 한글을 사랑하는 마음
③ 돈을 많이 벌고 싶은 마음
④ 다른 사람을 배려하는 마음
⑤ 다양한 언어를 공부하고 싶은 마음

8 당시 우리나라에 우리말 문법책이 없었던 까닭을 두 가지 고르시오. (,)

① 한문만 글로 여겨서
② 인쇄 기술이 부족해서
③ 우리글에 관심을 가지지 않아서
④ 우리말 문법 관련 자료가 부족해서
⑤ 우리말 문법책이 필요한 사람이 없어서

④ 1906년 주시경은 『대한 국어 문법』이라는 책을 펴냈어요. 이 책에는 한글과 우리말을 바르게 사용하기 위한 규칙인 문법이 실려 있었어요. 그 후로 주시경은 사람들에게 한글을 연구하는 학자로 널리 알려졌어요. 여기저기에서 한글을 가르쳐 달라고 주시경에게 부탁을 해 왔어요. 이 무렵은 다른 나라들이 서로 우리나라를 차지하려고 다투던 시기였어요. 우리나라는 힘이 없었지요. 주시경은 이런 어려운 때일수록 우리글이 힘이 될 거라고 생각하며 한글을 가르쳐 달라는 곳이 있으면 어디든지 달려갔어요. 주시경은 한글을 가르치며 늘 우리글을 아끼고 사랑하는 것이 나라를 사랑하는 길이라는 것을 ♥강조했어요.

"주 ♥보따리 오신다!"

학교에 들어설 때마다 학생들이 주시경을 알아보고 소리쳤어요. 주시경은 늘 ♥두루마기를 차려입고 옆구리에 커다란 보따리를 들고 다녔어요. 그래서 '주 보따리'라는 별명이 붙었지요.

그 안에는 학생들을 가르칠 책과 여러 자료가 있었어요. 주시경은 우리글을 연구하는 일 못지않게 우리글을 가르치는 일도 중요하다고 생각했어요. 주시경은 한글을 가르치기 위해 보따리를 들고 이곳저곳을 찾아다녔어요.

중심 내용 주시경은 『대한 국어 문법』이라는 책을 펴냈고, 이곳저곳을 찾아다니며 한글을 가르쳤다.

♥강조(强 강할 강, 調 고를 조) 어떤 부분을 특별히 강하게 주장하거나 두드러지게 함.

♥보따리 보자기에 물건을 싸서 꾸린 뭉치.

♥두루마기 우리나라 고유의 옷옷. 주로 외출할 때 입으며, 옷자락이 무릎까지 내려온다.

교과서 핵심 ◉한글을 사랑하고 아끼는 주시경의 행동
• 한글에 관심을 두고 한글을 연구했다.
• 『대한 국어 문법』이라는 우리말 문법책을 펴냈다.
• 여러 곳을 찾아다니며 한글을 가르쳤다.

📖 교과서 문제

9 1906년에 주시경이 펴낸 우리말 문법책은 무엇입니까?

(   )

📖 교과서 문제

10 주시경에게 '주 보따리'라는 별명이 붙은 까닭은 무엇입니까? (   )

① 보자기를 만드는 일을 해서
② 늘 두루마기를 차려입고 다녀서
③ 보따리에 물건을 넣고 다니며 팔아서
④ 들고 다니는 보따리를 자주 잃어버려서
⑤ 학생들을 가르칠 책과 여러 자료가 들어 있는 보따리를 들고 다녀서

핵심

11 한글을 사랑하는 마음이 드러난 주시경의 행동을 두 가지 고르시오. (,   )

① 인쇄소에서 일을 했다.
② 보따리를 가지고 다녔다.
③ 두루마기를 입고 다녔다.
④ 우리말 문법책을 펴냈다.
⑤ 여러 곳을 찾아다니며 한글을 가르쳤다.

서술형

12 우수한 한글을 소중히 여기는 마음을 담아 표어를 만들어 쓰시오.

_____

_____

실천

● 학교 주변에서 볼 수 있는 간판을 살펴보기

• 그림 설명: 학교 주변에서 볼 수 있는 간판을 나타낸 그림입니다.

교과서 핵심

◉ 간판을 한글로 쓰면 좋은 점
• 어떤 가게인지 쉽게 알 수 있다.
• 부르기 쉽고 기억하기 좋다.
• 한글의 소중함을 느낄 수 있다.

◉ 한글을 바르게 사용하기 위해 할 수 있는 일
• 먼저 한글에 관심을 가진다.
• 바르고 정확하게 한글을 사용하려고 노력한다.

📖 교과서 문제

1 이 간판에서 찾은 문자를 한글로 알맞게 바꾼 것은 무엇입니까? ( )

① Happy 빵집 → 꿀맛 빵집
② 우리 문방구 → Our 문방구
③ 맛있는 밥집 → 맛있는 食堂
④ 名品 의류 → 깨끗한 세탁소
⑤ Lovely Flower → 향기로운 커피

3 다른 나라 문자로 쓰인 간판을 보면 어떤 생각이 듭니까?

( )

핵심

4 간판을 한글로 쓰면 좋은 점을 알맞게 말한 친구의 이름을 쓰시오.

시안: 한글의 소중함을 느낄 수 있어.
도연: 간판 만드는 돈을 절약할 수 있어.
지원: 어떤 가게인지 잘 모르게 할 수 있어.

( )

📖 교과서 문제

2 이와 같이 간판에 여러 나라 문자를 쓰는 까닭은 무엇이겠습니까? ( )

① 손님을 골라서 받기 위해서
② 복잡한 느낌을 주기 위해서
③ 다른 나라의 문자가 우수해서
④ 한글로 표현하기 어려운 뜻이어서
⑤ 사람들의 눈에 잘 띄게 하기 위해서

역량 논술형

5 한글을 아끼고 바르게 사용하기 위해 자신이 할 수 있는 일을 한 가지 쓰시오.

_____

_____

국어 활동

● 세종 대왕이 한글을 만든 까닭 생각하기

● 한글에 대한 십자말풀이 하기

	㉠				
①		㉡			
		②			
③ 모	음	㉢ 자			
		음			
		자			

가로 열쇠	세로 열쇠
① 백성을 아끼고 사랑하는 정신	㉠ 한글을 만들었을 때의 이름
② 한글을 만든 임금	㉡ 다른 사람에게 도움을 받거나 폐를 끼침. (**예** 한글을 만들기 전 대부분의 백성은 한자를 몰라 한자를 읽으려면 남의 ○○를 져야 했다.)
③ 'ㅏ, ㅑ, ㅓ, ㅕ, ㅗ, ㅛ……'는 ○○자	㉢ 'ㄱ, ㄴ, ㄷ, ㄹ……'은 ○○자

● 글을 읽고 글에서 설명하는 것이 무엇인지 알아보기

『　㉮　』은/는 한글의 자음자와 모음자를 만든 원리를 자세하게 설명해 놓은 책입니다. 이 책을 1940년에야 뒤늦게 발견했기 때문에 그 전까지는 한글 학자들도 한글을 만든 원리를 추측할 수밖에 없었습니다. 『　㉮　』은/는 유네스코가 세계 기록 유산으로 지정한 소중한 우리 문화유산입니다.

---

1 세종 대왕이 한글을 만든 까닭을 알아보고, 알맞은 것에 모두 ○표를 하시오.

(1) 신하들이 글을 제대로 쓰지 못해서 　(　　)

(2) 우리말을 한자로 옮기는 것이 어려워서 　(　　)

(3) 글을 몰라 어려움을 겪는 백성이 많아서 　(　　)

2 십자말풀이의 빈칸에 들어갈 낱말을 각각 쓰시오.

(1) ① : (　　　　　　)

(2) ㉠ : (　　　　　　)

(3) ② : (　　　　　　)

3 ㉮에 공통으로 들어갈 말을 쓰시오.

(　　　　　　　　)

기본 · 179~181 쪽 | **한글의 특성 이해하기**

● 한글의 자음자 가운데에서 규칙에 따라 서로 짝을 이루는 것 살펴보기

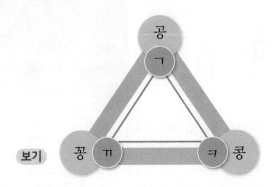

보기

4 보기의 그림을 보고 빈칸에 알맞은 낱말을 쓰시오.

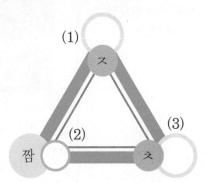

기초 다지기 | **복수 표준어 알기**

5 무엇이 옳은지 생각하며 다음 대화를 살펴보고, 옳은 낱말을 <u>모두</u> 찾아 ○표를 하시오.

(1) 자장면 (　　) (2) 짜장면 (　　) (3) 짬뽕 (　　) (4) 잠봉 (　　)

6 '자장면', '짜장면'과 같은 낱말의 예를 더 찾아 쓰시오.

이렇게 써야 했어요	이제는 이렇게 써도 돼요
태껸	(1)
예쁘다	(2)

단원 마무리

준비 ·····

**❯ 문자가 필요한
까닭 알기**

문자가 없었을 때	그림 문자를 사용했을 때	문자를 사용할 때
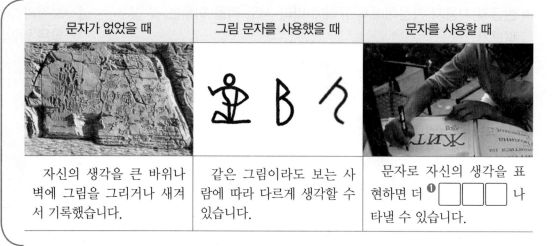		
자신의 생각을 큰 바위나 벽에 그림을 그리거나 새겨서 기록했습니다.	같은 그림이라도 보는 사람에 따라 다르게 생각할 수 있습니다.	문자로 자신의 생각을 표현하면 더 ❶ □□□ 나타낼 수 있습니다.

기본 ·····

**❯ 한글을 만든 과정
이해하기**

1. 세종 대왕이 한글을 만든 까닭

여기 뭐라고 적힌 거야?

한자로 쓰여 있으니 암만 봐도 모르겠군.

저기 그림이라도 봐야지!

에이, 그거 읽다가 해 넘어가겠어!

백성을 가르치고자 펴낸 책들이 제구실을 못 하는구나.

글을 읽지 못하니 무슨 소용이람?

임금님께서 농사 잘 지으라고 책을 만드셨다는데 봤는가?

글을 몰라 억울한 일을 당하는 사람이 어디 한둘인가?

자네, 돌쇠 소식 들었는가?

먹고살기도 바쁜데 언제 글을 배우겠나?

한글이 없던 시절, 문자를 알지 못해 어려움을 겪거나 억울한 일을 당하는 백성이 많았습니다.

우리말을 적을 ❷ □□ 이/가 필요하다고 생각했습니다.

2. 세종 대왕이 한글을 만든 과정

• 말소리를 연구한 책을 구해 읽으며 문자를 연구함. • 신하들의 반대를 피해 새로운 문자 만드는 일을 비밀에 부침.	→	• 세종은 눈이 나빠져도 문자를 계속 연구함. • ❸ □□□□ 28자를 완성함.

→ • 억울한 일을 당하는 사람들이 줄어듦.
• 한글로 책을 읽거나 편지를 쓰는 사람이 늘어남.

기본

≫ 한글의 특성
이해하기

◉ 「한글이 위대한 이유」를 읽고 한글의 우수한 점 정리하기

제자 원리가 독창적이고 과학적인 문자
모음자는 하늘, 땅, 사람을 본떠 만들었고, 자음자는 발음 기관의 모양을 본떠 만들었습니다.

쉽고 빨리 배울 수 있는 문자
기본이 되는 자음자 다섯 개, 모음자 세 개만 익히면 다른 문자도 쉽게 익힐 수 있습니다.

한글의
우수한 점

적은 수의 문자로 많은 소리를 적을 수 있는 음소 문자
자음자와 모음자 스물넉 자의 문자로 많은 음절을 적을 수 있습니다.

❹ [ ][ ][ ]에 적합한 문자
휴대 전화의 한글 자판은 한글의 자음자와 모음자의 획을 더하는 원리에 기초하여 설계되었습니다.

기본

≫ 한글을 소중히
여기는 마음
지니기

◉ 「주시경」을 읽고 주시경이 살아온 삶을 연표로 나타내고, 한글을 사랑하는 마음 말하기

때	있었던 일
1876년	태어남.
1894년	❺ [ ][ ][ ][ ]에 입학함.
1906년	『대한 국어 문법』이라는 책을 펴냄.

주시경이 어려운 한자 대신 우리말을 연구해 많은 사람에게 알린 마음을 되새겨서 우리도 생활 속에서 외국어 대신 한글을 바르게 쓰도록 노력해야겠다.

실천

≫ 한글을 바르게
사용하기

1. 학교 주변에서 볼 수 있는 간판에서 문자를 한글로 바꿀 수 있는 간판을 찾아 바꾸기

2. 간판을 한글로 쓰면 좋은 점

- 어떤 가게인지 쉽게 알 수 있습니다.
- 부르기 쉽고 기억하기 좋습니다.
- 한글의 ❻ [ ][ ][ ]을/를 느낄 수 있습니다.

1 다음 사진을 통해 알 수 있는 사실은 무엇인 지 ○표를 하시오.

▲ 아르헨티나 리오 핀투라스 암각화

(1) 옛날 사람들도 우수한 문자를 가지고 있었다. ( )

(2) 문자가 없었을 때에는 큰 바위나 벽에 그림을 그리거나 새겨서 생각을 기록 했다. ( )

2~3 다음을 보고, 물음에 답하시오.

2 왕을 뜻하는 그림 문자는 무엇입니까?
( )

3 ㉠~㉢ 중 물을 뜻하는 그림 문자는 무엇이 겠습니까?

( )

4~6 만화를 읽고, 물음에 답하시오.

4 농부들이 세종 대왕이 펴낸 책을 읽지 못하는 까닭은 무엇입니까? ( )

① 글을 몰라서 ② 관심이 없어서
③ 농사일이 바빠서 ④ 도움이 안 되어서
⑤ 신하들이 방해해서

중요
5 그림 ❷에서 세종 대왕의 마음은 어떠하겠습 니까? ( )

① 화나는 마음 ② 부러운 마음
③ 고마운 마음 ④ 부끄러운 마음
⑤ 안타까운 마음

서술형
6 이 만화의 내용으로 보아 세종 대왕이 한글을 만든 까닭은 무엇일지 쓰시오.

_____

_____

7 한글의 자음자와 모음자를 만든 원리를 자세하게 설명해 놓은 책으로, 유네스코에서 세계 기록 유산으로 지정한 것은 무엇입니까?

( )

① 『삼국유사』　　② 『삼국사기』
③ 『팔만대장경』　④ 『조선왕조실록』
⑤ 『훈민정음해례본』

8~10 글을 읽고, 물음에 답하시오.

㉠ 나라가 안정을 되찾자 세종은 새로운 문자를 만드는 일에 온 힘을 기울였습니다. 가장 먼저 한 일은 구해 온 책을 읽는 것이었습니다.
㉡ 세종 또한 새 문자를 만드는 일을 철저히 비밀에 부쳤습니다. 신하들 중에는 중국의 문자인 한자를 쓰는 데 자부심을 느끼는 이가 많아 그들이 새 문자를 만들고 있다는 사실을 알았다가는 벌 떼처럼 들고일어날 게 뻔했기 때문입니다.
㉢ 오랜 시간을 묵묵히 연구한 끝에 세종은 '훈민정음' 28자를 완성했습니다.

8 나라가 안정을 되찾자 세종은 무엇에 힘을 기울였습니까?

( )

9 신하들이 새로운 문자를 만드는 일을 반대하는 까닭은 무엇입니까? ( )

① 세종을 못마땅하게 생각해서
② 나라가 위기에 처할 수 있어서
③ 백성의 원망이 심해질 수 있어서
④ 한자를 쓰는 데 자부심을 느껴서
⑤ 세종의 건강이 나빠질 것을 염려해서

10 세종은 오랜 시간을 연구한 끝에 무엇을 완성했는지 쓰시오.

( )

11~14 글을 읽고, 물음에 답하시오.

㉮ 재러드 다이아몬드라는 학자는 한글은 독창성이 있고 과학적인 문자라고 칭찬하면서 한국인의 문맹률이 낮은 것은 바로 한글 덕분이라고 말하였다.
㉯ 첫째, 한글은 그 제자 원리가 독창적이고 과학적인 문자이다. 한글 모음자의 경우 하늘, 땅, 사람을 본떠 각각 'ㆍ', 'ㅡ', 'ㅣ'의 기본 문자를 먼저 만들고, 이 기본 문자를 합쳐 'ㅗ', 'ㅏ', 'ㅜ', 'ㅓ'와 같은 나머지 모음자를 만들었다.
　한글 자음자의 경우 발음 기관의 모양을 본떠 'ㄱ, ㄴ, ㅁ, ㅅ, ㅇ'의 기본 문자를 만들고, 이 기본 문자에 획을 더하거나 같은 문자를 하나 더 써서 'ㅋ, ㄲ'과 같은 자음자를 만들었다.

11 재러드 다이아몬드는 한국인의 문맹률이 낮은 것은 무엇 덕분이라고 했는지 쓰시오.

( )

12 한글의 자음자와 모음자 중 하늘, 땅, 사람을 본떠 만들어진 것은 무엇입니까?

( )

13 오른쪽 문자 형태와 관계 있는 발음 기관의 모양은 무엇입니까? ( )

① 입 모양　　② 목구멍의 모양
③ 이 모양　　④ 혀가 윗잇몸에 닿는 모양
⑤ 혀뿌리가 목구멍을 막는 모양

14 기본 문자를 바탕으로 하여 나머지 문자를 만든 원리는 무엇인지 쓰시오.

(1) 모음자	
(2) 자음자	

15~17 글을 읽고, 물음에 답하시오.

> ㉮ 1894년 열아홉 살이 된 주시경은 배재학당에 입학해 지리, 수학, 영어 등 여러 가지를 공부하며 한글 연구에 필요한 지식을 다져 나갔어요. 주시경은 집안 형편이 어려워 수업이 끝나면 인쇄소에서 일하며 생활에 필요한 돈을 마련해야 했지요. 집에 돌아오면 몹시 피곤했지만 주시경은 한글을 연구했어요.
>
> ㉯ 1906년 주시경은 『대한 국어 문법』이라는 책을 펴냈어요. 이 책에는 한글과 우리말을 바르게 사용하기 위한 규칙인 문법이 실려 있었어요. 그 후로 주시경은 사람들에게 한글을 연구하는 학자로 널리 알려졌어요. 여기저기에서 한글을 가르쳐 달라고 주시경에게 부탁을 해 왔어요. 이 무렵은 다른 나라들이 서로 우리나라를 차지하려고 다투던 시기였어요. 우리나라는 힘이 없었지요. 주시경은 이런 어려운 때일수록 우리글이 힘이 될 거라고 생각하며 한글을 가르쳐 달라는 곳이 있으면 어디든지 달려갔어요. 주시경은 한글을 가르치며 늘 우리글을 아끼고 사랑하는 것이 나라를 사랑하는 길이라는 것을 강조했어요.

15 주시경이 언제 어떤 일을 했는지 알맞게 선으로 이으시오.

(1) 1894년 •

(2) 1906년 •

• ㉠ 『대한 국어 문법』을 펴냈다.

• ㉡ 배재학당에 입학했다.

16 『대한 국어 문법』은 어떤 책입니까? ( )

① 우리말 문법을 설명한 책
② 우리나라 역사를 소개한 책
③ 우리나라의 독립을 주장한 책
④ 세종 대왕의 일생을 소개한 책
⑤ 여러 나라의 문법을 비교한 책

17 주시경이 여러 곳을 찾아다니며 한글을 가르친 까닭을 두 가지 고르시오. (,)

① 자신이 쓴 책을 팔기 위해서
② 생활에 필요한 돈을 마련해야 해서
③ 집안 형편이 어려운 학생을 도와주기 위해서
④ 한글을 널리 알리고, 더 많은 사람이 잘 쓰게 하기 위해서
⑤ 한글을 가르치는 것이 나라의 힘을 기르는데 도움이 된다고 여겨서

중요
18 다음 중 한글을 소중히 여기는 마음이 담긴 표어가 아닌 것은 무엇입니까? ( )

① 한글, 고맙고 소중한 우리글
② 고운 우리말로 바르게 자라는 나
③ 바르게 쓴 한글, 나라를 키우는 힘
④ 아껴 쓰고 나눠 쓰고 다시 쓰는 습관
⑤ 한글 사랑 나라 사랑 한글 지킴 나라 지킴

19 한글로만 쓰인 간판을 두 가지 고르시오. (,)

① 名品 의류
② 우리 문방구
③ 맛있는 밥집
④ Happy 빵집
⑤ Lovely Flower

20 한글을 아끼고 바르게 사용하기 위해 할 수 있는 일을 알맞게 말한 친구의 이름을 쓰시오.

> 지수: 외국어를 적당히 섞어서 쓰면 한글이 더 돋보일 거야.
> 연지: 먼저 한글에 관심을 기울이고, 바르고 정확하게 한글을 사용하려고 노력할래.

( )

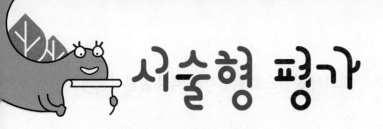

서술형 평가

1 문자가 필요한 까닭이 무엇인지 생각하여 한 가지만 쓰시오.

_____

_____

3 세계의 언어학자들이 한글을 '알파벳의 꿈'이라고 표현한 까닭은 무엇인지 쓰시오.

_____

_____

2~3 글을 읽고, 물음에 답하시오.

셋째, 한글은 쉽고 빨리 배울 수 있는 문자이다. 영어 알파벳이 스물여섯 자이지만, 소문자, 대문자, 인쇄체, 필기체를 알아야 하니 100개가 넘고, 현재 중국어에서 사용하는 문자는 약 3500자이며, 일본의 가나 문자 역시 모든 문자를 따로 익혀야 한다. 반면에 한글은 일정한 원리에 따라 만들어졌기 때문에, 기본이 되는 자음자 다섯 개, 모음자 세 개만 익히면 다른 문자도 쉽게 익힐 수 있어 문자를 배우는 데 드는 시간이 놀랄 만큼 절약된다.

예를 들어 한글의 자음자는 'ㄱ, ㄴ, ㅁ, ㅅ, ㅇ' 등과 같이 기본 문자를 바탕으로 새로운 문자를 만들어 그것들이 서로 연관 있는 소리임을 미루어 짐작할 수 있다. 기본 자음자에 획을 더 그으면 거센소릿자가 되고 겹쳐 쓰면 된소릿자가 된다. 한글의 모음자는 소리의 변화가 없이 한 문자가 한 소리만 나타낸다. 한글의 '아'는 언제나 [아]로만 발음되지만, 영어의 'a'는 낱말에 따라 여러 가지로 발음되기 때문에 영어는 발음법을 배우는 데 상당한 노력을 기울여야 한다. 이렇게 한글이 배우기 쉽고 과학적인 까닭에 세계 언어학자들은 한글을 '알파벳의 꿈'이라고 표현한다.

2 이 글에서 설명하고 있는 한글이 지닌 특성을 쓰시오.

_____

_____

4~5 글을 읽고, 물음에 답하시오.

㉮ 당시 우리나라에는 사람들이 두루 볼 만한 우리말 문법책이 없었어요. 많은 사람이 한문만을 글로 여기고 우리글에는 관심을 가지지 않았기 때문이지요. 주시경은 사람들이 쉽게 알아볼 수 있는 우리말 문법책을 만들기로 마음먹었어요. 도움이 될 만한 자료가 있다는 얘기를 들으면 먼 길도 마다하지 않고 찾아갔어요. 빌려 봐야 하는 자료는 일일이 베껴서 모았지요.

㉯ 그 후로 주시경은 사람들에게 한글을 연구하는 학자로 널리 알려졌어요. 여기저기에서 한글을 가르쳐 달라고 주시경에게 부탁을 해 왔어요. 이 무렵은 다른 나라들이 서로 우리나라를 차지하려고 다투던 시기였어요. 우리나라는 힘이 없었지요. 주시경은 이런 어려운 때일수록 우리글이 힘이 될 거라고 생각하며 한글을 가르쳐 달라는 곳이 있으면 어디든지 달려갔어요. 주시경은 한글을 가르치며 늘 우리글을 아끼고 사랑하는 것이 나라를 사랑하는 길이라는 것을 강조했어요.

4 주시경이 우리말 문법책을 쓴 까닭이 무엇인지 쓰시오.

_____

_____

5 주시경이 살던 시기의 우리나라의 상황은 어떠했는지 쓰시오.

_____

_____

낱말 퀴즈

● 다음 교과서 문장의 파란색 낱말 중에서 알맞은 것을 골라 인물들이 한 말을 완성하시오.

- 한자로 쓰여 있으니 암만 봐도 모르겠군.
- 백성을 가르치고자 펴낸 책들이 제구실을 못 하는구나.
- 지금도 온 세상이 눈을 감은 듯 캄캄한데, 조만간 영영 시력을 잃을지도 몰랐습니다.

10

인물의 마음을 알아봐요

무엇을 배울까요?

준비

● 표정이나 행동으로 인물의 마음 짐작하기

기본

● 인물의 마음을 짐작하며 만화 읽기

● 만화를 읽고 인물의 마음 표현하기

● 인물의 마음을 짐작하며 만화 영화 보기

실천

● 재미있었던 일을 만화로 표현하기

핵심 확인문제

정답과 해설 ● 37쪽

1 만화를 읽을 때 인물의 마음을 짐작하는 방법

① 인물의 표정이나 행동을 살펴봅니다.

② 말풍선의 내용과 함께 그 모양도 살펴보는 것이 좋습니다.

③ 인물뿐만 아니라 만화의 배경 색이나 배경에 그려진 다양한 효과로도 인물의 마음을 짐작할 수 있습니다.

예 「수업 시간에」의 장면을 보고 인물의 마음을 짐작하는 방법 알아보기

방법	장면	인물의 마음 예
인물의 표정 살펴보기		이마에 땀이 나고 눈을 작게 뜨고 있는 것으로 보아 긴장하고 있는 것 같습니다.
인물의 행동 살펴보기		두 손으로 얼굴을 가리고 있는 것으로 보아 부끄러워하는 것 같습니다.
말풍선 살펴보기	아, 너무 창피해	말풍선이 울퉁불퉁하고 물결 모양인 것으로 보아 떨리는 마음인 것 같습니다.
만화의 배경 효과 살펴보기		검은색 세로선이 여러 개 그려져 있는 것으로 보아 우울한 기분인 것 같습니다.

2 만화를 읽고 인물의 마음을 실감 나게 표현하는 방법

① 표정이나 행동을 조금 과장해서 표현하면 더 실감이 납니다.

② 그 상황에 어울리는 소리를 내면 좋습니다.

③ 상황에 어울리는 말투와 몸짓으로 표현해야 합니다.

예 「두근두근 탐험대」에서 한 장면을 골라 인물의 마음을 실감 나게 표현하기

호기심 어리고 기대되는 표정을 지으며 크고 높은 목소리로 표현합니다.

재밌겠다! 타자, 타!

야!

놀란 목소리로 머뭇거리는 표정을 지으며 표현합니다.

3 재미있었던 일을 만화로 표현하기

① 재미있었던 일을 떠올려 보고 이야기의 차례를 정해 봅니다.

② 인물의 마음을 표현하는 방법을 생각하며 재미있었던 일을 만화로 나타내 봅니다.

---

1 만화를 읽을 때 인물의 마음을 짐작하기 위해 살펴보아야 할 것에 모두 ○표를 하시오.

(1) 인물의 옷과 신발

( )

(2) 인물의 표정이나 행동

( )

(3) 만화의 배경 색과 효과

( )

2 말풍선의 모양으로는 인물의 마음을 짐작할 수 없습니다.

(○ , ×)

3 다음 장면에서 알 수 있는 인물의 마음은 무엇입니까?

( )

4 만화를 읽고 인물의 마음을 실감 나게 표현하려면 표정이나 행동을 조금 ☐☐해서 표현합니다.

5 재미있었던 일을 만화로 표현할 때 인물의 ☐☐을/를 표현하는 방법을 생각합니다.

준비

표정이나 행동으로 인물의 마음 짐작하기

정답과 해설 ● 37쪽

● 어떤 상황에서 ㉮~㉺와 같은 표정을 짓거나 행동을 하는지 알아보기

㉮

㉯

㉰

㉱

㉲

• 그림 설명: 아이들이 여러 가지 표정과 행동으로 자신의 마음을 표현하고 있습니다.

교과서 핵심

● 표정이나 행동으로 인물의 마음 짐작하기 예

㉮	날아갈 것 같은 마음
㉯	깜짝 놀라고 무서운 마음
㉰	피곤하고 지친 마음
㉱	수줍고 부끄러운 마음
㉲	외롭고 슬픈 마음

📖 교과서 문제

1 그림 ㉮와 ㉯의 인물의 표정과 행동에 알맞은 마음을 선으로 이으시오.

(1) 그림 ㉮ •

(2) 그림 ㉯ •

• ① 날아갈 것 같은 마음

• ② 깜짝 놀라고 무서운 마음

2 그림 ㉰의 인물은 어떤 행동을 하고 있습니까? ( )

① 화를 내고 있다.
② 수줍게 웃고 있다.
③ 양팔을 들고 있다.
④ 하품을 하고 있다.
⑤ 무릎을 세우고 울고 있다.

📖 교과서 문제

3 그림 ㉰의 인물과 같은 행동을 하는 때는 언제입니까? ( )

① 산에서 뱀을 봤을 때
② 잠잘 시간이 되었을 때
③ 친구들과 재미있게 놀 때
④ 선생님께 꾸중을 들을 때
⑤ 재미있는 만화 영화를 볼 때

핵심

4 그림 ㉱와 ㉲ 중 다음과 같은 마음을 짐작할 수 있는 것은 어느 것입니까?

수줍고 부끄러운 마음

( )

◀ 인물의 마음을 생각하며
만화 읽기

수업 시간에

· 글: 박현진 · 그림: 윤정주

· **만화 설명**: 수업 시간에 발표하는 것을 무서워하는 소민이의 마음이 잘 나타나 있습니다.

교과서 핵심

● 만화에서 인물의 마음 짐작하기 ①

➡ 땀방울과 입술과 눈의 모양을 보고 철민이가 당황했음을 알 수 있다.

📖 교과서 문제

1 철민이가 소민이에게 "야, 어디부터냐?"라고 물은 까닭은 무엇입니까? ( )

① 책을 읽기 싫어서
② 수업을 듣기 싫어서
③ 소민이와 놀고 싶어서
④ 소민이를 골려 주고 싶어서
⑤ 수업에 집중을 하지 않아서

핵심
2 장면 ①에서 철민이의 마음은 어떠하겠습니까? ( )

① 당황스럽다.
② 즐겁고 재미있다.
③ 자신이 자랑스럽다.
④ 속상하고 화가 난다.
⑤ 소민이와 친하게 지내고 싶다.

3 철민이가 책을 읽을 때 소민이가 깜짝 놀란 까닭은 무엇입니까? ( )

① 철민이가 장난을 쳐서
② 철민이가 책을 잘 읽어서
③ 철민이가 엉뚱한 곳을 읽어서
④ 철민이의 목소리가 너무 커서
⑤ 철민이가 글자를 틀리게 읽어서

역량
4 장면 ④에서 선생님의 마음을 바르게 짐작한 친구는 누구입니까?

은지: 말풍선의 내용으로 보아 선생님은 소민이에게 화가 나신 것 같아.
유형: 선생님의 머리 모양과 얼굴 색으로 보아 선생님은 배가 몹시 고프신 것 같아.
지수: 선생님의 이마에 그려진 표시와 눈썹과 입의 모양으로 보아 선생님은 철민이에게 화가 나신 것 같아.

( )

♥괭이질 괭이로 땅을 파는 일.
♥괭이 땅을 파거나 흙을 고르는 데 쓰는 농기구.

교과서 핵심

● 만화에서 인물의 마음 짐작하기 ②

➡ 말풍선의 내용과 얼굴 표정, 배경에 그려진 선을 보고 긴장했음을 알 수 있다.

📖 교과서 문제

5 선생님은 소민이에게 어떤 말을 했습니까? ( )

① 큰 소리로 잘 읽었다고 하셨다.
② 철민이와 떠들지 말라고 하셨다.
③ 다음부터는 느리게 읽으라고 하셨다.
④ 다음부터는 딴짓을 하지 말라고 하셨다.
⑤ 다음부터는 좀 더 크게 읽으라고 하셨다.

핵심

6 장면 ⑧에서 소민이의 마음을 짐작할 수 있는 부분을 세 가지 고르시오. (, ,)

① 말풍선   ② 얼굴 표정
③ 소민이의 옷   ④ 배경에 칠해진 색
⑤ 배경에 그려진 선

7 이 만화의 내용으로 보아 소민이의 성격은 어떠한지 쓰시오.

( )

8 오른쪽 그림에서 인물의 마음을 짐작할 수 없는 부분은 무엇입니까? ( )

① 눈썹 모양
② 이마의 땀
③ 커진 입 모양
④ 인물 뒤편 배경
⑤ 말풍선 테두리 모양

♥확실(確 굳을 확, 實 열매 실)해 틀림 없이 그러해.

♥자신(自 스스로 자, 信 믿을 신) 어떤 일을 해낼 수 있다거나 어떤 일이 꼭 그렇게 되리라는 데 대하여 스스로 굳게 믿음. 또는 그런 믿음.
㉠ 넌 할 수 있어. 자신을 가져.

교과서 핵심

● 만화에서 인물의 마음 짐작하기 ③

➡ 머리 뒤에 그린 선과 큰 눈 모양을 보고 깜짝 놀랐음을 알 수 있다.

---

9 철민이는 소민이에게 무엇을 물어보았습니까?

( )

10 장면 ⑬에서 알 수 있는 소민이의 마음은 무엇입니까? ( )

① 지루한 마음
② 부러운 마음
③ 재미있는 마음
④ 자랑스러운 마음
⑤ 자신이 없는 마음

핵심

11 장면 ⑭에서 알 수 있는 소민이의 마음과 그렇게 생각한 까닭을 쓰시오.

(1) 소민이의 마음	
(2) 그렇게 생각한 까닭	

12 장면 ⑯에서 배경 색으로 소민이의 어떤 마음을 알 수 있는지 쓰시오.

( )

♥**화끈화끈** 몸이나 쇠 따위가 뜨거운 기운을 받아 잇따라 갑자기 달아오르는 모양.
♥**망신**(亡 망할 **망**, 身 몸 **신**) 말이나 행동을 잘못하여 자기의 지위, 명예, 체면 따위를 손상함.

교과서 핵심

○ **만화에서 인물의 마음 짐작하기 ④**

➡ 아이들 머리 위에 그려진 선과 크게 벌린 입을 보고 아이들이 감탄하고 있다는 것을 알 수 있다.

---

13 앞에 나와 문제를 풀면서 소민이는 무엇을 걱정했는지 두 가지를 고르시오. (　 , 　)

① 답이 틀릴까 봐
② 분필이 부러질까 봐
③ 칠판에 글씨를 잘 못 쓸까 봐
④ 선생님께서 꾸중을 하실까 봐
⑤ 얼굴이 빨개졌다고 친구들이 놀릴까 봐

서술형

14 소민이가 답이 틀렸다고 생각한 까닭을 쓰시오.

_____

_____

핵심

15 장면 ⑲에서 배경에 작게 그려진 아이들의 마음을 생각하며 알맞은 말에 ○표를 하시오.

> 아이들 머리 위에 그려진 선과 크게 벌린 입을 볼 때 아이들이 (감탄하고 , 비웃고) 있다는 것을 알 수 있다.

16 장면 ⑳에서 알 수 있는 소민이의 마음으로 알맞지 않은 것은 무엇입니까? (　)

① 기쁘다.　　　② 다행스럽다.
③ 당황스럽다.　④ 안심이 된다.
⑤ 긴장이 풀렸다.

◀: 인물의 마음을 생각하며 만화 읽기

두근두근 탐험대

김홍모

❶ 이게 대체 어떻게 된 거지?

❷ 쿵—

❸ 저긴 ♥분명히 겨울인데 웅웅

❹ 여기는 더워!

❺ 이제 어떡하지? 배도 ♥망가지고 …… 그래도 가방은 안 잃어버렸어. 으~ 덥다

❻ 일단 산 위로 올라가서 보자.

❼ 이런! 어떡해. 수우야, 무서워! 울지 마. 울지 마. 길을 잃은 것 같아. 위에 올라가면 뭐가 보이겠지.

• 만화 설명: 아이들이 용들이 살고 있는 용의 나라에 가게 되는 이야기로, 즐겁고 신나는 모험이 펼쳐집니다.

♥분명(分 나눌 분, 明 밝을 명)히 어떤 사실이 틀림이 없이 확실하게.

♥망가지고 부서지거나 찌그러져 못 쓰게 되고.

교과서 핵심

◉ **인물의 마음 실감 나게 표현하기** ①

이게 대체 어떻게 된 거지?

➡ 당황한 표정으로 궁금하다는 듯이 말한다.

---

1 아이들이 도착한 곳의 날씨는 어떠했습니까?
（　　　　　　　　　）

📖 교과서 문제

2 산에 처음 도착했을 때 아이들은 어떻게 했는지 두 가지를 고르시오.　（　　,　　）

① 계곡물을 마셨다.
② 나무 열매를 따 먹었다.
③ 입고 있던 겨울옷을 벗었다.
④ 산에 도착한 것을 기뻐했다.
⑤ 산 위에 올라가 보기로 했다.

핵심
3 장면 ❶에서 인물의 말을 어떻게 읽으면 좋을지 알맞게 말한 친구는 누구입니까?

주민: 안심하는 표정으로 천천히 읽어야겠어.
유리: 당황한 표정으로 궁금하다는 듯이 읽는 것이 좋아.
민수: 뿌듯한 표정과 신나는 목소리로 읽는 것이 어울려.

（　　　　　　　　　）

4 장면 ❼의 "어떡해. 수우야, 무서워!"에 나타난 인물의 마음은 무엇입니까?　（　　　）

① 겁난다.　② 즐겁다.　③ 신난다.
④ 화난다.　⑤ 약오른다.

▼꼭대기 높이가 있는 사물의 맨 위쪽.
예 나무 꼭대기에 새가 한 마리 앉아
있다.

교과서 **핵심**

○인물의 마음 실감 나게 표현하기 ②

➡ 힘들고 지친 표정과 땀을 닦는
몸짓을 하면서 기운 없는 목소리로
말한다.

5 장면 ❾의 "아이고, 힘들어."에서 알 수 있는
인물의 마음은 무엇입니까? ( )

① 지치고 힘든 마음
② 친구가 보고 싶은 마음
③ 모험을 하며 신나는 마음
④ 배가 불러 움직이기 싫은 마음
⑤ 새로운 곳에 대해 기대하는 마음

핵심

6 5번 문제에서 답한 인물의 마음을 가장 실감
나게 표현한 것에 ○표를 하시오.

(1) 슬픈 표정을 지으며 훌쩍거리는 소리를
낸다. ( )
(2) 땀을 닦는 시늉을 하며 헉헉거리는 소
리를 낸다. ( )
(3) 시원한 바람을 맞는 표정을 지으며 활
짝 웃는다. ( )

7 꼭대기에 도착한 것을 알았을 때 아이들의 마
음은 어떠했겠습니까? ( )

① 슬프다. ② 기쁘다.
③ 화난다. ④ 외롭다.
⑤ 부끄럽다.

8 인물의 마음을 실감 나게 표현하는 방법으로
알맞지 <u>않은</u> 것은 무엇입니까? ( )

① 무조건 큰 소리로 말한다.
② 상황에 어울리는 소리를 낸다.
③ 상황에 어울리는 몸짓을 한다.
④ 상황에 어울리는 말투로 말한다.
⑤ 표정을 조금 과장되게 흉내 낸다.

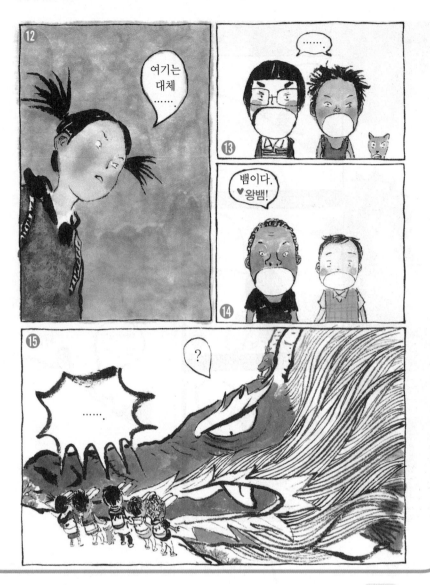

♥왕(王 임금 **왕**)뱀 몸이 큰 뱀.
◉ 산에 갔다가 왕뱀을 보고 깜짝 놀랐다.

교과서 **핵심**

● 인물의 마음 실감 나게 표현하기 ③

➡ 깜짝 놀란 표정을 지으면서 입을 크게 벌린다.

9 아이들이 본 것은 무엇입니까? (   )

① 곰　　　② 양　　　③ 용
④ 사자　　⑤ 호랑이

핵심

10 장면 ⑬과 ⑭에서 아이들의 마음으로 알맞은 것은 무엇입니까? (   )

① 지루한 마음
② 실망한 마음
③ 재미있는 마음
④ 깜짝 놀란 마음
⑤ 배가 고픈 마음

서술형

11 10번 문제에서 답한 아이들의 마음을 실감 나게 표현하려면 어떻게 해야 할지 쓰시오.

_____

_____

12 이 만화 속 아이들과 같은 마음이 들었던 경험을 말한 친구의 이름을 쓰시오.

> 은아: 친하게 지내던 친구가 오늘 전학을 갔어.
> 도희: 숙제를 안 해 와서 선생님께 꾸중을 들었어.
> 장호: 복도를 걸어가고 있는데 친구가 모퉁이에서 갑자기 튀어나왔어.

(   )

♥용(龍 용 용) 상상의 동물 가운데 하나. 몸은 거대한 뱀과 비슷한데 비늘과 네 개의 발을 가지며 뿔은 사슴에, 귀는 소에 가깝다고 한다.

🦉 교과서 **핵심**

● 인물의 마음 실감 나게 표현하기 ④

➡ 크고 높은 목소리로 반가운 표정을 지으며 놀랍다는 듯이 말한다.

📖 교과서 문제

13 용은 아이들을 보고 어떻게 했습니까?
( )

① 겁을 내며 숨었다.
② 사람을 보고 반가워했다.
③ 귀엽게 생겼다며 좋아했다.
④ 아이들을 잡아먹으려고 했다.
⑤ 용의 구역을 침범했다며 화를 냈다.

14 장면 ⑰에서 남자아이는 무엇을 신기해했는지 ○표를 하시오.

(1) 용이 걷는 것 ( )
(2) 용이 말을 하는 것 ( )
(3) 용이 하늘을 나는 것 ( )

핵심

15 이 만화에 나오는 다음 말 중 놀란 마음이 드러나지 <u>않는</u> 것은 무엇입니까? ( )

① 정말?
② 안녕?
③ 엥, 진짜예요?
④ 와, 사람이다. 사람!
⑤ 으아악! 하나가 아니야!

16 아이들은 새끼 용을 보고 어떻게 생각했는지 쓰시오.

( )

♥용궁(龍 용 용, 宮 집 궁) 전설에서, 바닷속에 있다고 하는 용왕의 궁전.

🐌 교과서 핵심

● **인물의 마음 실감 나게 표현하기 ⑤**

➡ **남자아이**: 호기심 어리고 기대되는 표정을 지으며 크고 높은 목소리로 말한다.

➡ **여자아이**: 놀란 목소리로 머뭇거리는 표정을 지으며 말한다.

---

17 용은 아이들을 어디로 초대한다고 했습니까?
( )

📖 교과서 문제

18 장면 ㉓의 "재밌겠다! 타자, 타!"에 나타난 인물의 마음은 무엇입니까? ( )

① 불안한 마음
② 의심스러운 마음
③ 호기심 어린 마음
④ 겁이 나고 무서운 마음
⑤ 미안하고 염치없는 마음

핵심

19 장면 ㉓에서 여자아이의 표정으로 알맞은 것은 무엇입니까? ( )

① 기대되는 표정
② 시큰둥한 표정
③ 후회스러운 표정
④ 머뭇거리는 표정
⑤ 신나고 즐거운 표정

20 장면 ㉔의 "괜찮을까?"는 어떤 목소리로 말하는 것이 어울릴지 ○표를 하시오.

(1) 졸린 목소리로 말한다. ( )
(2) 걱정스러운 목소리로 말한다. ( )
(3) 크고 우렁찬 목소리로 말한다. ( )

10
단원

♥청룡 열차 급경사·급커브의 레일 위나 360도로 돌아가는 레일 위를 아주 빠르게 달리거나 오르내리도록 만들어진 놀이 기구.

교과서 핵심

○ 인물의 마음 실감 나게 표현하기 ⑥

➡ 용: 들떠 있는 표정을 지으면서 하늘을 나는 것처럼 팔을 뒤로 뻗는다.

21 아이들은 용이 무엇보다 더 빠르다고 했습니까?

(   )

핵심
22 장면 ㉖에서 용의 표정과 행동을 살펴보고 알맞게 말한 것에 모두 ○표를 하시오.

(1) 아이들을 너무 많이 태워서 지치고 힘들어 보인다. (   )

(2) 아이들에게 용궁을 구경시켜 줄 마음에 들떠 있는 것 같다. (   )

(3) 눈썹이 흩날리는 모습으로 속도감을 느낄 수 있으며 시원해 보인다. (   )

23 장면 ㉗에 나타난 남자아이의 마음은 무엇이 겠습니까? (   )

① 소희가 안타까운 마음
② 소희에게 화가 나는 마음
③ 소희를 도와주고 싶은 마음
④ 소희를 보기가 부끄러운 마음
⑤ 소희에게 장난을 치고 싶은 마음

24 장면 ㉘의 "아냐!"는 어떤 목소리로 읽는 것이 어울릴지 알맞은 말을 골라 ○표를 하시오.

• (즐거운 , 억울한 , 상냥한) 목소리

기본

인물의 마음을 짐작하며 만화 영화 보기

◀ 인물의 표정과 행동을
살펴보며 만화 영화 보기

밥 묵자

민성아

▲ 소년이 잠자리 다리에 실을 매달아 날려 보내며 놀다가 잠자리를 놓쳤다.

▲ 소년은 놓친 잠자리를 찾아 숲속까지 들어갔다.

▲ 소년은 거미, 사마귀, 도롱뇽, 장수풍뎅이, 꿀벌, 소 등을 만났다.

▲ 집으로 돌아가던 중 무섭게 짖는 개 때문에 소년은 깜짝 놀라 숨었다.

▲ 소년에게 따뜻한 밥을 먹이려고 기다리던 할머니는 고추를 먹는 소년을 보고 어깨를 들썩이며 미소를 지었다.

▲ 고추가 맵지 않다는 할머니의 말을 믿고 고추를 먹은 소년은 매워하며 서둘러 마루 아래로 내려갔다.

• 만화 영화 설명: 시골 소년과 할머니의 모습을 통해 따뜻하고 정겨운 시골의 정취를 느낄 수 있습니다.

교과서 핵심

○ 만화 영화 속 인물의 마음 짐작하기 ①

➡ 소년을 귀여워하시고 사랑하시는 마음이다.

➡ 할머니께 속은 기분이 들고 매워서 놀란 마음이다.

📖 교과서 문제

1 소년은 잠자리를 잡아서 어떻게 했습니까?

(   )

📖 교과서 문제

2 할머니는 왜 소년을 기다렸습니까? (   )

① 잠을 자려고
② 함께 놀려고
③ 심부름을 시키려고
④ 따뜻한 밥을 먹이려고
⑤ 고장 난 것을 고쳐 달라 하려고

3 장면 ⑤에서 할머니의 표정은 어떠한지 ○표를 하시오.

(1) 눈썹을 올리며 찡그리고 있다. (   )
(2) 걱정스러운 눈빛을 하고 있다. (   )
(3) 입꼬리를 올려 미소 짓고 있다. (   )

핵심 서술형

4 장면 ⑥에 나타난 소년의 표정과 행동을 쓰고, 소년의 마음은 어떠할지 쓰시오.

(1) 표정	
(2) 행동	
(3) 마음	

가

▲ 소년이 날아가는 잠자리를 보고 활짝 웃고 있다.

▲ 소년이 길을 가다가 무엇인가를 밟아 그 자리에 멈추었다.

▲ 소년이 무섭게 짖는 개를 피해서 재빨리 뛰어가고 있다.

▲ 소년이 고추가 너무 매워서 콧물을 흘리고 있다.

나

아!

응, 그러면 나도…….
진짜네. 하나도 안 맵네.

1

3

엥? 어?
할머니, 매워?

하나도
안 매워.

으악! 할머니는!
♥겁나 맵잖아.

2

4

♥겁나 '매우'의 방언인 '겁나게'를 줄인 말.

교과서 핵심

● 만화 영화 속 인물의 마음 짐작하기 ②

	신나고 즐거운 마음
	밟은 것이 무엇인지 궁금한 마음
	무섭게 짖는 개가 두려운 마음
	놀라고 당황한 마음

핵심

5 가의 장면 **1**에서 알 수 있는 소년의 마음은 무엇입니까? ( )

① 슬프고 우울한 마음
② 신나고 즐거운 마음
③ 피곤하고 힘든 마음
④ 겁이 나고 무서운 마음
⑤ 화나고 짜증 나는 마음

논술형

6 가의 장면 **2**에서 소년은 어떤 마음일지 짐작하여 쓰시오.

_____

_____

7 나에서 할머니의 마음이 어떠하실지 알맞게 짐작한 친구의 이름을 쓰시오.

> 정국: 소년이 다쳤을까 봐 걱정되실 것 같아.
> 세진: 매운 고추를 따라 먹는 소년이 귀여우실 것 같아.

( )

역량

8 나의 장면 **4**에 나온 소년의 말을 실감 나게 읽은 것은 무엇입니까? ( )

① 낮고 어두운 목소리로 읽는다.
② 즐겁고 밝은 목소리로 읽는다.
③ 놀라고 당황한 목소리로 읽는다.
④ 부끄럽고 수줍은 목소리로 읽는다.
⑤ 졸리고 기운 없는 목소리로 읽는다.

🔊 인물의 표정과 행동에
주의하며 만화 읽기

놓지 마

홍승우

→ 귓구멍 속에
끼인 때

- **만화 설명**: 처음 자전거를 배울 때의 모습을 재미있게 표현했습니다.

❤**순전**(純 순수할 **순**, 全 온전할 **전**)**히** 순수하고 완전하게.
  📄 그 실수는 순전히 내 잘못이었다.

❤**동력**(動 움직일 **동**, 力 힘 **력**) 전기 또는 자연에 있는 에너지를 쓰기
  위하여 기계적인 에너지로 바꾼 것.

📖 교과서 문제

1 아이는 엄마에게 왜 놓지 말라고 했겠습니까?
( )

① 엄마에게 화가 나서
② 엄마가 힘드실까 봐
③ 엄마를 격려해 주려고
④ 넘어질까 봐 겁이 나서
⑤ 엄마를 놀려 주고 싶어서

2 장면 **7**에서 아이의 마음은 어떠하겠습니까?
( )

① 신난다. ② 무섭다. ③ 화난다.
④ 슬프다. ⑤ 이상하다.

3 장면 **10**에서 아이의 마음을 알 수 있는 부분
이 아닌 것은 무엇입니까? ( )

① 눈이 커짐.
② 음표가 그려져 있음.
③ 입이 활짝 웃고 있음.
④ 자전거 페달을 밟고 있음.
⑤ 몸이 두둥실 떠오르는 듯이 표현됨.

4 자신이 겪었던 재미있었던 일을 떠올려 보고 그
때의 마음과 기분을 다음 말풍선 안에 쓰시오.

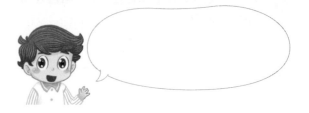

기본 • 198~201 쪽 **인물의 마음을 짐작하며 만화 읽기**

● 그림과 같이 여러 가지 얼굴 표정 그려 보기

● 인물의 마음을 짐작하며 만화 읽기

미리와 준수의 안전 이야기

1 얼굴 표정 **가**~**아** 중 알맞은 것을 찾아 각각 기호를 쓰시오.

(1) 슬픈 표정   (   )

(2) 화가 난 표정   (   )

(3) 쑥스러운 표정   (   )

2 장면 **2**의 표정과 행동을 보고 준수의 마음을 짐작해 쓰시오.

_____

_____

3 장면 **4**에서 준수의 표정과 행동을 보고 알맞게 말한 친구의 이름을 쓰시오.

> 도운: 준수에게 무슨 문제가 생긴 것 같아.
> 수연: 준수가 미리에게 고마움을 표현하는 것 같아.

(   )

4 장면 **6**에서 준수와 미리의 마음을 짐작한 것으로 알맞은 것에 각각 이름을 쓰시오.

(1) 아파하는 것 같다.

(   )

(2) 걱정하는 것 같다.

(   )

5 장면 **8**에서 준수의 마음은 어 떠합니까? ( )

① 미리가 얄밉다.
② 약을 먹기 싫다.
③ 목이 너무 마르다.
④ 미리에게 미안하다.
⑤ 빨리 약을 먹고 싶다.

6 인물의 마음을 짐작하는 방법 으로 알맞은 것을 모두 찾아 ○ 표를 하시오.

(1) 인물의 표정을 살펴본다.
( )
(2) 인물이 한 말을 살펴본 다. ( )
(3) 인물이 말하는 의도를 알 아본다. ( )
(4) 사건의 전개를 자연스럽 게 꾸민다. ( )

기초 다지기 형태가 바뀌지 않는 부분에 받침 'ㅁ'을 붙여서 다른 형태로 사용하기

7 다음 보기 에서 낱말이 어떻게 바뀌는지 살펴보고, 빈칸에 알맞게 쓰시오.

보기

| 슬프다 | ➡ | 슬픔 | | 자다 | ➡ | 잠 |

(1) 꾸다 ➡ [ ]   (2) 추다 ➡ [ ]

8 다음 보기 에서 낱말이 어떻게 바뀌는지 살펴보고, 빈칸에 알맞게 쓰시오.

보기

알다 ➡ 앎   살다 ➡ [ ]

기본 ......

〉 인물의 마음을
짐작하며
만화 읽기

〈예〉 「수업 시간에」를 읽고 인물의 마음을 짐작하는 방법 알기

인물이 한 말로 마음을 짐작할 수 있습니다.

아, 너무 창피해…….

애들이 뭐라고 할 거야… 창피해.

인물 뒤편 ❶ □□으로도 인물의 마음이 어떠한지 짐작할 수 있습니다.

눈썹 모양(표정)과 이마의 땀으로 인물의 마음을 짐작할 수 있습니다.

말풍선 테두리 모양으로도 인물의 마음을 짐작할 수 있습니다.

두 손으로 얼굴을 가린 ❷ □□을/를 보고 인물이 창피해하는 것을 짐작할 수 있습니다.

기본 ......

〉 만화를 읽고
인물의 마음
표현하기

〈예〉 「두근두근 탐험대」를 읽고 인물의 마음 파악하기

장면	인물의 마음
	• 깜짝 ❸ □□ 것 같습니다. • 신기한 광경을 보고 할 말을 잃은 것 같습니다.
	• 남자아이는 용에 올라타고 싶은 호기심 어린 마음이 느껴집니다. • 여자아이는 놀라며 머뭇거리는 표정 같습니다.
	• 용은 아이들에게 용궁을 구경시켜 줄 마음에 들떠 있는 것 같습니다. • 용의 눈썹이 흩날리는 모습으로 속도감을 느낄 수 있으며 시원해 보입니다.

기본 ......

〉 인물의 마음을
짐작하며
만화 영화 보기

〈예〉 「밥 묵자」를 보고 인물의 마음 짐작하기

장면	인물의 마음	장면	인물의 마음
	날아가는 잠자리를 보고 활짝 웃고 있습니다. ❹ □□□ 즐거운 것 같습니다.		무엇인가를 밟아 그 자리에 멈추었습니다. 밟은 것이 무엇인지 궁금할 것 같습니다.
	무섭게 짖는 개를 피해서 재빨리 뛰어가고 있습니다. 무섭게 짖는 개가 두려운 것 같습니다.		고추가 너무 매워서 콧물이 났습니다. 안 매울 줄 알았다가 놀라고 당황했을 것 같습니다.

단원 평가

• 단원 평가 더 풀기 ≫ 평가 교재 56~61쪽

1~4 그림을 보고, 물음에 답하시오.

1 그림 **가**의 인물은 어떤 표정을 짓고 어떤 행동을 하고 있습니까? ( )

① 눈물을 흘리며 울고 있다.
② 무릎을 굽히고 눈을 감고 있다.
③ 양팔을 높이 들고 활짝 웃고 있다.
④ 팔짱을 끼고 화난 표정을 짓고 있다.
⑤ 어깨를 늘어뜨리고 눈을 찡그리고 있다.

2 어떤 상황에서 그림 **나**의 인물과 같은 표정을 짓고 행동을 하겠습니까? ( )

① 수업이 지루할 때
② 재미있는 영화를 볼 때
③ 잠잘 시간이 되었을 때
④ 선생님께 인사를 할 때
⑤ 징그러운 벌레를 봤을 때

3 그림 **다**와 **라** 중 다른 사람에게 칭찬을 받을 때의 표정과 행동은 무엇이겠습니까?

( )

논술형

4 그림 **마**의 인물의 마음을 짐작해 보고 자신은 언제 그런 마음이 들었는지 쓰시오.

_____

_____

5~7 만화를 읽고, 물음에 답하시오.

5 이 만화에서 소민이가 한 일은 무엇입니까?
( )

① 시험을 쳤다.
② 철민이와 장난을 쳤다.
③ 국어 책에 낙서를 했다.
④ 수업 시간에 책을 읽었다.
⑤ 수업 시간에 일어서서 노래를 불렀다.

6 장면 **4**에서 알 수 있는 소민이의 마음은 무엇입니까? ( )

① 긴장한 마음 ② 지루한 마음
③ 설레는 마음 ④ 화나는 마음
⑤ 부러운 마음

중요

7 장면 **5**에서 소민이의 마음을 알맞게 짐작한 것에 ○표를 하시오.

(1) 말풍선의 내용과 배경 색으로 보아 소민이는 후련한 마음이다. ( )

(2) 말풍선의 내용과 소민이의 표정으로 보아 소민이는 걱정하는 마음이다. ( )

8~10 만화를 읽고, 물음에 답하시오.

8 장면 ❶에서 소민이의 마음을 알 수 있는 부분을 두 가지 고르시오. (,)

① 말풍선의 말
② 벌린 입 모양
③ 커진 눈 모양
④ 말풍선의 모양
⑤ 머리 뒤에 그린 선

논술형

9 장면 ❸에서 소민이의 마음을 짐작할 수 있는 부분을 찾아서 짐작한 마음을 쓰시오.

_____

_____

10 소민이가 9번 문제에서 답한 마음이 든 까닭은 무엇입니까? ( )

① 철민이가 화를 내서
② 선생님께 칭찬을 받아서
③ 철민이가 별명을 부르며 놀려서
④ 선생님께서 답이 틀렸다고 하셔서
⑤ 선생님께서 앞에 나와 문제를 풀라고 하셔서

국어 활동

11 만화에서 인물의 마음을 짐작하는 방법으로 옳지 않은 것은 무엇입니까? ( )

① 인물이 한 말을 살펴본다.
② 인물의 이름과 나이를 알아본다.
③ 인물이 말하는 의도를 알아본다.
④ 과장해서 표현한 부분을 잘 살펴본다.
⑤ 인물의 표정이 어떻게 바뀌는지 살펴본다.

12~14 만화를 읽고, 물음에 답하시오.

12 장면 ❶에서 용의 마음은 어떠하겠습니까? ( )

① 기쁘다.
② 슬프다.
③ 짜증 난다.
④ 부끄럽다.
⑤ 화가 난다.

13 장면 ❹에서 아이들과 용은 어디로 가는 것이겠습니까? ( )

중요

14 이 만화에 나온 다음의 말을 어떻게 읽으면 실감 날지 알맞게 선으로 이으시오.

(1)	재밌겠다! 타자, 타!	•	• ①	걱정스러운 목소리로 읽는다.
(2)	괜찮을까?	•	• ②	호기심 어린 목소리로 읽는다.

10. 인물의 마음을 알아봐요 **215**

15~17 장면을 보고, 물음에 답하시오.

15 장면 ❷에서 소년의 말은 어떤 목소리로 읽는 것이 어울립니까? ( )

① 졸린 목소리
② 궁금한 목소리
③ 풀 죽은 목소리
④ 화를 내는 목소리
⑤ 부끄러워하는 목소리

중요

16 장면 ❹에서 알 수 있는 소년의 마음으로 알맞은 것을 두 가지 고르시오. (,)

① 고추가 안 매워서 실망한 마음
② 고추가 매워서 깜짝 놀란 마음
③ 할머니의 장난이 재미있는 마음
④ 할머니께 속은 기분이 드는 마음
⑤ 고추가 맛있어서 더 먹고 싶은 마음

17 소년의 표정과 행동으로 볼 때 소년은 어떤 성격의 인물인 것 같은지 쓰시오.

( )

18~19 만화를 읽고, 물음에 답하시오.

서술형

18 엄마는 아이에게 자전거를 가르치려고 어떻게 했습니까?

• 손을 놓지 않겠다고 안심시킨 뒤에

_____

_____

19 장면 ❸에서 알 수 있는 아이의 마음은 무엇입니까? ( )

① 슬프다.   ② 겁난다.   ③ 신난다.
④ 재미있다. ⑤ 신기하다.

20 겁이 나고 무서운 표정을 짓고 있는 인물은 누구입니까? ( )

①   ②

③   ④

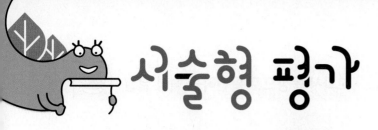

서술형 평가

1 오른쪽 그림의 인물은 어떤 마음일지 쓰고, 언제 그러한 마음이 드는지 알맞은 상황을 쓰시오.

(1) 인물의 마음	
(2) 그러한 마음이 드는 상황	

2~3 만화를 읽고, 물음에 답하시오.

2 선생님께서 화가 나신 까닭은 무엇인지 쓰시오.

3 장면 ❶에서 철민이의 마음과 그렇게 짐작한 까닭을 쓰시오.

(1) 철민이의 마음	
(2) 그렇게 짐작한 까닭	

4~5 만화를 읽고, 물음에 답하시오.

4 장면 ❸에서 알 수 있는 아이의 마음과 그렇게 짐작한 까닭을 쓰시오.

(1) 아이의 마음	
(2) 그렇게 짐작한 까닭	

5 4번 문제에서 답한 아이의 마음과 같은 마음이 들었던 경험을 떠올려 쓰시오.

낱말 퀴즈

● 다음 교과서 문장의 파란색 낱말 중에서 알맞은 것을 골라 인물들이 한 말을 완성하시오.

- 말풍선 테두리 모양으로도 인물의 마음을 짐작할 수 있어요.
- 이게 대체 어떻게 된 거지?
- 표정이나 행동을 조금 과장해서 표현하면 더 실감이 나.
- 순전히 내 몸에서 나온 동력으로 나를 싣고 가는 이 느낌!

정답 | ❶ 순전히 ❷ 대체 ❸ 과장 ❹ 짐작

국어

※『한끝 초등 국어』는 다음 저작물의 교과서 수록 부분을 재인용하여 만들었습니다.

단원	제재 이름	지은이	나온 곳	한끝 쪽수
독서 단원	『산』 본문	전영우 글, 홍희진 외 그림	『산』, 웅진닷컴, 2003.	7쪽
1	「그랑드 자트섬의 일요일 오후」	조르주 피에르 쇠라 그림	미국 시카고미술관	11쪽
	「꽃씨」	김완기	『100살 동시 내 친구』, 청개구리, 2008.	11쪽
	「등 굽은 나무」	김철순	『사과의 길』, ㈜문학동네, 2014.	12쪽
	「가훈 속에 담긴 뜻」 (원제목: 「사방 백 리 안에 굶어 죽는 사람이 없게 하라」)	조은정	『최씨 부자 이야기』, 여원미디어, 2008.	13쪽
	할아버지, 준	송수연 그림	『경주 최 부잣집 이야기』, 느낌이있는책, 2010.	31쪽
	「의심」	현덕	『나비를 잡는 아버지』, ㈜효리원, 2015.	18쪽
	「가끔씩 비 오는 날」	이가을	『가끔씩 비 오는 날』, ㈜창비, 1998.	21쪽
	「어느새」	장승련	『우산 속 둘이서』, 21문학과문화, 2004.	34쪽
2	「동물이 내는 소리」	문희숙	『맛있는 과학 - 6. 소리와 파동 -』, 주니어김영사, 2011.	40쪽
	매미	류동필 그림	『맴맴 노래하는 매미』, 한국톨스토이, 2015.	40쪽
	「나무 그늘을 산 총각」	권규헌 글, 김예린 그림	『나무 그늘을 산 총각』, 춤추는꼬리연, 2014.	42쪽
	전자 제품의 에너지 소비 효율 등급		한국에너지공단 효율 관리 제도 누리집 (http://eep.energy.or.kr)	47쪽
3	「가방 들어 주는 아이」	고정욱 원작	「TV로 보는 원작 동화 -가방 들어 주는 아이-』, 한국교육방송공사, 2012.	60쪽
	「돈을 왜 만들었을까?」 (원제목: 「돈은 왜 생겼을까?」), 「돈의 재료」	김성호	『경제의 핏줄, 화폐』, 미래아이, 2013.	61, 63쪽
	1번 광고(원제목: 「어느새, 우리의 이야기」)	김찬·유미영·조수연	한국방송광고진흥공사, 2011.	64쪽
	「생태 마을 보봉」	김영숙	『무지개 도시를 만드는 초록 슈퍼맨』, 스콜라, 2015.	65쪽
4	「씨름」	김홍도 그림	국립중앙박물관	78쪽
	「묵직한 수박 위로 나비가 훨훨!」	이광표	『조선 사람들의 소망이 담겨 있는 신사임당 갤러리』, 도서출판 그린북, 2016.	81쪽
	「초충도」	신사임당 그림	국립중앙박물관	81쪽
	「한옥 지붕」	남궁담	『지붕이 들려주는 건축 이야기』, 현암주니어, 2016.	90쪽
5	1번 그림(원제목: 「구름 공항」)	데이비드 위즈너 그림	『구름 공항』, ㈜베틀북, 2012.	95쪽
	「까마귀와 감나무」 (원제목: 「황금 감나무」)	김기태 엮음	『쩌우 까우 이야기』, 창작과비평사, 1991.	96쪽
	「아름다운 꼴찌」	이철환 글, 장경혜 그림	『아름다운 꼴찌』, ㈜알에이치코리아, 2014.	99쪽
	「초록 고양이」	위기철 글, 안미영 그림	『초록 고양이』, ㈜사계절출판사, 2016.	102쪽
7	「최첨단 과학, 종이」	김해보·정원선	『알고 보니 내 생활이 다 과학!』, ㈜예림당, 2013.	134쪽
	「수아의 봉사 활동」 (원제목: 「수아의 일기」)	고수산나 글, 이해정 그림	『콩 한 쪽도 나누어요』, 열다출판사, 2014.	136쪽
	「동물 속에 인간이 보여요」	최재천	『생명, 알면 사랑하게 되지요』, 더큰아이, 2015.	140쪽

교과서에 실린 작품

※『한끝 초등 국어』는 다음 저작물의 교과서 수록 부분을 재인용하여 만들었습니다.

단원	제재 이름	지은이	나온 곳	한끝 쪽수
8	4번 그림	알리시아 바렐라	『공원을 헤엄치는 붉은 물고기』, 도서출판 북극곰, 2016.	159쪽
	「1리터의 생명」		「1리터의 생명」, (사)한국국제기아대책기구, 2013.	160쪽
9	「사라져 가는 세계 문자를 다시 보다」		「EBS 뉴스」, 한국교육방송공사, 2015.	174쪽
	「훈민정음의 탄생」	이은서	『세종 대왕, 세계 최고의 문자를 발명하다』, 보물창고, 2014.	177쪽
	「한글이 위대한 이유」	박영순	『세계 속의 한글』, 박이정출판사, 2008.	179쪽
	「주시경」	이은정 글, 김혜리 그림	『주시경』, ㈜비룡소, 2012.	182쪽
10	「수업 시간에」 (원제목: 「발표하는 게 무서워요」)	박현진 글, 윤정주 그림	『나 좀 내버려 둬』, 길벗어린이(주), 2011.	198쪽
	「두근두근 탐험대」	김홍모	『두근두근 탐험대 −1부 모험의 시작−』, ㈜도서출판 보리, 2008.	202쪽
	「밥 묵자」	민성아	「밥 묵자」, 한국예술종합학교, 2007.	208쪽
	「놓지 마」	홍승우	『비빔툰 9 −끝은 또 다른 시작−』, 문학과지성사, 2012.	210쪽

국어 활동

단원	제재 이름	지은이	나온 곳	한끝 쪽수
1	「내 맘처럼」	최종득	『내 맘처럼』, 열린어린이, 2017.	27쪽
	「할아버지와 보청기」	윤수천	『고래를 그리는 아이』, 시공주니어, 2011.	27쪽
	「수사슴의 뿔과 다리」	이솝 원작, 차보금 엮음	『이솝 이야기』, 아이즐, 2012.	29쪽
2	「꽃신」	윤아해	『꽃신』, 사파리, 2010.	48쪽
3	「안전하게 계단 오르내리기」	이성률 글, 이원희 그림	『아는 길도 물어 가는 안전 백과』, 풀과바람, 2016.	69쪽
5	「신기한 그림 족자」	이영경	『신기한 그림 족자』, ㈜비룡소, 2002.	107쪽
7	「영국 노팅힐 축제」	유경숙	『놀면서 배우는 세계 축제 1』, 꿈꾸는꼬리연, 2013.	145쪽
	「가을이네 장 담그기」	이규희	『가을이네 장 담그기』, 책읽는곰, 2008.	147쪽
8	「복도에 안전 거울을 설치해 주세요」	윤예진(학생)	제11회 대한민국어린이국회 결과 보고서, 2015.	163쪽
	2번 사진(원제목: 「내가 지식인이 되는 방법」)	이서영	한국방송광고진흥공사, 2014.	163쪽
10	「미리와 준수의 안전 이야기」		질병관리본부, 2017.	211쪽

한 권으로 끝내기!
교과서 학습부터 평가 대비까지 한 권으로 끝!
국어 공부의 진리입니다.

한끝과 함께 언제, 어디서든 즐겁게 공부해!

한끝으로 끝내고, 이제부터 활짝 웃는 거야!

15개정 교육과정

한끝 정답과 해설

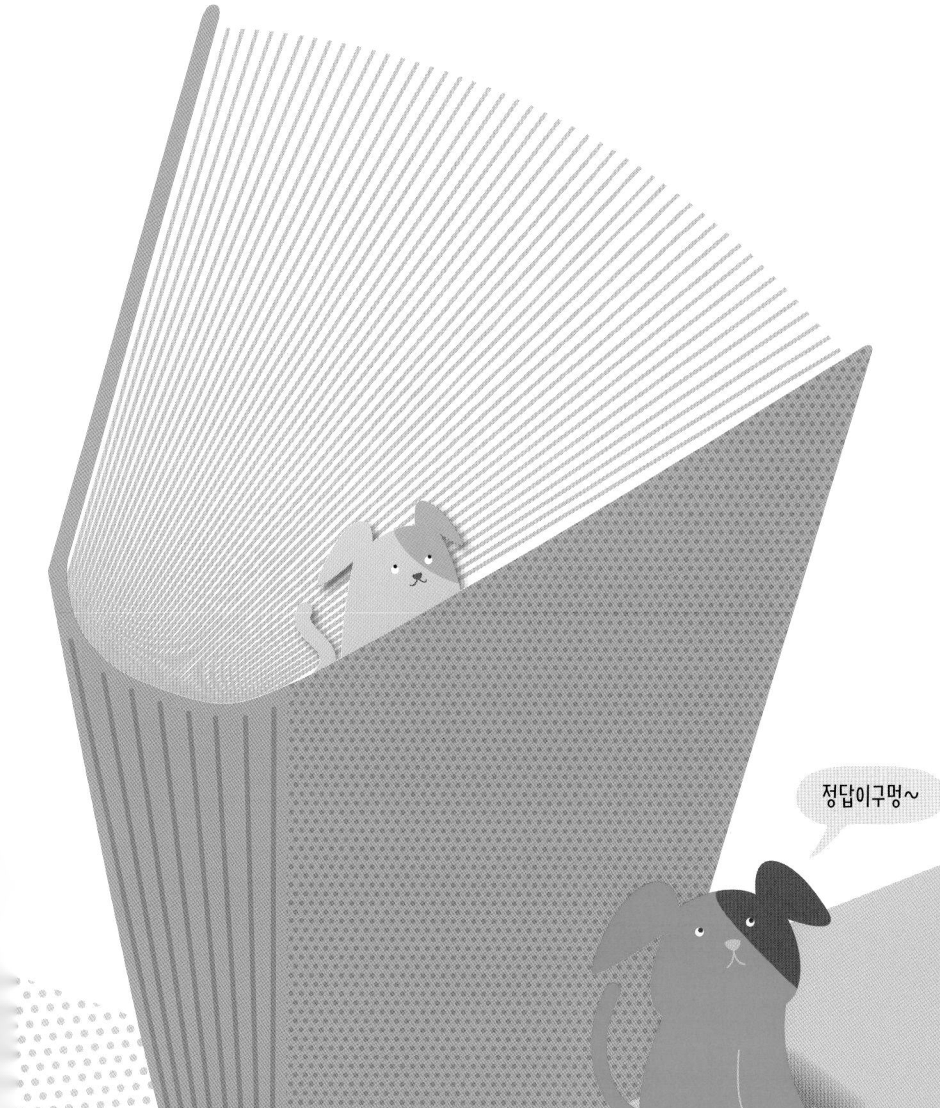

정답이구멍~

초등국어

4·1

visang

우리는 남다른 상상과 혁신으로
교육 문화의 새로운 전형을 만들어
모든 이의 행복한 경험과 성장에 기여한다

ABOVE IMAGINATION

우리는 남다른 상상과 혁신으로
교육 문화의 새로운 전형을 만들어
모든 이의 행복한 경험과 성장에 기여한다

한끝
정답과 해설

4·1

초등 국어

정답과 해설 진도 교재

독서 단원 책을 읽고 생각을 나누어요

수행 평가 8쪽

1 (1) 예 평소에 관심이 많았던 분야의 책을 고른다.
(2) 예 책을 펴서 읽은 부분을 잘 이해할 수 있는 책을 고른다.
2 (1) 예 산사태 – 폭우나 지진, 화산 따위로 산 중턱의 바윗돌이나 흙이 갑자기 무너져 내리는 현상.
(2) 예 노릇 – 맡은 바 구실.
(3) 예 쇠약하다 – 힘이 쇠하고 약하다.
3 예 설명하는 글을 간추릴 때에는 설명하는 대상을 중심으로 중요한 내용을 정리한 뒤에 관련 있는 내용을 덧붙이며 간추리면 돼.

1. 생각과 느낌을 나누어요

핵심 확인 문제 10쪽

1 느낀 **2** × **3** (2) ○ (3) ○
4 의견

준비 생각이나 느낌이 서로 다른 까닭 말하기 11쪽

1 (1) ㉡ (2) ㉠ **2** (3) ○
3 예 공원에서 즐겁게 나들이하는 사람들을 보니까 행복했다. **4** ①, ②, ⑤ **5** 지수

1 남자아이는 청록색의 모양을 보았으므로 마주 보는 사람 그림으로, 여자아이는 주황색의 모양을 보았으므로 커다란 잔 그림으로 보았을 것입니다.

2 같은 그림을 보더라도 사람에 따라서 느낀 점은 다를 수 있습니다.

3 그림에서 가장 눈에 띄는 부분에 대한 느낌을 떠올리고 그런 느낌이 드는 까닭을 자유롭게 써 봅니다.

> **채점 기준** 그림을 보고 자신의 생각과 그 까닭을 알맞게 썼으면 정답으로 합니다.

4 이 시를 읽으면 봄비가 내리는 모습과 아이들이 땅속에 손가락을 집어넣는 모습, 꽃씨가 파란 싹을 내민 모습 등이 떠오릅니다.

5 아이들은 봄을 기다린다고 했습니다.

기본 시를 읽고 생각이나 느낌 나누기 12쪽

1 ③ **2** ③ **3** 달나라
4 ㉠ **5** 예 백두산

1 성민이는 나무에 올라타고서 말타기놀이를 했습니다.

2 성민이가 나무에 올라타 말타기놀이를 하면서 가지 않은 곳을 찾습니다.

3 상상 속에서 달나라까지도 갈 수 있었는데 은찬이가 부르는 바람에 가지 못했습니다.

4 생각이나 느낌을 '등 굽은 나무'로 오행시를 지어서 표현한 것입니다.

> **정답 친해지기** 시를 읽고 생각이나 느낌을 표현하는 방법
> • 오행시 짓기 • 몸으로 표현하기
> • 그림으로 표현하기 • 인물이 되어 말하기

5 성민이처럼 상상 속 말을 타게 된다면 어디에 가고 싶은지 생각하여 써 봅니다.

기본 이야기를 읽고 생각이나 느낌 나누기 13~17쪽

1 ③ **2** ②
3 아침에 준을 혼낸 것 등 **4** 은우
5 ⑤ **6** (3) ○ **7** ⑤
8 할아버지 **9** ③, ④ **10** ①
11 ②
12 예 생선 장수의 마음을 헤아리라는 말을 통해 함께 살아가는 법을 말씀하시는 것 같다.
13 ④ **14** 하인 **15** ①
16 사방 백 리 안에 굶어 죽는 사람이 없게 하라.
17 뒤주 **18** ⑤ **19** 장우
20 (1) 다른 (2) 이해

1 최 부잣집 도령들은 매일 아침마다 사랑채에서 붓글씨로 가훈을 쓴다고 했습니다.

2 준은 종이에 낙서를 하다가 할아버지께 종이를 아낄 줄 모른다고 야단을 맞았습니다.

3 준이 없어지자 할아버지는 아침에 준을 혼낸 것을 마음에 걸려 했습니다.

4 할아버지가 준을 야단친 것은 종이가 아까워서가 아니라 준에게 아끼는 습관을 가르쳐 주기 위해서입니다.

5 흉년에는 흰죽 한 끼 얻어먹고 논을 팔아넘긴다고 해서 흰죽 논이라는 말이 생겨났다고 했습니다.

6 농부는 올해같이 논이 헐값일 때는 준의 할아버지가 논을 사지 않기 때문에 근방에 흰죽 논이 없다고 했습니다.

7 할아버지의 행동과 농부의 말을 통해 짐작할 수 있습니다.

8 준은 전날 밤 할아버지에게 야단을 맞은 데다가 손님들에게만 맛있는 것을 주는 할아버지가 야속했습니다.

9 농부의 말을 살펴봅니다.

10 준은 할아버지를 칭찬하는 농부의 말을 듣고 할아버지가 자랑스러워 우쭐해졌습니다.

11 할아버지는 제값을 주고 물건을 사지 않고 헐값에 물건을 사 온 하인을 호되게 야단쳤습니다.

12 헐값에 생선을 넘기는 생선 장수의 마음을 헤아리라는 할아버지의 말에 대한 생각이나 느낌을 써 봅니다.

> **채점 기준** 할아버지의 말에 대한 자신의 생각이나 느낌을 알맞게 썼으면 정답으로 합니다.

13 준은 제사가 끝나자 또 다른 제사가 시작되는 것을 보고 왜 제사를 또 지내는지 궁금해했습니다.

14 하인의 말을 참고하여 준이네에서 제사를 두 번이나 지내는 까닭을 생각해 봅니다.

15 준은 주인을 위해 목숨을 바쳤던 하인들의 제사를 지내는 것은 훌륭한 일이라고 생각했습니다.

16 준은 "사방 백 리 안에 굶어 죽는 사람이 없게 하라."라는 가훈을 크게 썼습니다.

17 할아버지가 준과 다른 도령들에게 뒤주를 보여 주며 한 말을 살펴봅니다.

18 할아버지는 쌀이 만 석 이상 곳간에 쌓이면 논밭의 사용료를 조금만 받기 때문에 사람들은 할아버지가 땅을 사면 오히려 좋아했습니다.

19 할아버지의 말과 행동을 떠올리며 가훈의 뜻을 생각해 봅니다.

20 이야기를 읽고 친구들과 생각이나 느낌을 나누면 생각이나 느낌이 다른 점도 있다는 것을 알 수 있고, 이야기를 더 잘 이해할 수 있습니다.

기본	일어난 일에 대한 의견 말하기	18~20쪽

1 ④ **2** ⑤ **3** 기동이
4 ⑤ **5** ①
6 예 "여기 봐. 비슷하게 보여도 이 가운데에서 네 것은 없어."
7 ②, ⑤ **8** 은경 **9** 영이
10 ① **11** 미안한
12 (1) ㉠ (2) ㉡

---

1 노마는 없어진 구슬을 찾으러 여기저기 돌아다녔습니다.

2 노마는 구슬을 찾으러 돌아다니고 있으므로 잃어버린 구슬을 다시 가지고 싶은 마음일 것입니다.

3 구슬을 찾으러 돌아다니던 노마는 담 모퉁이에서 기동이를 만났습니다.

4 노마는 구슬을 못 봤다는 기동이 말을 못 믿고 기동이를 의심하고 있습니다.

5 노마는 자신의 구슬을 못 봤다는 기동이의 말을 믿지 못하고 기동이가 자신의 구슬을 가지고 간 것이라 의심하고 구슬을 보여 달라고 했습니다.

6 자신이 기동이라면 노마의 말에 어떻게 대답했을지 자신의 생각을 표현해 봅니다.

> **채점 기준** 글에서 일어난 일을 파악하고 기동이가 대답할 말을 알맞게 썼으면 정답으로 합니다.

7 노마는 기동이에게 자신의 구슬을 가지고 있는지 캐묻고 있습니다.

8 ㉠은 노마에게 의심을 받고 있는 상황에서 구슬을 가져가지 않았다는 것을 증명하기 위한 기동이의 행동입니다.

9 영이가 구슬을 줬다는 기동이의 말을 확인하기 위해 노마와 기동이는 영이를 찾아가기로 했습니다.

10 조그만 도랑물 속에 햇빛에 번쩍하는 것이 있었는데 바로 노마가 잃어버린 구슬이었습니다.

11 기동이를 의심해서 미안한 마음이 들었을 것입니다.

12 각 의견에 알맞은 까닭을 생각해 봅니다.

정답 친해지기 의견과 까닭

의견	어떤 일이나 대상에 대한 생각
까닭	그런 생각을 하게 된 원인이나 근거

실천 이야기를 읽고 의견 나누기 21~26쪽

1 ①, ②, ④ **2** ④, ⑤ **3** ⑤
4 예 새 주인아저씨를 살펴보며 궁금해하는 것은 당연한 것 같아. 나도 새 학기에 함께 지낼 친구들과 선생님이 궁금하거든.
5 (1) ○ **6** ②
7 누구인가 무엇에 쓰려고 박았을 것이고, 언제인가는 또 다른 누구인가에게 쓸모가 있을지도 모르기 때문에 등
8 상호 **9** 책상 **10** (1) ① (2) ②
11 ④ **12** ② **13** ③
14 ① **15** ⑤
16 예 주인아저씨는 재주가 많고 마음씨가 고운 사람인 것 같다.
17 ⑤ **18** (2) ○ **19** 초록(이)
20 ㉡ **21** ③ **22** ⑤
23 (3) ○
24 예 쓸모없는 못에게 할 일이 생기니 그 모습이 활기차 보였다. 누구나 자신을 소중하게 여기고, 자신이 할 일을 찾는 것이 중요하다.

1 '나'는 남쪽으로 난 작은 창 아래의 벽에 일 센티미터쯤 나오게 반듯하게 박혀 있는 못입니다.

2 '내'가 있는 방은 살림집이 아니고 사무실로 쓰면 사무실이 되고, 그림을 그리면 화실이 된다고 했습니다.

3 '나'는 새 주인을 잘 살펴보았고 그림이 걸려 있던 못은 "무엇 하는 사람일까?"라고 말했습니다.

4 이야기에서 일어난 일에 대한 자신의 의견을 정리해 봅니다.

채점 기준 못들이 새 주인을 궁금해하는 것에 대한 의견을 알맞게 썼으면 정답으로 합니다.

5 자신의 생각을 자신 있게 이야기하지 못한 것에 대한 의견이므로 '내'가 속으로 말한 것에 대해 해 줄 말로 알맞습니다.

6 쓸모 있는 못들은 '나'를 못마땅하게 여기고 뽑아 버려야 한다고 말했습니다.

7 '나'는 누구인가 무엇에 쓰려고 박았을 것이고, 언제인가는 또 다른 누구인가가 자신을 쓸모 있게 할지도 모른다고 생각했습니다.

8 쓸모없는 못을 뽑아 버려야 한다는 말은 친구를 배려하지 못한 말입니다.

9 '내'가 있는 곳에서 한 뼘쯤 떨어진 앞쪽에 책상을 놓았습니다.

10 ㉠은 상냥하고 다른 사람을 배려하는 말이고, ㉡은 다른 사람을 배려하지 않고 상처를 주는 말입니다.

11 주인아저씨가 뻐꾸기시계를 걸자 시계를 거는 못은 좋아하며 으스대었습니다.

12 주인아저씨의 말과 행동으로 보아 다정한 성격임을 짐작할 수 있습니다.

13 '나'는 아저씨가 내는 모든 소리를 들으며 즐거워합니다.

14 '나'는 아저씨가 내는 모든 소리를 듣는 것이 즐겁다고 했습니다.

15 주인아저씨는 버려진 물건들을 주운 뒤 손봐서 다 쓸모 있게 만든다고 했습니다.

16 주인아저씨가 밖에서 주워 온 물건들을 쓸모 있게 만드는 것을 보고 어떤 생각이 들었는지 써 봅니다.

17 "아직 살아 있는 것을 누가 버렸지 뭐야. 내가 잘 길러야지."라는 주인아저씨의 말에서 알 수 있습니다.

18 주인아저씨는 다른 사람이 보기에 하찮고 쓸모없는 것들도 쓸모가 있고 소중한 존재가 되도록 도와줍니다.

19 어느 날 아침, 주인아저씨는 화초를 초록이라고 이름 짓고 인사를 시켜 주었습니다.

20 주인아저씨는 정성을 다해 초록이를 길렀습니다.

21 '나'는 부슬부슬 비가 내리던 그날을 잊을 수가 없다고 했습니다.

22 '나'는 가끔씩 비 오는 날 초록이를 걸어 둘 수 있게 되었습니다.

23 가끔씩 비 오는 날 '나'는 어떤 일을 하게 되었는지 살펴봅니다.

24 초록이를 걸고 행복해하는 '나'의 모습을 보고 어떤 생각을 했는지 써 봅니다.

> **채점 기준** '내'가 쓸모 있는 일을 하고 행복해하는 모습에 대한 자신의 의견을 알맞게 썼으면 정답으로 합니다.

국어 활동   27~29쪽

1 (2) ○   **2** 좋아하는 마음 등

3 아빠

4 예 보청기를 빼서 인사말을 듣지 못하신 할아버지를 그냥 지나친 영우가 무례한 것 같다. 나였다면 할아버지께서 계신 곳으로 가까이 다가가 인사를 드렸을 것이다.

5 ①   **6** ⑤

7 경로당에 오는 할아버지들이 다들 귀가 어두운데 혼자만 귀가 밝으면 재미 없어서 등

8 ④, ⑤

9 예 수사슴은 가늘지만 튼튼한 다리 덕분에 위험에서 벗어날 수 있었다. 수사슴이 자신의 모습을 있는 그대로 사랑하면 좋겠다.

10 ㉠, ㉢, ㉤   **11** (1) 먹을까 (2) 늦을꼬

1 영주와 친하게 지내고 싶기 때문입니다.

2 4연을 통해 알 수 있습니다.

3 아빠는 귀가 어두운 할아버지에게 보청기를 사다 주었습니다.

4 인물의 말과 행동을 살펴보고 자신의 생각을 써 봅니다.

5 귀가 어두워 고생하시던 할아버지는 보청기를 끼고 잘 들리자 기뻤을 것입니다.

6 영우는 할아버지께서 경로당 앞에서 보청기를 빼는 모습을 직접 확인하기 위해 할아버지를 몰래 따라갔습니다.

7 할아버지는 경로당에 오는 할아버지들이 다들 귀가 어두워서 경로당 앞에서 보청기를 빼셨습니다.

8 수사슴이 물에 비친 자신의 모습을 보며 한 생각을 살펴봅니다.

9 글의 내용을 보고 자신의 생각을 까닭과 함께 써 봅니다.

10 '갈게'는 [갈께]로, '일어날걸'은 [이러날껄]로, '할게'는 [할께]로, '좋았을걸'은 [조아쓸껄]로 소리 나지만, 소리 나는 대로 쓰지는 않습니다. 그러나 '청소할까'나 '좁을꼬'와 같이 묻는 말은 소리 나는 대로 씁니다.

11 묻는 말은 소리 나는 대로 씁니다.

단원 마무리   30~31쪽

❶ 상황   **❷** 일   **❸** 오행시

❹ 마음   **❺** 미안해   **❻** 잘못

단원 평가   32~34쪽

1 청록색   **2** ④   **3** ④, ⑤

4 (1) ×

5 꽃씨   **6** 봄비   **7** ④, ⑤

8 말   **9** 학교 앞 문방구, 네거리, 우리 집

10 예 나무에 올라타니 신나게 말을 타는 느낌이었을 것 같다.

11 ⑤   **12** 쌀   **13** ⑤

14 ㉡   **15** ⑤

16 예 노마가 친구를 의심한 것은 잘못이다. 기동이 주머니에 구슬이 있지만 그 구슬이 노마의 것인지는 알 수 없기 때문이다.

17 (2) ○   **18** ④   **19** 지수

20 예 시를 읽으니 좋아하는 친구의 얼굴이 떠올라서 나도 마음이 두근거린다.

1 남자아이는 청록색 부분을 중심으로 보고 있습니다.

2 여자아이는 주황색 모양을 보고 있으므로 커다란 잔 그림으로 보았을 것입니다.

3 남자아이와 여자아이는 같은 그림을 보고 서로 다르게 생각하고 있습니다.

4 (1)에서는 생각이 같았던 경험을 말했습니다.

5 봄비가 내리면 꽃씨가 땅속에 살짝 돌아누우며 눈을 뜬다고 했습니다.

6 1연의 내용을 살펴봅니다.

> **정답 친해지기** 「꽃씨」에 대한 생각이나 느낌이 어떻게 다른지 비교하기 (예)
> • '봄비가 내려와 앉는다'는 부분을 읽고 사람 같다고 느낀 친구도 있고, 새를 떠올린 친구도 있습니다. 시에서 일어나는 일을 다르게 생각했기 때문입니다.
> • 사람마다 생각이 다르기 때문에 재미를 느낀 부분이 서로 달랐습니다.

7 사람마다 시를 읽고 재미를 느낀 부분이 다를 수 있고, 시에서 일어나는 일을 다르게 생각하기 때문에 시에 대한 생각이나 느낌은 서로 다를 수 있습니다.

8 말하는 이는 나무를 말이라고 생각하고 올라탔습니다.

9 2연에 말하는 이가 상상 속에서 간 곳이 나타나 있습니다.

10 자신이 시 속 말하는 이가 되었다고 생각해 봅니다.

> **채점 기준** 시의 내용을 알맞게 파악하고 시 속 말하는 이가 어떤 생각을 했을지 썼으면 정답으로 합니다.

11 시의 연과 행 수를 세는 것은 시에 대한 생각이나 느낌을 표현하는 방법이 아닙니다.

12 가난한 사람들이나 지나가는 나그네가 쌀을 퍼 갈 수 있도록 만든 것이라고 했습니다.

13 준은 자신도 꼭 할아버지처럼 되겠다고 다짐했습니다.

14 할아버지의 말과 행동을 살펴봅니다.

15 영이가 구슬을 주었다는 기동이의 말을 노마가 믿지 않아서 영이를 찾아가서 물어보기로 한 것입니다.

16 노마가 기동이를 의심한 일에 대한 자신의 의견을 알맞은 까닭과 함께 써 봅니다.

> **채점 기준** 노마가 기동이를 의심한 일에 대한 자신의 의견과 까닭을 알맞게 썼으면 정답으로 합니다.

17 수사슴은 자신의 뿔은 자랑스러워하면서 자신의 다리에는 불만을 가졌습니다.

18 책상이 한 개, 서랍 두 개가 달린 일인용 침대 한 개, 기다란 널빤지 여러 장, 종이 상자가 서른 개쯤 있었습니다.

19 '나'는 하고 싶은 말을 속으로만 했습니다.

20 이 시에는 좋아하는 친구에 대한 마음이 잘 드러나 있습니다.

서술형 평가 　　　　35쪽

1 영이가 기동이에게 구슬을 주었는지 확인하고 싶은 마음이었을 것이다. 등

2 (예) 네가 구슬을 가져갔다고 의심해서 정말 미안해.

3 가끔씩 비 오는 날 초록이를 걸어 둘 수 있는 일 등

4 (예) 나중에 쓸모가 있을지도 몰라. 세상일은 아무도 몰라. / 내가 그렇게 싫으니? 너희에게 피해를 주는 것도 없는데…….

5 (예) 다른 사람이 보기에는 하찮고 쓸모없는 것들도 쓸모 있고 소중한 존재가 되도록 도와주는 아저씨는 참 착한 것 같다.

1 영이가 기동이에게 구슬을 주었다고 했으므로 노마는 그 말이 진짜인지 확인하고 싶은 마음이었을 것입니다.

> **채점 기준** '영이가 기동이에게 구슬을 주었는지 확인하고 싶은 마음', '기동이 말이 틀리기를 바라는 마음' 등의 내용을 썼으면 정답으로 합니다.

2 자신을 의심했다고 따지는 기동이에게 무엇이라고 대답할지 생각하여 써 봅니다.

> **채점 기준** 친구를 의심한 노마는 미안한 마음이 들었을 것이므로, '미안해.' 등의 내용을 포함한 말을 썼으면 정답으로 합니다.

3 글 ㉯의 마지막 부분을 통해 알 수 있습니다.

> **채점 기준** '비 오는 날 초록이를 걸어 둘 수 있는 일' 등의 내용을 포함하여 썼으면 정답으로 합니다.

4 자신이 '나'라면 어떤 생각이 들지 써 봅니다.

> **채점 기준** 자신이 '나'(쓸모없는 못)라고 생각하고 속마음을 알맞게 썼으면 정답으로 합니다.

5 ㉢과 같은 말을 읽고 어떤 생각을 했는지 써 봅니다.

> **채점 기준** 아저씨의 말에 대한 의견을 알맞게 썼으면 정답으로 합니다.

2. 내용을 간추려요

핵심 확인 문제　　　　38쪽

1 (3) ×　　　2 ○　　　3 시간
4 ○

준비　들은 내용 간추리기　　　39쪽

1 (1) ㉢ (2) ㉡ (3) ㉠　　　2 날씨 정보
3 ③　　　4 ㉠, ㉡　　　5 (2) ○

1 (1)은 들은 내용을 어떻게 할지 생각한 것, (2)는 아는 내용이나 경험을 떠올린 것, (3)은 듣는 목적과 관련 있습니다.

2 일기 예보를 듣고 날씨 정보를 얻을 수 있습니다.

3 일요일 춘천은 20도가 예상된다고 했습니다.

4 일기 예보에서 알려 준 중요한 날씨 정보만 썼습니다.

5 수직선에 내용을 정리한 것입니다.

기본　글의 내용을 간추리는 방법 알기　40~41쪽

1 성대를 울려 소리를 낸다. 등　　　2 ⑤
3 (매미의 배에 있는) 발음막, 발음근, 공기주머니
4 (1) ○ (2) △ (3) ○
5 우리가 들을 수 없는 높낮이로 소리를 내기 때문
　이다. 등
6 ㉡, ㉢
7 (이렇게) 동물들은 저마다 다른 방법으로 소리를
　낼 수 있습니다.
8 ③, ④, ⑤

1 사람은 성대를 울려 소리를 냅니다.

2 ❷ 문단의 '왜냐하면 성대나 입과 혀의 생김새가 사람과 다르기 때문입니다.'를 통해 알 수 있습니다.

3 ❸ 문단의 내용을 잘 살펴봅니다.

4 ❷ 문단의 중심 문장은 첫 번째 문장입니다.

5 우리가 들을 수 없는 높낮이로 소리를 내기 때문에 우리는 물고기가 조용하다고 느낀다고 했습니다.

6 ㉠은 중심 문장, ㉡과 ㉢은 뒷받침 문장입니다.

7 ❺ 문단의 중심 문장은 마지막 문장입니다.

> **채점 기준** 중심 문장을 정확히 찾아 쓴 경우에만 정답으로 합니다.

8 문단의 중심 문장을 찾고, 문장을 이어 주는 말을 생각한 다음 중심 문장을 연결해 전체 글의 내용을 간추립니다.

기본　이야기의 흐름에 따라 내용 간추리기　42~45쪽

1 ③　　　2 ⑤　　　3 ⑤
4 ③
5 나무의 주인이 그늘의 주인이라고 말하는 욕심쟁이 영감을 혼내 주고 싶었기 때문에 등
6 ③
7 (1) 느티나무 그늘 등 (2) 집 마당과 안방 등
8 총각은 그늘을 따라 욕심쟁이 영감의 집 마당과 안방으로 들어갔다. 등
9 그날 저녁 등　　10 ③　　　11 도우
12 ㉡
13 총각은 기와집과 나무 그늘을 큰 쉼터로 만들었고, 쉼터는 누구나 마음 놓고 쉬어 가는 곳이 되었다. 등
14 ㉡, ㉢, ㉠, ㉣　　　15 ⑤
16 ①, ②, ③

1 이 글은 이야기 글입니다.

2 '어느 더운 여름날'을 통해 시간적 배경을 알 수 있습니다.

3 욕심쟁이 영감은 허락도 없이 남의 나무 그늘에서 잠을 잔다며 총각에게 소리를 질렀습니다.

4 욕심쟁이 영감의 할아버지의 할아버지가 심은 나무이기 때문에 나무 그늘의 주인이 자신이라고 했습니다.

5 총각은 욕심쟁이 영감을 혼내 주려고 나무 그늘을 샀습니다.

6 총각에게 나무 그늘을 팔았을 때에는 즐거웠지만 총각이 나무 그늘을 따라 자신의 집으로 들어오자 화가 났습니다.

7 이야기에서 장소의 변화를 정리해 봅니다.

8 시간과 장소의 변화를 생각하며 중요한 사건을 정리해 봅니다.

> **채점 기준** 시간과 장소의 변화를 파악하고 중요한 사건을 정확히 썼으면 정답으로 합니다.

9 총각은 저녁이 되어 그늘이 사라지자 집으로 돌아갔습니다.

10 욕심쟁이 영감은 열 냥에 열 냥을 더 보태어 주겠다고 했습니다.

11 총각은 욕심쟁이 영감을 혼내 주기 위해 꾀를 내어 나무 그늘을 샀습니다.

12 시간과 장소를 생각하며 사건을 정리해 봅니다.

13 글의 끝부분을 살펴봅니다.

14 글을 읽고 중요한 사건을 정리해 봅니다.

15 자기만 생각하지 말고 남과 함께 어울려 사는 마음을 가져야 한다는 교훈을 전하고 있습니다.

16 사건이 일어난 시간의 흐름과 장소의 변화에 따라 전체 내용을 자연스럽게 간추려야 합니다.

---

4 주장하는 글의 전개 방식을 생각해 봅니다. (문제점 파악하기 – 해결 방안, 실천 방법 제안하기)

5 ③, ④ 문단을 살펴봅니다.

6 이 글은 의견을 내세운 글입니다.

7 이 글은 주장하는 글로, 생활 속에서 에너지 절약을 실천해야 한다는 것을 이야기하고 있습니다.

> **채점 기준** 글의 전개에 따라 전체 내용을 알맞게 간추려 썼으면 정답으로 합니다.

> **정답 친해지기** 「에너지를 절약하자」를 읽고 중요한 내용 간추리기
>
> | 문제점 | |
> | --- | --- |
> | 지구의 에너지 자원은 한없이 있는 것이 아니라 다 쓰고 나면 더는 에너지 자원을 구할 수 없게 된다. | |
>
> | 해결 방안 1 | 해결 방안 2 |
> | --- | --- |
> | 에너지를 불필요하게 사용하지 않는다. | 에너지 사용을 줄인다. |
>
> | 실천 방법 | 실천 방법 |
> | --- | --- |
> | • 쓰지 않는 꽂개는 반드시 뽑아 놓고, 빈방에 켜 놓은 전깃불은 끈다.
• 뜨거운 음식은 식힌 뒤에 냉장고에 넣는다. | • 가전제품은 에너지 효율이 높은 것을 쓰고, 조명 기구도 전기가 적게 드는 제품을 사용한다.
• 한여름에는 냉방기를 적게 쓰고 겨울에도 난방 기구를 덜 쓰도록 노력한다. |

실천 글의 전개에 따라 내용 간추리기 46~47쪽

1 석탄, 석유, 가스, 전기 등   **2** ⑤
3 ©   **4** ④, ⑤
5 에너지를 불필요하게 사용하지 않는다. 등 /
에너지 사용을 줄인다. 등   **6** 혜진
7 예 에너지 절약은 말로 하는 것이 아니라 생활 속에서 바로 실천해야 한다.

1 글 ②에서 에너지 자원의 종류에 대해 알 수 있습니다.

2 에너지 자원은 한없이 있는 것이 아니라 다 쓰고 나면 더는 에너지 자원을 구할 수 없게 되기 때문입니다.

3 글 ②의 내용을 살펴봅니다.

국어 활동 48~49쪽

1 옛날 사람들은 비가 올 때면 삿갓이나 도롱이를 사용했다. / 오늘날 사람들은 천이나 비닐로 만든 가벼운 우산을 쓴다.
2 (1) ○ (3) ○ **3** ④   **4** 고마운 마음 등
5 겨울, (이른) 봄 **6** ⑤
7 (1) 디딤이가 갖바치 할아버지를 찾아가 신발 만드는 방법을 배웠다. 등
(2) 디딤이는 아가씨가 혼례식 때 신을 꽃신을 만들어 달라는 부탁을 받았다. 등

1 ① 문단에서는 두 번째 문장이, ② 문단에서는 첫 번째 문장이 중심 문장입니다.

2 문단의 내용을 대표하는 문장을 찾아야 합니다.

3 아가씨는 가마에서 내려 거지 소년에게 꽃신을 벗어 주었습니다.

4 거지 소년은 맨발로 눈밭 위에 서 있는 자신에게 꽃신을 벗어 준 아가씨에게 고마운 마음이 들었을 것입니다.

5 추운 겨울에서 이른 봄으로 바뀌었습니다.

6 디딤이는 갖바치를 쫓아다니며 신발 만드는 법을 배웠습니다.

7 일이 일어난 과정을 떠올려 이야기에서 중요한 일만 간단히 정리해 봅니다.

단원 마무리   50~51쪽

❶ 목적   ❷ 중요한   ❸ 성대
❹ 발음근   ❺ 부레   ❻ 마당
❼ 저녁   ❽ 문제점   ❾ 에너지
❿ 실천

단원 평가   52~54쪽

1 (2) ◯   **2** ①   **3** ①
4 도형   **5** ③   **6** ①, ②
7 ⑤   **8** ㉡
9 매미는 발음근으로 소리를 냅니다.
10 ①, ②   **11** (1) ㉠ (2) ㉡, ㉢, ㉣
12 ④   **13** (어느 더운) 여름날
14 나무 그늘   **15** (3) ◯   **16** ㉣
17 ⑤
18 지구의 에너지 자원은 한없이 있는 것이 아니라 다 쓰고 나면 더는 에너지 자원을 구할 수 없게 된다. 등
19 (1) 1 (2) 3 (3) 2   **20** 연우

1 우성이는 작년에 경험한 날씨를 떠올렸습니다.

2 오늘 하루는 전국적으로 맑은 날씨가 되겠다고 했습니다.

3 비가 온다는 말은 없었으므로 ①은 메모할 내용으로 알맞지 않습니다.

---

4 도형을 그려 정리한 것입니다.

5 동물들이 소리를 내는 방식에 대해 설명하고 있습니다.

6 개나 닭은 사람과 같이 성대를 울려 소리를 냅니다.

7 매미의 암컷은 발음근이 발달되어 있지 않고 발음막이 없어서 소리를 낼 수 없습니다.

8 ㉠은 중심 문장입니다.

9 글 ❸의 첫 번째 문장이 중심 문장이고 나머지 문장은 뒷받침 문장입니다.

> **채점 기준** 중심 문장을 정확히 찾아 쓴 경우에만 정답으로 합니다.

10 도롱이는 짚이나 띠 같은 풀을 두껍게 엮어 만든 망토입니다.

11 ㉠이 문단의 내용을 대표하는 중심 문장이고, 나머지는 ㉠을 보충 설명하는 뒷받침 문장입니다.

12 욕심쟁이 영감은 느티나무 그늘에서 낮잠 자는 것을 좋아했습니다.

13 '어느 더운 여름날'에서 시간적 배경이 여름이라는 것을 알 수 있습니다.

14 총각이 욕심쟁이 영감에게 그늘을 산 것이 중요한 사건입니다.

15 나무 그늘이 욕심쟁이 부자 영감의 집 마당까지 들어가자 총각은 그늘을 따라 욕심쟁이 영감의 집 안으로 들어갔습니다.

16 ㉠~㉢에는 욕심쟁이 영감을 혼내 줄 생각에 신이 난 총각의 마음이 드러납니다.

17 총각이 그늘을 따라 욕심쟁이 영감의 안방으로 들어간 것이 중요한 사건입니다.

18 글 ㉮에 글쓴이가 제기한 문제점이 나타나 있습니다.

> **채점 기준** 글에서 제기한 문제점을 정확히 파악하여 썼으면 정답으로 합니다.

19 먼저 문제점을 제기한 후 해결 방안과 그 실천 방안을 제안하고 있습니다.

20 뜨거운 음식은 식힌 뒤에 냉장고에 넣어야 에너지를 절약할 수 있습니다.

서술형 평가   55쪽

1 (1) 물고기는 몸속에 있는 부레로 여러 가지 소리를 냅니다.

(2) (이렇게) 동물들은 저마다 다른 방법으로 소리를 낼 수 있습니다.

2 총각은 동네 사람들을 그늘로 불렀고, 욕심쟁이 영감의 집은 날마다 사람들로 북적거렸다. 등

3 총각이 동네 사람들을 그늘로 부르자 욕심쟁이 영감이 마을을 떠났다. 등

4 예시 답안 참고

1 글 ❶은 첫 번째 문장이, 글 ❷는 마지막 문장이 중심 문장입니다.

> 채점 기준 각 문단의 중심 문장을 모두 정확히 찾아 쓴 경우에만 정답으로 합니다.

> 정답 친해지기 **문단의 중심 문장 찾기**
> • 문단에서 가장 중요한 문장을 찾습니다.
> • 중요한 문장은 문단의 앞이나 뒤에 나옵니다.

2 글 ㉮의 내용을 살펴봅니다.

> 채점 기준 글의 내용을 파악하고 총각이 욕심쟁이 영감을 어떻게 혼내 주었는지 썼으면 정답으로 합니다.

3 욕심쟁이 영감이 마을을 떠난 것이 중요한 사건입니다.

> 채점 기준 글에서 일어난 중요한 사건을 한 문장으로 정리하여 썼으면 정답으로 합니다.

4 의견을 내세운 글의 전개에 따라 전체 내용을 간추려 봅니다.

> 예시 답안 우리는 에너지를 절약해야 한다. 집에서 에너지 절약을 실천하는 방법은 쓰지 않는 꽂개 뽑아 놓기, 빈방에 켜 놓은 전깃불 끄기, 뜨거운 음식은 식힌 뒤에 냉장고에 넣기, 에너지 효율이 높은 가전제품 쓰기, 전기가 적게 드는 조명 기구 사용하기, 냉방기와 난방 기구 사용 줄이기 등이다. 에너지 절약은 말로 하는 것이 아니라 생활 속에서 바로 실천해야 한다.

> 채점 기준 글의 내용을 간추려 알맞게 썼으면 정답으로 합니다.

3. 느낌을 살려 말해요

핵심 확인 문제   58쪽

1 (3) ×   **2** 듣는 사람   **3** ×

4 ㉠, ㉡

준비 상황에 알맞은 표정, 몸짓, 말투의 효과 알기   59쪽

1 (1) ㉡ (2) ㉠   **2** 밝게 웃고 있다. 등

3 민수   **4** (1) 공손 (2) 예의

5 예 바른 자세로 서서 자신감 있는 목소리로 말하고, 선거 기호 번호를 말할 때 손가락을 사용한다.

6 ②, ③, ⑤

1 상황에 따라 어떻게 말해야 하는지 생각해 봅니다.

2 그림에서 말하는 여자아이는 밝게 웃고 있습니다.

3 남자아이는 듣는 사람을 바르게 서서 바라보고 있고, 여자아이는 비뚤게 서서 손으로 머리를 긁적이고 있습니다.

4 그림 ㉮와 ㉯에서 말하는 사람의 말투를 비교해 보고 상황에 알맞은 말투를 생각해 봅니다.

5 상황에 어울리는 표정, 몸짓, 말투를 생각해 봅니다.

> 채점 기준 회장 선거에 나가서 의견을 말할 때 어울리는 표정이나 몸짓, 말투를 썼으면 정답으로 합니다.

6 상황에 알맞은 표정, 몸짓, 말투를 사용하면 자신의 생각을 분명하게 전달할 수 있고, 느낌을 잘 표현할 수 있으며 듣는 사람이 잘 알아들을 수 있습니다.

기본 적절한 표정, 몸짓, 말투를 사용해 말하기   60쪽

1 ㉯   **2** (음료수) 깡통을 발로 찼다. 등

3 ④

4 (1) 친구의 성공을 반기는 표정 등
(2) 엄지손가락을 위로 올림. 등

5 예 소리가 작고 걱정스러운 말투

6 따뜻한, 부드러운

1 웃는 표정으로 고맙다고 말하는 것은 진심으로 고맙다는 뜻입니다.

> **오답 피하기**
> ㉮ 선생님께서 밝은 표정을 지으시면서 엄지손가락을 위로 올리시는 것은 잘했다고 칭찬하는 뜻입니다.
> ㉰ 밝은 표정으로 웃는 것은 매우 즐겁고 재미있다는 뜻입니다.
> ㉱ 찌푸린 표정을 짓고 배를 감싸 쥐는 것은 배가 몹시 아프다는 뜻입니다.

2 석우가 음료수 깡통을 발로 멀리 차고, 영택이도 발로 차 보았습니다.

3 석우는 놀라는 것처럼 입을 오므리고 있고 영택이는 밝게 눈웃음을 짓고 있습니다.

4 말하는 내용과 표정, 몸짓이 어울려야 합니다.

> **채점 기준** 장면을 보고 인물의 말과 어울리는 표정과 몸짓을 썼으면 정답으로 합니다.

5 영택이는 소리가 작고 걱정스러운 말투, 석우는 밝고 장난스러운 말투가 어울립니다.

6 다른 사람을 설득하는 상황에 어울리는 표정과 말투를 생각해 봅니다.

기본 듣는 사람을 고려해 상황에 맞게 말하기 · 61~63쪽

1 사냥이나 채집을 하며 생활했기 때문이다. 등
2 농사 **3** ④ **4** 물물 교환
5 조개껍데기 **6** (1) ㉠ (2) ㉣ (3) ㉢ (4) ㉡
7 ④ **8** (3) ○ **9** ①
10 ①
11 ⑩ 동생, 동생이 알기 쉬운 말로 설명한다.
12 ⑩ 돈은 동전과 지폐로 나눌 수 있어. 동전은 다양한 금속을 섞어 만들기 때문에 색깔이 다양한 거야. 지폐는 솜으로 만들어서 습기에도 강하고 정교하게 만들면서 위조도 막아 준대. 그리고 우리나라의 동전 만드는 기술은 아주 뛰어나서 많은 나라에서 수입해서 활용한대.
13 ㉠

1 원시 시대에는 사냥이나 채집을 하며 생활했기 때문에 돈이 필요 없었습니다.

2 인류가 농사를 짓기 시작하면서 생산 활동을 하게 되었습니다.

3 돈이 없을 때에는 필요한 물건을 서로 교환했습니다.

4 물건과 물건을 바꾸는 것을 '물물 교환'이라고 합니다.

5 인류는 물건의 가격을 매길 수 있는 제삼의 물건(돈)을 생각해 냈고, 최초의 돈은 중국인들이 사용한 조개껍데기입니다.

6 조개껍데기가 나지 않는 지역은 어떤 물건을 돈으로 사용했는지 살펴봅니다.

7 이 글은 돈이 생긴 까닭을 설명하는 글입니다.

8 여러 사람 앞에서 말할 때에는 높임말로 합니다.

9 동전을 만들 때 섞는 금속에 따라서 동전 색깔이 달라진다고 했습니다.

10 오늘날 대부분의 국가들은 솜으로 지폐를 만듭니다.

11 듣는 사람과 주의할 점을 생각해 봅니다.

12 듣는 사람과 듣는 상황을 고려하여 씁니다.

> **채점 기준** 글을 읽고 듣는 사람을 고려하여 말할 내용을 알맞게 썼으면 정답으로 합니다.

13 ㉠은 듣는 사람을 고려해 말했는지 점검할 내용으로 알맞지 않습니다.

기본 읽는 사람을 고려해 생각 쓰기 · 64~66쪽

1 ④ **2** ⑤
3 ⑩ 북극곰에게 미안한 마음이 들었고, 환경을 보호해야겠다는 생각을 했다.
4 ② **5** 군대 **6** ②
7 인근 발전소에 팔아 월 평균 100유로 정도의 수익을 얻는다. 등
8 ㉠ **9** ④
10 ⑩ 마을 전체의 이익을 위해서는 개인의 불편함은 양보해야 된다고 생각한다.
11 친구들이 관심을 보일 만한 내용을 쓴다. 등 / 신문 기사이므로 사진 자료를 활용한다. 등
12 ①, ②, ⑤

1 북극곰은 빙하가 녹아 생존을 위협받고 있습니다.

2 우리 주변에 어떤 환경 문제가 있는지 생각해 봅니다.

3 광고를 보고 북극곰이 왜 어려움을 겪고 있는지, 환경 문제가 왜 생기는지 생각해 봅니다.

4 일회용품을 사용하는 것은 환경을 보호하는 일이 아닙니다.

5 보봉은 1992년까지 군대가 있던 마을이었습니다.

6 글 **1**의 마지막 부분을 살펴봅니다.

7 전력 생산 주택에서 전기를 생산하고 남는 전력은 인근 발전소에 팔아 수익을 얻는다고 했습니다.

8 글의 내용을 바르게 파악하며 생각을 말하지 못한 것을 찾습니다.

9 보봉이 어린아이들의 천국이라는 점 때문에 이사를 했다고 했습니다.

10 글의 내용을 파악하고 전하고 싶은 생각을 떠올려 봅니다.

11 읽는 사람이 되어 궁금한 점이 무엇일지 떠올려 봅니다.

> **채점 기준** 학급 신문을 읽는 친구들에게 글을 쓸 때 고려해야 할 점 두 가지를 알맞게 썼으면 정답으로 합니다.

> **정답 친해지기** 「생태 마을 보봉」을 읽고 누구에게 어떻게 글을 쓰면 좋을지 생각해 보기 **예**

읽을 사람	글의 내용	읽는 사람을 위해 글을 쓸 때 고려할 점
학급 신문을 읽는 친구들	우리나라의 생태 마을을 조사한 내용	친구들이 관심을 보일 만한 내용을 쓰고, 신문 기사이므로 사진 자료를 활용한다.
마을 온라인 게시판을 이용하는 주민들	보봉 마을 사람들처럼 환경을 위해 자동차 사용을 줄이자고 제안하는 내용	보봉 마을의 예를 자세히 제시해 생활에 어떻게 활용할지 안내한다.
부모님	가정에서 환경 보호를 위해 실천할 수 있는 일을 함께 지키자는 내용	부모님께 환경 보호를 함께 실천할 수 있도록 부탁드리는 내용을 쓴다.

12 글을 쓸 때에는 읽는 사람의 나이와 처지, 읽는 사람이 궁금해할 내용을 생각하며 예의 바르게 써야 합니다.

> **실천** 자신이 겪은 일을 실감 나게 말하기   67쪽

1 미진

2 (1) **예** 딸기 농장에 다녀온 이야기이다.
　　(2) **예** 친구들

3 (1) **예** 엄마, 아빠, 동생
　　(2) **예** 지난 주말, 딸기 농장
　　(3) **예** 딸기 따기와 잼 만들기
　　(4) **예** 딸기 따기와 잼 만들기 체험

4 ②, ④

1 재미있었던 일을 말하지 못한 사람은 미진입니다.

2 자신이 겪은 일 가운데에서 한 가지를 골라 누구에게 들려주고 싶은지 생각해 봅니다.

3 겪은 일을 떠올려 정리해 봅니다.

> **채점 기준** 자신이 겪은 일을 알맞게 정리하여 썼으면 정답으로 합니다.

4 알맞은 표정, 몸짓, 말투로 실감 나게 표현하면 듣는 사람도 그 일을 생생하게 느낄 수 있습니다.

> **국어 활동**   68~69쪽

1 ㉡
2 남자아이가 고마워하는 마음이 진심으로 느껴지지 않아 기분이 좋지 않을 것이다. 등
3 **마**　　**4** ⑤　　**5** ㉠
6 ㉠, ㉡, ㉢　　**7** 하는 수 없이

1 무거운 것을 혼자 들고 가는 친구에게 어떤 표정과 몸짓, 말투로 말해야 하는지 생각해 봅니다.

2 남자아이의 표정과 몸짓으로 보아 고마운 마음이 잘 전달되지 않았을 것입니다.

3 듣는 사람을 고려해 바르게 말하는 그림은 **마**입니다.

4 여러 사람이 함께 계단을 오르내릴 때에는 앞사람과 닿지 않도록 간격을 두어야 합니다.

5 읽는 사람이 좋아하는 것을 고려해 글을 쓸 필요는 없습니다.

6 '것', '수', '줄'은 "것을 아니?"와 같이 혼자서는 쓸 수 없는 낱말입니다. 앞에 오는 다른 낱말과 함께 써야 하고, 쓸 때에는 띄어 써야 합니다. 그러나 "이것이 무엇인가요?"와 같이 '이것', '저것', '그것'은 하나의 낱말이므로 붙여 씁니다.

> **오답 피하기**
> ② 하다 보면 그럴 수도 있지.
> ③ 너만 그걸 할 줄 아는구나.
> ④ 그 일은 찬혜만 할 수 있어요.

7 '하는 수 없이'로 띄어 써야 합니다.

단원 마무리   70~71쪽

❶ 웃고   ❷ 바르게   ❸ 공손
❹ 밝은   ❺ 알기   ❻ 관심
❼ 높임말   ❽ 궁금한

단원 평가   72~74쪽

1 ①   **2** ④   **3** (2) ○
4 밝은 표정을 지으시면서 엄지손가락을 위로 올리시는 것은 잘했다고 칭찬하는 뜻이다. 등
5 즐겁고 재미있다. 등   **6** ④
7 ②, ⑤   **8** ③   **9** ⑤
10 남아메리카   **11** ③, ⑤   **12** (3) ○
13 동전과 지폐   **14** 구리   **15** ①
16 예 동전은 다양한 금속을 섞어 만들기 때문에 색깔이 다양한 거야.
17 (1) ○
18 개인 주차장을 짓지 않겠다는 것 등
19 ①   **20** 은하

---

1 여자아이는 엄마의 말을 듣고 기쁜 표정을 지으면서 말했습니다.

2 여자아이가 말하면서 지은 표정으로 보아, 그림 ④가 내키지 않은 일을 억지로 해야 하는 상황입니다.

3 (1)의 아이는 밝게 웃고 있지만, (2)의 아이는 굳은 표정입니다.

4 선생님의 표정과 몸짓을 쓰고, 그것이 의미하는 것이 무엇인지 씁니다.

> **채점 기준** 선생님께서 엄지손가락을 위로 올리고 있는 것은 칭찬하는 뜻이라는 내용을 썼으면 정답으로 합니다.

5 밝은 표정으로 웃는 것은 매우 즐겁고 재미있다는 뜻입니다.

6 친구에게 해 보라고 격려하는 말이므로 친구의 등을 두드리는 몸짓이 어울립니다.

7 장면 ②에서는 밝은 표정, 장면 ④에서는 친구의 성공을 반기는 표정이 어울립니다.

8 상황에 맞는 표정과 말투로 말해야 합니다.

9 기록에 전해지는 최초의 돈은 중국인들이 사용한 조개껍데기라고 했습니다.

10 초콜릿의 원료인 카카오가 많이 나는 남아메리카에서는 카카오 열매를 돈으로 사용했습니다.

11 물건을 돈으로 사용하는 것을 '물품 화폐' 또는 '상품 화폐'라고 합니다.

12 높임말을 사용하고 있으므로 여러 사람 앞에서 말한 상황이 알맞습니다.

13 돈은 크게 동전과 지폐로 나눌 수 있습니다.

14 동전은 주재료가 구리라고 했습니다.

15 지금은 쓰이지 않지만 1원짜리 동전은 구리를 전혀 섞지 않고 100퍼센트 알루미늄으로만 만들었습니다.

16 동생에게 하는 말이므로 알기 쉬운 말로 설명해야 합니다.

> **채점 기준** 동전의 색깔이 다양한 까닭을 정리하여 동생이 알기 쉬운 말로 썼으면 정답으로 합니다.

17 외국어를 잘 못한다고 그냥 도망가면 외국인이 당황스러울 것입니다.

18 보봉에 들어와 살려면 개인 주차장을 짓지 않겠다고 약속해야 한다고 했습니다.

19 보봉은 오랫동안 군대가 머무는 곳으로 묶여 있어 생기라고는 찾아볼 수 없는 마을이었다고 했습니다.

20 읽는 사람이 되어 궁금한 점이 무엇일지 떠올려 쓸 내용을 정해야 합니다.

1 (1) 듣는 사람을 바르게 서서 바라보고 있다. 등
(2) 비뚤게 서서 손으로 머리를 긁적이고 있다. 등

2 (1) 찌푸린 표정을 짓고 배를 감싸 쥐고 있다. 등
(2) 배가 몹시 아프다는 뜻이다. 등

3 예 지폐를 만드는 재료와 그 재료를 사용하는 까닭에 대해 말하고 싶다.

4 예 지폐는 솜으로 만듭니다. 왜냐하면 솜으로 만든 지폐가 습기에도 강하고 정교하게 인쇄 작업을 할 수 있으며 위조를 방지할 수 있기 때문입니다.

5 예 실감 나는 표정과 몸짓으로 천천히 또박또박 말한다.

---

1 그림 속 말하는 사람의 몸짓이 어떠한지 살펴보고 상황에 알맞은 몸짓도 생각해 봅니다.

> **채점 기준** 말하는 사람의 몸짓을 모두 알맞게 썼으면 정답으로 합니다.

2 그림 속 아이가 찌푸린 표정을 짓고 배를 감싸 쥐고 있는 것으로 보아 배가 몹시 아프다는 것을 알 수 있습니다.

> **채점 기준** 그림 속 아이의 표정과 몸짓이 어떠한지 쓰고, 그것이 무엇을 뜻하는지도 알맞게 썼으면 정답으로 합니다.

3 이 글은 돈의 재료에 대해 설명하고 있습니다. 글을 읽고 말하고 싶은 내용을 생각해 봅니다.

> **채점 기준** 글의 내용과 관련된 내용을 말하고 싶다고 썼으면 정답으로 합니다.

4 말할 내용을 정리하고, 여러 사람 앞에서 발표할 내용이므로 높임말로 써 봅니다.

> **채점 기준** 글을 읽고 말할 내용을 간추려 여러 사람 앞에서 발표하는 상황에 알맞은 말로 썼으면 정답으로 합니다.

5 할아버지께 말씀드릴 때에는 천천히 또박또박 이야기해야 합니다.

> **채점 기준** 할아버지께 말하는 상황에 어울리는 표정이나 몸짓, 말투를 썼으면 정답으로 합니다.

---

4. 일에 대한 의견

핵심 확인 문제   78쪽

1 의견   **2** 사실   **3** ×
4 무엇을   **5** ○

준비   **사실과 의견의 차이점 알기**   79쪽

1 단원 김홍도의 그림   **2** 석원
3 (1) ㉠ (2) ㉡   **4** ㉠, ㉡
5 그림에 나타난 우리 조상의 생활 모습이 오늘날과는 많이 다르다. 등
6 ②   **7** (1) 의견 (2) 사실

1 정우와 석원이는 박물관에서 단원 김홍도의 그림을 보았습니다.

2 정우는 실제로 있었던 일을 말했습니다.

3 사실과 의견을 구별해 봅니다.

> **정답 친해지기** 사실과 의견의 차이점
>
> | 사실 | 실제로 있었던 일 |
> |------|------------------|
> | 의견 | 대상이나 일에 대한 생각 |

4 ㉠과 ㉡은 사실, ㉢은 의견입니다.

5 일기의 끝부분에 석원이의 생각이 드러나 있습니다.

> **채점 기준** 석원이의 생각을 파악하여 알맞게 썼으면 정답으로 합니다.

6 ②를 제외한 나머지 문장은 모두 의견입니다.

7 사실은 실제로 있었던 일, 의견은 대상이나 일에 대한 생각입니다.

기본   **글을 읽고 사실과 의견 구별하기**   80쪽

1 ④   **2** ①, ④
3 ㉠과 ㉡이 사실이다. 실제로 겪은 일을 나타낸 것이기 때문이다. 등
4 (1) 의견 (2) 생각이나 느낌

1 글쓴이는 독도에서 괭이갈매기, 슴새, 바다제비, 동해 등을 보았습니다.

2 글쓴이는 독도를 아끼고 독도에 관심을 가져야겠다고 생각했습니다.

3 ⓒ은 일에 대한 생각을 나타낸 것이므로 의견입니다.

> **채점 기준** 사실을 모두 찾아 기호를 쓰고, 그 까닭도 알맞게 썼으면 정답으로 합니다.

4 제시된 글은 생각을 나타낸 것으로, 의견입니다.

> **정답 친해지기** 「독도를 다녀와서」를 읽고 사실과 의견 구별하기
>
> | 글 | 사실/의견 | 구별 근거 |
> |---|---|---|
> | 우리는 울릉도에 가서 다시 독도로 가는 배를 탔다. | 사실 | 한 일 |
> | 배는 항구를 떠나 독도로 향했다. | 사실 | 본 일 |
> | 독도에는 괭이갈매기뿐만 아니라 ~ 텃새도 산다고 한다. | 사실 | 들은 일 |
> | 독도에서 동해를 바라보니 가슴이 탁 트이는 것 같았다. | 의견 | 느낌 |

기본 **사실에 대한 의견 말하기** 81~82쪽

> **1** ⑤ **2** 패랭이꽃 한 그루
> **3** ①, ③ **4** 의견 **5** 대비
> **6** 신사임당 **7** ㉠
> **8** (1) **예** 쥐들이 수박을 좋아한다.
> (2) **예** 쥐들이 달콤한 수박을 좋아해 껍질을 뚫고 파먹고 있는 모습과 만족스러운 표정이 인상 깊고 신기하다.

1 화면의 중앙에 핵심이 되는 식물을 두고, 그 주변에 각종 벌레와 곤충을 배치했습니다.

2 수박 위에는 나비 두 마리가 있고, 큰 수박의 오른쪽에는 패랭이꽃 한 그루가 피어 있다고 했습니다.

3 당시의 사람들은 수박이 아이를 많이 낳는 것을 상징하고, 나비는 화목과 사랑을 상징한다고 생각했습니다.

4 수박이 당당해 보인다는 글쓴이의 생각이 나타나 있으므로 의견에 해당합니다.

---

5 글 ❸의 두 번째 문단에 나타나 있습니다.

6 글의 맨 마지막 부분에서 알 수 있습니다.

7 ⓛ은 그림에 대한 생각이므로 의견에 해당합니다.

8 글을 읽고 새롭게 안 사실을 쓰고, 그것에 대한 자신의 의견을 써 봅니다.

> **채점 기준** 글을 읽고 새롭게 안 사실과 그것에 대한 의견을 알맞게 썼으면 정답으로 합니다.

기본 **사실에 대한 의견 쓰기** 83쪽

> **1** **예** 운동회 / 공개 수업 **2** ③
> **3** **예시 답안** 참고

1 학교나 집에서 있었던 일을 떠올려 봅니다.

2 겪은 일을 쓸 때 누구와, 언제, 어디에서, 무엇을, 어떻게, 왜 했는지, 어떤 생각을 했는지 정리합니다.

3 본 일, 들은 일, 한 일을 떠올려 사실과 의견으로 정리한 다음 글로 써 봅니다.

> **예시 답안**
>
> 제목: 에너지 박물관을 다녀와서
>
> 지난주 수요일에 우리 반은 에너지 박물관에 현장 체험학습을 다녀왔다. 선생님께서는 평소 에너지 절약에 관심이 없는 우리들에게 에너지 절약의 중요성을 알려 주시기 위해 현장 체험학습을 가는 것이라고 말씀하셨다.
>
> 박물관에는 에너지 절약과 관련한 다양한 전시물과 대체 에너지 체험 기구들이 있었다. 처음 보는 대체 에너지 체험 기구들이 신기했다. 선생님께서는 겨울에 입는 내복 하나, 내가 뽑은 꽂개 하나, 종이 뒷면을 한 번 더 활용하는 습관 하나가 에너지를 아낄 수 있다고 말씀하셨다. 에너지를 아껴 쓰는 방법이 의외로 간단하다고 생각했다.
>
> 이번 현장 체험학습을 통해 에너지의 중요성과 에너지 절약의 필요성에 대해 알게 되었다. 박물관을 나서며 나부터 소중한 에너지를 아껴 써야겠다고 생각했다.

> **채점 기준** 자신이 겪은 일을 정해 사실과 의견이 잘 드러나도록 썼으면 정답으로 합니다.

실천 학급에서 일어난 일에 대해 의견이 드러나게 쓰기   84쪽

1 ①

2 예 독서 우수 학급 선정 기준 및 우수 학급 상품 등

3 ㉡, ㉢

4 예 가는 말이 고와야 오는 말이 곱다는 말이 있다. 나부터 고운 말을 쓰기 위해 노력한다면 주변의 많은 친구가 고운 말을 쓸 것이고, 보다 행복한 교실이 될 수 있을 것이다.

1 학급 신문 기사에는 우리 학급에 대한 일을 써야 합니다. ①은 일기에 쓸 내용으로 알맞습니다.

2 학급 신문에 기사로 쓸 내용을 정해 봅니다.

> **정답 친해지기** 학급 신문에 실릴 만한 사건이나 소식
> 학급에 있었던 좋은 소식, 우리 반의 문제점을 해결하는 방법에 대한 내용, 친구들에게 부탁하거나 제안하는 내용 등

3 학급 신문 기사를 쓸 때 제목을 쓰도록 합니다.

4 학급 신문 기사를 살펴보고 자신의 의견을 써 봅니다.

> **채점 기준** 기사 내용에 알맞은 자신의 의견을 썼으면 정답으로 합니다.

국어 활동   85~86쪽

1 (1) 사실 (2) 의견

2 지혜롭고 남을 배려해 주는 장영실처럼 저도 이 세상에 필요한 사람이 되어야겠습니다.

3 세 마리

4 <u>우리는 지리산의 자연 생태계를 보전하려고 노력해야 한다. 그러기 위해서는 숲을 가꾸고 사람들이 들어갈 수 없는 곳을 정해야 한다.</u>

5 (1) ㉠ (2) ㉢ (3) ㉡

6 ④

7 (1) [의견난] (2) [등산노]

8 (1) [훌·련] (2) [물랄리]

1 ㉠은 실제로 일어난 일, ㉡은 있었던 일에 대한 생각입니다.

2 마지막 문장에 글쓴이의 다짐이 드러나 있습니다.

3 반달가슴곰은 세쌍둥이를 출산했습니다.

4 글의 마지막 두 문장이 의견입니다.

5 친구들이 한 말과 사진을 보고 의견을 떠올리는 방법을 함께 생각해 봅니다.

6 'ㄴ'은 'ㄹ'의 앞이나 뒤에서 [ㄹ]로 소리 납니다. 다만 '생산량[생산냥]', '판단력[판단녁]'과 같은 몇몇 한자어는 'ㄴ' 다음에 오는 'ㄹ'이 [ㄴ]으로 소리 납니다.

7 의견란[의견난], 등산로[등산노]로 소리 납니다.

8 'ㄴ'이 'ㄹ'의 앞이나 뒤에 있을 때 어떻게 소리 나는지 생각해 봅니다.

단원 마무리   87쪽

❶ 사실   ❷ 생각   ❸ 의견
❹ 다를

단원 평가   88~90쪽

1 의견   **2** ③   **3** ①

4 정우

5 <u>그림에 나타난 조상의 생활 모습은 오늘날과는 많이 다르다는 생각이 들었다.</u>

6 ①, ④, ⑤   **7** 지난 방학 때   **8** ①

9 책이나 인터넷에서만 보던 독도를 직접 가 보는 것이 좋겠다고 생각했다.

10 ㉡   **11** (2) ○   **12** ②

13 ㉠   **14** 슬기

15 (1) 예 지난 주 수요일 에너지 박물관으로 현장 체험학습을 다녀왔다.
　　(2) 예 나부터 소중한 에너지를 아껴 써야겠다고 생각했다.

16 ⑤   **17** ㉠   **18** (2) ○

19 ④   **20** (1) ㉠ (2) ㉡

1 실제로 있었던 일을 사실이라고 하고, 대상이나 일에 대한 생각을 의견이라고 합니다.

2 정우의 말에서 박물관에 다녀왔다는 것을 알 수 있습니다.

3 석원이는 김홍도의 그림 중 씨름하는 장면을 그린 그림이 가장 마음에 들었다고 했습니다.

4 석원이는 대상에 대한 생각을 말했습니다.

5 맨 마지막 문장이 의견을 나타내는 문장이고 나머지 문장은 사실을 나타내는 문장입니다.

6 ②, ③은 의견을 나타낸 문장입니다.

7 '나'는 지난 방학 때 가족과 함께 독도를 다녀왔다고 했습니다.

8 아버지께서 독도를 다녀오자고 하셔서 가게 되었습니다.

9 『 』 부분에서 맨 마지막 문장이 의견을 나타내는 문장이고 나머지 문장은 모두 사실을 나타내는 문장입니다.

> **채점 기준** 의견을 나타내는 문장을 찾아 정확히 썼으면 정답으로 합니다.

10 ㉠은 한 일을 나타낸 것입니다.

11 수박과 들쥐, 나비, 패랭이꽃이 있는 그림을 찾아봅니다.

12 작은 쥐들이 커다란 수박을 열심히 파먹어서 수박의 속과 씨가 그대로 드러나 있다고 했습니다.

13 ㉠은 사실을 나타내는 문장입니다.

14 슬기는 사실에 대한 의견을 말하지 않고 글에 나타난 사실만 말했습니다.

15 자신이 한 일과 그에 대한 의견을 써 봅니다.

> **채점 기준** 자신이 한 일을 떠올려 쓰고 그에 대한 의견을 알맞게 썼으면 정답으로 합니다.

16 반달가슴곰이 세쌍둥이를 낳은 것은 지리산의 자연 생태가 곰이 살아가는 데 알맞다는 증거라고 했습니다.

17 ㉠은 사실에 해당합니다.

18 기사의 내용으로 보아 알맞은 의견을 말한 것은 (2)입니다.

19 한국의 자연환경이 한옥 지붕이 곡선을 이루게 된 데에 큰 영향을 끼쳤다고 했습니다.

20 ㉠은 사실 그대로의 내용을 전하고 있고, ㉡에는 글쓴이의 생각이 담겨 있습니다.

서술형 평가   91쪽

1 예 그림 속 사람들의 모습과 표정이 실감 나게 느껴진다.

2 독도에 대한 책도 읽고 사진도 여러 장 찾아보았다. 등

3 책에서만 보던 슴새나 바다제비를 직접 보니 신기하기만 했다.

4 화면의 중앙에 핵심이 되는 식물을 두고, 그 주변에 각종 벌레와 곤충을 배치했다. 등

5 예 「초충도」가 여덟 폭으로 이루어진 병풍 작품이라는 것을 몰랐는데 새롭게 알게 되어 기쁘고 신기하다.

6 (1) 예 아침에 일찍 일어나서 줄넘기를 했다.
   (2) 예 아침 일찍 일어나 운동을 하니 기분이 좋고 상쾌했다.

1 그림을 보고 자신의 생각을 써 봅니다.

> **채점 기준** 제시된 그림을 보고 자신의 의견이 잘 드러나게 썼으면 정답으로 합니다.

2 글 ㉮를 통해 알 수 있습니다.

> **채점 기준** 글 ㉮에서 글쓴이가 독도에 관심을 가지고 무엇을 했는지 찾아 썼으면 정답으로 합니다.

3 글 ㉯의 마지막 문장이 의견이고 나머지 문장은 사실 중 들은 일에 해당합니다.

> **채점 기준** 글 ㉯에서 글쓴이의 의견이 나타난 문장을 정확히 찾아 썼으면 정답으로 합니다.

4 「초충도」는 화면의 중앙에 식물을 두고, 그 주변에 각종 벌레와 곤충을 배치하는 구도로 되어 있습니다.

> **채점 기준** 「초충도」의 구도를 바르게 썼으면 정답으로 합니다.

5 ㉠의 사실에 대한 의견을 써 봅니다.

> **채점 기준** ㉠의 사실에 대한 의견을 알맞게 썼으면 정답으로 합니다.

6 겪었던 일을 떠올려 보고 있었던 일을 사실대로 쓴 뒤에 그 일에 대한 의견을 써 봅니다.

> **채점 기준** 사실과 의견을 알맞게 썼으면 정답으로 합니다.

5. 내가 만든 이야기

핵심 확인 문제 94쪽

1 (2) ○ (3) ○ **2** (1) × **3** ○
4 사건

준비 그림의 차례를 정해 이야기 꾸미기 95쪽

1 ①, ④ **2** ①
3 (1) ❶
(2) 예 소년이 구름 사람을 만나 구름 공항으로 가서 겪는 일을 꾸며 보고 싶기 때문이다.
4 (1) ○ (3) ○

1 소년과 구름으로 된 사람이 등장합니다.

2 그림을 살펴보면 소년이 구름 사람으로 변신한 것이 아니라 소년과 구름 사람이 만났습니다.

3 시작 장면이 원인이 되어 일어날 일을 생각해 각각의 장면 차례를 정해 봅니다.

> **채점 기준** 이야기의 시작 장면을 정하고 그 까닭을 알맞게 썼으면 정답으로 합니다.

4 원인과 결과를 생각하며 이야기의 흐름이 자연스럽도록 꾸미고 이야기가 그림과 잘 어울리도록 합니다.

기본 사건의 흐름을 파악하며 이야기 읽기 96~98쪽

1 ①, ③, ⑤ **2** ② **3** 착하다. 등
4 (1) 감나무 (2) 금
5 금이 있는 커다란 산 / 금으로 가득한 산
6 ⑤ **7** ㉠
8 우두머리 까마귀는 동생을 금으로 가득한 산에 데려다주고 동생은 주머니에 금을 담아 왔다. 등
9 욕심을 너무 많이 부려 금도 못 가져오고 집에도 오지 못했다. 등
10 ④ **11** ④, ⑤
12 예 「콩쥐 팥쥐」 / 「혹부리 영감」

1 이 글에는 욕심 많은 형과 착한 동생, 그리고 까마귀가 등장합니다.

2 감을 다 먹어 버린 까마귀 떼를 보고 동생이 어떻게 살지 걱정하자 까마귀 떼는 동생을 금 산에 데려다주기로 했습니다.

3 동생의 말과 행동을 살펴봅니다. 또 "당신은 마음이 착하고 욕심이 없군요."라는 까마귀의 말을 통해서도 알 수 있습니다.

4 각 장면에서 일어난 중요한 일을 정리해 봅니다.

5 까마귀는 바다를 지나고 산꼭대기를 지나 금으로 가득한 산 위에 동생을 내려 주었습니다.

6 동생의 집에서 금으로 가득한 산으로 배경이 바뀌었습니다.

7 동생은 마음이 착하고 욕심이 없어 복을 받았습니다.

8 인물에게 일어난 일을 중심으로 글 ❸을 정리해 봅니다.

> **채점 기준** 동생에게 일어난 일을 알맞게 정리하여 썼으면 정답으로 합니다.

9 이야기의 배경 변화에 따라 인물에게 어떤 사건이 일어났는지 정리해 봅니다.

10 등장인물의 수를 살펴보는 것은 사건의 흐름을 파악하는 것과 관련이 없습니다.

11 마음씨 착한 동생은 부자가 되고, 욕심 많은 형은 금 산에 남겨지게 된 것을 통해 전하고자 하는 생각을 짐작해 봅니다.

12 이 글의 주제와 비슷한 옛이야기를 찾아봅니다.

> **보충 자료** 「까마귀와 감나무」는 베트남의 옛이야기로, 우리나라의 옛이야기와 비슷한 점이 많습니다.

기본 이야기의 흐름 이해하기 99~101쪽

1 다음 주 금요일 **2** ①, ⑤
3 (1) ○ **4** ④ **5** ④
6 ⑤ **7** ③ **8** 수아
9 아빠 **10** ④
11 예 수현이가 마라톤을 완주할 수 있었던 것은 수현이의 뒤에서 함께 뛴 아빠의 사랑 때문이다.
12 ①, ⑤

1 종례 시간에 선생님께서 다음 주 금요일에 마라톤 대회가 열린다고 말씀하셨습니다.

2 끝까지 못 뛰어 놀림당할까 봐 걱정하면서도 완주하고 싶다는 생각을 했습니다.

3 글 ❶은 이 글의 처음 부분으로 수현이가 달리기 연습을 한 일이 나타나 있습니다.

4 수현이는 끝까지 포기하지 않겠다고 다짐했습니다.

5 수현이는 힘이 들어 달리기를 포기하고 싶었을 것입니다.

6 수현이와 100미터 이상 떨어진 거리에서 쓰러질 듯 달려오는 한 친구를 격려하기 위해서였습니다.

7 수현이는 힘들어도 최선을 다해 열심히 달렸던 친구에게 응원의 박수를 보내 주고 싶었습니다.

8 민수가 말한 내용은 글의 내용과 다릅니다.

9 수현이는 부모님의 대화를 엿듣고, 자신의 뒤에서 달렸던 사람이 아빠였다는 것을 알게 됩니다.

10 이야기의 흐름에 따라 일어난 일을 정리해 봅니다.

11 이야기의 흐름에 따라 생각이나 느낌을 정리해 봅니다.

> **채점 기준** 이야기의 내용에 알맞게 생각이나 느낌을 썼으면 정답으로 합니다.

12 이야기에서 나타내려고 하는 생각을 주제라고 합니다. 주제를 찾을 때에는 제목, 인물의 말이나 행동, 일어난 일 따위를 살펴봅니다.

기본 | **이야기를 읽고 이어질 내용 상상해 쓰기** | 102~105쪽

1 ①   **2** ①, ④
3 (꽃담이네 집) 욕실 등
4 엄마를 데려간 초록 고양이는 꽃담이에게 엄마를 찾고 싶으면 자신을 따라오라고 한다. 등
5 ②, ③   **6** ②   **7** 한
8 은하   **9** ②   **10** ③
11 ①, ②   **12** ⑤
13 뚜껑을 열거나 꽃담이의 이름을 불러서는 안 된다. 등   **14** ㉠, ㉣, ㉤, ㉡, ㉢
15 예 엄마는 꽃담이를 찾을 때까지 항아리를 깨뜨리고 꽃담이를 찾는다. 그리고 초록 고양이는 사라져 다시는 나타나지 않는다.   **16** (3) ✕

---

1 엄마는 이 닦으러 욕실에 들어가서 나오지 않았다고 했습니다.

2 꽃담이 엄마를 데려간 초록 고양이는 빨간 우산을 쓰고 노란 장화를 신고 있었습니다.

3 '꽃담이는 욕실 문을 열어 봤어요.' 등의 문장에서 짐작할 수 있습니다.

4 글 ❶에서 일어난 중요한 사건은 초록 고양이가 꽃담이 엄마를 데려간 뒤, 엄마를 찾고 싶으면 자신을 따라오라고 한 것입니다.

5 항아리를 두드려 봐도 안 되고, 엄마를 불러서도 안 된다고 했습니다.

6 만일 틀린 항아리를 고르면 영영 엄마를 못 찾게 될 것이라고 했습니다.

7 초록 고양이는 항아리 40개 가운데에서 엄마가 들어가 있는 항아리를 한 번에 찾으라고 했습니다.

8 꽃담이가 고양이를 싫어하여 함부로 대하는 모습은 글에 나타나 있지 않습니다.

9 꽃담이는 고소하고 달콤하고 향긋한 엄마 냄새가 나는 항아리를 찾았습니다.

10 꽃담이가 엄마를 너무 쉽게 찾아서 초록 고양이는 심통이 났습니다.

11 꽃담이가 엄마를 찾자 초록 고양이는 심통 난 얼굴로 엄마를 데려가라고 한 뒤 사라졌습니다.

12 글 ❸에서 일어난 중요한 사건은 꽃담이가 엄마가 있는 항아리를 찾은 것입니다.

13 뚜껑을 열어 봐서도 안 되고, 딸 이름을 불러서도 안 된다고 했습니다.

14 이야기의 흐름을 생각하며 글에서 일어난 일을 정리해 봅니다.

15 엄마가 꽃담이를 어떻게 찾게 될지 상상하여 글의 흐름에 맞게 써 봅니다.

> **채점 기준** 사건의 흐름과 어울리도록 이어질 이야기를 상상하여 썼으면 정답으로 합니다.

16 이야기를 읽고 이어질 내용을 상상해 쓸 때에는 사건들 사이에 원인과 결과 관계를 생각하며 사건의 흐름에 맞게 써야 합니다.

실천 자신이 상상한 이야기를 친구들에게 들려주기 106쪽

1 슬아 **2 예** 라
3 (1) **예** 주인공이 우주여행을 떠났다.
(2) **예** 연료 부족으로 주인공이 한 행성에 불시착해서 어려움에 처한 외계인을 도와주었다.
(3) 주인공이 외계인의 도움을 받아 무사히 지구로 돌아왔다. **4** ㉠, ㉢

1 슬아가 한 이야기는 사진과 관련이 없습니다.

2 사진들을 보고 떠오른 생각으로 어떤 이야기를 꾸미고 싶은지 상상해 봅니다.

3 이야기의 흐름을 생각하여 처음, 가운데, 끝부분에 들어갈 내용을 간단히 정리해 봅니다.

> **채점 기준** 사진 중 하나를 골라 자신이 상상한 이야기의 처음, 가운데, 끝의 흐름이 자연스럽도록 썼으면 정답으로 합니다.

4 처음, 가운데, 끝의 짜임에 맞게 이야기가 쓰였는지 생각해 보아야 합니다.

국어 활동 107~108쪽

1 (그림) 족자 **2** ④ **3** ①, ③
4 ⑤
5 예 한자경은 집으로 가 고지기에게 백 냥을 달라고 했고, 욕심을 부린 한자경은 도둑으로 몰렸다. 감옥에 갇히게 된 한자경은 뒤늦게 자신의 행동을 후회했다.
6 ㉡
7 (1) 들릴 만큼 (2) 아는 대로 (3) 않았을 뿐이지

1 전우치는 굶주려 쓰러져 있던 한자경에게 소매에서 꺼낸 그림 족자를 주었습니다.

2 고지기에게 반드시 하루에 한 냥씩 달라고 해야지 욕심을 부리면 큰 화를 당할 것이라고 했습니다.

3 족자에 그려진 고지기가 나와 꾸벅 절을 하니 놀랍고 신기할 것입니다.

4 한자경은 장터에 갔다가 맹 대감이 망해서 넓은 땅을 급히 팔아 치우려고 헐값에 내놓았다는 이야기를 들었습니다.

5 이야기의 흐름이 잘 드러나고 앞의 이야기와 어울리도록 꾸며 씁니다.

6 '만큼', '대로', '뿐'은 앞에 오는 다른 낱말과 함께 쓰는 낱말입니다. 형태가 바뀌는 낱말 가운데에서 '-는/ -을/ -던'과 같이 'ㄴ/ ㄹ'로 끝나는 말 뒤에서는 띄어 씁니다.

> **오답 피하기**
> ㉠ 노력한 만큼
> ㉢ 있는 대로
> ㉣ 들었을 뿐이에요

7 '들릴 만큼', '아는 대로', '않았을 뿐이지'와 같이 띄어 써야 합니다.

단원 마무리 109쪽

❶ 감나무 **❷** 부자 **❸** 가운데
❹ 아빠 **❺** 항아리

단원 평가 110~112쪽

1 ②, ⑤ **2** ① **3** 가현
4 감나무가 있는 집 한 채만 받았다. 등
5 (어느) 가을날 **6** ① **7** (2) ○
8 ④ **9** ⑤
10 마라톤에 참가하려고 수현이는 달리기 연습을 한다. 등
11 ㉡
12 욕실 **13** ⑤ **14** 항아리
15 ②, ③, ④
16 예 화가 난 초록 고양이가 꽃담이를 항아리에 숨기고 엄마에게 찾으라고 한다.
17 고지기 **18** 은아 **19** ㉡
20 ③, ⑤

1 그림 ❷에서 구름으로 모자와 목도리를 만들어 주었다는 것을 알 수 있습니다.

2 구름의 모습이 나오고 있으므로 일이 벌어지는 주요 장소로는 하늘이 알맞습니다.

3 이야기를 꾸밀 때에는 일의 원인과 결과를 고려하여 꾸며야 합니다.

4 형은 동생에게 감나무가 있는 집 한 채만 주었고, 동생은 아무 말 없이 그 집 한 채만 받았습니다.

5 '어느 가을날'에서 가을에 일어난 일임을 알 수 있습니다.

6 까마귀는 감을 따 먹은 대신 금을 주겠다고 했습니다.

7 까마귀는 동생의 집 감나무의 감을 따 먹었습니다.

8 재미있는 부분이 아니라 이야기에서 일어난 중요한 일을 찾아보아야 합니다.

9 끝까지 못 뛰어서 친구들이 놀릴까 봐 걱정하고 있습니다.

10 글 ②에서 일어난 중요한 일은 수현이가 마라톤에 참가하려고 달리기 연습을 한 것입니다.

> **채점 기준** 글 ②에서 일어난 일을 알맞게 정리하여 썼으면 정답으로 합니다.

11 이야기의 흐름을 생각하며 등장인물에게 해 줄 말을 찾아봅니다.

12 엄마는 이 닦으러 욕실에 들어가서 나오지 않았다고 했습니다.

13 일이 일어난 차례와 원인과 결과의 관계를 생각하며 정리해 봅니다.

14 꽃담이 엄마는 항아리에 들어가 있었습니다.

15 꽃담이는 고소하고 달콤하고 향긋한 냄새를 맡고 엄마를 찾았습니다.

16 이야기 앞부분에 나온 내용과 어울리며 사건과 사건 사이의 흐름이 자연스럽도록 자유롭게 상상하여 봅니다.

> **채점 기준** 글에서 일어난 일을 생각하며 뒤에 이어질 내용을 알맞게 썼으면 정답으로 합니다.

17 족자를 방에 걸어 두고 고지기를 불러서 돈을 달라 하라고 했습니다.

18 글의 내용으로 보아 가은이가 상상한 내용은 알맞지 않습니다.

19 우주와 관련된 사진이므로 우주를 배경으로 벌어지는 일을 꾸미는 것이 알맞습니다.

20 처음, 가운데, 끝의 짜임에 맞게 앞뒤 내용이 원인과 결과로 연결되도록 이야기를 꾸밉니다.

서술형 평가 ⟨113쪽⟩

1 예 추운 겨울, 한 소년이 높은 건물 꼭대기에서 구름 사람을 만났다. 구름 사람은 모자도, 장갑도 없이 추위에 떨고 있는 소년이 안쓰러워 구름으로 모자와 목도리를 만들어 주었다.

2 형은 무거운 금 자루 때문에 까마귀 등에서 떨어져 금 산에 남겨졌다. 등

3 예 욕심을 부리지 말자는 것이다.

4 (1) 수현이는 끝까지 달린 사실을 부모님께 자랑한다. 등
(2) 수현이는 자신 뒤에서 달렸던 사람이 아빠였다는 것을 알게 된다. 등

5 예 「아름다운 꼴찌」는 아들에게 용기를 주기 위해 약한 몸으로 마라톤에서 꼴찌를 한 아버지의 사랑이 아름답기 때문에 붙인 제목일 것이다.

1 그림에 어떤 인물이 나오는지 살펴보고, 이야기를 상상하여 꾸며 써 봅니다.

> **채점 기준** 그림에 어울리는 내용을 상상하여 이야기를 만들어 썼으면 정답으로 합니다.

2 이 글에서 일어난 중요한 사건은 욕심을 부린 형이 까마귀 등에서 떨어져 금 산에 남겨진 것입니다.

> **채점 기준** 글에서 일어난 일을 알맞게 정리하여 썼으면 정답으로 합니다.

3 욕심을 부린 형이 금을 집으로 가져가지 못한 것에서 '욕심을 부리지 말자.'와 같은 교훈을 얻을 수 있습니다.

> **채점 기준** 글의 내용을 파악하고 글의 주제를 알맞게 썼으면 정답으로 합니다.

4 글 ❶과 글 ❷에서 일어난 중요한 사건을 각각 정리하여 써 봅니다.

> **채점 기준** 글의 내용을 파악하여 일어난 일을 정리하여 모두 알맞게 썼으면 정답으로 합니다.

5 글의 내용과 「아름다운 꼴찌」라는 글의 제목을 함께 생각해 봅니다.

> **채점 기준** 글의 내용을 파악하고 제목의 뜻을 알맞게 썼으면 정답으로 합니다.

6. 회의를 해요

핵심 확인 문제   116쪽

1 표결   **2** (1) ○   **3** ×
4 ○   **5** 존중

준비   회의를 한 경험 떠올리기   117쪽

1 ③

2 (1) 예 가족 여행 장소 정하기
(2) 예 아버지께서는 산으로 캠핑을 가자고 하셨고, 나는 놀이공원에 가자고 했다.
(3) 예 아버지께서 추천하신 산 캠핑을 여름에 먼저 가고, 내가 추천한 놀이공원에는 겨울에 가기로 했다.

3 예 아침 활동 시간에 할 것 정하기

4 ㉠, ㉢

1 가족회의, 전교 학생회 회의, 마을 회의는 모두 여러 사람이 모여서 어떤 것을 결정하려고 이야기를 하는 '회의'라는 공통점이 있습니다.

2 자신이 경험한 회의의 목적이 무엇이었는지, 회의에서 어떤 이야기를 주고받았는지, 회의의 결과가 어떠했는지 정리합니다.

3 모둠별로 회의할 주제를 정해 봅니다.

> **보충 자료 모둠별로 회의할 만한 주제** 예
> • 짝 정하기
> • 모둠 규칙 정하기
> • 모둠 역할 정하기
> • 아침 활동 시간에 할 것 정하기
> • 우유 당번 정하기
> • 바르고 고운 말 사용하기
> • 어려운 이웃 돕기

4 회의를 하면 같이 해야 할 일을 결정할 수 있습니다.

> **보충 자료 회의가 필요한 까닭**
> • 문제를 해결하는 좋은 방법을 찾을 수 있습니다.
> • 같이 해야 할 일을 결정할 수 있습니다.
> • 여러 사람의 의견을 들을 수 있습니다.

기본   회의 절차와 참여자 역할 익히기   118~120쪽

1 (1) 예 "깨끗한 교실을 만들자."에 대해 회의를 했다.
(2) 예 개회, 주제 선정, 주제 토의, 표결, 결과 발표, 폐회 순서로 회의를 했다.

2 사회자, 회의 참여자, 기록자

3 학교생활을 안전하게 하자.   **4** ④, ⑤

5 (1) ㉠ (2) ㉡ (3) ㉢

6 예 학교에서 위험한 곳에 경고문을 만들어 붙이면 좋겠다. 경고문이 눈에 띄면 좀 더 조심해서 행동할 것이기 때문이다.   **7** ①, ⑤

8 기록자   **9** ⑤

10 안전 게시판을 만들자.   **11** 폐회

12 (1) 주제 선정 (2) 주제 토의 (3) 표결 (4) 결과 발표

1 무엇을 주제로 회의했는지, 어떤 절차로 회의를 했는지 간략하게 씁니다.

> **채점 기준** 학급 회의를 해 본 경험을 떠올려 간단히 정리해 썼으면 정답으로 합니다.

2 학급 회의에 참여한 역할에는 사회자, 회의 참여자, 기록자가 있습니다.

3 주제에 대한 표결을 한 결과, 참석자의 반이 넘는 수가 찬성한 "학교생활을 안전하게 하자."가 선택되었습니다.

4 학급 회의에서 회의 절차를 안내하고 말할 기회를 주는 사람은 사회자입니다.

5 세 친구가 각각 학교생활을 안전하게 하기 위해 실천해야 할 내용으로 어떤 것을 말했는지 찾아봅니다.

6 학교생활을 안전하게 하기 위해 학생들이 실천할 수 있는 내용을 한 가지 생각해 씁니다.

> **채점 기준** 학교생활을 안전하게 하기 위해 실천해야 할 내용으로 알맞은 의견과 근거를 생각해 썼으면 정답으로 합니다.

7 회의 참여자는 의견을 발표하고, 다른 사람의 의견을 주의 깊게 듣습니다.

8 학급 회의에서 회의 날짜와 시간, 장소, 회의 내용을 기록하는 사람은 기록자입니다.

9 찬성과 반대 의견을 헤아려 다수결로 결정했습니다.

10 사회자가 결과 발표를 하는 부분에 드러나 있습니다.

> **채점 기준** 안전 게시판을 만들자는 내용을 썼으면 정답으로 합니다.

11 폐회는 회의 마침을 알리는 것을 말합니다.

12 '개회'부터 '폐회'에 이르기까지 회의 절차를 차례대로 떠올려 봅니다.

기본 | 회의 주제에 맞게 말할 내용 준비하기 | 121쪽

1 ③ **2** ① **3** (1) ○ (3) ○

4 (1) **예** 친구에게 바르고 고운 말을 사용하자.
(2) **예** 거친 말을 사용해 다툼이 일어나는 일이 많기 때문이다.

1 회의 주제가 꼭 해결하기 쉬운 문제여야 할 필요는 없습니다.

2 "아침에 일찍 일어나자."는 친구들이 공통으로 관심을 보일 만한 것이 아니라고 했습니다.

3 나에게 도움이 되는 내용보다는 많은 사람에게 도움이 되는 내용을 의견으로 말해야 합니다.

4 친구들과 사이좋게 지낼 수 있는 방법을 한 가지 생각해 그 근거와 함께 씁니다.

> **채점 기준** (1)에는 친구들과 사이좋게 지낼 수 있는 의견을 쓰고, (2)에는 그 의견을 뒷받침할 수 있는 근거를 썼으면 정답으로 합니다.

실천 | 절차와 규칙을 지키며 회의하기 | 122쪽

1 사회자 허락을 얻지 않고 말했다. 등
2 ④ **3** (2) ○ **4** ④

1 회의 참여자 1이 사회자 허락을 얻지 않고 말해 사회자가 회의 규칙을 이야기해 주고 있습니다.

2 친구가 의견을 말할 때 중간에 말을 가로채는 친구가 있어 발표한 친구가 의견을 끝까지 들어 달라고 말했습니다.

---

3 사회자가 말할 기회를 골고루 주지 않고 특정 회의 참여자에게만 말할 기회를 주어서 다른 학생이 불만을 이야기하고 있습니다.

4 회의 내용을 기록하는 것은 기록자가 할 일입니다. 기록자는 중요한 내용을 요약해서 기록합니다.

국어 활동 | 123~124쪽

1 (1) 기록자 (2) 사회자 (3) 회의 참여자
2 ㉢ **3** 조이 **4** ②
5 (1) 머글 (2) 차즌 (3) 나앋따 (4) 조아요
6 (1) 다앋따 (2) 내려노아라 (3) 마나서

1 사회자는 회의 절차를 안내하고, 회의 참여자는 의견을 발표하며, 기록자는 회의 내용을 기록합니다.

2 사회자가 회의 참여자의 의견을 판단하고 있는 부분을 찾아봅니다.

3 사회자는 회의 참여자의 의견을 자신이 판단해 마음대로 무시해서는 안 됩니다.

4 "사회자님, 이제 생각이 났는데 실천 내용을 하나 제안하겠습니다."라며 표결까지 끝난 상황에서 자신의 의견을 말하려 했습니다.

5 '먹을'은 [머글]로, '찾은'은 [차즌]으로 받침이 소리 납니다. '낳았다'와 '좋아요'에 있는 'ㅎ' 받침은 소리가 나지 않습니다.

6 '닿았다'와 '내려놓아라'에 있는 'ㅎ' 받침은 소리 나지 않습니다. '많아서'에 있는 'ㄴ' 받침은 소리 나고, 'ㅎ' 받침은 소리 나지 않습니다.

단원 마무리 | 125쪽

❶ 개회 ❷ 다수결 ❸ 기회
❹ 기록자 ❺ 존중

단원 평가 126~128쪽

1 (1) ○	**2** ④	**3** ②, ③, ⑤
4 기록자	**5** ①	**6** (1) ○
7 ②, ⑤	**8** ②	**9** ㉯
10 폐회	**11** ③, ⑤	**12** ③
13 사회자	**14** ⑩ 학급 문고 정리를 잘하자.	

15 ② **16** (1)⑩ 횡단보도가 아닌 곳에서
는 건너지 말자. (2)⑩ 횡단보도가 아닌 곳에서
건너다가 위험할 뻔한 친구를 본 적이 있기 때문
이다. **17** ③ **18** ③
19 (1) ○ **20** 제희

1 (2)는 전교 학생회 회의를 하고 있는 모습입니다.

2 ④'가족 여행 장소 정하기'는 가족회의의 주제로 적절
합니다.

3 ①, ④는 회의가 필요한 까닭으로 알맞지 않습니다.

4 회의에서 맡는 역할에는 사회자, 회의 참여자, 기록
자가 있습니다. 칠판 가까이에 서 있는 친구는 기록
자입니다.

5 회의 시작을 알리고 있는 개회에 해당합니다.

6 ㉯는 주제 선정에 해당합니다.

7 '회의 참여자 1'과 '회의 참여자 2'가 제안한 의견을 찾
아봅니다.

8 ㉯에 결정된 실천 내용이 나타나 있습니다.

9 ㉮는 주제 토의, ㉰는 결과 발표에 해당합니다.

10 회의의 가장 마지막 절차는 회의 마침을 알리는 '폐
회'입니다.

11 ①은 회의 참여자, ②, ④는 사회자의 역할입니다.

12 사회자가 어떤 일을 하면 친구들과 친하게 지낼 수 있
을지 발표해 달라고 했습니다.

13 사회자가 회의 참여자의 의견을 자신이 판단해 마음
대로 무시하고 있습니다.

14 학급 문고를 정리하고 있는 그림입니다.

> **채점 기준** 학급 문고와 관련 있는 회의 주제를 한 가지
> 썼으면 정답으로 합니다.

15 회의 주제에 맞게 의견을 말할 때 친구들이 재미있어
하는지는 생각하지 않아도 됩니다.

16 교통 규칙을 잘 지키기 위해서는 어떻게 해야 할지 의
견과 근거를 써 봅니다.

> **채점 기준** 교통 규칙을 잘 지키기 위해서 해야 할 일과
> 그 까닭을 적절하게 썼으면 정답으로 합니다.

17 회의 참여자 1은 사회자 허락을 얻지 않고 갑자기 벌
떡 일어나서 말했습니다.

18 회의 참여자 3은 회의 참여자 2가 의견을 말하는 중
간에 끼어들어서 말했습니다.

19 ㉰에서 사회자는 말할 기회를 골고루 주지 않고 회의
참여자 2에게만 말할 기회를 주고 있습니다.

20 친구가 의견을 말할 때 끼어들지 않아야 하고, 자신
의 의견만 옳다고 주장하지 않아야 하며, 알맞은 크
기의 목소리로 말해야 합니다.

서술형 평가 129쪽

1 (1)⑩ 짝 정하기
(2)⑩ 반 친구들
(3)⑩ 여학생은 여학생끼리, 남학생은 남학생끼리
짝을 하기로 결정했다.

2 (1)학교에서 위험한 행동을 했을 때 벌점을 받는
제도를 만들자. 등
(2)벌점을 받지 않으려고 행동을 조심하면 서로
피해를 주는 일이 없을 것이다. 등

3 (1)주제 토의
(2)선정한 주제에 맞는 의견을 제시한다. 등

4 (1)회의 절차를 안내한다. / 말할 기회를 준다. 등
(2)의견을 발표한다. / 다른 사람의 의견을 주의
깊게 듣는다. 등
(3)회의 날짜와 시간, 장소를 기록한다. / 회의 내
용을 기록한다. 등

5 ⑩ 깨끗한 학교를 만들자.

6 (1)사회자
(2)말할 기회를 골고루 준다. 등

1 학급 회의를 해 본 경험을 떠올려서 정리해 봅니다.

> **채점 기준** 학급 회의를 해 본 경험을 떠올려서 회의 주제, 회의 참석자, 회의 결과를 각각 정리해 썼으면 정답으로 합니다.

2 학교생활을 안전하게 하려면 실천해야 할 내용으로 어떤 의견과 근거를 말했는지 정리해 씁니다.

> **채점 기준** (1)에 학교에서 위험한 행동을 했을 때 벌점을 받는 제도를 만들자는 내용을 쓰고, (2)에 벌점을 받지 않으려고 행동을 조심하면 서로 피해를 주는 일이 없을 것이라는 내용을 썼으면 정답으로 합니다.

3 "학교생활을 안전하게 하자."라는 주제에 맞는 의견을 제시하고 있는 '주제 토의' 단계입니다.

> **채점 기준** (1)에 '주제 토의'라고 쓰고, (2)에 선정한 주제에 맞는 의견을 제시한다라는 내용으로 썼으면 정답으로 합니다.

4 사회자, 회의 참여자, 기록자의 역할을 한 가지씩 써 봅니다.

> **채점 기준** (1)에는 사회자의 역할을, (2)에는 회의 참여자의 역할을, (3)에는 기록자의 역할을 한 가지 이상 썼으면 정답으로 합니다.

보충 자료 **회의 참여자의 역할**

사회자	• 회의 절차를 안내합니다. • 말할 기회를 줍니다.
회의 참여자	• 의견을 발표합니다. • 다른 사람의 의견을 주의 깊게 듣습니다.
기록자	• 회의 날짜와 시간, 장소를 기록합니다. • 회의 내용을 기록합니다.

5 학교생활과 관련해 회의 주제로 적절한 것을 찾습니다.

> **채점 기준** 회의를 하기에 알맞은 내용을 회의 주제로 썼으면 정답으로 합니다.

6 사회자는 회의 참여자들에게 말할 기회를 골고루 주어야 합니다.

> **채점 기준** (1)에 '사회자'라고 쓰고, (2)에 말할 기회를 골고루 주어야 한다고 썼으면 정답으로 합니다.

---

7. 사전은 내 친구

핵심 확인 문제 132쪽

1 기본형   **2** 찢다   **3** (1)1 (2)3 (3)2
4 높다   **5** 차례

준비 **낱말의 뜻 짐작하기** 133~135쪽

1 벽지, 창호지, 갱지   **2** (2) ○
3 ㅐ → ㅑ → ㅚ → ㅟ → ㅡ
4 (1)접, 는다 (2)묶, 어서 (3)찢, 으면
5 (1)뽑다 (2)밝다 (3)달아나다 (4)잡다
6 ①   **7** ④   **8** ③
9 ㉢   **10** 예 매우 비밀스러운
11 감응 → 상용 → 원격   **12** (1) ○
13 우진   **14** (1)예 사용되는 것 (2)예 문맥에 매일 사용할 수 있다는 설명이 나와서

1 '접는다', '묶어서', '찢으면'은 형태가 바뀌는 낱말입니다.

2 국어사전에서 첫 자음자가 실린 차례는 'ㄱ, ㄲ, ㄴ, ㄷ, ㄸ, ㄹ, ㅁ, ㅂ, ㅃ, ㅅ, ㅆ, ㅇ, ㅈ, ㅉ, ㅊ, ㅋ, ㅌ, ㅍ, ㅎ'입니다.

3 국어사전에서 모음자가 실린 차례는 'ㅏ, ㅐ, ㅑ, ㅒ, ㅓ, ㅔ, ㅕ, ㅖ, ㅗ, ㅘ, ㅙ, ㅚ, ㅛ, ㅜ, ㅝ, ㅞ, ㅟ, ㅠ, ㅡ, ㅢ, ㅣ'입니다.

4 '접는다', '접어서', '접으면', '접겠다' 등에서 형태가 바뀌지 않는 부분은 '접'입니다. '묶어서'에서는 '묶', '찢으면'에서는 '찢'이 형태가 바뀌지 않는 부분입니다.

5 낱말에서 형태가 바뀌지 않는 부분에 '-다'를 붙입니다.

6 '좋아합니다'의 기본형은 '좋아하다'입니다.

7 모니터로 보는 것보다 종이에 인쇄하여 보는 것이 익숙하고, 종이책은 특유의 질감에서 오는 매력이 있기 때문에 종이 소비량이 점점 늘고 있습니다.

8 종이는 가볍고, 값싸고, 비교적 질기고, 위생적이라는 장점이 있다고 했습니다.

9 낱말에 어떤 자음자와 모음자가 있는지 살펴보는 것만으로는 그 낱말의 뜻을 짐작할 수 없습니다.

정답과 해설

10 자신만의 방법으로 낱말의 뜻을 짐작해 씁니다.

11 국어사전에 'ㄱ', 'ㅅ', 'ㅇ'의 차례대로 첫 자음자가 실려 있습니다.

12 '감응'을 '감'과 '응'으로 쪼개어 그 뜻을 짐작했습니다.

13 전자 신호를 이용한다고 했으므로 손으로 눌러서 하는 것이 아니라 다른 방법으로 인쇄하는 것이라고 짐작하는 것이 자연스럽습니다.

14 문맥의 앞뒤 내용을 살펴보고 상황에 맞는 뜻을 찾아 짐작합니다.

> **채점 기준** (1)에 '상용'의 뜻을 짐작해 쓰고, (2)에 그렇게 짐작한 까닭을 적절하게 썼으면 정답으로 합니다.

기본 사전에서 뜻을 찾아 낱말 사이의 관계 알기 136~137쪽

1 (할머니, 할아버지 들이 계시는) 요양원
2 ⑤　　　**3** ④
4 예 선명하다, 밝다, 또렷하다　　**5** ⑤
6 힘들어도 자신을 기다리며 반가워하시는 할머니 생각에 봉사 활동을 계속하게 되는 것임을 알게 되었다. 등　　**7** ②
8 (1)높다 (2)①움직이다 ②날다

1 수아네 가족은 할머니, 할아버지 들이 계시는 요양원으로 봉사 활동을 하러 갔습니다.

2 수아는 다음에 올 때 재미있는 책을 가지고 오겠다고 할머니와 약속을 했습니다.

3 '가다'와 '오다'는 뜻이 서로 반대인 낱말입니다.

4 반의어 사전을 활용해 뜻이 반대인 낱말을 찾을 수도 있습니다.

5 할머니는 수아를 기다렸다며 서랍에서 사탕과 과자를 꺼내 주셨습니다.

6 수아는 봉사 활동이 힘들어도 왜 계속하는지 이제 알 것 같다고 했습니다.

> **채점 기준** 힘들어도 자신을 기다리며 반가워하시는 할머니 생각에 봉사 활동을 계속하게 되는 것임을 알게 되었다고 썼으면 정답으로 합니다.

7 '책'은 '동화책'을 포함하는 낱말입니다. 그러므로 '책'과 '동화책'은 포함 관계에 있는 낱말입니다.

8 (1)은 뜻이 반대인 관계이고, (2)는 한 낱말이 다른 낱말을 포함하는 관계입니다.

기본 여러 가지 사전에서 낱말의 뜻 찾기 138~139쪽

1 화성에서 강물의 침식과 퇴적 작용이 있었음을 보여 주는 화성 암석이다. 등　　**2** (2) ○
3 (1)협곡 (2)관측　　**4** ⑤
5 물이 있다가 증발하는 등　　**6** ③
7 (1)예 침식 (2)예 국어사전 (3)예 비, 강, 바람 따위의 자연 현상이 땅의 겉면을 깎는 일.
8 속담 사전

1 강줄기처럼 보이는 부분에서 화성 암석을 조사한 결과, 화성에서 강물의 침식과 퇴적 작용이 있었음을 확인했습니다.

> **채점 기준** 화성에서 강물의 침식과 퇴적 작용이 있었음을 보여 주는 화성 암석이라고 썼으면 정답으로 합니다.

2 '행성'은 '중심 별의 강한 인력의 영향으로 타원 궤도를 그리며 중심 별의 주위를 도는 천체'를 뜻합니다. 그러므로 화성은 행성에 포함됩니다.

3 어떤 낱말의 뜻일지 생각하며 글을 다시 읽어 봅니다.

4 퇴적은 '자갈, 모래 따위가 물, 바람에 의해 운반되어 쌓이는 현상'이라는 뜻의 낱말입니다.

5 물의 영향을 받은 암석의 발견으로, 화성 표면에서 오랜 시간에 걸쳐 물이 있다가 증발하는 과정이 반복되었다는 것을 알 수 있었습니다.

6 큐리오시티가 모으고 있는 것은 화성에서 사람들이 사는 데 필요한 정보입니다.

7 알맞은 사전을 골라 낱말의 뜻을 찾고 그 뜻을 써 봅니다.

8 여러 가지 속담의 뜻과 쓰임을 자세하게 설명해 주는 사전은 속담 사전입니다.

기본 | 낱말의 뜻을 사전에서 찾으며 글 읽기 140~143쪽

1 포유동물
2 바퀴벌레 → 까치 → 돼지 → 사람
3 ③, ⑤
4 ⑤
5 (1)○ (2)○
6 ③
7 (1)예 진화 (2)예 흠씬
8 예시 답안 참고
9 ⑤
10 ④
11 ③
12 예 동물에게도 감정이 있다는 것을 어떻게 알 수 있니?
13 ④
14 ④
15 (1)예 아주 많다. (2)예 들판에 민들레꽃이 숱하게 많다.
16 예 생명은 모두 소중하므로 함께 살아가야 한다고 생각한다.

1 인간은 새끼를 일정 기간 몸속에서 키워 내보낸 뒤 젖을 먹여 키우는 포유동물이라고 했습니다.

2 3억 년 전에 바퀴벌레가 가장 먼저 나타났고, 뒤를 이어 까치, 돼지, 사람의 차례로 나타났습니다.

3 글의 맥락으로 보아 '하찮다'는 대수롭지 아니하다는 뜻의 낱말입니다.

4 '엄연히'에는 '사람의 겉모양이나 언행이 의젓하고 점잖게'라는 뜻도 있습니다.

5 글 ❸에서 언어, 글 ❹에서 아름답고 훌륭한 감정을 언급했습니다.

6 꿀벌은 말과 글을 사용하는 인간과 달리 춤을 이용합니다.

7 글을 읽으면서 정확한 뜻을 모르는 낱말과 처음 보는 낱말에 표시를 해 봅니다.

8 사전을 찾아보기 전에 먼저 낱말의 뜻을 짐작해 보도록 합니다.

예시 답안

낱말	예 진화	예 흠씬
짐작한 뜻	예 발전	예 아주 많이
이용한 사전	예 국어사전	예 국어사전
사전에서 찾은 뜻	예 생물이 간단한 것에서 복잡한 것으로 발전하는 것.	예 매 따위를 심하게 맞는 모양.

9 고래는 몸이 불편한 동료를 결코 나 몰라라 하지 않고 다친 동료가 있으면 여러 마리가 둘러싸고 거의 들어 올리듯 떠받치며 보살핍니다.

10 글쓴이는 동물에게도 감정이 있다는 것을 알려 주려고 고래가 몸이 불편한 동료를 도와준다는 보기를 들었습니다.

11 가까운 이의 죽음을 슬퍼하는 것은 인간뿐 아니라 다른 동물도 마찬가지라고 했습니다.

12 친구에게 어떤 내용을 묻고 싶은지 한 가지 떠올려 씁니다.

13 코끼리는 다른 코끼리의 뼈를 보고 죽은 어미를 떠올립니다.

14 생명 앞에서 우쭐할 게 아니라 고맙고 겸손한 마음을 가져야겠다고 했습니다.

15 '숱하다'는 '아주 많다.'라는 뜻의 낱말입니다.

16 글쓴이가 "생명 앞에서 우쭐할 게 아니라 고맙고 겸손한 마음을 가져야겠지요?"라고 한 까닭을 생각해 봅니다.

> **채점 기준** 생명 앞에서 우쭐하지 말고 고맙고 겸손한 마음을 갖자는 의견에 대한 자신의 생각을 솔직하게 썼으면 정답으로 합니다.

실천 | 나만의 낱말 사전 만들기 144쪽

1 예 국어사전, 인터넷 사전, 컴퓨터 사전, 유의어 사전
2 예 계절별 놀이 사전
3 ㉡ → ㉢ → ㉣ → ㉠
4 ④
5 (1)뒤 (2)앞
6 예 자신이 좋아하는 낱말이나 기억하고 싶은 낱말을 모아 두고 볼 수 있다. / 뜻을 잘 모르는 낱말을 모아 사전을 만들면 뜻을 잘 기억할 수 있다.

1 주변에서 볼 수 있는 여러 가지 사전을 떠올려 봅니다.

2 자신이 만들고 싶은 낱말 사전의 주제를 정해 봅니다.

3 사전에 실을 낱말과 그 차례를 정한 후 낱말의 뜻을 찾아 쓰도록 합니다.

4 낱말의 글자 수는 낱말 사전에 굳이 넣어야 할 필요가 없는 내용입니다.

5 사전의 앞표지에는 제목이 꼭 들어가야 합니다.

6 나만의 낱말 사전을 만들면 낱말의 뜻을 잘 기억할 수 있어서 좋습니다.

> **채점 기준** 자신이 좋아하는 낱말이나 기억하고 싶은 낱말을 모아 두고 볼 수 있으며, 그 낱말들의 뜻을 잘 기억할 수 있다는 내용으로 썼으면 정답으로 합니다.

국어 활동　　145~148쪽

1 8월 마지막 주
2 어떤 사람이 다른 사람을 매우 차갑게 대함. 등
3 ②　　　　　**4** (2)○　　　　**5** 자메이카에서 시작된 음악 양식. 등　　**6** 주영
7 ⓒ → ⓔ → ⓖ
8 (1)예 가득 (2)예 곰팡이가 메주를 가득 덮은 것 같아서　　**9** (2)○
10 예 농장의 입구에 들어서자 고약한 냄새가 났다.　　**11** 부산스럽다　　**12** (2)○
13 간장, 된장　　**14** (1)② ○ (2)② ○ (3)② ○
15 (1)사용해서 (2)흡수되면 (3)공부시키기가

1 매년 여름 휴가철인 8월 마지막 주에 열린다고 했습니다.

2 낱말의 뜻을 국어사전에서 찾아봅니다.

3 '일의 앞뒤 사정과 까닭'을 '사연'이라고 합니다.

4 (1)은 '방향제'라는 낱말의 뜻입니다.

5 '레게'라는 낱말의 뜻이 무엇일지 국어사전에서 찾아봅니다.

6 '일석이조'는 한 가지의 일로 두 가지 또는 그 이상의 이득을 얻음을 이르는 말입니다.

7 'ㄹ', 'ㅇ', 'ㅎ'의 차례대로 첫 자음자가 실려 있습니다.

8 어떤 까닭으로 낱말의 뜻을 짐작할 수 있었는지 정리해 씁니다.

9 (1)은 '가죽'이라는 낱말이 들어가야 알맞은 문장이 됩니다.

10 낱말에 어떤 뜻이 있는지 확인해 보고, 그 낱말의 뜻이 잘 통하도록 알맞은 문장을 만들어 봅니다.

11 '부산스러워요'의 기본형은 '부산스럽다'입니다.

12 (1)은 '뭉툭하다'의 뜻입니다.

13 항아리에서 건져 낸 메주는 된장이 되고, 메주를 건져 내고 남은 찌꺼기를 거르면 간장이 됩니다.

14 '공부를 하다'가 '공부하다'로 되듯이 낱말과 낱말이 만나 하나의 낱말이 될 때가 있습니다. 그럴 때에는 붙여 써야 합니다.

15 '사용하다', '흡수되다', '공부시키다'와 같이 붙여 써야 합니다.

단원 마무리　　149쪽

❶ 오다　　　　❷ 포함　　　　❸ 퇴적
❹ 진화

단원 평가　　150~152쪽

1 ③, ④, ⑤　　**2** ② 갱지
3 (1)뽑다 (2)밝다 (3)달아나다　　**4** 축광지
5 (1)많 (2)많다
6 (1)예 매우 비밀스러운 (2)예 기록한 다음에 자동으로 지워진다고 하니까 감추려는 것처럼 생각되어서이다.　　**7** 가족 봉사 활동을 하기 위해서 등　　**8** ③　　　　**9** ③
10 ⑤　　　　**11** ③　　　　**12** (4)×
13 물　　　　**14** ⓒ　　　　**15** 생명, 인간
16 인간　　**17** 예 하찮은 일이라고 넘겼다가는 나중에 큰일이 날 것이다.
18 볏짚　　**19** ②　　　　**20** ㉠

1 '벽지'와 '갱지'는 형태가 바뀌는 낱말이 아닙니다.

2 첫 자음자를 살펴보면 '갱지'에 'ㄱ'이 있으므로 가장 먼저 국어사전에 실립니다.

3 낱말에서 형태가 바뀌지 않는 부분에 '-다'를 붙여서 기본형을 만들어 봅니다.

4 밝을 때 빛을 저장해 두었다가 어두울 때 스스로 빛을 내는 종이를 '축광지'라고 합니다.

5 '많은', '많아서', '많고' 등에서 형태가 바뀌지 않는 부분은 '많'이므로 여기에 '-다'를 붙여 기본형 '많다'를 만듭니다.

6 문맥의 앞뒤 내용을 살펴보고 상황에 맞는 뜻을 짐작해 봅니다.

> **채점 기준** (1)에 '극비'라는 낱말의 뜻을 짐작해 쓰고, (2)에 그렇게 짐작한 까닭을 적절하게 썼으면 정답으로 합니다.

7 가족 봉사 활동을 가기로 한 일요일이라고 했습니다.

8 수아는 요양원에서 안경 쓴 할머니께서 내미신 낡은 책을 읽어 드렸습니다.

9 '간'의 기본형은 '가다'로, '가다'와 뜻이 반대인 낱말은 '오다'입니다.

10 ④는 '침침하다'와 뜻이 반대인 '선명하다'의 뜻입니다.

11 '움직이다'에 포함되는 낱말이 아닌 것을 찾습니다.

12 마스 글로벌 서베이어가 화성 표면 아래의 얼음을 찍었다는 내용은 나타나 있지 않습니다.

13 화성에 물이 있는지는 과학자들은 물론 일반인들도 관심이 많다고 했습니다.

14 '험하고 좁은 골짜기'는 '협곡'의 뜻입니다.

15 생명이 처음 생겨난 것이 40억 년 전쯤인데 인간이 처음 생겨난 때는 20~25만 년 전이기 때문입니다.

16 바퀴벌레, 까치, 돼지는 인간보다 훨씬 오랫동안 지구촌 주민으로 살아왔다고 했습니다.

17 ㉠의 '하찮다'는 '대수롭지 아니하다.'의 뜻으로 쓰였습니다.

> **채점 기준** '하찮다'의 뜻에 알맞게 이 낱말의 활용형(⑩ 하찮고, 하찮은, 하찮게)을 넣어 문장을 만들어 썼으면 정답으로 합니다.

18 할머니는 메주를 볏짚으로 묶어 건넌방에 조롱조롱 매달아 놓았습니다.

19 이 글에서 메주의 겉 부분을 '거죽'이라고 표현했습니다.

20 ㉢, ㉡, ㉣, ㉠의 차례로 낱말 사전을 만듭니다.

1 낱말에서 형태가 바뀌지 않는 부분에 '-다'를 붙여 기본형을 만들고, 그 기본형을 국어사전에서 찾는다. 등

2 (1) ⑩ 일주일의 각 날을 이르는 말.
(2) ⑩ 일요일, 월요일, 화요일, 수요일, 목요일, 금요일, 토요일

3 한 낱말이 다른 낱말을 포함하는 관계에 있는 낱말이다. 등

4 (1) ⑩ 속담 사전
(2) ⑩ 책을 읽다가 모르는 속담을 보았을 때나 글을 쓰다가 효과적으로 표현하고 싶을 때 속담을 찾아볼 수 있다.

5 ⑩ 우리 반에서 축구는 <u>엄연히</u> 내가 일 등이다.

1 형태가 바뀌는 낱말의 뜻을 국어사전에서 찾을 때에는 먼저 기본형으로 만든 뒤에 찾아야 합니다.

> **채점 기준** 낱말에서 형태가 바뀌지 않는 부분에 '-다'를 붙인 기본형을 국어사전에서 찾는다고 썼으면 정답으로 합니다.

2 '요일'의 뜻을 알면 '요일'에 어떤 낱말이 포함되는지 알 수 있습니다.

> **채점 기준** (1)에 '요일'이라는 낱말의 뜻을 사전에서 찾아 쓰고, (2)에 일요일, 월요일, 화요일, 수요일, 목요일, 금요일, 토요일'과 같이 '요일'에 포함되는 낱말을 알맞게 썼으면 정답으로 합니다.

3 '책'은 '동화책'을 포함하는 낱말입니다.

> **채점 기준** 한 낱말이 다른 낱말을 포함하는 관계에 있는 낱말이라고 썼으면 정답으로 합니다.

4 사전에는 국어사전, 속담 사전, 백과사전, 유의어 사전 등이 있습니다.

> **채점 기준** (1)에 사전의 종류를 한 가지 쓰고, (2)에 그 사전의 쓰임과 좋은 점을 썼으면 정답으로 합니다.

5 '엄연히'는 '아무도 부인할 수 없을 만큼 명백하게'라는 뜻의 낱말입니다.

> **채점 기준** '엄연히'라는 낱말의 뜻에 알맞게 이 낱말을 넣어 적절한 문장을 만들어 썼으면 정답으로 합니다.

8. 이런 제안 어때요

1 까닭   **2** (1)우리 모두 (2)운동을 합시다.
3 ○   **4** 실천   **5** 제목

준비   제안하는 글에 대해 알기   157쪽

1 ③   **2** ⑤   **3** ③
4 (1)㉠ (2)㉡ (3)㉢
5 예 문제 상황과 해결 방법을 알릴 수 있다. / 더 좋은 쪽으로 일을 해결할 수 있다.

1 진영이와 동생은 꽃밭에 물을 주러 갔다가 꽃밭에 쓰레기가 버려져 있는 것을 보고 실망했습니다.

2 진영이는 자신의 의견을 알리고자 아파트 주민에게 글을 써서 붙이기로 결심했고, 얼마 뒤, 꽃밭은 몰라보게 깨끗해졌습니다.

3 진영이는 꽃이 건강하게 자랄 수 있도록 꽃밭에 쓰레기를 버리지 않으면 좋겠다는 내용의 글을 썼습니다.

4 제안하는 글에는 문제 상황, 제안하는 내용, 제안하는 까닭이 드러나 있습니다.

5 제안하는 글을 어떤 경우에 쓰는지, 제안하는 글을 쓰면 어떤 점이 좋은지 생각해 봅니다.

> **채점 기준** 문제 상황과 해결 방법을 알릴 수 있다고 썼거나, 더 좋은 쪽으로 일을 해결할 수 있다고 썼으면 정답으로 합니다.

기본   문장의 짜임에 대해 알기   158~159쪽

1 (1)날씨가 (2)따뜻합니다.
2 (1)운동을 합시다. (2)운동이
3 (1)하늘이, 푸르다. (2)영수가, 축구를 합니다.
4 예 아이들이 / 공을 던진다.
5 예 남자가 악기를 연주하고 있다.
6 ④   **7** (1)예 남자아이가 (2)예 빵을 먹고 있습니다. **8** 예시 답안 참고

1 '무엇이＋어떠하다'로 문장을 나누면, '날씨가＋따뜻합니다.'와 같이 나눌 수 있습니다.

2 각 문장을 '(누가/무엇이)＋(어찌하다/어떠하다)'의 형태로 나누어 봅니다.

3 '(누가/무엇이)＋(어찌하다/어떠하다)'의 두 부분으로 나눕니다.

4 '(누가/무엇이)＋(어찌하다/어떠하다)'와 같이 두 부분으로 나눌 수 있는 문장을 만들어 봅니다.

5 그림에서 어떠한 대상이 어찌하고 있는지 또는 어떠한지를 살펴보고 문장으로 표현해 봅니다.

6 그림에서 아이들이 축구를 하고 있습니다.

7 그림의 내용을 문장으로 표현하고, '(누가/무엇이)＋(어찌하다/어떠하다)'의 짜임으로 나눕니다.

8 사진을 찍고 있는 남자아이를 그림에서 찾아봅니다.

예시 답안

기본   제안하는 글을 쓰는 방법 알기   160~161쪽

1 깨끗한 물이 없어 물을 마실 수 없다. 등
2 ④   **3** (1)예 깨끗한 물을 보내 준다.
(2)예 깨끗한 물을 마시면 질병에 걸리지 않고 건강해진다.
4 (1)○ (2)○   **5** (1)② (2)① (3)③
6 예 당신의 1리터를 나누어 주세요
7 예 기부 운동에 참여합시다. 기부 운동에 참여하면 어린이들이 깨끗한 물을 마시고 사용할 수 있습니다.   **8** ④

1 깨끗한 물이 없어 물을 마실 수 없는 상황에 처해 있습니다.

2 아프리카 어린이들에게는 당신의 도움이 꼭 필요하다는 뜻의 말입니다.

3 동영상의 내용과 관련하여 자신이 제안하는 내용과 제안하는 까닭을 정리해 씁니다.

4 꼭 실천에 옮겼을 때 재미를 느낄 수 있는 제안일 필요는 없습니다.

5 제안하는 글에 필요한 내용인 '문제 상황', '제안하는 내용', '제안하는 까닭'으로 각각 어떤 것을 정리해야 하는지 생각해 봅니다.

6 제안하는 글의 제목은 제안하는 내용이 잘 드러나야 합니다.

7 제안하는 내용과 제안하는 까닭을 생각하여 글의 앞부분 내용과 자연스럽게 이어지도록 씁니다.

> **채점 기준** 깨끗한 물을 구하지 못해 어려움을 겪고 있는 아이들을 돕기 위한 제안과 그 제안을 하는 까닭을 적절하게 썼으면 정답으로 합니다.

8 제목을 미리 정해 놓고 쓸 내용을 정리할 수도 있고, 쓸 내용을 정리하고 난 뒤에 제목을 붙일 수도 있습니다.

실천 제안하는 글을 쓰고 발표하기 162쪽

1 예 점심시간에 음식을 남기는 친구가 많다.
2 (1) 예 수요일은 음식을 남기지 않고 다 먹는 날로 정하면 좋겠다. (2) 예 일주일에 단 하루라도 그런 날을 정해 실천하면 조금이라도 자원을 낭비하고 환경을 오염시키는 일을 막을 수 있다고 생각하기 때문이다.   **3** ①
4 예 읽을 사람이 잘 볼 수 있는 곳

1 불편하거나 바꾸었으면 하는 점 또는 함께 결정해야 할 문제 등을 떠올립니다.

2 제안하는 글의 내용을 떠올릴 때에는 누구에게 제안할지 먼저 생각합니다.

> **채점 기준** (1)에 문제를 해결하기 위한 제안을 쓰고, (2)에 그런 제안을 한 까닭을 썼으면 정답으로 합니다.

3 대상의 특징이 잘 드러났는지는 소개하는 글이나 설명하는 글을 쓰고 나서 확인할 내용입니다.

---

4 읽을 사람이 잘 볼 수 있는 장소를 정해서 읽을 사람의 눈높이를 생각해 써 붙일 위치를 정합니다.

국어 활동 163쪽

1 (1) ㉡ (2) ㉠ (3) ㉢   **2** 독서, 검색
3 예 독서를 많이 하자.

1 이 글에서 글쓴이는 복도에 안전 거울을 설치해야 한다는 제안을 하고 있습니다.

2 사람들이 지식을 얻고자 할 때 독서를 하지 않고 인터넷을 검색하는 것을 문제라고 생각했습니다.

3 궁금한 것을 알고자 할 때 인터넷을 검색하기보다 독서를 해야 합니다.

단원 마무리 164~165쪽

❶ 제안   ❷ 좋은   ❸ 누가
❹ 까닭   ❺ 제목   ❻ 크고
❼ 누구

단원 평가 166~168쪽

1 속이 상했다. 등   **2** ⑤
3 ㉢   **4** ①, ④   **5** ①
6 ①, ②, ③   **7** (3) ○   **8** (1) ② (2) ①
9 ③   **10** 예 남자아이가 두더지를 쳐다본다. / 할머니가 지팡이를 짚고 있다.
11 ⑤   **12** ④   **13** ①, ②, ③
14 효민   **15** ③   **16** 안전 거울
17 ④   **18** 예 친구를 놀리지 말자.
19 ①   **20** ③, ⑤

1 글쓴이는 꽃 주위에 버려진 쓰레기를 보고 속이 상했다고 했습니다.

2 글쓴이는 꽃밭에 쓰레기를 버리지 않으면 좋겠다고 했습니다.

3 꽃밭에 쓰레기를 버리지 말자는 제안에 대한 까닭은 ㉢입니다.

4 제안하는 글은 제안하고자 하는 일을 하자고 설득하는 표현을 사용해야 합니다.

5 글쓴이는 건강을 지키기 위해 우리 모두 운동을 하자고 제안하고 있습니다.

6 ④, ⑤는 '어찌하다/어떠하다'에 해당하는 말입니다.

7 '우리 반 친구들이+도서관에서 책을 읽습니다.'로 나누어야 합니다.

8 그림의 왼쪽 부분에서 할머니가 아이를 쳐다보고 있고, 남자아이가 빵을 먹고 있습니다.

9 ㉠의 아이는 사진을 찍고 있습니다.

10 '(누가/무엇이)+(어찌하다/어떠하다)'와 같은 형식으로 그림에 나타난 내용을 문장으로 표현해 봅니다.

> **채점 기준** '아이들이 축구를 한다.', '사람들이 춤을 춘다.', '잠자리가 날아다닌다.', '요리사 앞의 냄비가 아주 크다.'와 같이 '(누가/무엇이)+(어찌하다/어떠하다)'의 형태로 그림의 내용에 어울리게 문장을 만들어 썼으면 정답으로 합니다.

11 동영상에 나오는 아이는 깨끗한 물을 구하지 못해 어려움을 겪고 있다고 했습니다.

12 이어지는 까닭으로 보아 빈칸에는 기부 운동에 참여하자는 제안이 들어가는 것이 알맞습니다.

13 제안하는 글에는 문제 상황, 제안하는 내용, 제안하는 까닭이 들어갑니다.

14 제안하는 글에는 문제 상황을 자세히 써야 합니다.

15 글쓴이는 복도 끝부분에서 갑자기 나타난 친구 때문에 다리에 금이 간 친구의 일을 말하며 문제를 제기하고 있습니다.

16 글의 마지막 부분에서 복도에 안전 거울을 설치해야 한다고 제안했습니다.

17 골목이 어두워 잘 보이지 않아 상자에 부딪친 상황의 그림입니다.

18 친구를 놀리고 있는 친구들을 보며 한 아이가 인상을 찌푸리고 있는 그림입니다.

> **채점 기준** 친구를 놀리지 말자고 제안하는 내용을 썼으면 정답으로 합니다.

19 제안할 내용을 떠올릴 때에는 먼저 누구에게 제안할지 생각해야 합니다.

20 주변의 문제를 해결하고 싶은 일이 있을 때나 학급 친구들에게 부탁하고 싶을 때에 제안하는 글이 필요합니다.

서술형 평가 169쪽

1 동생과 함께 집 앞 꽃밭에 꽃을 심었다. 등
2 쓰레기가 꽃 주위에 흩어져 있었다. 등
3 꽃밭에 쓰레기를 버리지 않으면 좋겠습니다. 등
4 예 아이들이, 축구를 하고 있다. / 의자의 색깔이, 파랗다. / 남자가, 자전거를 타고 있다.
5 (1) 문제 상황 확인하기
  (2) 제안하는 까닭 파악하기

1 지난 주말에 동생과 함께 집 앞 꽃밭에 꽃을 심었다고 했습니다.

> **채점 기준** 동생과 함께 집 앞 꽃밭에 꽃을 심었다고 썼으면 정답으로 합니다.

2 글쓴이가 글을 쓰게 된 까닭은 꽃밭 주위에 버려진 쓰레기 때문입니다.

> **채점 기준** 쓰레기가 꽃 주위에 흩어져 있었다고 썼으면 정답으로 합니다.

3 글에 나타난 문제 상황과, 이어지는 까닭을 살펴보고 어울리는 제안을 써 봅니다.

> **채점 기준** 꽃밭에 쓰레기를 버리지 않으면 좋겠다고 썼으면 정답으로 합니다.

4 그림의 내용에 알맞게 '(누가/무엇이)+(어찌하다/어떠하다)'의 형태로 문장을 만들어 써 봅니다.

> **채점 기준** 그림의 내용에 알맞은 문장을 '(누가/무엇이)+(어찌하다/어떠하다)'의 형태로 세 가지 만들어 썼으면 정답으로 합니다.

5 제안하는 글을 쓸 때에는 가장 먼저 문제 상황을 확인하고, 제안하는 내용과 제안하는 까닭을 정한 뒤 글을 씁니다.

> **채점 기준** (1)에 문제 상황을 확인한다는 내용을 쓰고, (2)에 제안하는 까닭을 파악한다는 내용을 썼으면 정답으로 합니다.

9. 자랑스러운 한글

핵심 확인 문제 172쪽

1 자세히	**2** 세종 대왕	**3** ×
4 발음 기관	**5** 땅, 사람	

준비 문자가 필요한 까닭 알기 173~174쪽

1 문자, 그림 **2** 예 그림을 그려서 남겨 두었을 것이다. / 상황을 간단한 그림으로 그려 두었을 것이다. / 서로 약속한 기호로 표현했을 것이다.

3 (1)사람 (2)양 (3)물 **4** 채점 기준 참고
5 ①, ③ **6** ④ **7** ⓒ
8 제주어 **9** 현지

1 문자가 없었던 시절에 큰 바위나 벽에 문자 대신 그림을 그리거나 새겨 놓은 사진들입니다.

2 암각화와 동굴 벽화를 통해 알 수 있는 것은 문자가 없었을 때에는 그림을 통해 생각을 적었다는 것입니다.

> 채점 기준 문자가 없었던 시절에는 사람들이 자신의 생각을 어떻게 적었을지 자유롭게 상상하여 썼으면 정답으로 합니다.

3 각 그림이 어떤 모양을 본뜬 것인지 생각해 봅니다.

4 태양을 그림으로 자유롭게 표현해 봅니다.

> 채점 기준 점과 선 등을 이용해서 단순한 형태로 태양을 표현한 그림 문자를 만들었으면 정답으로 합니다.

5 그림으로 생각을 표현할 때의 불편한 점을 떠올려 보고 문자가 필요한 까닭을 생각해 봅니다.

6 세계 언어와 문자를 전시하는 행사에 대해 소개하고 있습니다.

7 소수 전통 언어들이 하루가 다르게 사라지는 현실에서 문자 생태계를 보존하자는 움직임으로 시작되었다고 했습니다.

8 제주어도 소멸 위기 언어로 유네스코에 등재되었다고 했습니다.

9 문자에는 그 문자를 사용하는 사람들이 지켜온 전통과 지혜 등의 문화가 담겨 있기 때문에 사라져 가는 문자를 지켜야 합니다.

기본 한글을 만든 과정 이해하기 175~178쪽

1 백성 **2** ②
3 효자, 효녀들의 이야기를 알리라고 했다. 등
4 ① **5** ①, ② **6** 정인
7 ⑤ **8** 백성이 알기 쉬운 문자 등
9 말소리를 연구한 책 **10** ⑤
11 신하들이 반대할 것을 염려했기 때문이다. 등
12 ④ **13** 말 **14** ③, ⑤
15 훈민정음 **16** 글을 읽거나 쓸 수 있게 되었다. / 억울한 일을 당하는 사람이 줄었다. / 한자를 배울 기회조차 적었던 여자들은 훈민정음을 익혀 책을 읽거나 편지를 썼다. 등

1 세종 대왕은 백성이 나라의 근본이고, 근본이 튼튼해야 나라가 평안하다고 여겼습니다.

2 세종 대왕은 억울한 사람이 없고 태평한 세상인 조선을 꿈꾸었습니다.

3 젊은이가 아비에게 불효한 일을 저질렀다는 말을 듣고 세종 대왕은 효자, 효녀들의 이야기를 백성에게 알리라고 했습니다.

> 채점 기준 효자, 효녀들의 이야기를 알리라고 했다고 썼으면 정답으로 합니다.

4 한자를 몰랐기 때문에 한자로 쓰인 안내문을 읽을 수 없었습니다.

5 문자를 모르는 백성은 책을 읽을 수 없었고, 억울한 일을 당하기도 했습니다.

6 먹고살기도 바쁜데 언제 글을 배우겠느냐고 했습니다.

7 세종 대왕은 문자를 알지 못해 어려움을 겪는 백성을 보고 안타까워했습니다.

> 보충 자료 세종 대왕의 고민
> • 백성이 문자를 알지 못해 어려움을 겪는 것이 안타까웠습니다.
> • 백성의 삶에 도움이 되는 일을 하고 싶었습니다.
> • 백성이 알기 쉬운 문자를 만들고 싶었습니다.

8 세종 대왕은 문자를 알지 못해 불편을 겪고 있는 백성이 많은 것을 보았습니다.

9 명나라에 가는 사신들이 있거든 말소리를 연구한 책을 구해 오라고 했습니다.

10 세종은 새로운 문자를 만들기 위해 말소리를 연구한 책을 구해 읽기 시작했습니다.

11 신하들이 새 문자를 만들고 있다는 것을 알면 벌 떼처럼 들고일어날 것이기 때문에 비밀로 한 것입니다.

> **채점 기준** 신하들이 반대할 것을 염려했기 때문이라고 썼으면 정답으로 합니다.

12 세종은 눈이 나빠져서 방 안을 어둡다고 느끼게 되었습니다.

13 세종은 글이 말과 같아야 한다며, 글로는 '天(천)'이라고 하고 말로는 '하늘'이라고 하면 안 된다고 했습니다.

14 하늘, 땅, 사람의 모양을 본뜨고, 말소리를 내는 기관을 본떠 문자를 만드는 것도 좋을 것이라고 했습니다.

15 세종 대왕은 오랜 시간을 연구한 끝에 훈민정음 28자를 완성했습니다.

16 글의 마지막 문단에 나타난 내용을 정리해 봅니다.

> **채점 기준** 글을 읽거나 쓸 수 있게 되었고, 책을 읽거나 편지를 쓰기도 했으며, 억울한 일을 당하는 사람이 줄었다는 내용 등을 썼으면 정답으로 합니다.

---

2 자음자는 발음 기관의 모양을, 모음자는 하늘, 땅, 사람을 본떠 만들었습니다.

3 'ㄱ, ㄴ, ㅁ, ㅅ, ㅇ'의 기본 문자가 각각 어떤 발음 기관의 모양과 비슷한지 살펴봅니다.

4 한글은 다른 문자에 비해 적은 수의 문자로 사람의 입에서 나오는 대부분의 소리를 효과적으로 적을 수 있는 음소 문자입니다.

5 한글은 일정한 원리에 따라 만들어졌기 때문에 기본이 되는 자음자 다섯 개, 모음자 세 개만 익히면 다른 문자도 쉽게 익힐 수 있다고 했습니다.

6 한글이 배우기 쉽고 과학적인 까닭에 세계 언어학자들은 한글을 '알파벳의 꿈'이라고 표현합니다.

7 한글은 적은 수의 문자로 많은 소리를 적을 수 있고, 쉽고 빨리 배울 수 있습니다.

8 한글이 휴대 전화와 같은 기계화에 적합한 문자라는 사실을 알 수 있는 연구입니다.

9 휴대 전화의 한글 자판은 한글의 자음자와 모음자의 획을 더하는 원리에 기초해 설계해서 누구나 쉽고 빠르게 글자를 입력할 수 있습니다.

10 로버트 램지 교수는 "한글은 소리와 문자가 서로 체계적 연관성을 지닌 과학적인 문자"라고 했습니다.

> **채점 기준** 소리와 문자가 서로 체계적 연관성을 지니고 있어서라고 썼으면 정답으로 합니다.

11 한글이 전 세계에서 가장 많이 쓰이는 문자라는 것은 사실이 아닙니다.

기본 한글의 특성 이해하기 179~181쪽

1 (2) ○ (3) ○
2 (1) 발음 기관의 모양 (2) 하늘, 땅, 사람
3 (1) ⑤ (2) ④ (3) ① (4) ② (5) ③
4 한글   **5** ④, ⑤   **6** 알파벳의 꿈
7 ①, ③   **8** ②
9 한글의 자음자와 모음자의 획을 더하는 원리
10 소리와 문자가 서로 체계적 연관성을 지니고 있어서이다. 등   **11** ④

1 이 지구상에는 많은 언어가 있으나, 현재 사용하고 있는 문자의 종류는 약 50개밖에 안 된다고 했습니다.

기본 한글을 소중히 여기는 마음 지니기 182~184쪽

1 1876년 12월 22일   **2** ④
3 (1) ② (2) ①   **4** (3) ○
5 (1) 한문 (2) 한글   **6** ④
7 ②   **8** ①, ③
9 『대한 국어 문법』   **10** ⑤
11 ④, ⑤   **12** 예 한글 사랑 나라 사랑 한글 지킴 나라 지킴 / 바르게 쓴 한글, 나라를 키우는 힘

1 주시경은 1876년 12월 22일 황해도 봉산에서 태어났습니다.

2 큰아버지가 조카 한 명을 데려가 아들로 키우려고 했는데 부모님이 의논 끝에 주시경을 보내기로 했습니다.

3 '벌목정정'은 나무 찍는 소리가 쩡쩡 울린다는 뜻이고, '조명앵앵'은 새들이 쨱쨱 울음을 운다는 뜻입니다.

4 주시경은 왜 알아듣기 힘든 한문으로 읽고 우리말로 다시 풀이해야 하는지 의문을 가졌습니다.

5 한문은 그 한자들의 뜻을 알기 위해 다시 우리말로 풀이해야 하지만, 한글은 며칠 만에 읽고 쓸 수 있었기 때문에 주시경이 한글에 관심을 두게 된 것입니다.

6 1894년에 주시경은 배재학당에 입학해 한글 연구에 필요한 지식을 다져 나갔습니다.

7 한글을 사랑하고 소중히 여겼기 때문에 주시경은 피곤했지만 한글 연구를 게을리하지 않았습니다.

8 당시에는 한문만을 글로 여기고 우리글에는 관심을 가지지 않아서 우리말 문법책이 없었다고 했습니다.

9 주시경은 오랜 연구 끝에 1906년 『대한 국어 문법』이라는 책을 펴냈습니다.

10 주시경은 늘 두루마기를 차려입고 옆구리에 보따리를 들고 다녀서 '주 보따리'라는 별명이 붙었습니다.

11 주시경은 우리말 문법책을 펴냈고 여러 곳을 찾아다니며 한글을 가르쳤는데, 여기에서 한글을 소중히 여기고 사랑하는 주시경의 마음을 알 수 있습니다.

12 한글을 소중히 여기는 마음을 담아 짧은 말로 표현해 봅니다.

> **채점 기준** 우수한 한글을 소중히 여기는 마음이 잘 드러나는 표어를 만들어 썼으면 정답으로 합니다.

실천 한글을 바르게 사용하기　　　185쪽

1 ①　　　　**2** ⑤

3 예 어떤 뜻인지 잘 이해되지 않는다.

4 시안　　　　**5** 예 한글에 관심을 기울인다. / 바르고 정확하게 한글을 사용하려고 노력한다.

---

1 ②와 ③은 한글로만 쓰인 간판이다. ④는 '멋진 옷가게', ⑤는 '예쁜 꽃집' 등으로 바꿀 수 있습니다.

2 간판에 여러 나라 문자를 쓰는 까닭은 사람들의 눈에 잘 띄게 하여 손님을 많이 끌어들이기 위해서입니다.

3 다른 나라 문자로 쓰인 간판을 봤을 때 어떤 생각을 했는지 씁니다.

4 한글을 사용하면 우리말의 소중함을 느낄 수 있습니다.

5 한글을 아끼고 바르게 사용하기 위해서 자신이 실천할 수 있는 일을 한 가지 써 봅니다.

> **채점 기준** 한글을 아끼고 바르게 사용하기 위해 할 수 있는 일을 한 가지 떠올려 썼으면 정답으로 합니다.

국어 활동　　　186～187쪽

1 (2)○ (3)○

2 (1)애민 정신 (2)훈민정음 (3)세종 대왕

3 훈민정음해례본

4 (1)잠 (2)ㅉ (3)참

5 (1)○ (2)○ (3)○

6 (1)택견 (2)이쁘다

---

1 신하들이 아니라 백성이 글을 제대로 쓰지 못했기 때문입니다.

2 가로 열쇠와 세로 열쇠의 힌트를 잘 살펴봅니다.

3 『훈민정음해례본』에 대해 설명하고 있는 글입니다.

4 'ㅈ-ㅉ-ㅊ'은 서로 짝을 이루고 있습니다.

5 '자장면'과 '짜장면'은 복수 표준어로, 둘 다 옳은 표현입니다.

> **보충 자료** '자장면'과 '짜장면'
>
>
>
> 그동안은 '자장면'이라고 쓰도록 표준어를 정했습니다. 그런데 사람들이 '짜장면'이라고 많이 쓰자 '자장면'과 '짜장면'을 모두 쓸 수 있도록 했습니다.

6 '태껸'과 '택견', '예쁘다'와 '이쁘다'는 모두 표준어입니다.

단원 마무리 **188~189쪽**

❶ 자세히 　　❷ 문자 　　❸ 훈민정음
❹ 기계화 　　❺ 배재학당 　　❻ 소중함

단원 평가 **190~192쪽**

1 (2) ○ 　　**2** ③ 　　**3** ㉢
4 ① 　　**5** ⑤
6 백성이 문자를 알지 못해 어려움을 겪는 것이 안타까웠기 때문이다. 등 　　**7** ⑤
8 새로운 문자를 만드는 일 등 　　**9** ④
10 '훈민정음' 28자 　　**11** 한글
12 모음자 　　**13** ①
14 (1) 기본 문자를 서로 합치거나 점을 더해서 썼다. 등 　(2) 기본 문자에 획을 더하거나 같은 문자를 하나 더 썼다. 등
15 (1) ㉡ (2) ㉠ 　**16** ① 　　**17** ④, ⑤
18 ④ 　　**19** ②, ③ 　　**20** 연지

---

1 제시된 사진은 문자가 없었던 시절에 사람들이 생각한 것이나 기억하고 싶은 말을 큰 바위나 벽에 그림을 그리거나 새겨 놓은 것입니다.

2 왕을 뜻하는 그림 문자는 ③입니다.

3 ㉠은 사람, ㉡은 양을 뜻하는 그림 문자입니다.

4 그림 ❶에서 농부들은 글을 읽을 수 없으니 무슨 소용이냐고 했습니다.

5 글을 읽을 수 없는 백성에 대한 안타까운 마음이 드러나 있습니다.

6 세종 대왕은 백성이 문자를 알지 못해 불편을 겪고 있는 것을 보았습니다.

> **채점 기준** 백성이 문자를 알지 못해 어려움을 겪는 것이 안타까웠기 때문이라는 내용으로 썼으면 정답으로 합니다.

7 『훈민정음해례본』은 한글의 자음자와 모음자를 만든 원리를 설명한 책으로, 1940년에 발견했습니다.

> **오답 피하기**
> ① 『삼국유사』: 고려 시대에 승려 일연이 쓴 역사책.
> ② 『삼국사기』: 고려 시대에 김부식이 왕명에 따라 펴낸 역사책.
> ③ 『팔만대장경』: 고려 시대에 부처의 힘으로 외적을 물리치기 위하여 만든 대장경.
> ④ 『조선왕조실록』: 조선 태조 때부터 철종 때까지 25대 472년 동안의 역사적 사실을 기록한 역사책. 1997년에 유네스코 세계 기록 유산으로 지정됨.

8 나라가 안정을 되찾자 세종은 새로운 문자를 만드는 일에 온 힘을 기울였습니다.

9 신하들은 중국의 문자인 한자를 쓰는 데 자부심을 느끼고 있었다고 했습니다.

10 글 ❹에서 오랜 시간을 연구한 끝에 '훈민정음' 28자를 완성했다고 했습니다.

11 재러드 다이아몬드는 한국인의 문맹률이 낮은 것은 한글 덕분이라고 말했습니다.

12 자음자는 발음 기관의 모양을 본뜬 것입니다.

13 'ㅁ'은 입 모양을 본뜬 것입니다.

14 기본 문자를 바탕으로 하여 나머지 문자를 만든 원리는 모음자와 자음자가 각각 다르므로 구별해서 찾아 정리합니다.

> **채점 기준** (1)에 기본 문자를 서로 합치거나 점을 더해서 써서 만들었다고 쓰고, (2)에 기본 문자에 획을 더하거나 같은 문자를 하나 더 써서 만들었다고 썼으면 정답으로 합니다.

15 1894년에는 배재학당에 입학했고, 1906년에는 『대한 국어 문법』이라는 책을 펴냈습니다.

16 한글과 우리말을 바르게 사용하기 위한 규칙인 문법이 실려 있는 책이라고 했습니다.

17 주시경은 어려운 때일수록 우리글이 힘이 될 것이라고 생각하며 한글을 가르쳐 달라는 곳이 있으면 어디든지 달려갔습니다.

18 ④는 한글을 소중히 여기는 마음이 담겨 있는 말이 아닙니다.

19 ①은 한자가 섞여 있고 ④는 영어가 섞여 있으며, ⑤는 영어로만 되어 있습니다.

20 한글을 아끼고 바르게 사용하려면 외국어를 섞어 쓰지 않고 바르고 정확하게 한글을 사용하도록 해야 합니다.

서술형 평가 193쪽

1 (예) 문자가 없으면 정확하게 기록을 못할 것이다. / 문자로 생각을 표현하면 더 자세히 나타낼 수 있다.
2 한글은 쉽고 빨리 배울 수 있는 문자이다. 등
3 한글이 배우기 쉽고 과학적이기 때문이다. 등
4 당시 우리나라에는 사람들이 두루 볼 만한 쉬운 우리말 문법책이 없었기 때문이다. 등
5 다른 나라들이 서로 우리나라를 차지하려고 다투던 시기였다. 등

---

1 문자가 왜 필요할지 생각하여 써 봅니다.

> **채점 기준** 정확하게 기록을 하기 위해서, 또는 생각을 더 자세히 표현하기 위해서라고 썼으면 정답으로 합니다.

2 쉽고 빨리 배울 수 있는 한글이 지닌 특성에 대해 설명하고 있습니다.

> **채점 기준** 한글은 쉽고 빨리 배울 수 있는 문자라고 썼으면 정답으로 합니다.

3 글의 끝부분에서 한글이 배우기 쉽고 과학적인 까닭에 세계 언어학자들은 한글을 '알파벳의 꿈'이라고 표현한다고 했습니다.

> **채점 기준** 한글이 배우기 쉽고 과학적이기 때문이라고 썼으면 정답으로 합니다.

4 당시 우리나라에는 사람들이 두루 볼 만한 우리말 문법책이 없어서 주시경은 사람들이 쉽게 알아볼 수 있는 우리말 문법책을 쓰기로 마음먹었습니다.

> **채점 기준** 당시 우리나라에는 사람들이 두루 볼 만한 쉬운 우리말 문법책이 없었기 때문이라고 썼으면 정답으로 합니다.

5 당시 우리나라는 힘이 없어서 주시경은 이런 때일수록 우리글이 힘이 될 것이라고 생각했습니다.

> **채점 기준** 다른 나라들이 서로 우리나라를 차지하려고 다투던 시기였다고 썼으면 정답으로 합니다.

---

10. 인물의 마음을 알아봐요

핵심 확인 문제 196쪽

1 (2) ○ (3) ○   **2** ×
3 부끄러운 마음 등   **4** 과장
5 마음

준비 표정이나 행동으로 인물의 마음 짐작하기 197쪽

1 (1) ① (2) ②   **2** ④   **3** ②
4 그림 라

---

1 그림 가는 즐거운 표정으로 양팔을 높이 들고 있고, 그림 나는 깜짝 놀란 표정입니다.
2 하품을 하고 있습니다.
3 밤이 되어 잠잘 시간이 되었을 때 졸리고 하품이 납니다.
4 그림 라의 여자아이가 수줍게 웃고 있으므로 수줍고 부끄러운 마음일 것입니다.

기본 인물의 마음을 짐작하며 만화 읽기 198~201쪽

1 ⑤   **2** ①   **3** ③
4 지수   **5** ⑤   **6** ①, ②, ⑤
7 (예) 부끄러움을 많이 탄다.   **8** ③
9 답이 확실한지 물어보았다. 등   **10** ⑤
11 (1) 깜짝 놀란 마음 등 (2) 머리 뒤에 그린 선과 큰 눈 모양을 보고 짐작했다. 등
12 긴장한 마음 등   **13** ①, ⑤
14 선생님의 표정이 굳어져 있어서이다. 등
15 감탄하고   **16** ③

---

1 철민이는 수업에 집중하지 않아 어디를 읽어야 할지 몰라서 소민이에게 물어보고 있습니다.
2 철민이 이마의 땀방울과 입술과 눈이 그려진 모양 등을 살펴보면 당황했다는 것을 알 수 있습니다.
3 철민이가 자신이 가리켜 준 곳을 읽지 않고 엉뚱한 곳을 읽자 소민이는 당황했습니다.
4 장면 ④에서 선생님의 마음은 선생님의 얼굴 표정에서 잘 알 수 있습니다.

5 잘 읽었지만 다음부터는 좀 더 크게 읽으라고 하셨습니다.

6 "콩닥"이라고 적힌 말풍선과 배경에 그려진 선, 그리고 소민이의 얼굴 표정을 통해 긴장된 마음이라는 것을 알 수 있습니다.

7 발표를 할 때 긴장하는 것과 발표를 하고 나서도 창피해하는 것에서 소민이의 성격을 알 수 있습니다.

8 두 손으로 얼굴을 가리고 있어서 입 모양은 보이지 않습니다.

9 철민이는 소민이가 쓴 답을 베껴 쓰면서 답이 확실한지 물어보았습니다.

10 답이 맞는지 자신이 없어 망설이고 있습니다.

11 인물의 마음을 짐작할 수 있는 부분을 찾고 인물의 마음을 짐작하여 써 봅니다.

12 배경 색으로 소민이의 긴장한 마음을 알 수 있습니다.

13 장면 ⑰에서 소민이의 생각 풍선 안에 들어 있는 내용을 살펴봅니다.

14 선생님의 굳은 표정을 보고 소민이는 답이 틀렸다고 생각했습니다.

> **채점 기준** 선생님의 표정이 굳어져 있어서라고 썼으면 정답으로 합니다.

15 아이들은 문제의 답을 맞힌 소민이에게 감탄하고 있습니다.

16 배경에 적혀 있는 낱말과 소민이의 생각을 통해서 기쁘고 다행스러우며 긴장이 풀린 소민이의 마음을 알 수 있습니다.

기본	만화를 읽고 인물의 마음 표현하기	202~207쪽

1 더웠다. 등	**2** ③, ⑤	**3** 유리
4 ①	**5** ①	**6** (2) ○
7 ②	**8** ①	**9** ③
10 ④	**11** ⑩ 깜짝 놀란 표정을 지으면서 입을 크게 벌린다.	**12** 장호
13 ②	**14** (2) ○	**15** ②
16 귀엽다. 등	**17** 용궁	**18** ③
19 ④	**20** (2) ○	**21** 청룡 열차
22 (2) ○ (3) ○	**23** ⑤	**24** 억울한

1 아이들은 날씨가 더워서 옷을 벗었습니다.

2 아이들은 산에 도착하자 더워서 겨울옷을 벗었고, 일단 산 위로 올라가 보기로 했습니다.

3 저쪽은 겨울인데 이쪽은 더워서 당황한 마음이 나타나 있으므로 유리가 알맞게 말했습니다.

4 길을 잃은 것을 알고 겁이 나고 무서워서 한 말입니다.

5 아이들은 산을 오르며 힘들어하고 있습니다.

6 지치고 힘든 마음이 잘 드러나는 것을 찾아봅니다.

7 가려고 했던 곳에 마침내 도착해서 기뻤을 것입니다.

8 상황에 알맞은 크기의 목소리로 말해야 실감 나게 표현할 수 있습니다.

9 아이들은 커다란 용을 보았습니다.

10 아이들의 표정에서 깜짝 놀란 마음을 짐작할 수 있습니다.

11 깜짝 놀란 마음에 어울리는 표정과 몸짓을 써 봅니다.

> **채점 기준** 깜짝 놀란 표정을 지으면서 입을 크게 벌리는 등 아이들의 마음을 실감 나게 표현하는 적절한 방법을 썼으면 정답으로 합니다.

12 깜짝 놀란 경험을 말한 사람은 장호입니다.

13 용은 아이들을 보고 매우 반가워하면서 신기해했습니다.

14 남자아이가 용이 말을 한다며 신기해하자 용은 여기서는 말이 다 통한다고 했습니다.

15 ②를 제외한 말들은 놀라움이 담긴 말입니다.

16 아이들은 인사를 하는 새끼 용을 보고 귀엽다며 소리를 질렀습니다.

17 오랜만에 찾아온 손님이니 용궁으로 초대한다고 했습니다.

18 용에 올라타고 싶은 호기심 어린 마음이 느껴집니다.

19 여자아이는 놀라며 머뭇거리는 표정을 짓고 있습니다.

20 용의 등에 타는 것이 괜찮을지 걱정하는 말이므로 걱정스러운 목소리로 말하는 것이 알맞습니다.

21 용이 청룡 열차보다 백 배 빠르다고 했습니다.

22 용의 표정과 행동에서 신나고 빠르게 날아가고 있다는 것을 알 수 있습니다.

23 남자아이의 표정을 살펴보면 장난을 치고 있다는 것을 알 수 있습니다.

24 친구가 방귀를 뀌었다고 자신을 놀리고 있으므로 억울하고 화난 목소리로 읽는 것이 어울립니다.

기본 인물의 마음을 짐작하며 만화 영화 보기   208~209쪽

1 다리에 실을 매달아 날려 보냈다. 등
2 ④   **3** (3) ○
4 (1) 혓바닥을 내밀고 있고 콧물이 흘러나오며 얼굴을 찡그리고 있다. 등 (2) 서둘러 마루 아래로 내려가고 있다. 등 (3) 고추가 매워서 놀란 마음 등
5 ②   **6 예** 밝은 것이 무엇인지 궁금할 것 같다.   **7** 세진   **8** ③

1 소년은 잠자리를 잡아서 다리에 실을 매달아 날려 보내며 놀았습니다.

2 할머니는 소년에게 따뜻한 밥을 먹이려고 소년을 기다렸습니다.

3 할머니의 입꼬리가 살짝 위로 올라가 있고 미소를 짓고 있습니다.

4 소년은 고추가 매워서 어쩔 줄 몰라 하고 있습니다.

> **채점 기준** (1)에 혓바닥을 내밀고 있고 콧물이 흘러나오며 얼굴을 찡그리고 있다고 쓰고, (2)에 서둘러 마루 아래로 내려가고 있다고 쓰고, (3)에 고추가 매워서 놀란 마음이라고 썼으면 정답으로 합니다.

5 소년이 잠자리를 보며 활짝 웃고 있으므로 신나고 즐거운 마음입니다.

6 소년은 무엇인가를 밟아 그 자리에 멈추었습니다.

> **채점 기준** 소년이 밟은 것이 무엇인지 궁금한 마음일 것이라고 썼으면 정답으로 합니다.

7 할머니는 매운 고추를 따라 먹는 소년이 귀여우실 것입니다.

8 맵지 않을 줄 알았던 고추가 매워서 놀라고 당황스러울 것입니다.

실천 재미있었던 일을 만화로 표현하기   210쪽

1 ④   **2** ①   **3** ④
4 예 바다에서 가족과 물놀이를 했는데 정말 시원하고 즐거웠어.

1 아이는 처음 자전거를 배우기 때문에 엄마가 손을 놓으면 넘어질까 봐 겁이 났을 것입니다.

2 아이의 표정과 그림의 표현으로 보아 신나고 기쁘다는 것을 알 수 있습니다.

3 장면 ❿에서 아이는 무척 즐겁고 행복해 보이는 모습입니다.

4 재미있었던 일에 대한 마음과 기분을 누군가에게 말하듯이 써 봅니다.

국어 활동   211~212쪽

1 (1) ㉝ (2) ㉭ (3) ㉨
2 맛있는 음식을 먹게 되어 정말 행복해 보인다. 등
3 도운   **4** (1) 준수 (2) 미리
5 ⑤   **6** (1) ○ (2) ○ (3) ○
7 (1) 꿈 (2) 춤   **8** 삶

1 어떤 상황에서 또는 어떤 마음일 때 그림의 표정들을 짓게 되는지 떠올려 봅니다.

2 준수는 맛있는 음식을 허겁지겁 먹으며 행복해하고 있습니다.

3 준수의 표정, 느낌표, 배경의 효과 등을 보면 준수에게 문제가 생겼다는 것을 알 수 있습니다.

4 준수는 어딘가 아픈 표정이고, 미리는 아픈 준수가 걱정되는 표정입니다.

5 준수는 빨리 약을 먹고 싶은 마음일 것입니다.

6 인물의 마음을 짐작하려면 인물의 표정과 인물이 한 말을 살펴보고, 인물이 말하는 의도를 알아봅니다.

7 '슬프다', '자다'와 같은 낱말에서 형태가 바뀌지 않는 부분 '슬프', '자'에 받침 'ㅁ'을 붙여서 다른 형태로 사용할 수 있습니다.

8 '알다', '살다'와 같이 'ㄹ' 받침이 있는 낱말은 '앎', '삶'처럼 받침에 'ㄻ'이 있는 형태로 바꾸어야 합니다.

단원 마무리   213쪽

❶ 배경   ❷ 행동   ❸ 놀란
❹ 신나고

단원 평가   214~216쪽

1 ③   **2** ⑤   **3** 그림 ㉣
4 예 친한 친구가 전학을 갈 때 외롭고 슬픈 마음이 들었다.   **5** ④   **6** ①
7 (2) ○   **8** ③, ⑤
9 예 인물 뒤의 배경 색으로 긴장한 마음을 알 수 있다. / 말풍선의 테두리 모양으로 떨리는 마음을 알 수 있다.   **10** ⑤   **11** ②
12 ①   **13** 용궁   **14** (1) ② (2) ①
15 ②   **16** ②, ④
17 예 궁금한 것이 많은 성격 같다.
18 아이가 눈치채지 않게 손을 살짝 놓았다. 등
19 ②   **20** ④

---

1 그림 ㉮의 인물은 양팔을 들고 활짝 웃고 있습니다. 기쁜 마음이라는 것을 알 수 있습니다.

2 그림 ㉯의 인물은 깜짝 놀란 표정을 짓고 있습니다.

3 다른 사람에게 칭찬을 받았을 때 그림 ㉣의 인물과 같이 수줍고 부끄러운 표정을 지을 수 있습니다.

4 그림 ㉰의 인물은 외롭고 슬픈 마음입니다. 언제 이러한 마음이 들었는지 떠올려 써 봅니다.

> **채점 기준** 외롭고 슬픈 마음이 들었던 경험을 떠올려서 썼으면 정답으로 합니다.

5 소민이는 일어서서 국어 책을 읽었습니다.

6 소민이의 표정과 배경에 그려진 선, 말풍선의 내용을 살펴봅니다.

7 말풍선의 내용과 소민이의 표정을 살펴보면 소민이는 친구들이 놀릴까 봐 걱정하고 있다는 것을 알 수 있습니다.

8 머리 뒤에 그린 선과 큰 눈 모양을 통해 깜짝 놀란 마음이라는 것을 알 수 있습니다.

9 소민이 뒤의 배경을 검게 칠한 부분, 말풍선의 모양, 말풍선의 말, 소민이의 표정 등을 통해 긴장하고 떨리는 마음을 알 수 있습니다.

> **채점 기준** 인물 뒤의 배경 색, 말풍선의 테두리 모양, 말풍선의 말, 인물의 표정 등으로 긴장하고 떨리는 마음을 알 수 있다고 썼으면 정답으로 합니다.

10 선생님이 앞에 나와서 어떻게 문제를 풀었는지 칠판에 써 보라고 해서 긴장한 것입니다.

11 인물의 이름과 나이를 안다고 해서 인물의 마음을 짐작할 수는 없습니다.

12 장면 ❶에서 용은 아이들을 용궁으로 초대할 생각에 신나고 기쁜 마음입니다.

13 용이 아이들을 용궁으로 초대한다고 했습니다.

14 (1)의 말은 호기심 어린 마음이 드러난 말이고, (2)의 말은 걱정스러운 마음이 드러난 말입니다.

15 고추가 매운지 안 매운지 궁금해하는 마음이 드러나 있으므로 궁금한 목소리로 읽는 것이 어울립니다.

16 고추가 매워서 깜짝 놀라고 당황했을 것이고, 할머니께 속은 기분이 들었을 것입니다.

17 소년의 표정과 행동으로 보아 어떤 성격이 어울리는지 생각하여 씁니다.

18 엄마는 손을 놓지 않겠다고 아이를 안심시킨 뒤에 손을 살짝 놓았습니다.

> **채점 기준** 아이가 눈치채지 않게 손을 살짝 놓았다고 썼으면 정답으로 합니다.

19 잔뜩 긴장한 표정과 온몸이 부들부들 떨리는 표현에서 겁을 먹었다는 것을 알 수 있습니다.

20 ①은 신나고 즐거운 표정, ②는 슬픈 표정, ③은 지루한 표정입니다.

1 (1) 예 슬픈 마음

   (2) 예 내가 아끼는 장난감을 잃어버렸을 때 슬프다.

2 철민이가 수업에 집중하지 않고 엉뚱한 곳을 읽었기 때문이다. 등

3 (1) 예 당황한 마음

   (2) 예 이마에 땀방울이 그려져 있기 때문이다. / 입술과 눈이 그려진 모양을 보면 알 수 있다.

4 (1) 예 하늘을 나는 듯 신나고 기쁜 마음

   (2) 예 하늘에 두둥실 떠 있는 듯이 표현되어 있기 때문이다. / 아이의 눈빛이 편안해지고 웃고 있기 때문이다.

5 예 글짓기 대회에서 상을 받았을 때 신나고 기뻤다.

---

1   그림은 울고 있는 모습이므로 슬픈 마음입니다. 언제 슬픈 마음이 드는지 써 봅니다.

> **채점 기준** (1)에 슬픈 마음이라고 쓰고, (2)에 슬픈 마음이 들 만한 상황을 떠올려 썼으면 정답으로 합니다.

2   선생님은 철민이가 책을 제대로 읽지 않아서 화가 나셨습니다.

> **채점 기준** 철민이가 수업에 집중하지 않고 엉뚱한 곳을 읽었기 때문이라고 썼으면 정답으로 합니다.

3   장면 ❶에서 철민이는 어디를 읽어야 할지 몰라 당황한 마음입니다.

> **채점 기준** (1)에 당황한 마음이라고 쓰고, (2)에 이마의 땀방울, 입술과 눈이 그려진 모양, 표정 등을 보면 알 수 있다고 썼으면 정답으로 합니다.

4   만화 속에 나타난 표현을 살펴보고 아이의 마음을 짐작해 봅니다.

> **채점 기준** (1)에 신나고 기쁜 마음이라고 쓰고, (2)에 '하늘에 두둥실 떠 있는 듯이 표현되어 있기 때문이다.', '아이의 눈빛이 편안해지고 웃고 있기 때문이다.' 등의 내용을 썼으면 정답으로 합니다.

5   신나고 기쁜 마음이 들었던 경험을 떠올려 써 봅니다.

> **채점 기준** 신나고 기쁜 마음이 들었던 경험을 떠올려 썼으면 정답으로 합니다.

1. 생각과 느낌을 나누어요

1 같은 것을 보고도 상황에 따라 다르게 생각할 수 있기 때문이다. 등 / 같은 그림이지만 느낀 점이 다를 수 있기 때문이다. 등   **2** 나무
3 ⑤   **4** ⑤   **5** ㉡
6 지안   **7** ⑤   **8** ①
9 ⑤   **10** 슬프다. 등

1 상황에 따라 생각과 느낀 점이 다를 수 있기 때문에 같은 그림을 보고도 다르게 생각할 수 있습니다.

> **채점 기준** 그림이 다르게 보이는 까닭 두 가지를 모두 알맞게 썼으면 정답으로 합니다.

2 말하는 이는 나무에 올라타고는 말을 탔다고 상상하고 있습니다.

3 시를 읽는 것만으로 생각이나 느낌을 표현할 수는 없습니다.

4 최씨 부자의 모든 것이 어마어마했지만 그중에서 가장 어마어마했던 것은 최씨 부자의 마음이라고 했습니다.

5 할아버지가 한 말인 ㉡에 대한 생각이나 느낌을 말한 것입니다.

6 글의 내용을 바르게 파악하여 생각이나 느낌을 말한 사람은 지안입니다.

7 노마는 기동이에게 파란 유리구슬을 봤냐고 물었습니다.

8 노마가 기동이를 의심한 일은 잘못이라는 의견에 알맞은 까닭은 ①입니다.

> **정답 친해지기** 노마가 기동이를 의심한 일에 대한 의견과 까닭 예
>
> | 의견 | 노마가 기동이를 의심한 일은 잘못입니다. |
> | --- | --- |
> | 까닭 | 의심을 받는 일은 기분 나쁘고 속상한 일이기 때문입니다. |

9 다른 못들이 '나'를 못마땅하게 여기기 때문에 큰 소리로 말하지 않고 속으로 말한 것입니다.

10 ㉠과 같은 말을 들으면 슬프고 속상할 것입니다.

1 은지   **2** ③   **3** 예시 답안 참고
4 이대로 / 칭칭 엉켜 있으면 / 참 좋겠다.
5 ②
6 예 생선 장수의 마음을 헤아리라는 말을 통해 함께 살아가는 법을 말씀하시는 것 같다.
7 ②, ④   **8** 노마
9 가끔씩 비 오는 날 초록이를 걸어 둘 수 있는 일 등
10 ③

1 현우는 시의 내용을 잘못 이해하고 느낌을 말했습니다.

2 운동장가에 있던 나무가 말타기놀이를 하자며 등을 내민다고 했습니다.

3 오행시를 짓는 방법에 맞게 시의 내용에 대한 생각이나 느낌을 표현해 봅니다.

> **예시 답안**
> • 등: 예 등 굽은 나무는
> • 굽: 예 굽은 허리로 일하시는
> • 은: 예 은빛 머리
> • 나: 예 나의 할머니처럼
> • 무: 예 무척 포근하다

> **채점 기준** 시를 읽은 생각이나 느낌을 오행시로 알맞게 썼으면 정답으로 합니다.

4 이 시의 두 번째 연에 말하는 이의 마음이 직접 드러나 있습니다.

5 물건을 살 때는 아침에 가서 제값을 주고 사 오라고 했습니다.

6 할아버지는 헐값에 생선을 넘기는 생선 장수의 마음을 헤아려야 한다고 했습니다. 이 말을 통해 할아버지가 함께 살아가는 법을 말씀하신다는 것을 생각할 수 있습니다.

7 구슬을 찾아서 기쁘지만 기동이를 의심한 것이 미안했을 것입니다.

8 이 글에서 친구를 의심한 사람은 노마입니다.

9 초록이는 '나'에게 걸려서 창밖에 매달려 하루 종일 비를 맞을 수 있었습니다.

10 쓸모없다고 여겨졌던 '나'는 초록이를 걸면서 쓸모 있는 못이 되었습니다.

서술형 평가   6쪽

1 은찬이가 부르는 소리에 말이 멈추었기 때문이다. / 은찬이가 부르는 소리에 달나라까지 가지 못했기 때문이다. 등

2 예 구름 위를 달리는 상상을 하며 정말 신났을 것 같다.

3 가난한 사람들이나 지나가는 나그네가 쌀을 퍼 갈 수 있도록 하기 위해서이다. 등

4 예 다른 사람의 불행을 그냥 넘기지 말고 도와주라는 뜻이다.

5 예 어려운 사람을 도와주려는 할아버지의 깊은 뜻이 느껴진다.

1 성민이는 은찬이가 부르는 소리에 말이 걸음을 멈춰 달나라까지 가지 못한 것을 아쉬워했습니다.

채점 기준	점수
시에서 성민이가 아쉬워한 까닭을 알맞게 쓴 경우	6점

2 시에서 성민이가 한 일과 상상한 일을 살펴보고, 성민이가 어떤 생각을 했을지 써 봅니다.

채점 기준	점수
시의 내용을 살펴보고 시 속 성민이의 생각을 알맞게 쓴 경우	6점
시 속 성민이의 생각을 썼으나 내용이 다소 부족한 경우	3점

3 할아버지는 가난한 사람들이나 지나가는 나그네가 쌀을 퍼 갈 수 있도록 뒤주를 만든 것이라고 했습니다.

채점 기준	점수
할아버지가 하신 말씀을 정리하여 뒤주를 만든 까닭을 알맞게 쓴 경우	6점

4 다른 사람들의 불행을 그냥 넘기지 말고 도와주라는 뜻으로, 할아버지의 말이나 행동을 통해 짐작할 수 있습니다.

채점 기준	점수
글을 읽고 "사방 백 리 안에 굶어 죽는 사람이 없게 하라."라는 가훈의 뜻을 정확하게 쓴 경우	6점
가훈의 뜻을 썼으나 내용이 다소 부족한 경우	3점

5 할아버지의 말에 대한 자신의 생각이나 느낌을 써 봅니다.

채점 기준	점수
할아버지의 말에 대한 생각이나 느낌을 알맞게 쓴 경우	6점
할아버지의 말에 대한 생각이나 느낌을 썼으나 글의 내용을 바탕으로 하여 쓰지 못한 경우	3점

평가 교재

수행 평가   7쪽

1 (1) 곳간을 열고 굶고 있는 사람들에게 죽을 끓여 먹였다. 등
(2) 헐벗은 이에게 옷을 지어 입혔다. 등

2 예 준은 어려운 사람들을 도와주시는 할아버지를 보고 존경하는 마음이 생겼다.

3 예 다른 사람의 어려움을 그냥 넘기지 않고 도와주려는 것을 보고 할아버지의 따뜻한 마음을 느꼈다. 그리고 나도 어려운 상황에 처한 친구를 잘 도와주어야겠다는 생각을 했다.

1 농부의 말을 통해 할아버지가 한 일을 알 수 있습니다.

채점 기준	점수
할아버지가 한 일을 두 가지 모두 찾아 쓴 경우	10점
할아버지가 한 일을 한 가지만 찾아 쓴 경우	5점

2 할아버지가 어려운 사람들을 도와준다는 사실을 알게 된 준이 어떤 마음을 가졌을지 생각해 봅니다.

채점 기준	점수
준이 할아버지를 어떻게 생각하는지 보기 에서 알맞은 말을 선택하여 쓴 경우	10점
보기 에서 알맞은 말을 선택하여 썼으나 준이 할아버지를 어떻게 생각하는지에 대한 내용이 다소 어색한 경우	5점

3 준의 할아버지가 한 일을 파악해 보고, 자신의 생각이나 느낌을 씁니다.

채점 기준	점수
할아버지에 대한 자신의 생각이나 느낌을 자세하게 쓴 경우	10점
할아버지에 대한 자신의 생각이나 느낌을 썼으나 내용이 자세하지 않은 경우	5점

2. 내용을 간추려요

단원 평가 1회
8~9쪽

1 ②　　　　**2** ①, ③, ⑤　　**3** ②, ④
4 ③, ④, ⑤　**5** (1) ㉠, ㉡, ㉣ (2) ㉢, ㉤
6 두(2) 개　　**7** ④
8 어느 더운 여름날, 총각이 욕심쟁이 영감에게 나무 그늘을 샀다. 등
9 한없이　　　**10** ③

1 일기 예보에서 일요일에는 아침저녁으로 쌀쌀할 것이라고 했습니다.

2 일기 예보에서 알려 준 중요한 날씨 정보를 중요한 낱말 중심으로 썼으며 나들이 갈 때 필요한 준비물을 썼습니다.

> **정답 친해지기** 들은 내용을 정리할 때 메모하면 좋은 점
> • 중요한 내용을 빠짐없이 기억할 수 있습니다.
> • 나중에 기억하기 쉽습니다.

3 동물들은 대개 서로를 부르거나 위협하기 위해서 소리를 낸다고 했습니다.

4 매미의 배에 있는 발음막, 발음근, 공기주머니는 매미가 소리를 내게 도와준다고 했습니다.

5 문단의 내용을 대표하는 문장이 중심 문장이고, 중심 문장을 보충 설명하는 문장은 뒷받침 문장입니다.

6 첫 문장은 중심 문장이고 나머지 두 개의 문장이 뒷받침 문장입니다.

7 욕심쟁이 영감은 허락도 없이 남의 나무 그늘에서 잤다며 총각에게 화를 냈습니다.

8 시간과 장소를 생각하며 중요한 사건을 정리해 봅니다.

> **채점 기준** 글에서 일어난 중요한 사건을 시간을 나타내는 말을 넣어 정확하게 썼으면 정답으로 합니다.

> **정답 친해지기** 이야기의 흐름에 따라 내용을 간추리는 방법
> • 이야기에서 사건이 일어난 시간의 흐름에 따라 내용을 정리합니다.
> • 이야기에서 사건이 일어난 장소의 변화에 따라 내용을 정리합니다.

9 에너지 자원은 한없이 있는 것이 아니므로 다 쓰고 나면 더는 구할 수 없게 됩니다.

10 이 글은 문제점 제시, 해결 방안 제안, 실천 방법 제안의 순서로 전개되고 있습니다. ①, ②, ④는 실천 방법이고, ⑤는 문제점입니다.

> **정답 친해지기** 「에너지를 절약하자」의 내용을 간추리는 방법
> • 의견을 내세운 글이라는 점을 생각합니다.
> • 글의 내용이 어떻게 전개되는지 살펴봅니다.
> • 문단의 중심 문장이나 중심 내용을 찾아봅니다.

단원 평가 2회
10~11쪽

1 ⑤　　　**2** ㉠　　　**3** 수직선
4 ⑤　　　**5** ㉠, ㉣　　**6** ①
7 안방　　　**8** 겨울날　　**9** ③
10 쓰지 않는 꽃개는 반드시 뽑아 놓고, 빈방에 켜 놓은 전깃불은 끈다. / 뜨거운 음식은 식힌 뒤에 냉장고에 넣는다. 등

1 들은 내용을 어떻게 할지 생각한 것입니다.

2 오늘은 전국적으로 맑은 날씨가 되겠다고 했습니다.

3 수직선에 내용을 정리한 것입니다.

4 물고기는 우리가 들을 수 없는 높낮이로 소리를 내기 때문에 우리는 물고기가 조용하다고 느낀다고 했습니다.

5 ㉡은 ㉠의 뒷받침 문장, ㉢은 ㉣의 뒷받침 문장입니다.

6 식구들이 얼른 돈을 돌려주고 총각을 내쫓으라고 했지만 부자 영감은 돈을 돌려주기 싫어서 식구들을 달랬습니다.

7 시간이 지날수록 나무 그늘이 점점 길어지자 총각은 그늘을 따라 영감의 집 마당과 안방까지 들어갔습니다.

8 이 글에 나타난 세 글자의 시간을 나타내는 말은 '겨울날'입니다.

9 이 글은 에너지를 절약하자는 주장을 펼치고 있습니다.

10 글에 제시된 해결 방안과 실천 방법을 파악해 봅니다.

> **채점 기준** 글에 나타난 실천 방법을 찾아 간추려 썼으면 정답으로 합니다.

서술형 평가
12쪽

1 듣는 목적을 생각한다. 등

2 **예시 답안** 참고

3 성대나 입과 혀의 생김새가 사람과 다르기 때문이다. 등

4 동물들이 소리를 내는 방식은 다양하다. 개나 닭은 사람과 같이 성대를 울려 소리를 내지만 다양한 소리를 내지는 못한다. 등

5 해결 방안과 실천 방법을 제안할 것이다. 등

1 춘천으로 나들이 가도 좋은 날씨인지 확인하며 듣겠다는 목적을 생각한 것입니다.

채점 기준	점수
일기 예보를 듣고 들은 내용을 간추리기 위한 방법을 알고 '듣는 목적'이라는 말을 넣어 답을 쓴 경우	6점

2 춘천으로 나들이 가기 위해 필요한 정보를 중요한 낱말 중심으로 조건 에 맞게 씁니다.

> **예시 답안**
> • 일요일 날씨
>   – 산책하기 좋은 날씨
>   – 춘천 낮 기온 20도
>   – 아침저녁으로 기온 차가 큼.
>   → 나들이 가능, 따뜻한 옷 필요

채점 기준	점수
일기 예보의 내용을 조건 에 맞게 메모한 경우	6점
일기 예보의 내용을 메모했으나 조건 에 맞지 않는 부분이 있는 경우	3점

3 개나 닭은 사람과 같이 성대를 울려 소리를 내지만 성대나 입과 혀의 생김새가 사람과 달라 다양한 소리를 내지 못한다고 했습니다.

채점 기준	점수
개나 닭이 사람과 같이 다양한 소리를 내지 못하는 까닭을 정확하게 쓴 경우	6점

4 첫 번째 문단과 두 번째 문단의 중심 문장을 연결하여 씁니다.

채점 기준	점수
중심 문장을 연결해 글의 내용을 간추려 쓴 경우	6점
글의 내용을 간추려 썼으나 중심 문장을 연결하여 쓰지 못한 경우	3점

5 주장하는 글은 '문제점 파악하기 – 해결 방안, 실천 방법 제안하기의 순서'로 전개됩니다.

채점 기준	점수
의견을 내세우는 글의 전개 방식을 알고 해결 방안과 실천 방법을 제안할 것이라는 내용을 쓴 경우	6점
해결 방안과 실천 방법 중 하나만 답으로 쓴 경우	3점

수행 평가
13쪽

1 글의 내용이 어떻게 전개되는지 살펴본다. 등 / 문단의 중심 문장이나 중심 내용을 찾아봐야 한다. 등

2 (1) 에너지를 불필요하게 사용하지 않는다. 등
(2) **예** 가전제품은 에너지 효율이 높은 것을 쓰고, 조명 기구는 전기가 적게 드는 제품을 사용한다. / 한여름에는 냉방기를 적게 쓰고 겨울에도 난방 기구를 덜 쓰도록 노력한다.

1 글의 전개에 따라 내용을 간추리는 방법을 생각해 봅니다.

채점 기준	점수
글의 내용을 간추리는 방법을 두 가지 모두 알맞게 쓴 경우	10점
글의 내용을 간추리는 방법을 한 가지만 알맞게 쓴 경우	5점

2 이 글은 에너지 절약 방법을 크게 두 가지로 나누어 내용을 전개하고 있습니다. 각각의 해결 방안과 실천 방법을 간추려 봅니다.

채점 기준	점수
글의 전개 내용에 따라 해결 방안과 실천 방법을 모두 알맞게 쓴 경우	20점
글의 전개 내용에 따라 해결 방안과 실천 방법 중 하나만 알맞게 쓴 경우	10점

> **정답 친해지기** 글의 전개에 따라 내용을 간추리는 방법의 좋은 점
> • 더 간단히 알아보기 쉽게 간추릴 수 있습니다.
> • 중심 문장이 없는 문단이 있는 경우에도 쉽게 간추릴 수 있습니다.
> • 글의 목적에 맞는 간추리기를 할 수 있습니다.

3. 느낌을 살려 말해요

단원 평가 1회
14~15쪽

1 ① **2** 깡통
3 (1) 예 밝은 표정 (2) 예 손으로 영택이의 등을 두드린다. **4** ⑤
5 ② **6** ② **7** ⑤
8 ③ **9** ①, ②, ③ **10** ①

1 그림 속 아이는 밝은 표정을 짓고 있습니다. 밝은 표정을 짓는 상황을 생각해 봅니다.

> **정답 친해지기** 상황에 알맞은 표정, 몸짓, 말투를 사용하면 좋은 점
> • 자신의 생각을 분명하게 전달할 수 있습니다.
> • 느낌을 잘 표현할 수 있습니다.
> • 듣는 사람이 잘 알아들을 수 있습니다.

2 석우와 영택이는 음료수 깡통을 발로 찼습니다.

3 ㉠은 석우가 영택이를 격려하면서 한 말입니다. 이 말에 어울리는 표정과 몸짓을 써 봅니다.

> **채점 기준** "에이, 해 봐."라는 말에 어울리는 표정과 몸짓을 썼으면 정답으로 합니다.

4 중국인은 조개껍데기, 남아메리카는 카카오 열매, 농경 지역은 곡식과 옷감, 유목민은 동물을 각각 돈으로 사용했습니다.

5 동생에게 말할 때에는 동생이 알기 쉬운 말로 하는 것이 좋습니다.

> **정답 친해지기** 듣는 사람에 따라 말하는 방법
> • 친구: 친구가 관심을 보일 만한 내용을 흥미롭게 말해 줍니다.
> • 여러 사람: 높임말로 합니다.

6 고맙다는 말을 전할 때에는 밝은 표정으로 고마운 마음을 담아 말해야 합니다.

7 정부가 아니라 보봉의 주민들이 토론 끝에 보봉을 생태 마을로 만들기 위한 실천 조항을 만들었습니다.

8 ③의 내용만 바르고 나머지는 모두 잘못된 내용입니다.

9 글을 쓸 때에는 읽는 사람의 처지와 상황을 생각하고 읽는 사람의 나이를 고려해 어휘를 고릅니다.

10 동생에게는 높임말을 사용하지 않습니다.

단원 평가 2회
16~17쪽

1 (1) ㉡ (2) ㉠ **2** ①, ②, ⑤ **3** ③
4 ①, ④, ⑤
5 예 돈은 동전과 지폐로 나눌 수 있습니다. 동전은 다양한 금속을 섞어 만들기 때문에 색깔이 다양합니다. 지폐는 솜으로 만들어서 습기에도 강하고 정교하게 인쇄 작업을 할 수 있으며 위조도 방지할 수 있습니다. **6** (2) ○
7 ① **8** ② **9** ④
10 ①, ③

1 (1)에서 말하는 사람은 공손하게 기쁨을 표현했지만, (2)에서는 어색한 말투를 사용하고 예의 없게 말했습니다.

2 상황에 알맞은 표정, 몸짓, 말투를 사용하면 자신의 생각과 느낌을 잘 표현할 수 있고, 듣는 사람이 잘 알아들을 수 있습니다.

3 찌푸린 표정을 짓고 배를 감싸 쥐는 것은 배가 몹시 아프다는 뜻입니다.

> **오답 피하기**
> ① 예 엄지손가락을 위로 올립니다.
> ② 예 인상을 찌푸리고 화를 냅니다.
> ④ 예 웃는 표정으로 고맙다고 말합니다.
> ⑤ 예 밝은 표정으로 웃습니다.

4 습기에 강하고 정교하게 인쇄 작업을 할 수 있으며 위조를 방지할 수 있다고 했습니다.

5 동전과 지폐의 재료가 잘 나타나도록 쓰되, 친구들 앞에서 발표할 내용이므로 높임말을 사용해야 합니다.

> **채점 기준** 글을 읽고 친구들에게 발표할 내용을 알맞은 말투로 썼으면 정답으로 합니다.

6 듣는 사람의 처지와 마음을 생각하며 말한 것은 (2)입니다.

7 북극곰 한 마리가 얼음 덩어리 위에서 지친 모습으로 있습니다.

8 제시된 광고는 환경 문제에 대한 광고입니다.

9 지금의 보봉으로 새롭게 태어날 수 있었던 것은 주민들의 뜻과 의지가 있었기 때문이라고 했습니다.

10 우리나라 생태 마을을 조사한 내용을 쓸 것이므로 ②, ⑤는 알맞지 않고, 친구들이 읽을 글이라도 예의를 지켜서 써야 합니다.

1 (1) 밝게 웃고 있다. 등
　 (2) 굳은 표정이다. 등
2 (1) 친구의 성공을 반기는 표정을 짓고 있다. 등
　 (2) 엄지손가락을 위로 올리고 있다. 등
3 ⒜ 자신 있는 표정을 짓고 두 손을 활용하며, 정확하게 말한다.
4 사냥이나 채집을 하며 생활했기 때문이다. 등
5 ⒜ 사람들이 돈을 만든 까닭을 알고 있니? 물건과 물건을 바꾸어 쓰던 사람들이 불편해서 물건의 가격을 매길 수 있는 돈을 만들어 낸 거야. 처음 돈은 조개껍데기였대.

1 (1)의 아이는 밝게 웃고 있지만, (2)의 아이는 굳은 표정입니다.

채점 기준	점수
말하는 사람의 표정을 두 가지 모두 알맞게 쓴 경우	6점
말하는 사람의 표정을 한 가지만 알맞게 쓴 경우	3점

2 석우는 엄지손가락을 위로 올리고 밝은 표정을 짓고 있습니다.

채점 기준	점수
석우의 표정과 몸짓을 모두 알맞게 쓴 경우	6점
석우의 표정과 몸짓 중 하나만 알맞게 쓴 경우	3점

3 친구들 앞에서 겪은 일을 설명할 때의 표정, 몸짓, 말투를 생각해 봅니다.

채점 기준	점수
친구들 앞에서 말할 때의 표정, 몸짓, 말투를 모두 알맞게 쓴 경우	6점
친구들 앞에서 말할 때의 표정, 몸짓, 말투 중 일부를 쓰지 못한 경우	3점

4 원시 시대에는 사냥이나 채집을 하며 생활을 했기 때문에 돈 같은 것이 필요 없었습니다.

채점 기준	점수
원시 시대에 돈이 필요 없었던 까닭을 찾아 쓴 경우	6점

5 사람들이 돈을 만든 까닭을 동생이 알기 쉽게 말해야 합니다.

채점 기준	점수
글의 내용을 정확히 이해하고 동생에게 돈을 만든 까닭을 설명하는 말을 알맞은 말투로 쓴 경우	6점
동생에게 설명하는 말을 썼으나, 돈을 만든 까닭이 정확하지 않거나 동생에게 어울리지 않는 말투로 쓴 경우	3점

1 (1) ⒜ 아빠, 엄마, 동생
　 (2) ⒜ 지난 주말, 축구 경기장
　 (3) ⒜ 축구 경기 관람하기
2 ⒜ 지난 주말에 아빠, 엄마, 동생과 함께 축구 경기장에 갔어. 그날 내가 좋아하는 팀이 경기를 하는 날이었어. 날씨가 좋아서 축구 경기를 관람하기에 정말 좋았어. 전반전은 양 팀이 점수를 내지 못한 채로 끝났어. 점수를 내지는 못했지만 손에 땀을 쥐게 하는 장면이 있어서 지루하지는 않았어. 후반전에 내가 좋아하는 팀이 2점을 냈어. 점수를 낼 때마다 뛸 듯이 기뻤지. 얼마나 열심히 응원을 했던지 경기가 끝났을 때에는 목이 다 팠어. 정말 신나고 즐거운 날이었어.
3 (1) ⒜ 친구가 궁금해할 내용을 친절하게 말한다. / 겪었던 일을 자세하게 들려준다.
　 (2) ⒜ 그때의 기분을 떠올리며 기분에 어울리는 표정과 말투로 이야기한다. 등

1 자신이 겪은 일 가운데에서 재미있었던 일을 떠올려 누구와, 언제 어디에서, 무엇을 했는지 정리해 봅니다.

채점 기준	점수
자신이 겪은 일을 떠올려 (1), (2), (3)을 모두 알맞게 쓴 경우	10점
자신이 겪은 일을 떠올려 (1), (2), (3) 중 두 가지만 알맞게 쓴 경우	6점
자신이 겪은 일을 떠올려 (1), (2), (3) 중 한 가지만 알맞게 쓴 경우	2점

2 친구가 궁금해할 내용을 생각하며 말할 내용을 자세하게 씁니다.

채점 기준	점수
자신이 겪은 일을 떠올려 친구에게 말할 내용을 알맞은 말투로 쓴 경우	10점
자신이 겪은 일을 떠올려 썼으나 내용이 다소 부족하거나 친구에게 어울리는 말투로 쓰지 못한 경우	5점

3 친구에게 이야기를 들려줄 때에는 친구의 관심, 흥미 등을 고려해서 겪은 일을 자세하게 들려줍니다. 상황에 맞는 표정, 몸짓, 말투를 함께 사용하면 더욱 효과적으로 생각을 전달할 수 있습니다.

채점 기준	점수
친구에게 말할 때 주의할 점을 떠올려 (1)과 (2)에 모두 알맞은 말을 쓴 경우	10점
친구에게 말할 때 주의할 점을 떠올려 (1)과 (2) 중 하나만 알맞게 쓴 경우	5점

정답과 해설

4. 일에 대한 의견

단원 평가 1회   20~21쪽

1 ⑤   **2** (1) ㉠ (2) ㉡   **3** ①
4 ④, ⑤
5 ㉠은 사실, ㉡은 의견이다. 왜냐하면 ㉠은 실제로 겪은 일을 나타낸 것이고, ㉡은 그 일에 대한 생각을 나타낸 것이기 때문이다. 등
6 ②, ④, ⑤   **7** ③   **8** 신우
9 ㉢   **10** ②

1 석원이는 사람들의 모습과 표정이 실감 나서 씨름하는 장면을 그린 그림이 마음에 들었다고 했습니다.

2 정우는 실제로 있었던 일인 사실을 말했고, 석원이는 대상이나 일에 대한 생각인 의견을 말했습니다.

3 ①은 여행을 하면 즐겁다는 생각을 나타낸 문장이므로 사실이 아니라 의견입니다.

> **정답 친해지기** 의견을 나타내는 문장 더 살펴보기 (예)
> • 물을 아껴 쓰자.
> • 책을 많이 읽자.
> • 오이김치는 맛있다.
> • 공공 예절을 지켜야 한다.
> • 아침에 일찍 일어나야 한다.
> • 친구들과 사이좋게 지내야 한다.

4 '~(라)고 한다'로 표현된 부분이 글쓴이가 들은 내용입니다.

5 ㉠은 실제로 겪은 일을 나타낸 것이므로 사실, ㉡은 그 일에 대한 생각이므로 의견입니다.

> **채점 기준** ㉠과 ㉡을 사실과 의견으로 알맞게 구별하고 그 까닭도 알맞게 썼으면 정답으로 합니다.

6 ①, ③은 사실을 나타내는 문장입니다.

7 그림의 화면은 정사각형에 가깝다고 했습니다.

8 장호는 글에 드러나 있는 사실만 말하고 그것에 대한 의견을 말하지 않았습니다.

9 ㉢은 생각을 정리해야 하는데 본 일을 정리했으므로 알맞지 않습니다.

10 ②는 학급과 관련된 일이 아니므로 학급 신문에 실을 소식으로 알맞지 않습니다.

단원 평가 2회   22~23쪽

1 ②   **2** ⑤
3 (1) 사 (2) 사 (3) 의   **4** ⑤
5 (1) ㉠, ㉡ (2) ㉢, ㉣   **6** ②
7 ㉢
8 예 같은 수박인데도 시대가 다르다고 그 모습이 변한 것이 참 신기하다.
9 ②, ③   **10** ①, ③, ④

1 사실은 실제로 있었던 일을 담고 있습니다.

2 박물관에는 우리 조상의 생활 모습을 담은 그림들이 전시되어 있었다고 했습니다.

3 (1), (2)는 실제로 겪은 일을 나타낸 사실이고, (3)은 겪은 일에 대한 생각이나 느낌을 나타낸 의견입니다.

4 글쓴이는 독도에 가서 우리나라 동쪽 끝 섬인 독도를 아끼고 독도에 관심을 가져야겠다고 생각했습니다.

5 ㉠과 ㉡은 한 일과 들은 일이므로 사실이고, ㉢과 ㉣은 겪은 일에 대한 느낌과 생각이므로 의견입니다.

> **정답 친해지기** 사실과 의견 구별하기
>
> | | 사실 | 의견 |
> |---|---|---|
> | 구별 근거 | • 한 일
• 본 일
• 들은 일 | • 생각
• 느낌 |

6 붉은 나비와 호랑나비가 그려져 있다고 했으므로 ②는 알맞지 않습니다.

7 ㉠, ㉡은 그림에 나타나 있는 내용을 사실 그대로 쓴 것입니다.

8 글을 읽고 자신이 안 사실과 그것에 대한 의견을 써 봅니다.

> **채점 기준** 글을 읽고 안 사실을 바탕으로 자신의 의견을 알맞게 썼으면 정답으로 합니다.

9 사실과 의견이 드러나게 글을 쓴 뒤에는 정확한 사실을 들었는지, 사실과 관련한 의견을 썼는지 평가합니다.

10 맨 마지막 두 문장이 글쓴이의 의견이고, 나머지 문장은 사실입니다.

1 (1) ⓐ 생일 선물로 꽃을 받았다.
　(2) ⓐ 공공 예절을 지켜야 한다.
2 아름답고 생명력 넘치는 독도가 우리 땅이라는 것을 자랑스러워했다. 등
3 책에서만 보던 슴새나 바다제비를 직접 보니 신기하기만 했다.
4 아이를 많이 낳아 서로 행복하게 잘 살아가길 바라는 마음을 담고 있다는 것으로 생각할 수 있다. 등
5 ⓐ 쥐들이 수박을 좋아하는지 몰랐는데 수박을 좋아한다는 사실이 신기하고 재미있다.

1 사실과 의견의 차이점을 알고, 사실과 의견을 나타내는 문장을 만들어 써 봅니다.

채점 기준	점수
사실과 의견을 나타내는 문장을 각각 알맞게 쓴 경우	6점
사실과 의견을 나타내는 문장을 한 가지만 알맞게 쓴 경우	3점

2 아름답고 생명력 넘치는 독도가 우리 땅이라는 것이 아주 자랑스러웠다고 했습니다.

채점 기준	점수
글에서 글쓴이가 자랑스럽게 생각한 것을 찾아 쓴 경우	6점

3 '책에서만 ~했다.' 부분이 글쓴이의 의견이 나타난 문장입니다.

채점 기준	점수
글쓴이의 의견이 나타난 문장을 정확히 찾아 쓴 경우	6점
글쓴이의 의견을 썼으나 글에서 문장을 정확히 찾아 쓰지 못한 경우	3점

4 첫 번째 문단의 마지막 부분에 글쓴이가 생각하는 수박과 나비의 의미가 나타나 있습니다.

채점 기준	점수
수박과 나비가 어떤 의미를 가지고 있는지 정확히 쓴 경우	6점

5 쥐들이 수박을 좋아한다는 사실에 대한 자신의 의견을 써 봅니다.

채점 기준	점수
㉠의 사실과 어울리는 자신의 의견을 쓴 경우	6점
자신의 의견을 썼으나 ㉠의 사실과 어울리지 않는 부분이 있는 경우	3점

1 (1) ⓐ 우리 반 친구 민호
　(2) ⓐ 월요일 학교 방송 시간, 강당
　(3) ⓐ 글쓰기 대회 상을 받았다.
2 (1) ⓐ 우리 반 친구 민호가 월요일 학교 방송 시간에 강당에서 글쓰기 대회 상을 받았다.
　(2) ⓐ 내가 상을 못 받은 것이 조금 아쉬웠지만, 우리 반 친구가 상을 받게 되었으니 축하하는 마음을 전해야겠다.
3 ⓐ 월요일 아침 방송 시간이었다. 우리 반 민호가 방송에 나왔다. 모두가 지켜보는 가운데 민호는 강당에서 글쓰기 대회 상을 받았다. 많은 친구들이 박수치며 민호를 축하해 주었다.

　나도 글쓰기 대회에 나갔는데 상을 받지 못했다. 그래서 민호가 상을 받는 것이 부럽기도 하고, 조금 속상한 마음도 들었다. 그렇지만 우리 반에서 나와 친한 민호가 상을 받게 되어서 기쁜 마음으로 축하해 주어야겠다는 생각을 했다.

　교실로 돌아온 민호에게 나는 손을 내밀며 축하한다고 말했다. 민호는 나에게 다음번에는 꼭 상을 받을 수 있을 것이라며 용기를 주었다. 상을 받은 민호를 진심으로 축하해 주니 민호와 더욱 친해진 것 같아 마음이 뿌듯했다. 나도 다음번에는 꼭 상을 받아서 친구들에게 축하를 받고 싶다.

1 친구들에게 꼭 알려야 하는 소식이나 친구들과 함께 고민해야 할 문제 등을 떠올려 봅니다.

채점 기준	점수
최근 학급에서 일어난 일을 떠올려 (1), (2), (3)을 모두 알맞게 쓴 경우	10점
최근 학급에서 일어난 일을 떠올려 (1), (2), (3) 중 두 가지만 알맞게 쓴 경우	6점
최근 학급에서 일어난 일을 떠올려 (1), (2), (3) 중 한 가지만 알맞게 쓴 경우	2점

2 실제 일어난 일을 사실, 사실에 대한 자신의 생각을 의견으로 구분하여 씁니다.

채점 기준	점수
1번 문제에서 떠올린 내용을 사실과 의견으로 구분하여 정리한 경우	10점
1번 문제에서 떠올린 내용을 정리하여 썼으나 사실과 의견으로 알맞게 구분하여 쓰지 못한 경우	5점

평가 교재

3 학급에서 일어난 일 중에서 기억에 남는 일을 사실대로 자세히 쓰고, 그 일에 대한 자신의 생각을 덧붙여 글을 씁니다.

채점 기준	점수
학급에서 일어난 일을 사실과 의견이 잘 드러나게 글을 쓴 경우	10점
학급에서 일어난 일을 사실과 의견이 드러나게 글을 썼으나 내용이 다소 부족한 경우	5점

5. 내가 만든 이야기

단원 평가 1회   26~27쪽

1 ③   **2** ⑤   **3** ①, ②, ⑤

4 동생의 감나무에 있는 감을 모두 먹은 까마귀는 감을 따 먹은 대신 동생을 금이 있는 커다란 산으로 데려다주겠다고 했다. 등

5 ①, ③, ⑤   **6** 꼴찌로 들어올 친구

7 ⑤   **8** ⑤   **9** 슬기

10 ②

1 ③은 그림에 나타난 내용이 아닙니다.

2 그림 ❻을 보면 '구름 공항'이 등장합니다.

3 이 글에는 형, 동생, 까마귀가 등장합니다.

4 사건이 일어난 차례를 생각하며 내용을 정리하여 써 봅니다.

> **채점 기준** 사건이 일어난 차례에 맞게 정리하여 썼으면 정답으로 합니다.

5 이야기에 나타난 인물, 장소, 이야기에서 일어난 중요한 일을 찾고, 일이 일어난 차례를 살펴봅니다.

6 결승점에 들어온 수현이는 꼴찌로 들어올 친구를 기다렸습니다.

7 수현이가 포기하지 않고 달려 결승점에 들어온 일이 이 글에 나타난 중요한 일입니다.

8 초록 고양이는 40개의 항아리 가운데 하나에 꽃담이가 들어 있다고 했습니다.

9 소미가 말한 내용은 글에 이미 나타난 내용입니다. 슬기가 이어질 내용을 알맞게 상상했습니다.

10 족자 속 고지기가 한자경에게 돈을 줄 것이라고 했으므로 ②는 알맞지 않습니다.

단원 평가 2회   28~29쪽

1 ❶   **2** ②   **3** ⑤

4 ②   **5** ①

6 수현이 뒤에서 달렸던 사람이 아빠였다는 것을 알게 된다. 등

7 ⑤   **8** 예 항아리를 깨뜨릴 것 같다.

9 (2) ○ (3) ○   **10** ㉠, ㉢, ㉡

1 그림 ❶에서 소년과 구름 사람이 만나서 서로 인사를 나누고 있습니다.

2 그림 ❹에서 소년은 물고기 그림을 그리고 있습니다.

3 욕심을 부려 금을 꾹꾹 채워 넣은 형은 까마귀 등에서 떨어져 금 산에 남겨졌습니다.

4 욕심을 부려 금 산에 홀로 남겨진 형의 모습을 통해 욕심을 부리지 말자는 교훈을 얻을 수 있습니다.

5 아빠와 엄마는 수현이가 무척 대견했다고 했습니다.

6 글의 마지막 부분에서 일어난 일을 정리하여 써 봅니다.

> **채점 기준** 일어난 일을 차례대로 정리하여 알맞게 썼으면 정답으로 합니다.

7 꽃담이는 항아리에서 나는 엄마 냄새를 맡고 엄마를 찾았습니다.

8 이야기의 흐름을 생각하며 엄마가 어떤 방법으로 꽃담이를 찾을지 생각해 봅니다.

9 뒷이야기를 상상해 꾸밀 때에는 인물의 마음 변화가 잘 드러나고, 이야기의 흐름이 잘 드러나게 꾸며야 합니다.

10 앞뒤 내용이 원인과 결과로 자연스럽게 연결되도록 기호를 나열해 봅니다.

서술형 평가 30쪽

1 **예** 추운 겨울, 한 소년이 높은 건물 꼭대기에서 구름 사람을 만났다. 구름 사람은 소년에게 구름으로 모자와 목도리를 만들어 주었다. 그리고 소년을 태우고 하늘 높이 날아 구름 공항으로 데려갔다. 소년은 그곳에서 만난 구름들에게 물고기 그림을 그려 주었고, 그곳에 있는 구름들을 물고기 모양으로 바꾸어 주었다.

2 욕심을 부려 금을 많이 담는 바람에 금 자루가 너무 무거워서 까마귀 등에서 떨어졌다. 등

3 **예** 착한 사람은 복을 받는다는 내용이 『혹부리 영감』과 비슷하다.

4 수현이는 마라톤에 참가해 끝까지 달리겠다고 다짐한다. 등

---

1 이야기가 자연스럽게 이어지도록 꾸며 써 봅니다.

채점 기준	점수
그림의 차례에 맞게 이야기를 꾸며 쓴 경우	8점
이야기를 꾸며 썼으나 이야기가 자연스럽게 이어지지 않은 경우	4점

보충자료 그림의 차례를 정해 이야기를 꾸며 쓸 때 생각할 점
- 이야기의 흐름이 자연스러운가?
- 이야기가 그림과 어울리는가?
- 일어난 일들이 서로 원인과 결과로 연결되었는가?

2 형은 욕심을 부려 금을 너무 많이 담았기 때문에 까마귀 등에서 떨어지고 말았습니다.

채점 기준	점수
형이 까마귀 등에서 떨어진 까닭을 알맞게 쓴 경우	6점

3 착한 사람은 복을 받고 욕심을 부리는 사람은 벌을 받는 내용의 옛이야기를 떠올려 봅니다.

채점 기준	점수
글의 내용과 비슷한 옛이야기를 찾아 알맞게 쓴 경우	8점
옛이야기를 썼으나 비슷한 점을 알맞게 쓰지 못한 경우	4점

4 이야기의 흐름을 생각하며 글에서 일어난 일을 차례대로 정리해 봅니다.

채점 기준	점수
이야기의 흐름을 파악하여 알맞게 정리하여 쓴 경우	8점
글의 내용을 정리하여 썼으나 이야기의 흐름이 잘 드러나지 않은 경우	4점

수행 평가 31쪽

1 (1) 초록 고양이는 항아리 40개 가운데에서 엄마가 들어가 있는 항아리를 한 번에 찾으라고 한다. 등

(2) 꽃담이는 엄마 냄새를 맡고 엄마가 있는 항아리를 찾는다. 등

2 **예** 엄마가 꽃담이를 찾는데 갑자기 초록 고양이가 나타났다. 초록 고양이는 엄마에게 항아리 40개 가운데 꽃담이가 있다며 한 번만 기회를 줄 테니 찾으라고 했다. 또 절대 항아리 뚜껑을 열어 봐서는 안 된다고 했다. 하지만 엄마는 초록 고양이의 말에 화가 나서 항아리의 뚜껑을 하나씩 열어 보았다. 그리고 꽃담이가 들어가 있는 항아리를 찾고 꽃담이를 항아리에서 꺼내주었다. 초록 고양이는 엄마가 규칙을 지키지 않았지만, 꽃담이를 사랑하는 엄마의 마음을 이해한다며 꽃담이를 엄마에게 보내주었다.

---

1 글을 읽고, 사건이 일어난 차례와 사건 사이의 원인과 결과의 관계를 생각하며 사건의 흐름을 정리합니다.

채점 기준	점수
글 **가**와 **나**에서 일어난 일을 정리하여 한 문장으로 쓴 경우	10점
글 **가**와 **나**에서 일어난 일 중 하나만 알맞게 정리하여 쓴 경우	5점

2 꽃담이가 사라진 뒤 엄마가 어떻게 꽃담이를 찾을지 이어질 이야기를 상상해 봅니다.

채점 기준	점수
글의 내용을 파악하고 앞 이야기를 생각하며 이어질 이야기를 상상하여 사건의 흐름이 자연스럽게 이어지도록 쓴 경우	20점
이어질 이야기를 썼으나 사건의 흐름이 다소 어색한 경우	10점
이어질 이야기를 상상하여 썼으나 내용만 간략히 쓴 경우	5점

보충자료 상상하여 쓴 내용이 이야기의 흐름에 잘 맞는지 살펴보기
- 사건과 사건의 흐름이 자연스러운지, 이야기의 앞부분에 나온 내용과 새롭게 쓴 내용이 어울리는지, 전체 이야기가 처음, 가운데, 끝의 흐름에 잘 맞는지 살펴봅니다.
- 어색한 부분이나 흐름이 맞지 않는 부분을 고쳐 씁니다.

정답과 해설

6. 회의를 해요

1 ③, ⑤   **2** (1) 문제 (2) 결정 (3) 의견
3 ②   **4** ④   **5** ④
6 ①, ⑤   **7** ⑤   **8** ③
9 ④   **10** (1) 친구가 의견을 말할 때 중간에 말을 가로챘다. 등 (2) 사회자가 말할 기회를 골고루 주지 않았다. 등

1 여러 사람이 모여서 어떤 것을 결정하려고 이야기하는 것을 회의라고 합니다.

2 회의를 하면 문제를 해결하는 좋은 방법을 찾을 수 있고, 같이 해야 할 일을 결정할 수 있으며, 여러 사람의 의견을 들을 수 있습니다.

3 제시된 내용은 사회자가 회의 시작을 알리고 있는 '개회'에 해당합니다.

> **오답 피하기**
> ① '주제 선정' 단계에서 하는 일입니다.
> ③ '결과 발표' 단계에서 하는 일입니다.
> ④ '주제 토의' 단계에서 하는 일입니다.
> ⑤ '표결' 단계에서 하는 일입니다.

4 이번 주 학급 회의의 주제를 정하고 있습니다.

5 "깨끗한 교실을 만들자."와 "학교생활을 안전하게 하자." 중에서 "학교생활을 안전하게 하자."가 더 많은 선택을 받았습니다.

6 ②, ③은 사회자의 역할이고, ④는 기록자의 역할입니다.

7 사회자는 회의 참여자가 발표한 의견을 받아들인 뒤에 회의 참여자와 함께 의견을 판단해야 합니다.

8 회의 주제는 모두의 관심사인지 확인해야 하므로 ③은 알맞지 않습니다.

> **보충 자료** 회의 주제를 정하는 방법
> • 해결해야 할 문제점을 찾습니다.
> • 우리가 해결할 수 있는 문제인지 생각합니다.
> • 모두가 관심을 보일 만한 것인지 확인합니다.
> • 실천할 수 있는 해결 방법이 있는지 떠올립니다.

9 회의 참여자 1은 사회자 허락을 얻지 않고 갑자기 일어나서 말을 했습니다.

10 회의 참여자 3과 사회자가 잘못한 점을 각각 써 봅니다.

> **채점 기준** (1)에는 친구가 의견을 말할 때 중간에 말을 가로챘다고 쓰고, (2)에는 사회자가 말할 기회를 골고루 주지 않았다고 썼으면 정답으로 합니다.

1 ⑤
2 (1) 기록자 (2) 사회자 (3) 회의 참여자
3 ③   **4** ①, ②, ⑤   **5** ④
6 ①   **7** ⑤
8 점심밥을 먹을 때 누가 먼저 먹으면 좋을까?
9 쓰레기를 제대로 분리해서 버리자. 등
10 ①, ②

1 그림은 여러 사람이 모여서 회의를 하고 있는 모습입니다.

2 회의에는 사회자, 기록자, 회의 참여자가 참여합니다.

3 회의 마침을 알리는 '폐회'가 회의의 가장 마지막 절차입니다.

4 ③과 ④는 친구들이 발표한 실천 내용이 아닙니다.

5 이 글에 해당하는 회의 절차는 '주제 토의'입니다. 이 절차에서는 회의 참여자들이 선정된 주제에 맞는 의견을 제시합니다.

6 회의 참여자 4는 회의 절차에 따라 자신의 의견을 발표하지 않았습니다.

7 "아침에 일찍 일어나자."는 친구들이 공통으로 관심을 보일 만한 주제가 아닌 것 같다고 했습니다.

8 맨 마지막 그림에서 점심밥을 누가 먼저 먹을지를 주제로 정해서 회의해 보자고 했습니다.

9 여자아이가 쓰레기를 제대로 분리해서 버리지 않고 있습니다.

> **채점 기준** 쓰레기를 종류별로 분리해서 버리는 것과 관련 있는 회의 주제를 썼으면 정답으로 합니다.

10 ③, ④는 기록자, ⑤는 회의 참여자가 지켜야 할 규칙입니다.

서술형 평가 `36쪽`

1 (1) 예 아침 활동 시간에 할 것 정하기
(2) 예 독서를 하는 것으로 결정되었다.
(3) 예 말하는 도중에 자꾸 끼어드는 친구가 있어서 회의 진행이 잘 안되었다.
2 안전 게시판을 만들자.
3 찬성과 반대 의견을 헤아려 다수결로 결정한다. 등
4 회의 날짜와 시간, 장소를 기록한다. / 회의 내용을 기록한다. 등
5 말할 기회를 골고루 준다. 등
6 회의 절차를 안내한다. 등

1 학급 회의를 했던 경험을 떠올려 회의 주제, 회의 결과, 어려웠던 점을 써 봅니다.

채점 기준	점수
학급 회의를 했던 경험을 떠올려 (1)에 회의 주제를, (2)에 회의 결과를, (3)에 어려웠던 점을 정리해 쓴 경우	5점
(1)~(3) 중 두 가지만 알맞게 정리해 쓴 경우	4점
(1)~(3) 중 한 가지만 알맞게 정리해 쓴 경우	2점

2 "안전 게시판을 만들자."를 실천 내용으로 정하는 것에 가장 많이 찬성했습니다.

채점 기준	점수
안전 게시판을 만들자는 내용을 쓴 경우	5점

3 이 글에 나타난 회의 절차는 표결입니다. 표결에서는 찬성과 반대 의견을 헤아려 다수결로 결정합니다.

채점 기준	점수
찬성과 반대 의견을 헤아려 다수결로 결정한다고 쓴 경우	5점

4 회의에서 기록자는 회의 날짜와 시간, 장소, 회의 내용을 기록하는 역할을 합니다.

채점 기준	점수
회의 날짜와 시간, 장소, 회의 내용 등을 기록한다고 쓴 경우	5점

5 사회자가 말할 기회를 한 사람에게만 주고 있는 상황입니다. 여러 친구가 손을 들었으므로 다른 친구에게도 말할 기회를 주어야 합니다.

채점 기준	점수
말할 기회를 골고루 주어야 하는 규칙을 지키지 않았다고 쓴 경우	5점

6 사회자는 말할 기회를 골고루 주고 회의 절차를 안내해야 합니다.

채점 기준	점수
회의 절차를 안내해야 한다는 규칙을 쓴 경우	5점

수행 평가 `37쪽`

1 (1) 사회자 허락을 얻고 말한다. 등
(2) 친구가 의견을 말할 때 끼어들지 않는다. 등
2 예 다른 사람의 의견을 존중한다. / 자신의 의견만 옳다고 주장하지 않는다. / 알맞은 크기의 목소리로 말한다.
3 • 예 일주일에 한 번, 깨끗한 학교 만들기 날을 정해 함께 청소를 하자.
• 예 학교 곳곳에 깨끗한 학교 가꾸기 팻말을 붙이자.

1 ❶에서는 사회자 허락을 얻지 않고 말했고, ❷에서는 친구가 의견을 말할 때 중간에 말을 가로챘습니다.

채점 기준	점수
(1)에 사회자 허락을 얻고 말한다는 내용을 쓰고, (2)에 친구가 의견을 말할 때 끼어들지 않는다는 내용을 쓴 경우	10점
(1)과 (2) 중 한 가지만 바르게 쓴 경우	5점

2 회의 참여자가 회의에서 지켜야 할 규칙을 생각해서 씁니다.

채점 기준	점수
'다른 사람의 의견을 존중한다.', '자신의 의견만 옳다고 주장하지 않는다.', '알맞은 크기의 목소리로 말한다.' 등 회의 참여자가 회의에서 지켜야 할 규칙을 두 가지 쓴 경우	10점
회의 참여자가 회의에서 지켜야 할 규칙을 한 가지만 바르게 쓴 경우	5점

3 깨끗한 학교를 만들기 위해서 실천 가능한 해결 방법을 찾아 씁니다.

채점 기준	점수
"깨끗한 학교를 만들자."라는 주제에 알맞은 실천 내용을 두 가지 쓴 경우	10점
주제에 알맞은 실천 내용을 한 가지만 쓴 경우	5점

7. 사전은 내 친구

단원 평가 1회

38~39쪽

1 ⑤ **2** ③ **3** ②

4 지수 **5** ③ **6** ③

7 ⑤ **8** ③

9 예 사람들에게 잡힌 도둑은 흠씬 두들겨 맞았다.

10 ㉡ → ㉢ → ㉠

1 '달아나고'에서 형태가 바뀌지 않는 부분은 '달아나'이고, 기본형은 '달아나다'입니다.

> **보충 자료 낱말의 기본형**
> ① '접는다' → 접다
> ② '묶어서' → 묶다
> ③ '찢으면' → 찢다
> ④ '뽑으니' → 뽑다
> ⑤ '달아나고' → 달아나다

2 '나'는 요양원에서 할머니께 책을 읽어 드리는 봉사 활동을 하면서 힘들지만 보람을 느꼈습니다.

3 '책'은 '동화책'을 포함하는 낱말이고, '동화책'은 '책'에 포함되는 낱말입니다.

4 화성은 중세 이전에도 하늘을 관측하던 과학자들에게 매우 중요한 천체였다고 했습니다.

5 화성 암석을 조사한 결과 화성에서 강물의 침식과 퇴적 작용이 있었음을 확인했다고 했습니다.

6 ㉢'고원'은 '보통 해발 고도 600미터 이상에 있는 넓은 벌판'이라는 뜻입니다.

7 글의 앞뒤 문맥을 살펴보면 낱말의 뜻을 짐작할 수 있습니다.

8 언어는 인간만이 가진 능력이라고 생각했는데, 꿀벌에게도 언어가 있다는 것이 밝혀졌다고 했습니다.

9 '흠씬'은 '매 따위를 심하게 맞는 모양'이라는 뜻입니다.

> **채점 기준** '흠씬'이라는 낱말의 뜻에 어울리도록 이 낱말을 넣어 문장을 만들어 썼으면 정답으로 합니다.

10 만들고 싶은 사전을 정한 뒤 사전에 실을 낱말을 정하고, 사전에 실을 낱말의 차례를 정한 뒤, 낱말의 뜻을 찾아 씁니다.

단원 평가 2회

40~41쪽

1 묶어서 → 벽지 → 접는다 → 창호지

2 ③ **3** 예 거리가 멀리 떨어져 있다는 뜻일 것 같다. 뒷부분에 멀리서 무선 신호를 보낸다는 내용이 나오기 때문이다. **4** ⑤

5 일요일 **6** ④ **7** 미류

8 ④ **9** ②

10 부산스러워요

1 각 낱말의 첫 자음자를 살펴보고, 자음자가 국어사전에 실리는 차례대로 씁니다.

2 전자 종이로 된 신문이 한 장만 있으면, 매일 아침 새로운 기사들을 받아서 즉석에서 인쇄해서 보고, 다음 날도 똑같은 신문에 새로운 내용을 받아서 볼 수 있다고 했습니다.

3 글의 앞뒤 문맥을 살펴보면 낱말의 뜻을 짐작할 수 있습니다.

> **채점 기준** '원격'의 뜻을 짐작해 쓰고, 그렇게 짐작한 까닭도 적절하게 썼으면 정답으로 합니다.

4 할머니께서는 요즘 눈이 침침해 글씨가 잘 안 보인다고 하셨습니다.

5 '요일'은 '일주일의 각 날을 이르는 말'이라는 뜻입니다. '요일'에 포함되는 낱말에는 '일요일', '월요일', '화요일', '수요일', '목요일', '금요일', '토요일'이 있습니다.

6 화성에 물이 있다는 것은 생명체가 있을 수 있다는 것을 뜻하기 때문에 과학자들은 물론 일반인들도 관심이 많다고 했습니다.

7 속담 사전은 속담의 뜻을 찾을 때 이용하는 사전입니다. '적도'의 뜻은 국어사전을 이용해 찾는 것이 적절합니다.

8 어려움에 처한 동료를 도와주는 모습 등을 통해 고래도 따뜻한 마음을 가지고 있다는 사실을 알 수 있습니다.

9 '훈훈하다'는 '마음을 부드럽게 녹여 주는 따스함이 있다.'라는 뜻입니다.

10 '보기에 급하게 서두르거나 시끄럽게 떠들어 어수선한 데가 있다.'는 '부산스럽다'의 뜻입니다.

서술형 평가 　42쪽

1 첫 자음자인 'ㅂ'을 찾고, 모음자 'ㅕ', 받침 'ㄱ'을 차례대로 찾는다. 등

2 가볍고, 값싸고, 비교적 질기고, 위생적이다. 등

3 (1)예 새롭고 뛰어나다.

(2)예 뒤에 예를 든 종이들이 지금껏 본 적 없는 새로운 것들이기 때문이다.

4 예 '명왕성'에 대해 더 알고 싶어서 백과사전을 찾아본 적이 있다.

5 예 봄이 되자 산에는 <u>다채로운</u> 꽃들이 피어나기 시작했다.

6 동물도 인간과 함께 살아가는 생명이므로 소중히 여겨야 한다는 것을 말하기 위해서이다. 등

1 국어사전에서 낱말을 찾을 때에는 첫 자음자, 모음자, 받침의 차례대로 찾아야 합니다.

채점 기준	점수
첫 자음자, 모음자, 받침의 차례대로 찾아야 한다고 쓴 경우	5점

2 종이는 가볍고, 값싸고, 비교적 질기고 위생적이기 때문에 정보를 전달하는 매체, 물건을 포장하는 재료 등의 여러 가지 용도로 쓰인다고 했습니다.

채점 기준	점수
가볍고, 값싸고, 비교적 질기고, 위생적이라는 장점이 있다고 쓴 경우	5점

3 앞뒤 문맥을 통해 낱말의 뜻을 짐작해 봅니다.

채점 기준	점수
(1)에 '최첨단'이라는 낱말의 뜻을 짐작해 쓰고, (2)에 그렇게 짐작한 까닭을 적절하게 쓴 경우	5점
(1)에 낱말의 뜻을 짐작해 썼으나, (2)에 그렇게 짐작한 까닭을 적절하게 쓰지 못한 경우	3점

4 사전에는 국어사전뿐만 아니라 백과사전, 속담 사전, 유의어 사전 등 다양한 사전이 있습니다.

채점 기준	점수
국어사전 외에 다른 사전을 사용해 본 경험을 떠올려 쓴 경우	5점

5 '다채롭다'는 '여러 가지 색채나 형태, 종류 등이 한데 어울리어 호화스럽다.'라는 뜻입니다.

채점 기준	점수
'다채롭다'라는 낱말을 활용하여 그 뜻에 알맞은 문장을 만들어 쓴 경우	5점

6 글쓴이는 귀하지 않은 생명은 없으므로 생명 앞에서 겸손한 마음을 가져야 한다고 말했습니다.

채점 기준	점수
동물도 인간과 함께 살아가는 생명이므로 소중히 여겨야 한다는 것을 말하기 위해서라고 쓴 경우	5점

수행 평가 　43쪽

1 예 다친 동료가 있으면 여러 마리가 둘러싸고 떠받치며 보살핀다. / 그물에 걸린 친구를 구하기 위해 그물을 물어뜯는다. / 다친 동료와 고래잡이배 사이에 용감하게 뛰어들어 사냥을 방해한다. / 괴로워하는 친구 곁에 함께 있어 준다.

2 예 다른 낱말은 상황에 따라 형태가 바뀌어서 국어사전에서 낱말을 찾을 때에 기본형을 찾아야 하지만, ㉣은 낱말의 형태가 바뀌지 않기 때문에 그 낱말 그대로 국어사전에서 찾으면 된다.

3 (1)예 따로 나누어 구분을 짓다. / 예 아이들끼리 서로 편을 갈라 공놀이를 했다.

(2)예 어떤 대상을 다른 대상으로 여기다. / 예 우리 가족은 정직을 가훈으로 <u>삼았다.</u>

(3)예 어미의 젖을 먹고 자라는 동물. / 예 개와 고양이는 <u>포유동물</u>이다.

1 글에서 고래는 몸이 불편한 동료를 나 몰라라 하지 않는다고 했는데, 그 보기를 한 가지 찾아 씁니다.

채점 기준	점수
고래가 남을 돌보는 모습을 글에서 한 가지 이상 찾아 쓴 경우	10점

2 '여기는'은 '여기다', '가르는'은 '가르다', '삼기도'는 '삼다'가 기본형입니다.

채점 기준	점수
상황에 따라 형태가 바뀌기 때문에 기본형을 국어사전에서 찾아야 하는 다른 낱말들과 달리, ㉣은 형태가 바뀌지 않아서 그 낱말 그대로 찾으면 된다고 쓴 경우	10점

3 사전에서 낱말의 뜻을 찾아 그에 어울리는 문장을 만들어 씁니다.

채점 기준	점수
(1)~(3)에 사전에서 찾은 낱말의 뜻과 그 낱말로 만든 문장을 모두 알맞게 쓴 경우	10점
(1)~(3)에 사전에서 찾은 낱말의 뜻을 썼으나, 그 낱말로 만든 문장을 알맞게 쓰지 못한 경우	5점

평가 교재

8. 이런 제안 어때요

단원 평가 1회   44~45쪽

1 ②	**2** (1)③ (2)① (3)②
3 ①	**4** 날씨가
5 예 아이들이 / 뛰고 있다.	
예 남자가 / 악기를 연주하고 있다.	
6 ③, ⑤	**7** ㉤→㉢→㉣→㉠
8 상호, 지후	**9** ⑤ **10** ②

1 지난 주말에 동생과 함께 집 앞 꽃밭에 꽃을 심었다고 했습니다.

2 ㉠은 문제 상황, ㉡은 제안하는 내용, ㉢은 제안하는 까닭입니다.

3 글쓴이는 운동이 건강을 지켜 준다고 했습니다.

4 '날씨가'는 '누가/무엇이'에 해당하고, '따뜻합니다.'는 '어찌하다/어떠하다'에 해당합니다.

5 그림 속에서 누가 무엇을 하고 있는지 살펴보고 짜임에 맞게 문장을 만들어 써 봅니다.

> **채점 기준** 그림의 내용에 알맞게 두 개의 문장을 '(누가/무엇이) + (어찌하다/어떠하다)'의 짜임으로 썼으면 정답으로 합니다.

6 제시된 문제 상황을 해결할 수 있는 방법으로 알맞은 것을 고릅니다.

7 제안하는 글을 쓸 때에는 가장 먼저 문제 상황을 확인한 뒤 제안하는 내용과 까닭을 정하고 글을 씁니다.

8 문제 상황은 자세히 써야 하고, 제안에 알맞은 까닭을 써야 합니다.

> **보충 자료** 제안하는 글을 쓸 때 주의할 점
> • 어떤 문제 상황인지 파악하고 자세히 씁니다.
> • 문제를 해결하기 위한 자신의 의견을 제안합니다.
> • 제안에 알맞은 까닭을 씁니다.
> • 제안하는 내용이 잘 드러나게 알맞은 제목을 붙입니다.

9 지식을 얻기 위해 인터넷 검색이 아닌 독서를 하자는 제안을 하고 있는 광고입니다.

10 친구를 놀리고 있는 그림입니다.

단원 평가 2회   46~47쪽

1 ③	**2** ①, ②, ③	**3** 가은
4 ⑤	**5** (1)하늘이 (2)푸르다.	
6 ④	**7** ③	
8 제안하는 까닭	**9** ④	

10 (1)예 학교 앞에서 과속하지 말아 주세요. (2)예 어린이들이 많이 다니는 곳이므로 교통사고가 일어나지 않도록 주의가 필요하기 때문이다.

1 꽃밭에 물을 주려고 보니 쓰레기가 꽃 주위에 흩어져 있어서 속상했다고 했습니다.

2 이 글은 제안하는 글로, 제안하는 글에는 문제 상황, 제안하는 내용, 제안하는 까닭이 들어갑니다.

3 건강을 지키기 위해 운동을 하자고 제안했습니다.

4 글에서 밑줄 그은 말은 문장에서 '어찌하다/어떠하다'에 해당하는 내용입니다.

5 앞부분이 '누가/무엇이'에 해당하고, 뒷부분이 '어찌하다/어떠하다'에 해당합니다.

6 그림 속 아이들은 축구를 하고 있습니다.

7 오른쪽 장면을 보면 더러운 물이 물통에 담겨져 있습니다.

8 제시된 내용은 제안하는 까닭을 쓰는 방법입니다.

> **보충 자료** 제안하는 글에 들어갈 내용
>
> | 문제 상황 | 어떤 점이 문제인지 다른 사람들이 알 수 있게 자세히 씁니다. |
> |---|---|
> | 제안하는 내용 | 문제를 해결하기 위한 자신의 제안을 씁니다. |
> | 제안하는 까닭 | 왜 그런 제안을 했는지, 제안한 내용대로 했을 때 무엇이 더 나아지는지를 씁니다. |
> | 제목 | 제안하는 내용이 잘 드러나게 제목을 붙입니다. |

9 복도에서 일어나는 안전사고를 예방하기 위한 제안으로 적절한 것을 생각해 봅니다.

10 그림에는 학교 앞에서 차들이 쌩쌩 달리고 있는 모습이 나타나 있습니다.

> **채점 기준** 학교 앞에서 차들이 쌩쌩 다니는 문제 상황에 어울리는 제안과 까닭을 썼으면 정답으로 합니다.

서술형 평가 48쪽

1 꽃밭에 쓰레기가 버려져 있었던 것 등
2 꽃밭에 쓰레기를 버리지 않으면 좋겠다. 등
3 예 영수가 축구를 합니다.
4 깨끗한 물을 구하지 못해 어려움을 겪고 있는 아이들이 있다. 등
5 예 기부 운동에 참여합시다. 기부 운동에 참여하면 아프리카 어린이들이 깨끗한 물을 마시고 사용할 수 있습니다.
6 예 아프리카 어린이들을 도와주세요

1 글에 나타난 문제 상황을 파악해 봅니다. 진영이가 어떤 모습을 보고 실망하였는지 생각합니다.

채점 기준	점수
꽃밭에 쓰레기가 버려져 있었던 것을 문제점으로 생각했다고 쓴 경우	5점

2 진영이는 꽃밭에 쓰레기가 버려져 있어서 실망했으므로 꽃밭에 쓰레기를 버리지 말라는 제안을 했을 것입니다.

채점 기준	점수
꽃밭에 쓰레기를 버리지 않으면 좋겠다는 내용으로 제안을 했을 것이라고 쓴 경우	5점

3 문장은 '(누가/무엇이)+(어찌하다/어떠하다)'의 짜임으로 나눌 수 있습니다.

채점 기준	점수
'(누가/무엇이) + (어찌하다/어떠하다)'의 짜임으로 된 문장을 만들어 쓴 경우	5점

4 많은 아이들이 더러운 물을 마셔서 생명이 위험할 수 있다는 문제 상황을 제시하고 있습니다.

채점 기준	점수
깨끗한 물을 구하지 못해 어려움을 겪고 있는 아이들이 있다고 쓴 경우	5점

5 깨끗한 물을 구하지 못해 많은 아이가 생명이 위험할 수 있다는 문제 상황을 해결하기 위한 제안과 그 까닭을 생각하여 써 봅니다.

채점 기준	점수
깨끗한 물을 구하지 못해 어려움을 겪고 있는 아이들이 많은 문제를 해결할 수 있는 제안과 그 까닭을 쓴 경우	5점
문제를 해결할 수 있는 제안은 썼지만 그 까닭을 쓰지 못한 경우	3점

6 제안하는 내용이 잘 드러나는 제목을 붙여 봅니다.

채점 기준	점수
5번 문제에서 답으로 쓴 제안이 잘 드러나는 제목을 쓴 경우	5점

수행 평가 49쪽

1 (1) 예 점심시간에 음식을 남기는 친구가 많다.
(2) 예 수요일은 음식을 남기지 않고 다 먹는 날로 정하면 좋겠다.

2 예 요즘 우리 학교 학생들이 급식 시간에 음식을 남기는 경우가 많습니다. 음식을 남기는 것은 자원 낭비이고, 환경 오염도 됩니다. 그래서 남기는 음식을 줄이기 위해 매주 수요일은 다 먹는 날로 정하면 좋겠습니다. 일주일에 한 번, 수요일만 남기지 않는 것이니까 많이 어렵지 않고, 하루라도 음식물 쓰레기가 줄어드는 효과가 있을 것입니다.

3 (1) 예 우리 반 친구들
(2) 예 교실 앞 게시판
(3) 예 제목이나 강조하고 싶은 부분은 크고 진한 글씨로 쓴다.

1 우리 주변에서 일어나는 일 중에서 불편했던 점이나 해결하고 싶은 일을 떠올려 내용을 정리해 봅니다.

채점 기준	점수
(1)에 우리 주변에서 해결되기를 바라는 문제 상황을 쓰고, (2)에 그 문제를 해결하기 위한 제안을 적절하게 쓴 경우	10점
(1)에 문제 상황을 썼으나, (2)에 그 문제를 해결하기 위한 적절한 제안을 쓰지 못한 경우	5점

2 제안하는 글을 쓸 때에는 문제 상황, 제안하는 내용, 제안하는 까닭 등의 내용이 들어가게 씁니다.

채점 기준	점수
1번 문제에서 정리한 내용을 바탕으로 하여 제안하는 내용이 잘 나타나도록 제안하는 글을 쓴 경우	10점

3 누구에게 제안하는 내용인지, 읽을 사람이 잘 볼 수 있는 곳이 어디인지, 자신이 강조하고 싶은 내용이 잘 전달되도록 만들려면 어떻게 해야 하는지 생각합니다.

채점 기준	점수
(1)에 제안하는 글을 읽을 사람을 쓰고, (2)에 글을 붙일 장소와 위치를 쓰고, (3)에 글씨의 크기, 모양, 색깔을 알맞게 쓴 경우	10점
(1)~(3) 중 두 가지만 알맞게 쓴 경우	7점
(1)~(3) 중 한 가지만 알맞게 쓴 경우	3점

9. 자랑스러운 한글

단원 평가 1회   50~51쪽

1 가현   **2** ①, ②   **3** ㉠
4 ④   **5** ① 애민 정(신) ② 훈민정(음)
6 (1) • (2) ㅣ (3) ―   **7** ④, ⑤
8 1894년   **9** ③
10 예 한글을 연구하는 노력과 열정을 본받고 싶다.

1 문자가 그림보다 더 정확하고 자세하게 기록을 할 수 있습니다.

> **보충 자료** **문자가 필요한 까닭**
> • 문자가 없으면 정확하게 기록을 못 할 것입니다.
> • 문자로 생각을 표현하면 더 자세히 나타낼 수 있습니다.

2 그림 ❶과 ❸에 백성이 문자를 몰라서 겪은 일이 나타나 있습니다.

3 그림 ❸에서 먹고살기도 바쁜데 언제 글을 배우겠느냐고 했습니다.

4 백성이 알기 쉬운 문자를 만들어야겠다고 생각하고 있습니다.

5 백성을 아끼고 사랑하는 정신을 뜻하는 말은 '애민 정신'이고, 한글을 만들었을 때의 이름은 '훈민정음'입니다.

> **보충 자료**
> • **애민**(愛 사랑 애, 民 백성 민) **정신**: 백성을 사랑하는 마음.
> • **훈민정음**(訓 가르칠 훈, 民 백성 민, 正 바를 정, 音 소리 음): 백성을 가르치는 바른 소리.

6 ' • '는 하늘을 본뜬 문자, ' ㅣ '는 사람을 본뜬 문자, ' ㅡ '는 땅을 본뜬 문자입니다.

7 이 글에는 한글의 제자 원리가 과학적이고 독창적이라는 점과 적은 수의 문자로 많은 소리를 적을 수 있다는 특성이 나타나 있습니다.

8 1894년에 주시경은 배재학당에 입학해 지리, 수학, 영어 등 여러 가지를 공부했습니다.

9 주시경은 사람들이 쉽게 알아볼 수 있는 우리말 문법책을 만들기로 마음먹었습니다.

10 한글을 바르게 사용하기 위해 자신이 할 수 있는 노력을 생각해 써 봅니다.

> **채점 기준** 주시경의 삶에서 자신이 본받고 싶은 점이나 느낀 점을 썼으면 정답으로 합니다.

단원 평가 2회   52~53쪽

1 ⑤   **2** ④   **3** ①
4 억울한 일을 당하는 사람들이 줄었다. 등
5 ②   **6** (1) ㉡ (2) ㉢ (3) ㉣ (4) ㉠ (5) ㉤
7 (1) 꿈 (2) 달 (3) 탈   **8** 한글
9 예 한글, 고맙고 소중한 우리글   **10** ③

1 그림으로 뜻을 표현한 그림 문자입니다.

2 제시된 문자는 이집트에서 태양을 뜻하는 그림 문자입니다.

3 세종은 눈이 점점 어두워져서 하늘이 무너지는 것만 같았습니다.

4 훈민정음은 백성들 사이에 퍼져 나가서, 글을 읽지 못해 억울한 일을 당하는 사람들이 줄었습니다.

5 쉽고 빠르게 배울 수 있는 한글이 지닌 특성이 나타난 부분입니다.

> **보충 자료** **한글이 지닌 특성**
> • 제자 원리가 독창적이고 과학적입니다.
> • 적은 수의 문자로 많은 소리를 적을 수 있습니다.
> • 쉽고 빨리 배울 수 있습니다.
> • 컴퓨터, 휴대 전화 등 기계화에 적합합니다.

6 각 자음자가 발음 기관의 어느 부분의 모양을 본뜬 것인지 잘 살펴봅니다.

7 'ㄱ, ㄲ, ㅋ'과 'ㄷ, ㄸ, ㅌ'은 서로 짝을 이룹니다.

8 주시경은 어려운 한문과는 달리 쉬운 한글에 점점 빠져들었다고 했습니다.

9 한글을 소중히 여기는 마음을 담아 표현해 봅니다.

> **채점 기준** 한글을 소중히 여기는 마음을 담아서 간결하고 짧은 어구를 만들어 썼으면 정답으로 합니다.

10 옷 가게라는 특징을 잘 살려 한글 이름으로 적절하게 바꾼 것은 ③입니다.

서술형 평가 · 54쪽

1 예 사라져 가는 문자를 지키기 위한 노력이 필요하다고 생각한다.

2 안내문이 붙어도 읽지 못했다. 등

3 예 만 원짜리 지폐에 나오는 위인이다. / 한글을 만들었다.

4 우주 만물에는 하늘과 땅이 있고 그 가운데 사람이 있다는 원리를 바탕으로 문자를 만들고자 했다. 등

5 예 훈민정음은 우리말을 쉽고 정확하게 표현할 수 있는 문자이니 누구나 배워서 널리 쓰기를 바란다.

6 예 누구나 쉽게 배울 수 있다. / 독창적이고 과학적인 원리로 만들어졌다.

1 사라져 가는 문자에 대해 어떻게 생각하는지 자신의 생각을 써 봅니다.

채점 기준	점수
사라져 가는 문자에 대한 자신의 생각을 솔직하게 쓴 경우	5점

2 세종 대왕이 효자, 효녀들의 이야기를 백성에게 알리고자 안내문을 붙였지만 백성은 문자를 몰라 읽지 못했습니다.

채점 기준	점수
안내문이 붙어도 읽지 못했다고 쓴 경우	5점

3 세종 대왕에 대해 자신이 알고 있는 내용을 떠올려 봅니다.

채점 기준	점수
세종 대왕에 대해 자신이 알고 있던 내용을 한 가지 이상 쓴 경우	5점

4 세종이 한 말에 어떤 원리를 바탕으로 문자를 만들고자 했는지와 어떤 것을 본떠 문자를 만들고자 했는지가 나타나 있습니다.

채점 기준	점수
우주 만물에는 하늘과 땅이 있고 그 가운데 사람이 있다는 원리를 바탕으로 문자를 만들고자 했다고 쓴 경우	5점

5 세종 대왕이 훈민정음을 만들면서 생각한 점, 훈민정음을 만들 때의 마음 등을 떠올려 봅니다.

채점 기준	점수
세종 대왕이 백성에게 직접 말하듯이 훈민정음을 소개하는 글을 쓴 경우	5점

6 한글이 어떤 점에서 우수한지 떠올려 써 봅니다.

채점 기준	점수
한글이 어떤 점에서 우수한지 한 가지 이상 쓴 경우	5점

수행 평가 · 55쪽

1 ·『대한 국어 문법』이라는 책을 펴냈다. 등
· 한글을 가르쳐 달라는 곳이 있으면 어디든지 달려가서 한글을 가르쳐 주었다. 등

2 예 생활 속에서 외국어 대신 한글을 바르게 쓰도록 노력해야겠다.

3 예 한글은 조선 시대에 세종 대왕이 만든 문자야. 세계의 문자 가운데에서 만든 사람을 알 수 있는 거의 유일한 문자라고 할 수 있어. 한글은 하늘, 땅, 사람의 모양을 본떠 모음자를 만들었고, 발음 기관의 모양을 본떠 자음자를 만들었어. 그래서 배우기도 쉬워. 한글은 유네스코 세계 기록 유산이기도 한 우리나라의 자랑스러운 문자란다.

1 주시경은 한글과 우리말을 바르게 사용하기 위한 문법 책을 펴냈고, 여러 곳을 다니며 한글을 가르쳐 주었습니다.

채점 기준	점수
주시경이 『대한 국어 문법』이라는 책을 펴낸 일과 한글을 가르쳐 달라는 곳이 있으면 어디든지 달려가서 한글을 가르쳐 준 일을 모두 쓴 경우	10점
주시경이 한 일을 한 가지만 쓴 경우	5점

2 상점의 간판에 다른 나라 문자를 사용한 경우를 많이 볼 수 있습니다.

채점 기준	점수
외국어 대신 한글을 바르게 쓰도록 노력하고, 아름다운 우리말을 사랑하는 마음을 가져야 한다는 내용으로 쓴 경우	10점

3 한글이 지닌 특성이나 우수한 점과 관련하여 외국인 친구에게 알려 주고 싶은 내용을 글로 씁니다.

채점 기준	점수
한글이 어떤 점에서 우수한지 외국인 친구에게 직접 소개하듯이 쓴 경우	10점

10. 인물의 마음을 알아봐요

단원 평가 1회　　　　　　　56~57쪽

1 ②	**2** ③	**3** ②
4 ④	**5** ①	**6** ⑤
7 ②	**8** (1)입꼬리가 살짝 위로 올라가 있고 미소를 짓고 있다. 등 (2)소년을 귀여워하고 사랑하는 마음이다. 등	
		9 ⑤
10 ③		

1 징그러운 벌레를 봤을 때에는 깜짝 놀란 표정과 행동이 어울립니다.

> **오답 피하기** 그림에 알맞은 상황 **예**
> ① 운동 경기에서 이겼을 때
> ③ 밤이 되어 잠잘 시간이 되었을 때
> ④ 다른 사람에게 칭찬받을 때
> ⑤ 친한 친구가 전학 갈 때

2 철민이가 당황한 모습은 장면 ❶에서 알 수 있습니다.

3 부들부들 떠는 듯한 선과 소민이의 얼굴 표정을 보면 긴장되고 떨고 있다는 것을 알 수 있습니다.

> **보충 자료** 만화 속 인물의 마음 짐작하기
> 만화 속 인물의 마음을 짐작하기 위해서는 글뿐만 아니라 배경의 효과, 인물의 표정과 행동, 말풍선의 모양, 글자의 크기 등을 함께 살펴봐야 합니다.

4 남자아이는 행복한 표정을 지으며 허겁지겁 음식을 먹고 있습니다.

5 아이들은 용을 타고 날아가면서 신난 기분입니다.

6 남자아이는 소희에게 장난을 치고 싶은 마음입니다.

7 무섭게 짖는 개 때문에 깜짝 놀란 소년은 담벼락 뒤로 숨었습니다.

8 할머니의 입꼬리가 살짝 위로 올라가 있고 미소를 짓고 계십니다.

> **채점 기준** (1)에 할머니의 입꼬리가 살짝 위로 올라가 있고 미소를 짓고 있다고 쓰고, (2)에 소년을 귀여워하고 사랑하는 마음이라고 썼으면 정답으로 합니다.

9 엄마는 아이에게 자전거를 가르치려고 아이가 눈치채지 않게 손을 살짝 놓았습니다.

10 자전거를 배울 때에는 겁이 났지만 자전거를 혼자 타게 되었을 때에는 신기하고 기쁜 마음입니다.

단원 평가 2회　　　　　　　58~59쪽

1 ①	**2** 자신감 없이 망설이고 있다. 등	
3 ②, ④	**4** ①, ②, ③	**5** ①
6 ⑤	**7** ①	**8** ④
9 ②		
10 **예** 부모님께서 집에 늦게 들어오셔서 혼자 집을 본 적이 있었는데 그때 겁이 났다.		

1 그림 속 아이는 수줍고 부끄러운 마음입니다. 언제 이런 마음이 드는지 생각해 봅니다.

2 소민이의 표정과 얼굴에 그려진 선을 볼 때 답이 맞는지 자신감 없이 망설이고 있음을 알 수 있습니다.

3 머리 뒤에 그린 선과 큰 눈 모양을 통해 깜짝 놀란 마음을 짐작할 수 있습니다.

4 ④, ⑤는 인물의 마음을 짐작하는 방법으로 알맞지 않습니다.

5 용은 아이들을 보고 얼마 만에 보는 사람이냐면서 기뻐하고 있습니다.

6 ㉠은 여러 마리의 용을 보고 깜짝 놀라서 한 말입니다.

> **보충 자료** 인물의 마음을 실감 나게 표현하는 방법
> • 표정을 조금 과장해서 흉내 내야 합니다.
> • 그 상황에 어울리는 소리도 함께 흉내 내면 좋습니다.
> • 상황에 어울리는 말투와 몸짓으로 표현해야 합니다.

7 할머니와 소년은 함께 밥을 먹고 있습니다.

8 소년은 고추 맛이 어떨까 궁금해 할머니의 말을 듣고 먹어 봤는데 매워서 깜짝 놀라고 당황한 마음입니다.

9 아이는 뒤에서 자전거를 잡은 엄마가 손을 놓을까 봐 잔뜩 겁을 먹었습니다.

10 언제 겁이 나는 마음이 들었는지 자신의 경험을 떠올려 써 봅니다.

> **채점 기준** 겁이 났던 경험을 떠올려서 그때의 상황을 썼으면 정답으로 합니다.

서술형 평가 60쪽

1 (1)날아갈 것 같은 마음 등

　(2)깜짝 놀라고 무서운 마음 등

2 (1)예 운동 경기에서 이겼을 때

　(2)예 징그러운 벌레를 봤을 때

3 예 인물이 한 말로 짐작할 수 있다. / 인물 뒤편 배경을 보고 짐작할 수 있다.

4 자신이 푼 문제의 답이 틀렸다고 생각했다. 등

5 예 배경에 적혀 있는 '안심', '다행'이라는 낱말로 소민이의 긴장이 풀어졌음을 알 수 있다.

6 (1)예 가족과 물놀이를 했던 일

　(2)예 정말 시원하고 즐거웠다.

1 그림 속 아이들의 표정과 행동을 살펴보면 마음을 짐작할 수 있습니다.

채점 기준	점수
(1)에 날아갈 것 같은 마음이라고 쓰고, (2)에 깜짝 놀라고 무서운 마음이라고 쓴 경우	5점
(1)과 (2) 중 한 가지만 알맞게 쓴 경우	3점

2 기쁘고 신났던 경험, 깜짝 놀랐던 경험을 떠올려 써 봅니다.

채점 기준	점수
(1)에 날아갈 것 같은 마음이 들었던 상황을 쓰고, (2)에 깜짝 놀라고 무서운 마음이 들었던 상황을 쓴 경우	5점
(1)과 (2) 중 한 가지만 알맞게 쓴 경우	3점

3 인물의 마음을 짐작하는 방법을 생각해 써 봅니다.

채점 기준	점수
인물이 한 말, 배경의 효과, 눈썹 모양과 이마의 땀, 말풍선 테두리 모양, 두 손으로 얼굴을 가리고 있는 행동 등으로 인물의 마음을 짐작할 수 있다고 쓴 경우	5점

4 소민이는 선생님의 굳은 표정을 보고 답이 틀렸다고 생각했습니다.

채점 기준	점수
자신이 푼 문제의 답이 틀렸다고 생각했다고 쓴 경우	5점

5 인물의 표정이나 행동, 배경, 말풍선 등을 살펴보고 마음을 짐작할 수 있는 부분을 찾습니다.

채점 기준	점수
배경에 적혀 있는 낱말이나 인물의 표정, 생각 등으로 짐작할 수 있다고 쓴 경우	5점

6 자신이 겪은 일 중에서 재미있었던 일을 떠올려 보고, 그때 어떤 마음이나 기분이 들었는지 씁니다.

채점 기준	점수
(1)에 재미있었던 일을 떠올려 쓰고, (2)에 그때의 마음이나 기분을 쓴 경우	5점
(1)에 재미있었던 일을 떠올려 썼으나, (2)에 그때의 마음이나 기분을 쓰지 않은 경우	3점

수행 평가 61쪽

1 (1)용을 처음 만남. 등

　(2)용이 아이들을 보고 반가워함. 등

　(3)용이 아이들을 용궁으로 초대함. 등

　(4)남자아이가 용에 올라타려고 함. 등

2 (1)예 신기하다는 듯이 깜짝 놀란 말투 / 예 아이가 입을 벌리고 있고 표정이 놀란 듯해서

　(2)예 반갑고 즐거운 말투 / 예 용의 표정이 밝고 용이 한 말이 아이들을 반기고 있어서

3 예 남자아이는 용에 올라타고 싶은 호기심 어린 마음이 느껴지고, 여자아이는 놀라며 머뭇거리는 마음이 느껴진다.

1 각 장면에서 아이들과 용이 무슨 말을 주고받는지 살펴보고 일어난 일을 정리합니다.

채점 기준	점수
(1)~(4)에 각 장면에서 일어난 일을 모두 알맞게 정리해 쓴 경우	10점
(1)~(4) 중 세 가지만 알맞게 쓴 경우	8점
(1)~(4) 중 두 가지만 알맞게 쓴 경우	5점
(1)~(4) 중 한 가지만 알맞게 쓴 경우	3점

2 인물이 하는 말의 내용이나 그림에서 인물의 표정이나 행동을 통해 말투를 짐작할 수 있습니다.

채점 기준	점수
(1)과 (2)에 어울리는 말투와 그 까닭을 모두 적절하게 쓴 경우	10점
(1)과 (2) 중 한 가지만 적절하게 쓴 경우	5점

3 만화에 등장하는 인물의 표정이나 행동을 통해 마음을 짐작할 수 있습니다.

채점 기준	점수
남자아이와 여자아이의 마음을 모두 알맞게 짐작해 쓴 경우	10점
남자아이와 여자아이의 마음 중 하나만 알맞게 짐작해 쓴 경우	5점

평가 교재

1 ①

2 ⓓ 봄비가 내려와 앉는다고 하니까 비가 사람같이 느껴져.

3 ③   4 은지   5 ②

6 ㉠   7 중심

8 에너지를 불필요하게 사용하지 않는다. 등

9 ③, ⑤

10 듣는 사람을 바르게 서서 바라본다. 등

11 ②, ③, ⑤   12 ②, ⑤   13 이슬

14 ②   15 ②, ④, ⑤   16 독도

17 ③   18 의견   19 ④

20 (1) 마라톤 (2) 아빠

1 봄을 기다리는 아이들이 손가락을 땅속에 집어넣어 본다고 했습니다.

2 시에 대한 생각이나 느낌은 사람마다 다를 수 있다는 것을 이해하고 자신의 생각이나 느낌을 써 봅니다.

> **채점 기준** 시에 대한 자신의 생각이나 느낌을 알맞게 썼으면 정답으로 합니다.

3 준은 종이에 낙서를 하다가 들켜서 할아버지에게 종이를 아낄 줄 모른다고 야단을 맞았습니다.

4 할아버지는 어릴 때부터 아끼는 습관을 가르쳐 주려고 준을 야단친 것입니다.

5 개나 닭은 사람과 같이 성대를 울려 소리를 낸다고 했습니다.

6 ㉠은 첫 번째 문단의 중심 문장, ㉡은 첫 번째 문단의 뒷받침 문장, ㉢은 두 번째 문단의 뒷받침 문장입니다.

7 글의 내용을 간추릴 때에는 문단의 내용을 대표하는 중심 문장을 찾은 뒤, 그 내용을 바탕으로 글 전체의 내용을 간추립니다.

8 두 번째 문단에서 찾을 수 있습니다.

9 이 글은 의견을 제시한 글이므로 ①, ②, ④의 방법으로 내용을 간추립니다.

10 상황에 알맞은 몸짓을 생각해 봅니다.

> **채점 기준** 친구들 앞에서 이야기할 때에 어울리는 몸짓을 썼으면 정답으로 합니다.

11 상황에 알맞은 크기의 목소리와 표정으로 말해야 하므로 ①, ④는 알맞지 않습니다.

12 호주와 뉴질랜드는 플라스틱의 일종인 폴리머로 지폐를 만든다고 했습니다.

13 여러 사람 앞에서 발표할 때에는 높임말로 합니다.

14 실제로 있었던 일을 사실이라 하고, 대상이나 일에 대한 생각을 의견이라고 합니다.

15 ①, ③은 사실을 나타내는 문장입니다.

16 글쓴이는 지난 방학 때 독도를 다녀왔다고 했습니다.

17 ㉠은 글쓴이가 한 일이므로 사실입니다.

18 지리산의 자연 생태계를 보전하려고 노력해야 한다는 글쓴이의 생각이 나타난 문장입니다.

19 수현이는 자신 뒤에서 달려오던 친구가 없었다면 포기하고 말았을 것이라고 했습니다.

20 글에서 일어난 일을 차례로 정리하여 봅니다.

1 ①, ②, ⑤   2 안전 게시판을 만들자.

3 ③, ⑤   4 ④   5 ⑤

6 (1) ① (2) ②

7 화성에서 사람들이 사는 데 필요한 정보

8 ①, ②, ⑤   9 일석이조   10 ④

11 (1) ⓓ 꽃밭에 쓰레기를 버리지 않으면 좋겠습니다.

(2) ⓓ 꽃은 쓰레기가 없는 깨끗한 꽃밭에서 건강하게 자랄 수 있습니다.

12 ⑤   13 ⑤   14 ①

15 하늘, 땅, 사람   16 ③

17 (1) ① (2) ②   18 ④

19 늘 우리글을 아끼고 사랑하는 것이 나라를 사랑하는 길이라는 것을 강조했다. 등

20 ④

1 회의에는 사회자, 회의 참여자, 기록자의 역할이 필요합니다.

2 이번 주 학급 회의 주제는 "학교생활을 안전하게 하자."이고 실천 내용은 "안전 게시판을 만들자."로 결정되었습니다.

3 사회자가 학급 회의에서 결정한 결과를 발표한 뒤 학급 회의를 마친다는 것을 알리고 있습니다.

4 주제를 실천할 수 있는 여러 가지 의견을 떠올려야 합니다.

5 '접는다'는 '접어서', '접고', '접으니' 등으로 형태가 바뀌는 낱말입니다. '접는다'의 기본형은 '접다'입니다.

6 '가다'와 '오다'는 서로 뜻이 반대인 관계이고, '책'과 '동화책'은 '책'이 '동화책'을 포함하는 관계입니다.

7 큐리오시티는 화성에서 사람들이 사는 데 필요한 정보를 모으고 있다고 했습니다.

8 '적도'의 뜻은 국어사전, 백과사전, 인터넷 사전을 찾아보면 알 수 있습니다.

9 '일석이조'는 '한 가지의 일로 두 가지 또는 그 이상의 이득을 얻음을 이르는 말'이라는 뜻의 고사성어입니다.

10 진영이는 꽃밭에 버려진 쓰레기를 보면서 깨끗한 꽃밭을 만들려면 어떻게 하면 좋을지 곰곰이 생각했습니다.

11 글에 나타난 문제 상황을 파악하고, 알맞은 제안과 그 까닭을 써 봅니다.

> **채점 기준** (1)에 깨끗한 꽃밭을 만들기 위한 제안을 쓰고, (2)에 그런 제안을 한 까닭을 적절하게 썼으면 정답으로 합니다.

12 ⑤는 '운동이'와 '건강을 지켜 줍니다.'로 나누어야 합니다.

13 제안하는 글에는 제목, 문제 상황, 제안하는 내용, 제안하는 까닭이 들어갑니다.

14 궁금한 것을 알고자 할 때 인터넷을 검색하기보다 독서를 하자고 권유하는 광고입니다.

15 한글 자음자는 발음 기관의 모양을 본떠 만들었습니다.

16 한글 자음자의 경우 발음 기관의 모양을 본떠 'ㄱ, ㄴ, ㅁ, ㅅ, ㅇ'의 기본 문자를 만들었다고 했습니다.

17 뒤에 이어지는 내용을 살펴보면 한글이 지닌 각각의 특성을 설명하고 있습니다.

18 여기저기에서 한글을 가르쳐 달라고 주시경에게 부탁을 해 왔다고 했습니다.

19 주시경은 한글을 가르치며 늘 우리글을 아끼고 사랑하는 것이 나라를 사랑하는 길이라는 것을 강조했습니다.

> **채점 기준** 우리글을 아끼고 사랑하는 것이 나라를 사랑하는 길이라는 내용을 썼으면 정답으로 합니다.

20 글자의 개수가 아니라 글자의 크기로 인물의 마음을 짐작할 수 있습니다.

전 범위 기말 평가 68~70쪽

1 ①, ⑤ **2** 수호 **3** ⑤
4 ㉠ **5** (1) 느낌 등 (2) 듣는 사람 등
6 (1) ㉡ (2) ㉠ **7** (1) 사 (2) 의 **8** 은희
9 ①
10 욕심 많은 형은 아버지가 남긴 재산 가운데 감나무가 있는 허름한 집 한 채만 동생에게 주고 나머지는 모두 자신이 차지했다. 등
11 ⑤ **12** 사회자
13 책을 읽어 달라는 것 등 **14** ②, ④
15 ② **16** ㉢ **17** ④
18 훈민정음
19 • 억울한 일을 당하는 사람들이 줄었다. 등
　　• 한글로 책을 읽거나 편지를 쓰는 사람이 늘어났다. 등
20 ①

1 노마는 기동이에게 자신의 구슬을 가지고 있는지 캐묻고 있습니다.

2 유미는 글의 내용을 잘못 파악했습니다. 글에서 노마는 기동이가 구슬을 가져갔다고 의심하고 있습니다.

3 ⑤는 일기 예보를 들을 때 생각할 점이 아닙니다.

4 ㉠이 중심 문장이고, 나머지는 뒷받침 문장입니다.

5 상황에 알맞은 표정, 몸짓, 말투를 사용하면 자신의 생각을 분명하게 전하고, 느낌을 잘 표현할 수 있으며, 듣는 사람이 잘 알아들을 수 있습니다.

6 동생에게 말할 때에는 알기 쉬운 말로 하고, 여러 사람에게 말할 때에는 높임말로 합니다.

7 (1)은 직접 본 것을 말하고 있으므로 사실, (2)는 자신의 생각을 말하고 있으므로 의견입니다.

8 미정은 글 속에 나타난 사실만 말했습니다.

9 까마귀가 떼 지어 날아와 감을 다 먹어 버렸다고 했습니다.

10 이야기에서 일어난 중요한 일을 찾아봅니다.

> **채점 기준** 형이 감나무가 있는 집 한 채만 동생에게 주고 나머지는 모두 자신이 차지했다는 내용을 중심으로 썼으면 정답으로 합니다.

11 이 회의 장면은 찬성과 반대 의견을 헤아려 다수결로 결정하는 '표결'에 해당합니다.

12 회의를 진행하고 있으므로 사회자임을 알 수 있습니다.

13 할머니는 '나'에게 책을 읽어 달라고 부탁하셨습니다.

14 '침침하다'는 '눈이 어두워 물건이 똑똑히 보이지 아니하고 흐릿하다.'라는 뜻입니다.

15 '고약하다'는 '맛, 냄새 따위가 비위에 거슬리게 나쁘다.'라는 뜻입니다.

16 ㉡은 문제 상황, ㉣은 제안하는 까닭에 해당합니다.

17 깨끗한 물을 구하지 못해 어려움에 처해 있는 아프리카 어린이들을 위한 기부 운동에 참여하자는 내용입니다.

18 글의 마지막 부분에서 훈민정음은 세종이 백성들에게 준 가장 큰 선물이었다고 했습니다.

19 세종이 훈민정음을 만든 뒤 변화된 백성의 삶을 정리하여 씁니다.

> **채점 기준** 억울한 일을 당하는 사람들이 줄었다는 내용이나, 한글로 책을 읽거나 편지를 쓰는 사람이 늘어났다는 내용을 썼으면 정답으로 합니다.

20 입을 크게 벌리고 있는 것에서 놀란 마음임을 알 수 있습니다.

우리 아이

인생교재
-국어·사회·과학 편-

국어, 사회 전문 교재	**한끝**	교과서 학습부터 **평가 대비**까지 **한 권**으로 끝!	국어 사회
과학 전문 교재	**오투**	생생하게 보는 **대한민국 대표 과학 학습서!**	과학
사회, 과학 특화 교재	**이것만 알자!**	꼭 알아야 할 **교과서 개념**을 **쉽게! 재미있게! 만만하게!**	사회 과학 한국사
공부력 특화 교재	완자 **공부력**	매일 성장하는 **초등 자기개발서** **맞춤법 바로 쓰기** 전과목 어휘 / 전과목 한자 어휘 국어 독해 / 한국사 독해 인물편, 시대편	국어 한자 한국사
	초등 **수능 독해**	초등부터 시작하는 **수능 대비 국어 독해** 비문학 수능 지문과 문제를 초등 수준에 맞게 리라이팅한 고난도 독해서 문학 수능까지 시험에 꼭 나오는 문학 작품을 독해하는 고난도 독해서	국어

한·끝·시·리·즈 　교과서 학습부터 평가 대비까지 한 권으로 끝! 국어 공부의 진리입니다.

대표전화 1544-0554
주소 서울특별시 구로구 디지털로33길 48 대륭포스트타워 7차 20층
협의 없는 무단 복제는 법으로 금지되어 있습니다.

비상 누리집에서 더 많은 정보를 확인해 보세요.
http://book.visang.com/

15개정 교육과정

평가 교재는 본책에서 쉽게 분리할 수 있도록 제작되었으므로

한솔 평가 교재

초등국어

4·1

| 단원 평가 대비 | • 단원 평가 2회 |
| • 서술형 평가 |
| • 수행 평가 |

| 중간·기말 평가 대비 | • 중간 평가 |
| • 기말 평가 (중간 이후) |
| • 기말 평가 (전 범위) |

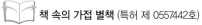 **책 속의 가접 별책** (특허 제 0557442호)

'평가 교재'는 본책에서 쉽게 분리할 수 있도록 제작되었으므로
유통 과정에서 분리될 수 있으나 파본이 아닌 정상제품입니다.

ABOVE IMAGINATION

우리는 남다른 상상과 혁신으로
교육 문화의 새로운 전형을 만들어
모든 이의 행복한 경험과 성장에 기여한다

한끝 평가 교재

4·1

초등 국어

서술형

1 다음에서 같은 그림을 보고도 그림이 다르게 보이는 까닭을 두 가지 쓰시오.

청록색의 모양을 보니…….

주황색의 모양을 보니…….

• _____

_____

• _____

_____

2~3 시를 읽고, 물음에 답하시오.

텅 빈 운동장을
혼자 걸어 나오는데
운동장가에 있던 나무가
등을 구부리며
말타기놀이 하잔다
얼른 올라타라고
등을 내민다

내가 올라타자
따그닥따그닥
달린다
학교 앞 문방구를 지나서
네거리를 지나서
우리 집을 지나서
달린다

2 말하는 이는 어디에 올라탔는지 쓰시오.

( )

3 이 시를 읽고 생각이나 느낌을 표현하는 방법으로 알맞지 않은 것은 어느 것입니까?( )

① 오행시 짓기
② 몸으로 표현하기
③ 그림으로 표현하기
④ 인물이 되어 말하기
⑤ 소리 내지 않고 시 읽기

4~5 글을 읽고, 물음에 답하시오.

할아버지의 할아버지, 또 그 할아버지의 할아버지부터 대대로 부자였습니다. 곳간도 어마어마하게 크고, 논도 어마어마하게 많았습니다. 부리는 하인도, 찾아오는 손님도, 아무튼 모든 것이 다 어마어마했습니다. 그중에서 가장 어마어마했던 것은 바로 최씨 부자의 마음이었답니다.
㉠최 부잣집 도령들은 매일 아침마다 사랑채에서 붓글씨로 가훈을 씁니다.
㉡"너 이놈, 종이를 아낄 줄 모르고 이렇게 함부로 쓰다니!"
아침부터 최 부잣집 도령 준이 할아버지에게 야단맞고 있습니다. 종이에 낙서를 하다가 할아버지에게 들킨 것이지요.

4 최씨 부자가 가진 것 중 가장 어마어마했던 것은 무엇입니까? ( )

① 최씨 부자의 논 ② 최씨 부자의 돈
③ 최씨 부자의 손님 ④ 최씨 부자의 하인
⑤ 최씨 부자의 마음

5 다음은 ㉠, ㉡ 중 어떤 것에 대한 생각이나 느낌인지 기호를 쓰시오.

손자에게 어릴 때부터 아끼는 습관을 가르쳐 주려고 엄하게 말씀하시는 것 같아.

( )

국어 활동

6 다음 장면에 대한 생각이나 느낌을 알맞게 말한 사람을 쓰시오.

> 경로당을 막 지나오는데 할아버지가 등나무 밑에 앉아 친구들과 이야기를 나누고 있었습니다.
>
> 나는 반가워서 "할아버지!" 하고 불렀는데 할아버지는 내 말을 못 들었는지 계속 친구들과 이야기만 하고 있었습니다. 나는 뿔이 나서 얼른 경로당을 지나와 버렸습니다. 속으로는 '또 보청기를 빼 놓으셨군!' 했지요.

> 민수: 할아버지를 대하는 '나'의 태도가 정말 예의 바른 것 같아.
> 지안: 보청기를 빼서 인사말을 듣지 못하신 할아버지를 그냥 지나친 '내'가 무례한 것 같아. 나였다면 할아버지께서 계신 곳으로 가까이 다가가 인사를 드렸을 거야.

(   )

7~8 글을 읽고, 물음에 답하시오.

> 그리고 노마는 기동이 아래위를 보다가 입을 열어 물었습니다.
> "너, 내 구슬 봤니?"
> "무슨 구슬 말야?"
> "파란 유리구슬 말야."
> "난 못 봤다."
> 그러나 노마는 그 말을 정말로 듣지 않나 봅니다. 여전히 기동이 조끼 주머니를 보고, 두 손을 보고 합니다.
> 그러다가 노마는 입을 열어 또 물었습니다.
> "너, 구슬 가진 것 좀 보자."
> "그건 봐 뭣 해."
> "보면 어때."
> "봐 뭣 해."

7 노마는 기동이가 무엇을 가져갔다고 의심했습니까? (   )

① 딱지   ② 종이비행기
③ 장난감 로봇   ④ 장난감 기차
⑤ 파란 유리구슬

8 다음 중 노마가 기동이를 의심한 일이 잘못이라고 생각하는 의견에 알맞은 까닭은 무엇입니까? (   )

① 의심을 받는 일은 기분 나쁜 일이다.
② 노마가 안타까운 마음에 저지른 실수이다.
③ 소중히 여기는 물건을 잃어버렸을 때에는 누구나 속상하다.
④ 기동이가 구슬을 보여 주지 않으니 의심이 더욱 커진 것이다.
⑤ 노마가 기동이를 의심한 일은 노마가 구슬을 아꼈기 때문이다.

9~10 글을 읽고, 물음에 답하시오.

> '아직까지 살림하는 방이 되어 본 일이 없는데…….'
> 나는 속으로 말하였습니다. 모두가 듣게 큰 소리로 말하였다가는
> "쟤는 쓸모도 없는 애가 끼어들기는 잘하지."
> "그러게나 말이야. 제 분수를 알고, 있는 듯 없는 듯 있을 일이지."
> 하는 소리를 들을 것이 뻔하기 때문입니다. 같은 쇠못이면서도 시계를 거는 못이나 그림을 거는 못은 나를 아주 못마땅해하였습니다.
> ㉠"쓸모없는 못은 뽑아 버려야 하는 건데."
> 하는 아주 심한 말을 들은 적도 있습니다.

9 '내'가 하고 싶은 말을 속으로 한 까닭은 무엇입니까? (   )

① 방 안에 혼자 있어서
② 신중하게 생각하느라고
③ 자신의 생각에 확신이 없어서
④ 쓸모없는 다른 못들과 말하기 싫어서
⑤ 다른 못들이 '나'를 못마땅하게 여겨서

10 '내'가 ㉠과 같은 말을 들었을 때 어떤 마음이 들었을지 쓰시오.

(   )

단원 평가 2회   1. 생각과 느낌을 나누어요

4학년   반 | 점수

이름

---

1 다음 시를 읽고 생각이나 느낌을 알맞게 말한 사람을 쓰시오.

> 몰래 / 겨울을 녹이면서
> 봄비가 내려와 앉으면
>
> 꽃씨는
> 땅속에 살짝 돌아누우며
> 눈을 뜹니다.
>
> 봄을 기다리는 아이들은
> 쏘옥 / 손가락을 집어넣어 봅니다.

> 은지: 봄비가 내려와 앉는다고 하니까 비가 사람같이 느껴져.
> 현우: 겨울이 빨리 오기를 기다리는 아이들의 마음이 느껴져.

(   )

2~3 시를 읽고, 물음에 답하시오.

> 텅 빈 운동장을
> 혼자 걸어 나오는데
> 운동장가에 있던 나무가
> 등을 구부리며
> 말타기놀이 하잔다
> 얼른 올라타라고
> 등을 내민다
>
> 내가 올라타자
> 따그닥따그닥 / 달린다
> 학교 앞 문방구를 지나서
> 네거리를 지나서
> 우리 집을 지나서 / 달린다

2 말하는 이는 운동장가에 있던 나무가 무슨 놀이를 하자고 한다고 생각했습니까? (   )

① 공기놀이   ② 고무줄놀이
③ 말타기놀이   ④ 숨바꼭질 놀이
⑤ 술래잡기 놀이

논술형

3 이 시에 대한 생각이나 느낌을 '등 굽은 나무'로 오행시를 지어 표현해 보시오.

- 등:
- 굽:
- 은:
- 나:
- 무:

국어 활동

4 다음 시에서 말하는 이의 마음이 드러난 부분에 밑줄을 그으시오.

> 조금씩 조금씩
> 줄기가 뻗더니
> 영주 거랑 내 거랑
> 서로 엉켰다.
>
> 이대로
> 칭칭 엉켜 있으면
> 참 좋겠다.

5~6 글을 읽고, 물음에 답하시오.

> 준은 문득 작년 이맘때 일이 생각났습니다. 한 하인이 장사가 끝날 때쯤 생선 가게에 가서 헐값에 청어를 사 왔다가 할아버지에게 호되게 혼이 났었습니다.
> "물건을 살 때는 아침에 가서 제값을 주고 사 오라고 했거늘 어찌 끝날 때쯤 헐값을 주고 사 오느냐? 헐값에 생선을 넘기는 생선 장수의 마음을 헤아릴 줄 모른단 말이냐?"

5 준의 할아버지는 물건을 살 때 어떻게 하라고 했습니까?   (   )

① 제값보다 더 주고 사라.
② 아침에 가서 제값을 주고 사라.
③ 장사가 끝날 때쯤 헐값에 사라.
④ 싸게 팔 때까지 기다렸다가 사라.
⑤ 여러 곳의 가격을 비교해 보고 사라.

관련 성취 기준	작품을 듣거나 읽거나 보고 떠오른 느낌과 생각을 다양하게 표현한다.
평가 목표	이야기를 읽고 자신의 생각과 느낌을 표현할 수 있다.

1~3 인물에 대한 생각이나 느낌을 떠올리며 이야기를 읽어 봅시다.

> 마을 아이들이 "흰죽 논, 흰죽 논." 하면서 논 사이를 뛰어다니고 있었습니다. 흉년에는 흰죽 한 끼 얻어먹고 논을 팔아넘긴다고 해서 흰죽 논이라는 말이 생겨났지요.
> "아이고! 최 부잣집 도련님 아니십니까? 이 근방에는 흰죽 논이 없습죠. 대감마님께서 올해같이 논이 헐값일 때는 논을 사지 않으신답니다. 이거 정말 감사할 노릇입죠."
> 농부는 하던 일을 멈추고 논에서 나와 준에게 이야기를 해 주었습니다.
> "한번은 이런 일도 있었습죠. 큰 흉년이 들어 굶어 죽는 사람이 허다했는데, 대감마님께서 곳간을 열고 굶고 있는 사람들에게 죽을 끓여 먹이라고 했습죠."
> 농부는 낫을 내려놓으며 말을 이었습니다.
> "어디 그것뿐이겠습니까? 헐벗은 이에게는 옷까지 지어 입혔습죠."
> 하인들이 바깥마당에 큰솥을 걸고 연일 죽을 끓이는 모습이 준의 머릿속에 그려졌습니다. 할아버지를 칭찬하는 농부의 말에 준은 우쭐해졌습니다.

1 이 글에서 흉년이 들었을 때 할아버지가 한 일을 <u>두 가지</u> 찾아 쓰시오. [10점]

(1) _____

(2) _____

2 농부의 말을 듣고 준은 할아버지를 어떻게 생각하게 되었는지 보기 에서 알맞은 말을 선택하여 한 문장으로 쓰시오. [10점]

> 보기
> 부끄러워하는,   미워하는,   존경하는,   그리워하는

_____

3 이야기를 읽고 할아버지에 대한 자신의 생각이나 느낌을 쓰시오. [10점]

_____

1~2 일기 예보를 읽고, 물음에 답하시오.

> 오늘 하루는 전국적으로 맑은 날씨가 되겠습니다. 서울, 춘천은 19도, 강릉, 청주, 전주 등은 20도까지 낮 기온이 올라가겠습니다. 일요일에도 산책하기 좋은 날씨가 되겠습니다. 서울, 춘천은 20도, 청주와 진주 등은 21도의 따뜻한 날씨가 예상됩니다. 하지만 아침저녁으로는 5도에서 6도의 쌀쌀한 날씨가 예상됩니다. 일교차가 크니 감기에 걸리지 않도록 조심하세요.

1 이 일기 예보의 정보로 알맞지 <u>않은</u> 것은 어느 것입니까? ( )

① 오늘 하루는 전국적으로 맑다.
② 일요일에는 아침저녁으로 덥다.
③ 일요일에도 산책하기 좋은 날씨이다.
④ 오늘 서울, 춘천의 낮 기온은 19도이다.
⑤ 오늘 강릉, 청주, 전주의 낮 기온은 20도이다.

2 다음은 이 일기 예보를 간추려 쓴 내용입니다. 어떻게 간추렸는지 <u>세 가지</u> 고르시오.
(, ,)

> **일기 예보**
> • 오늘 날씨: 전국적으로 맑음.
>
> • 일요일 날씨
> – 산책하기 좋은 날씨
> – 춘천 낮 기온 20도
> – 아침저녁으로 기온 차가 큼.
> ➡ • 나들이 가능
>   • 따뜻한 옷 필요

① 중요한 낱말만 썼다.
② 나들이할 때 드는 비용을 썼다.
③ 나들이할 때 필요한 준비물을 썼다.
④ 일기 예보에서 알려 준 내용을 모두 썼다.
⑤ 일기 예보에서 알려 준 중요한 날씨 정보를 썼다.

3~5 글을 읽고, 물음에 답하시오.

> ㉠동물들이 소리를 내는 방식은 다양합니다. 성대를 이용하여 소리를 내는 동물도 있고 다른 부위를 이용하는 동물도 있습니다.
> ㉡개나 닭은 사람과 같이 성대를 울려 소리를 내지만 다양한 소리를 내지는 못합니다. ㉢왜냐하면 성대나 입과 혀의 생김새가 사람과 다르기 때문입니다. 그래서 몇 가지 소리만 낼 수 있습니다. 동물들은 대개 서로를 부르거나 위협하기 위해서 소리를 냅니다.
> ㉣매미는 발음근으로 소리를 냅니다. ㉤매미는 수컷만 소리를 낼 수 있고, 암컷은 소리를 내지 못합니다. 매미의 배에 있는 발음막, 발음근, 공기주머니는 매미가 소리를 내게 도와줍니다. 그런데 암컷은 발음근이 발달되어 있지 않고 발음막이 없어서 소리를 낼 수 없답니다. 수컷은 발음근을 당겨서 발음막을 움푹 들어가게 한 다음 '딸깍' 하고 소리를 냅니다. 이 소리가 커지고 반복되면 '찌이이' 하고 소리가 납니다.

3 동물들은 대개 무엇 때문에 소리를 내는지 <u>두 가지</u>를 고르시오. (,)

① 기분이 좋아서
② 위협하기 위해서
③ 먹이를 찾기 위해서
④ 서로를 부르기 위해서
⑤ 재미있는 놀이를 하기 위해서

4 매미가 소리를 내게 도와주는 것을 <u>세 가지</u> 고르시오. (, ,)

① 부레   ② 성대   ③ 발음막
④ 발음근   ⑤ 공기주머니

5 ㉠~㉤을 중심 문장과 뒷받침 문장으로 구분하여 각각 기호를 쓰시오.

(1) 중심 문장: ( )
(2) 뒷받침 문장: ( )

6 헐값에 생선을 산 하인을 혼낸 할아버지의 행동에 대한 자신의 생각을 쓰시오.

_____

_____

7~8 글을 읽고, 물음에 답하시오.

> "너, 이 구슬 다 어디서 났니?"
> "어디서 나긴 어디서 나. 다섯 개는 가게서 사고 한 개는 영이가 준 건데, 뭐."
> "거짓부렁. 영이가 널 구슬을 왜 줘?"
> "그럼 영이한테 가서 물어봐."
> 그래서 노마와 기동이는 영이를 찾아가기로 했습니다. 담 모퉁이를 돌아서 골목 밖으로 나갔습니다. 그리고 조그만 도랑 앞엘 왔습니다.
> 그런데 그 도랑물 속에 무엇이 햇빛에 번쩍하는 것이 있습니다. 유리구슬 같습니다. 정말 유리구슬입니다. 바로 노마가 잃어버린 그 구슬입니다.
> "네 구슬 여기다 두고, 왜 남보고 집었다고 그러는 거야."
> 하고, 기동이가 바로 을러메는데도 할 말이 없습니다.

7 구슬을 찾았을 때의 노마의 마음으로 알맞은 것을 <u>두 가지</u> 고르시오. (,)

① 영이에게 미안한 마음
② 기동이에게 미안한 마음
③ 기동이에게 서운한 마음
④ 구슬을 찾아서 기쁜 마음
⑤ 구슬을 찾아서 화나는 마음

8 다음은 이 글에 나오는 누구의 행동에 대한 의견을 말한 것인지 쓰시오.

> 아무리 속이 상해도 친구를 의심하면 안 된다고 생각한다.

( )

9~10 글을 읽고, 물음에 답하시오.

> ㉮ 같은 쇠못이면서도 시계를 거는 못이나 그림을 거는 못은 나를 아주 못마땅해하였습니다.
> "쓸모없는 못은 뽑아 버려야 하는 건데."
> 하는 아주 심한 말을 들은 적도 있습니다.
> ㉯ 아저씨는 초록이를 창턱에 놓고 잎이 창밖으로 나가게 하였습니다. 그러더니 초록이가 담겨 있는 바구니 손잡이에 끈 한쪽을 매고는 한쪽 끝을 동그랗게 매듭지었습니다. 그러고는 그 매듭을 내 머리에 거는 것이었습니다. 초록이는 나에게 걸려서 창밖에 매달려 그날 하루 종일 비를 맞았습니다.
> 뻐꾸기도 다른 못들도 나를 보았습니다. 기뻐하는 초록이의 가슴이 울리는 소리가 끈을 따라 내게 전해졌습니다.
> 나는 행복으로 가슴이 크게 뛰었습니다.
> "가끔씩 비 오는 날 초록이를 여기 걸어 바깥 구경도 시키고 비도 맞게 해야겠구나. 이 못이 여기 있어 얼마나 좋은지 모르겠다. 정말 쓸모 있는 못이야."
> 아저씨가 말하였습니다.
> 가끔씩 비 오는 날 쓸모가 있는 못이 되어 나는 아주 행복합니다.

9 '내'가 한 쓸모 있는 일은 무엇인지 쓰시오.

( )

10 다음은 어떤 일에 대한 생각이나 느낌을 말한 것입니까? ( )

> 세상에는 쓸모없는 것은 없다는 생각이 들었어.

① 하루종일 비가 온 일
② 다른 못들이 '나'를 본 일
③ '내'가 초록이를 걸게 된 일
④ 다른 못들이 '나'를 못마땅해한 일
⑤ 아저씨가 초록이를 창턱에 놓은 일

1~2 시를 읽고, 물음에 답하시오.

텅 빈 운동장을
혼자 걸어 나오는데
운동장가에 있던 나무가
등을 구부리며
말타기놀이 하잔다
얼른 올라타라고 / 등을 내민다

내가 올라타자
따그닥따그닥 / 달린다
학교 앞 문방구를 지나서
네거리를 지나서
우리 집을 지나서 / 달린다

달리고 또 달린다 / 차보다 빠르다
어, 어, 어, / 구름 위를 달린다
비행기보다 빠르다
저 밑의 집들이 / 점점 작게 보인다

"성민아, 뭐 해?"

은찬이가 부르는 소리에
말은 그만 / 걸음을 뚝, 멈춘다

아깝다,
달나라까지도 갈 수 있었는데

1 성민이가 아쉬워한 까닭은 무엇인지 쓰시오.
[6점]

_____

_____

2 시 속 성민이가 어떤 생각을 했을지 쓰시오. [6점]

_____

_____

3~5 글을 읽고, 물음에 답하시오.

준은 다른 도령들과 함께 얌전히 꿇어 앉아
㉠"사방 백 리 안에 굶어 죽는 사람이 없게 하라."
라는 가훈을 크게 썼습니다.
붓글씨를 쓴 뒤에 할아버지는 준과 다른 도령
들에게 희한하게 생긴 뒤주를 보여 주었습니다.
㉡"이 뒤주는 가난한 사람들이나 지나가는 나
그네가 쌀을 퍼 갈 수 있도록 만든 것이란다."
준은 쌀을 한 줌 꺼내 보았습니다. 할아버지의
훈훈한 마음이 전해지는 것 같았지요. 최 부잣집
에는 가난한 사람들을 위해 쌀을 담아 놓은 뒤주
가 있었습니다. 쌀 삼천 석 가운데 천 석을 불쌍
한 사람들을 돕는 데 썼다고 합니다.

3 할아버지가 뒤주를 만든 까닭은 무엇인지 쓰시
오. [6점]

_____

_____

4 ㉠"사방 백 리 안에 굶어 죽는 사람이 없게 하
라."라는 가훈의 뜻은 무엇일지 쓰시오. [6점]

_____

_____

5 ㉡의 말에 대한 생각이나 느낌을 쓰시오. [6점]

_____

_____

국어 활동

6 다음 문단에서 뒷받침 문장은 모두 몇 개입니까?

> 오늘날 사람들은 천이나 비닐로 만든 가벼운 우산을 쓴다. 처음에 우산은 갈색이나 검은색 비단에 쇠살을 붙인 모습이었다. 그런데 비단에 쇠살을 붙인 우산은 비에 젖으면 무거웠다.

(   )

7~8 글을 읽고, 물음에 답하시오.

> **가** 어느 더운 여름날이었어요.
> "어휴, 덥다. 그늘에서 잠깐 쉬어 갈까?"
> 총각이 뜨거운 볕을 피해 나무 그늘로 들어섰어요.
> "드르렁, 드르렁, 푸!"
> 나무 그늘에는 부자가 코를 골며 자고 있었지요. 잠깐 쉬어 가려던 총각도 그만 잠이 들고 말았어요.
> 얼마 뒤, 욕심쟁이 부자가 깨어났어요. 부자는 총각을 보자 버럭버럭 소리를 질렀어요.
> "너 이놈, 허락도 없이 남의 나무 그늘에서 잠을 자다니!"
> **나** "영감님, 저한테 이 나무 그늘을 파는 건 어때요?"
> 부자는 귀가 솔깃했어요.
> '아니, 이런 멍청한 녀석을 봤나?'
> 부자는 억지로 웃음을 참으며 말했어요.
> "흠, 자네가 원한다면 할 수 없지. 대신 나중에 무르자고 하면 절대로 안 되네!"
> 부자는 못 이기는 척 나무 그늘을 팔았답니다.

7 욕심쟁이 영감이 총각에게 화를 낸 까닭은 무엇입니까? (   )

① 총각이 자신을 깨워서
② 총각이 시끄럽게 떠들어서
③ 총각이 코를 심하게 골아서
④ 총각이 자신의 나무 그늘에서 자서
⑤ 총각이 자신의 집에 함부로 들어와서

서술형

8 이 글에서 일어난 중요한 사건을 시간을 나타내는 말을 넣어 한 문장으로 정리하여 쓰시오.

_____

_____

9~10 글을 읽고, 물음에 답하시오.

> 석탄, 석유, 가스, 전기 같은 에너지 자원은 한없이 있는 것이 아니다. 다 쓰고 나면 더는 에너지 자원을 구할 수 없게 된다. 특히 석유는 우리나라에서는 나지 않아 외국에서 수입해 오고 있다. 이처럼 중요한 에너지를 어떻게 절약해야 할까?
> 에너지를 절약하는 것은 그리 어렵지 않다. 관심을 가지고 내가 할 수 있는 작은 일부터 실천하면 된다.
> 우리가 에너지를 절약하는 방법은 두 가지로 나눌 수 있다. 먼저, 에너지를 불필요하게 사용하지 않는 것이다. 쓰지 않는 꽂개는 반드시 뽑아 놓고, 빈방에 켜 놓은 전깃불은 끈다. 그리고 뜨거운 음식은 식힌 뒤에 냉장고에 넣는다.

9 에너지를 절약해야 하는 까닭은 무엇인지 빈칸에 알맞은 말을 쓰시오.

• 지구의 에너지 자원은 (   ) 있는 것이 아니라 다 쓰고 나면 더는 에너지 자원을 구할 수 없기 때문이다.

10 이 글을 '문제점, 해결 방안, 실천 방법'으로 간추릴 때 '해결 방안'을 바르게 간추린 것은 어느 것입니까? (   )

① 빈방에 켜 놓은 전깃불은 끈다.
② 쓰지 않는 꽂개는 반드시 뽑는다.
③ 에너지를 불필요하게 사용하지 않는다.
④ 뜨거운 음식은 식힌 뒤 냉장고에 넣는다.
⑤ 에너지 자원은 다 쓰고 나면 더는 구할 수 없다.

1~2 일기 예보를 읽고, 물음에 답하시오.

> 안녕하십니까? 날씨 정보입니다. 저는 지금 봄꽃이 가득한 공원에 나와 있습니다. 날씨가 따뜻해지면서 공원에는 나들이를 나온 시민들이 많아졌습니다. 활짝 핀 벚꽃이 성큼 찾아온 봄을 느끼게 해 줍니다. 오늘 하루는 전국적으로 맑은 날씨가 되겠습니다. 서울, 춘천은 19도, 강릉, 청주, 전주 등은 20도까지 낮 기온이 올라가겠습니다. 일요일에도 산책하기 좋은 날씨가 되겠습니다. 서울, 춘천은 20도, 청주와 진주 등은 21도의 따뜻한 날씨가 예상됩니다. 하지만 아침저녁으로는 5도에서 6도의 쌀쌀한 날씨가 예상됩니다. 일교차가 크니 감기에 걸리지 않도록 조심하세요.

1 다음은 이 일기 예보를 들을 때 한 생각입니다. 관련 있는 내용은 무엇입니까? (   )

> 나에게 필요한 내용을 써 놓아야겠어.

① 듣는 목적을 생각한다.
② 아는 내용을 떠올린다.
③ 듣는 사람을 생각한다.
④ 자신의 경험을 떠올린다.
⑤ 들은 내용을 어떻게 할지 생각한다.

2 다음은 이 일기 예보를 듣고 쓴 내용입니다. ㉠~㉣ 중 잘못 메모한 내용을 찾아 기호를 쓰시오.

> **일기 예보**
> • 오늘 날씨: ㉠전국적으로 흐림.
>
> • 일요일 날씨:
>   – ㉡산책하기 좋은 날씨
>   – ㉢춘천 낮 기온 20도
>   – ㉣아침저녁으로 기온 차가 큼.
> ➡ • 나들이 가능
>   • 따뜻한 옷 필요

(   )

3 다음은 자료를 읽거나 듣고 난 뒤에 어떤 방법으로 정리한 것인지 쓰시오.

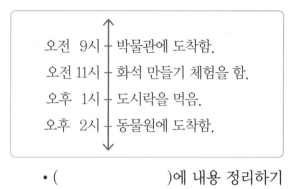

> 오전 9시 ＋ 박물관에 도착함.
> 오전 11시 ＋ 화석 만들기 체험을 함.
> 오후 1시 ＋ 도시락을 먹음.
> 오후 2시 ＋ 동물원에 도착함.

• (   )에 내용 정리하기

4~5 글을 읽고, 물음에 답하시오.

> ㉠물고기는 몸속에 있는 부레로 여러 가지 소리를 냅니다. ㉡부레 안쪽 근육을 수축하거나 부레의 얇은 막을 진동해 소리를 낼 수 있습니다. 물고기가 조용하다고 느끼는 이유는 우리가 들을 수 없는 높낮이로 소리를 내기 때문입니다.
> 이와 같이 동물들은 성대나 발음근, 부레를 이용해 소리를 냅니다. ㉢그 밖에도 날개를 비비거나 꼬리를 흔들어 소리를 내는 동물들도 있습니다. ㉣이렇게 동물들은 저마다 다른 방법으로 소리를 낼 수 있습니다.

4 우리가 물고기가 내는 소리를 들을 수 없는 까닭은 무엇입니까? (   )
① 물고기는 소리를 내지 않기 때문에
② 비늘을 비벼서 소리를 내기 때문에
③ 발음근을 이용해 소리를 내기 때문에
④ 우리가 들을 수 없을 때에만 소리를 내기 때문에
⑤ 우리가 들을 수 없는 높낮이로 소리를 내기 때문에

5 ㉠~㉣ 중 문단의 중심 문장을 모두 찾아 기호를 쓰시오.
(   )

6~7 글을 읽고, 물음에 답하시오.

㉮ 총각은 성큼성큼 부자 영감의 집 안으로 들어갔어요.

"아니, 남의 집엔 왜 들어오는 게냐?"

부자 영감은 담뱃대를 휘둘렀어요. 총각은 나무 그늘에 서서 말했어요.

"하하하, 영감님, 여기는 제 그늘인걸요."

마당까지 들어온 그늘을 보고 부자 영감은 아무 말도 할 수 없었지요.

㉯ 마당을 빼앗긴 부자는 그늘을 피해 다니며 부글부글 속을 끓였지요. 시간이 지날수록 나무 그늘은 점점 더 길어져 안방까지 들어갔어요.

총각은 그늘을 따라 안방으로 들어갔어요.

부잣집 식구들이 깜짝 놀라 소리쳤어요.

"아니, 여기가 어디라고 함부로 들어오는 거예요?"

"제가 영감님께 이 나무 그늘을 샀답니다."

㉰ "아버지, 얼른 돈을 돌려주고 저 사람을 내쫓아요!"

식구들이 부자 영감을 달달 볶았어요.

"조금만 참아 봐. 저 녀석도 곧 집에 가겠지."

부자는 식구들을 달랬어요. 돈을 돌려주기는 싫었거든요.

6 부자 영감이 총각을 내쫓으라는 식구들의 말을 듣지 않은 까닭은 무엇입니까? (　　)

① 돈을 돌려주기 싫어서
② 총각이 마음에 들어서
③ 총각에게 큰 빚을 져서
④ 총각을 아들로 삼게 되어서
⑤ 식구들을 골탕 먹이고 싶어서

7 다음은 이 글의 내용을 간추린 것입니다. 빈칸에 알맞은 장소를 써넣으시오.

남의 집에 함부로 들어오는 총각을 보고 부자 영감은 화를 냈지만, 총각은 그늘을 따라 영감의 집 마당과 (　　　　　　) 까지 들어갔다.

8 시간을 나타내는 말을 넣어 다음 글을 간추리려고 합니다. 빈칸에 들어갈 말을 찾아 **세 글자**로 쓰시오.

눈보라가 몰아치는 추운 겨울날이었어. 꼬마 아가씨는 가마를 타고 외가에 가는 길이었지. / '아직 멀었나?'

가마 밖을 빼꼼히 내다보는데 거지 소년이 보였어.

거지 소년은 맨발로 눈밭 위에 선 채 오들오들 떨고 있었어.

"잠시 가마를 세워 주세요."

꼬마 아가씨는 가마에서 내렸어. / 절뚝절뚝.

아가씨는 오른쪽 다리를 절며 거지 소년에게 걸어가 꽃신을 벗어 주었어.

• 추운 (　　　　　　　　　　), 아가씨가 거지 소년에게 꽃신을 벗어 줌.

9~10 글을 읽고, 물음에 답하시오.

에너지를 절약하는 것은 그리 어렵지 않다. 관심을 가지고 내가 할 수 있는 작은 일부터 실천하면 된다.

우리가 에너지를 절약하는 방법은 두 가지로 나눌 수 있다. 먼저, 에너지를 불필요하게 사용하지 않는 것이다. 쓰지 않는 꽂개는 반드시 뽑아 놓고, 빈방에 켜 놓은 전깃불은 끈다. 그리고 뜨거운 음식은 식힌 뒤에 냉장고에 넣는다.

9 이 글을 쓴 목적은 무엇이겠습니까? (　　)

① 환경 보호를 주장하려고
② 동물 보호를 주장하려고
③ 에너지 절약을 주장하려고
④ 에너지 수입을 주장하려고
⑤ 미래의 에너지에 대해 알리려고

10 이 글의 전개 방식을 생각하며 글쓴이가 제안한 실천 방법을 간추려 쓰시오.

1~2 일기 예보를 읽고, 물음에 답하시오.

안녕하십니까? 날씨 정보입니다. 저는 지금 봄 꽃이 가득한 공원에 나와 있습니다. 날씨가 따뜻해지면서 공원에는 나들이를 나온 시민들이 많아졌습니다. 활짝 핀 벚꽃이 성큼 찾아온 봄을 느끼게 해 줍니다. 오늘 하루는 전국적으로 맑은 날씨가 되겠습니다. 서울, 춘천은 19도, 강릉, 청주, 전주 등은 20도까지 낮 기온이 올라가겠습니다. 일요일에도 산책하기 좋은 날씨가 되겠습니다. 서울, 춘천은 20도, 청주와 진주 등은 21도의 따뜻한 날씨가 예상됩니다. 하지만 아침저녁으로는 5도에서 6도의 쌀쌀한 날씨가 예상됩니다. 일교차가 크니 감기에 걸리지 않도록 조심하세요.

1 다음은 들은 내용을 간추릴 때 생각할 점 중 무엇에 해당하는지 쓰시오. [6점]

일요일에 춘천으로 나들이 가도 좋은 날씨인지 확인하며 들어야겠어.

_____

_____

2 1번 문제의 친구가 이 일기 예보를 들으면서 간추려 쓸 때, 빈칸에 들어갈 말을 다음 **조건**에 맞게 쓰시오. [6점]

> **조건**
> 1. 중요한 낱말만 쓴다.
> 2. 일기 예보에서 알려 준 날씨 정보를 쓴다.
> 3. 나들이 갈 때 필요한 준비물을 쓴다.

• 일요일 날씨

3~4 글을 읽고, 물음에 답하시오.

동물들이 소리를 내는 방식은 다양합니다. 성대를 이용하여 소리를 내는 동물도 있고 다른 부위를 이용하는 동물도 있습니다.

개나 닭은 사람과 같이 성대를 울려 소리를 내지만 다양한 소리를 내지는 못합니다. 왜냐하면 성대나 입과 혀의 생김새가 사람과 다르기 때문입니다. 그래서 몇 가지 소리만 낼 수 있습니다. 동물들은 대개 서로를 부르거나 위협하기 위해서 소리를 냅니다.

3 개나 닭이 사람과 같이 다양한 소리를 내지 못하는 까닭은 무엇인지 쓰시오. [6점]

_____

_____

4 이 글의 중심 문장을 연결해 글의 내용을 간추려 쓰시오. [6점]

_____

_____

5 의견을 내세우는 글이 어떻게 전개되는지 생각하며, 다음 글 뒤에 어떤 내용이 이어질지 쓰시오. [6점]

석탄, 석유, 가스, 전기 같은 에너지 자원은 한없이 있는 것이 아니다. 다 쓰고 나면 더는 에너지 자원을 구할 수 없게 된다. 특히 석유는 우리나라에서는 나지 않아 외국에서 수입해 오고 있다. 이처럼 중요한 에너지를 어떻게 절약해야 할까?

_____

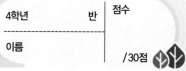

수행 평가

2. 내용을 간추려요

관련 성취 기준	글의 유형을 고려하여 대강의 내용을 간추린다.
평가 목표	글의 전개에 따라 내용을 간추릴 수 있다.

1~2 글의 전개 방식을 생각하며 다음 글을 읽어 봅시다.

> 에너지를 절약하는 것은 그리 어렵지 않다. 관심을 가지고 내가 할 수 있는 작은 일부터 실천하면 된다.
>
> 우리가 에너지를 절약하는 방법은 두 가지로 나눌 수 있다. 먼저, 에너지를 불필요하게 사용하지 않는 것이다. 쓰지 않는 꽂개는 반드시 뽑아 놓고, 빈방에 켜 놓은 전깃불은 끈다. 그리고 뜨거운 음식은 식힌 뒤에 냉장고에 넣는다.
>
> 다음은, 에너지 사용을 줄이는 것이다. 가전제품은 에너지 효율이 높은 것을 쓰고, 조명 기구는 전기가 적게 드는 제품을 사용한다. 한여름에는 냉방기를 적게 쓰고 겨울에도 난방 기구를 덜 쓰도록 노력해야 한다.
>
> 지금까지 에너지 절약 방법을 알아보았다. 에너지 절약은 말로 하는 것이 아니다. 생활 속에서 바로 실천해야 한다.

1 이 글의 내용을 간추리는 방법을 생각하여 빈칸에 알맞은 말을 쓰시오. [10점]

• 먼저, 의견을 내세운 글이라는 점을 생각해 본다.

•

• _____

2 글의 전개에 따라 내용을 간추려 쓰시오. [20점]

해결 방안 1	해결 방안 2
(1)	에너지 사용을 줄인다.

실천 방법	실천 방법
쓰지 않는 꽂개는 반드시 뽑아 놓고, 빈방에 켜 놓은 전깃불은 끈다. / 뜨거운 음식은 식힌 뒤에 냉장고에 넣는다.	(2)

1 다음 그림 속 아이와 같은 표정을 짓게 되는 때는 언제입니까? ( )

이번에도 잘해 보렴.

네, 그럴게요.

① 칭찬을 들을 때
② 늦잠을 잤을 때
③ 친구와 다투었을 때
④ 어머니께서 아프실 때
⑤ 동생이 내 책을 찢었을 때

2~3 동영상 장면을 보고, 물음에 답하시오.

석우

영택

석우는 음료수 깡통을 찬 뒤 영택이에게 음료수 깡통을 가져다주며 한번 차 보라고 했다. 영택이는 못 할 것 같다고 했지만 석우는 ㉠"에이, 해 봐." 하면서 격려해 주었고, 영택이는 음료수 깡통을 멀리 찼다.

2 석우와 영택이가 한 일은 무엇인지 빈칸에 알맞은 말을 쓰시오.

• 음료수 ( )을/를 발로 찼다.

서술형

3 ㉠의 말에 어울리는 표정과 몸짓을 각각 쓰시오.

표정	(1)
몸짓	(2)

4~5 글을 읽고, 물음에 답하시오.

㉮ 하지만 물물 교환은 쉽지 않았어요. 쌀을 가져온 농부가 어부의 고등어와 맞바꾸려면 어부 역시 쌀을 원해야 하잖아요? 그런데 어부가 원하는 것이 사냥꾼의 곰 가죽이라면 이 거래는 이루어질 수 없겠지요. 또 운 좋게 그런 상대방을 만나도 교환이 늘 순조롭지만은 않았어요.
㉯ 그래서 인류는 물건의 가격을 매길 수 있는 제삼의 물건을 생각해 냈어요. 바로 돈이었지요. 기록에 전해지는 최초의 돈은 중국인들이 사용한 조개껍데기예요.
㉰ 조개껍데기가 나지 않는 지역은 다른 물건을 돈으로 사용했어요.
초콜릿의 원료인 카카오가 많이 나는 남아메리카에서는 카카오 열매를, 소금이 풍부했던 아프리카와 지중해 지역에서는 소금을, 농경 지역에서는 곡식과 옷감을, 가축이 재산이었던 유목민은 동물을 각각 돈으로 사용했어요. 이렇게 물건을 돈으로 사용하는 것을 '물품 화폐' 또는 '상품 화폐'라고 해요.

4 지역이나 민족과 돈으로 사용한 물건이 바르게 짝 지어진 것은 어느 것입니까? ( )

① 남아메리카 – 동물
② 중국인 – 곡식과 옷감
③ 유목민 – 카카오 열매
④ 농경 지역 – 조개껍데기
⑤ 아프리카, 지중해 – 소금

5 이 글을 읽고 사람들이 돈을 만든 까닭에 대해 동생에게 말하려고 합니다. 말하는 방법으로 알맞은 것은 어느 것입니까? ( )

① 높임말로 한다.
② 알기 쉬운 말로 한다.
③ 매우 긴 문장으로 말한다.
④ 한자를 많이 넣어 말한다.
⑤ 아주 빠른 속도로 설명한다.

6 다음 그림과 같은 상황에서 자신을 도와준 친구에게 고맙다는 말을 할 때 어떤 표정을 지어야 합니까?　(　)

① 화난 표정　　② 밝은 표정
③ 졸린 표정　　④ 어두운 표정
⑤ 걱정스러운 표정

7~9 글을 읽고, 물음에 답하시오.

　보봉은 독일에 있는 생태 마을로, 태양 에너지, 녹색 교통, 주민 자치 등 환경 정책이 두루 잘 실현되고 있는 곳입니다. 보봉은 1992년까지 군대가 있던 곳이었습니다. 군대가 철수하고 난 뒤 마을 사람들은 이 지역을 어떻게 활용할지에 대해 고민하게 되었습니다. 여러 가지 활용 방안을 놓고 회의를 한 결과, 주민들은 이곳을 생태 마을로 만들기로 합의하였습니다. 마을 사람들은 이곳을 어떻게 생태 마을로 만들까 고민했습니다. 오랫동안 토론한 끝에 다음과 같은 실천 조항들을 만들었습니다.
　"태양광을 우리 마을의 주 에너지원으로 합시다." / "자동차 사용을 줄이고 물을 아낄 수 있는 곳으로 만듭시다."
　"콘크리트를 쓰지 않는 곳으로 만듭시다."
　이런 노력으로 보봉은 생태 마을이 되었습니다. 보봉 생태 마을의 주민인 알뮤트 슈스터 씨는 다음과 같이 말했습니다.
　"보봉 마을에는 전력 생산 주택이 있습니다. 열 손실을 최소화한 주택에 태양 전지를 지붕 위에 얹은 공동 주택입니다. 이 주택의 태양 전지가 일 년간 생산하는 전기는 한 가구당 약 7000킬로와트 정도입니다. 대개 가정에서 필요한 양이 5500킬로와트 정도입니다. 남는 전력은 인근 발전소에 팔아서 월 평균 100유로(약 14만 원) 정도의 수익을 얻습니다."

7 보봉에 대한 설명으로 알맞지 않은 것은 어느 것입니까?　(　)

① 독일에 있는 마을이다.
② 1992년까지 군대가 있던 곳이었다.
③ 환경 정책이 두루 잘 실현되고 있는 곳이다.
④ 군대가 철수한 뒤 주민들은 보봉을 생태 마을로 만들기로 합의했다.
⑤ 정부는 오랜 고민 끝에 보봉을 생태 마을로 만들기 위한 실천 조항을 만들었다.

8 보봉에 있는 전력 생산 주택에 대한 설명으로 바른 것은 어느 것입니까?　(　)

① 열 손실을 최대화한 주택이다.
② 남는 전력은 인근 마을에 판다.
③ 태양 전지를 지붕 위에 얹은 주택이다.
④ 일 년간 5000킬로와트 전기를 생산한다.
⑤ 전기를 팔아서 월 평균 400유로의 수익을 얻는다.

9 이 글을 읽고 환경 보호에 대해 글을 쓰려고 합니다. 고려해야 할 점으로 알맞은 것을 세 가지 고르시오.　(　 , 　 , 　)

① 예의를 지켜서 쓴다.
② 읽는 사람의 처지를 생각한다.
③ 읽는 사람의 나이를 생각한다.
④ 읽는 사람이 사는 곳을 생각한다.
⑤ 읽는 사람이 좋아하는 음식을 생각한다.

10 다음과 같은 방법으로 자신이 겪은 일을 들려줄 수 있는 대상이 아닌 것은 누구입니까?
　(　)

높임말을 사용하여 말한다.

① 동생　　② 선생님　　③ 어머니
④ 할머니　　⑤ 할아버지

1 다음 그림 속 말하는 사람의 말투가 어떠한지 보기 에서 골라 각각 기호를 쓰시오.

보기
㉠ 어색하고 예의 없다.
㉡ 공손하게 기쁨을 표현한다.

(1) 우승하신 소감 좀 말씀해 주세요.
기분이 매우 좋습니다. 운이 좋았던 것 같아요.
(   )

(2) 우승하신 소감 좀 말씀해 주세요.
당연히 기분 좋죠. 누가 안 좋겠어요.
(   )

2 상황에 알맞은 표정, 몸짓, 말투를 사용하면 좋은 점을 세 가지 고르시오.
(,   ,   )

① 느낌을 잘 표현할 수 있다.
② 듣는 사람이 잘 알아들을 수 있다.
③ 바르지 않은 자세로 말해도 된다.
④ 자신의 생각을 어렵게 전달할 수 있다.
⑤ 자신의 생각을 분명하게 전달할 수 있다.

3 다음 그림 속 남자아이의 표정과 몸짓이 뜻하는 것은 무엇입니까?   (   )

많이 아프니?

① 참 잘했다.   ② 화가 난다.
③ 배가 아프다.   ④ 매우 고맙다.
⑤ 매우 재미있다.

4~5 글을 읽고, 물음에 답하시오.

　돈은 크게 동전과 지폐로 나눌 수 있어요.
　동전은 주재료가 구리인데, 여기에 아연이나 니켈, 알루미늄 같은 금속을 조금씩 섞어서 만들어요. 이 섞는 금속에 따라서 동전 색깔이 달라지지요. / 옛날 10원 동전은 지금과 달리 누런색이었어요. 그것은 동전에 섞인 아연 때문이에요. 새로 나온 10원짜리는 구릿빛으로 붉어요. 그 이유는 아연을 빼고 구리를 씌운 알루미늄을 사용했기 때문이지요. 반면 100원, 500원 동전이 은백색인 것은 니켈 때문이에요. 지금은 쓰이지 않지만 1원짜리 동전은 구리가 전혀 섞이지 않은 100퍼센트 알루미늄으로 만들었어요.
　그럼 지폐는 무엇으로 만들까요?
　당연히 종이라고 생각하겠지만, 지폐는 솜으로 만들어요. 방적 공장에서 옷감의 재료로 사용하고 남은 찌꺼기 솜인 낙면이 그 재료이지요. 이 솜으로 만든 지폐는 습기에도 강하고 정교하게 인쇄 작업을 할 수 있으며 위조를 방지할 수 있다는 장점이 있어요.

4 솜으로 만든 지폐의 장점은 무엇인지 세 가지 고르시오.   (,   ,   )

① 습기에 강하다.
② 찢어지지 않는다.
③ 색깔이 변하지 않는다.
④ 위조를 방지할 수 있다.
⑤ 정교하게 인쇄 작업을 할 수 있다.

논술형
5 '돈의 재료'에 대해 친구들 앞에서 발표하려고 합니다. 말할 내용을 정리하여 쓰시오.

_____

_____

_____

_____

6 다음 중 듣는 사람을 고려해 바르게 말하는 그림을 찾아 ○표를 하시오.

(1)

할머니, 그게 무슨 말이야?

( )

(2)

앞쪽으로 가세요.

( )

7~8 광고를 보고, 물음에 답하시오.

7 이 장면에서 북극곰이 어려움을 겪고 있는 까닭은 무엇이겠습니까? ( )

① 빙하가 녹아서
② 북극에 홍수가 나서
③ 북극의 날씨가 더 추워져서
④ 북극곰의 먹이가 모두 사라져서
⑤ 사람들이 북극곰을 마구 사냥해서

8 이 광고를 보고 글을 쓰려고 할 때 어떤 의견을 쓰는 것이 가장 알맞겠습니까? ( )

① 물을 아껴 쓰자.
② 환경을 보호하자.
③ 동물을 사랑하자.
④ 에너지를 수출하자.
⑤ 종이를 사용하지 말자.

9~10 글을 읽고, 물음에 답하시오.

"전차 같은 대중교통을 이용하거나 자동차를 함께 타거나 빌려 타는 '승용차 함께 타기'가 활발하게 이루어지고 있습니다. 저도 보봉이 어린아이들의 천국이라는 점 때문에 이사를 했고, 이곳에서 아들을 낳고 길렀습니다.

보봉은 오랫동안 군대가 머무는 곳으로 묶여 있어 생기라고는 찾아볼 수 없는 스산한 마을이었습니다. 지금의 보봉으로 새롭게 태어날 수 있었던 것은 주민들의 뜻과 의지가 있었기 때문입니다. 주민들이 스스로 생태 마을을 만들자고 결정했고, 주민의 실천으로 생태 마을을 이루었습니다. 차 없는 마을, 자원 순환 마을, 태양광 에너지 주택 마을, 이것은 모두 주민이 실천하지 않았다면 불가능했을 것입니다."

9 보봉이 지금의 생태 마을이 될 수 있었던 까닭은 무엇입니까? ( )

① 군인들의 노력이 있었기 때문에
② 오랫동안 군대가 머물렀기 때문에
③ 마을에 많은 공장을 세웠기 때문에
④ 주민들의 뜻과 의지가 있었기 때문에
⑤ 정부가 적극적으로 지원을 해 주었기 때문에

10 이 글을 읽고 다음과 같이 글을 쓰려고 합니다. 글을 쓸 때 고려할 점으로 알맞은 것을 두 가지 고르시오. (,)

읽을 사람	학급 신문을 읽는 친구들
글의 내용	우리나라의 생태 마을을 조사한 내용

① 친구들이 관심을 보일 만한 내용을 쓴다.
② 보봉 마을의 예를 구체적으로 제시한다.
③ 신문 기사이므로 사진 자료를 활용한다.
④ 친구들이 읽을 기사이므로 예의를 지키지 않고 편하게 쓴다.
⑤ 부모님께 환경 보호를 함께 실천할 수 있도록 부탁드리는 내용을 쓴다.

1 다음 장면에서 말하는 사람의 표정은 각각 어떠한지 쓰시오. [6점]

제○회 학급 회의를 시작하겠습니다.

(1)

제○회 학급 회의를 시작하겠습니다.

(2)

2 다음 장면에서 석우의 표정과 몸짓은 어떠한지 쓰시오. [6점]

석우 ▶

오, 민영택! 센데!

표정	(1)
몸짓	(2)

3 친구들 앞에서 겪은 일을 설명할 때 어떤 표정, 몸짓, 말투를 해야 할지 쓰시오. [6점]

_____

_____

4~5 글을 읽고, 물음에 답하시오.

가 돈이 없어도 전혀 불편하지 않았던 시절이 있었어요. 우르르 몰려다니며 짐승을 사냥해서 먹거나 나무 열매와 식물을 채집해서 먹으며 동굴에서 잠을 자던 원시 시대지요. 인류는 그런 생활을 무려 수만 년이나 해 왔답니다. 당연히 돈 같은 게 필요 없었지요.

나 육천 년 전, 드디어 사람들은 저마다 남는 물건을 바꾸기 시작했어요. 물물 교환이 시작된 거예요.

하지만 물물 교환은 쉽지 않았어요. 쌀을 가져온 농부가 어부의 고등어와 맞바꾸려면 어부 역시 쌀을 원해야 하잖아요? 그런데 어부가 원하는 것이 사냥꾼의 곰 가죽이라면 이 거래는 이루어질 수 없겠지요. 또 운 좋게 그런 상대방을 만나도 교환이 늘 순조롭지만은 않았어요.

다 그래서 인류는 물건의 가격을 매길 수 있는 제삼의 물건을 생각해 냈어요. 바로 돈이었지요. 기록에 전해지는 최초의 돈은 중국인들이 사용한 조개껍데기예요.

'애개, 그 흔한 조개껍데기를 돈으로 사용했단 말이야?'라고 생각하겠죠? 하지만 이 조개는 우리가 흔히 볼 수 있는 그런 조개가 아니라 더운 지방에서만 나는 '자안패'라는 귀한 조개였어요.

4 원시 시대에 돈이 필요 없었던 까닭은 무엇인지 쓰시오. [6점]

_____

_____

5 이 글을 읽고, 동생에게 사람들이 돈을 만든 까닭을 설명하는 말을 쓰시오. [6점]

_____

_____

4학년	반	점수
이름		/30점

정답과 해설 ● 47쪽

3
단원

관련 성취 기준	적절한 표정, 몸짓, 말투로 말한다.
평가 목표	자신이 겪은 일을 실감 나게 말할 수 있다.

1 자신이 겪은 일 가운데에서 재미있었던 일을 친구에게 말하려고 합니다. 어떤 일을 말할지 한 가지를 정해 쓰시오. [10점]

겪은 일		
누구와	언제 어디에서	무엇을
(1)	(2)	(3)

2 1번 문제에서 떠올린 내용을 바탕으로 친구에게 말할 내용을 정리하여 쓰시오. [10점]

3 2번 문제에서 정리한 내용을 친구에게 말할 때 어떤 점에 주의해야 할지 생각해 봅시다. [10점]

(1) 친구에게 이야기를 들려줄 때 어떤 점을 고려해야 할지 쓰시오.

(2) 친구에게 말할 때에 어떤 표정, 몸짓, 말투를 사용해야 할지 쓰시오.

1~2 다음을 보고, 물음에 답하시오.

박물관에 단원 김홍도의 그림이 있었어.

응, 맞아. 그 가운데에서 나는 씨름하는 장면을 그린 그림이 가장 마음에 들었어. 사람들의 모습과 표정이 실감 났거든.

▲ 정우

▲ 석원

1 석원이가 씨름하는 장면을 그린 그림이 마음에 든다고 한 까닭은 무엇입니까? ( )

① 씨름을 좋아해서
② 색감이 마음에 들어서
③ 처음 보는 모습이어서
④ 그림에 등장하는 인물이 많아서
⑤ 사람들의 모습과 표정이 실감 나서

2 정우와 석원이가 한 말은 사실과 의견 중 무엇에 해당하는지 선으로 알맞게 이으시오.

(1) 정우 ·   · ㉠ 사실

(2) 석원 ·   · ㉡ 의견

3 다음 중 사실을 나타내는 문장이 아닌 것은 어느 것입니까? ( )

① 여행을 하면 즐겁다.
② 동생이 자전거를 탄다.
③ 생일 선물로 꽃을 받았다.
④ 나는 누나와 설거지를 했다.
⑤ 공부가 끝나고 교문을 나섰다.

4~5 글을 읽고, 물음에 답하시오.

㉠지난 방학 때 나는 가족과 함께 독도를 다녀왔다. 평소에 독도에 관심이 많아 독도에 대한 책도 읽고 사진도 여러 장 찾아보았다. 그런데 마침 아버지께서 독도를 다녀오자고 하셨다. ㉡책이나 인터넷에서만 보던 독도를 직접 가 보는 것이 좋겠다고 생각했다.

우리는 울릉도에 가서 다시 독도로 가는 배를 탔다. 배는 항구를 떠나 독도로 향했다. 우리는 바다를 바라보며 독도에 대한 이야기를 나누었다. 한참을 지나 드디어 독도에 도착했다. 배에서 내려 독도에 발을 내딛는 순간 이상하게 가슴이 떨렸다. 수많은 괭이갈매기가 우리를 반겨 주었다.

독도에는 괭이갈매기뿐만 아니라 슴새, 바다제비 같은 새도 산다고 한다. 또 멧도요, 물수리, 노랑지빠귀 들은 독도를 휴식처로 삼아 철마다 머물다 간다고 한다. 책에서만 보던 슴새나 바다제비를 직접 보니 신기하기만 했다.

독도는 화산섬이라서 식물이 잘 자라기 힘든 곳이다.

4 글쓴이가 독도에 가서 들은 내용을 두 가지 고르시오. (,)

① 독도는 화산섬이다.
② 독도에는 새가 살지 않는다.
③ 슴새나 바다제비를 직접 보니 신기했다.
④ 독도에는 슴새, 바다제비 같은 새가 산다.
⑤ 멧도요, 물수리, 노랑지빠귀 들은 독도를 휴식처로 삼아 철마다 머물다 간다.

서술형

5 ㉠과 ㉡을 사실과 의견으로 구별하고, 그렇게 구별한 까닭을 쓰시오.

_____

_____

_____

6 다음 중 의견을 나타내는 문장을 세 가지 고르시오. (, ,)

① 장영실은 조선 세종 때 살았던 사람입니다.

② 저도 장영실처럼 발명을 잘하는 것 같아서 기분이 좋았습니다.

③ 관가에 노비로 들어온 장영실은 이른 아침부터 늦은 밤까지 심부름을 했습니다.

④ 지혜롭고 남을 배려해 주는 장영실처럼 저도 이 세상에 필요한 사람이 되어야겠습니다.

⑤ 저도 장난감을 만들어 가지고 노는 것을 좋아해서 장영실과 비슷하다고 생각했습니다.

7~8 글을 읽고, 물음에 답하시오.

「초충도」는 여덟 폭으로 이루어진 병풍 작품입니다. 이 그림들은 섬세한 필체와 부드럽고 세련된 색감이 돋보이지요. 전체적으로 구도가 비슷합니다. 화면의 중앙에 핵심이 되는 식물을 두고, 그 주변에 각종 벌레와 곤충을 배치했어요. 그림의 화면은 정사각형에 가깝고 식물과 곤충이 화면을 비교적 꽉 채우고 있습니다. 이 중 '수박과 들쥐' 그림을 자세히 살펴볼까요?

화면 가운데 아래쪽에 큼지막한 수박 두 개가 있습니다. 참으로 당당해 보이는 수박 덩어리이지요. 수박 덩굴줄기가 왼쪽에서 오른쪽으로 휘어져 뻗어 있고, 뻗어 나간 줄기 위에 나비 두 마리가 예쁘고 우아하게 날갯짓을 하고 있네요. 큰 수박 오른쪽에는 패랭이꽃 한 그루가 조용히 피어 있습니다.

7 「초충도」에 대한 설명으로 알맞지 않은 것은 어느 것입니까? ( )

① 섬세한 필체가 돋보인다.

② 전체적으로 구도가 비슷하다.

③ 그림의 화면은 정삼각형에 가깝다.

④ 여덟 폭으로 이루어진 병풍 작품이다.

⑤ 식물과 곤충이 화면을 꽉 채우고 있다.

8 이 글을 읽고 새롭게 안 사실과 그것에 대한 의견을 알맞게 말한 사람은 누구인지 쓰시오.

장호: 「초충도」 중 '수박과 들쥐'는 화면 가운데 아래쪽에 큼지막한 수박 두 개가 그려져 있어.

신우: 「초충도」는 여덟 폭 병풍으로 되어 있어서 펼쳐 놓으면 정말 웅장하고 멋있을 것 같아.

( )

9 설아는 현장 체험학습을 간 일에 대해 사실과 의견이 드러나는 글을 쓰기 위해 다음과 같이 정리했습니다. 바르게 정리하지 못한 것의 기호를 쓰시오.

㉠ 누구와: 우리 반 친구들, 선생님

㉡ 언제, 어디에서: 지난주 수요일, 에너지 박물관

㉢ 무엇을: 현장 체험학습을 갔다.

㉣ 왜: 에너지 절약의 중요성을 알기 위해서이다.

㉤ 그때 한 생각: 다양한 전시물과 대체 에너지 체험 기구들을 보았다.

( )

10 학급 신문에 실릴 만한 사건이나 소식으로 알맞지 않은 것은 어느 것입니까? ( )

① 반 친구가 상을 받은 일

② 우리 집 강아지가 새끼를 낳은 일

③ 쓰레기 분리배출이 잘되지 않는 문제

④ 우리 반이 독서 우수 학급으로 뽑힌 일

⑤ 쉬는 시간에 복도나 교실에서 뛰는 문제

1 사실이 담고 있는 내용으로 알맞은 것은 어느 것입니까? ( )

① 앞으로 일어날 일을 담고 있다.
② 실제로 있었던 일을 담고 있다.
③ 대상이나 일에 대한 생각을 담고 있다.
④ 대상이나 일에 대한 상상을 담고 있다.
⑤ 대상이나 일에 대한 느낌을 담고 있다.

2~3 글을 읽고, 물음에 답하시오.

> 정우와 함께 박물관 현장 체험학습을 다녀왔다. 박물관에는 우리 조상의 생활 모습을 담은 그림들이 전시되어 있었다. 그림에 나타난 조상의 생활 모습은 오늘날과는 많이 다르다는 생각이 들었다.

2 글쓴이는 박물관에서 무엇을 보았습니까? ( )

① 친구들의 그림
② 동물을 주제로 한 그림
③ 외국 유명 화가의 그림
④ 우리 조상이 쓰던 도자기
⑤ 우리 조상의 생활 모습을 담은 그림

3 다음은 이 글에 나온 문장입니다. 사실이면 '사', 의견이면 '의'라고 쓰시오.

(1) 정우와 함께 박물관 현장 체험학습을 다녀왔다.	
(2) 박물관에는 우리 조상의 생활 모습을 담은 그림들이 전시되어 있었다.	
(3) 그림에 나타난 조상의 생활 모습은 오늘날과는 많이 다르다는 생각이 들었다.	

4~5 글을 읽고, 물음에 답하시오.

> ㉠우리는 울릉도에 가서 다시 독도로 가는 배를 탔다. 배는 항구를 떠나 독도로 향했다. 우리는 바다를 바라보며 독도에 대한 이야기를 나누었다. 한참을 지나 드디어 독도에 도착했다. 배에서 내려 독도에 발을 내딛는 순간 이상하게 가슴이 떨렸다. 수많은 괭이갈매기가 우리를 반겨 주었다.
> ㉡독도에는 괭이갈매기뿐만 아니라 슴새, 바다제비 같은 새도 산다고 한다. 또 멧도요, 물수리, 노랑지빠귀 들은 독도를 휴식처로 삼아 철마다 머물다 간다고 한다. 책에서만 보던 슴새나 바다제비를 직접 보니 신기하기만 했다.
> 독도는 화산섬이라서 식물이 잘 자라기 힘든 곳이다. 이러한 자연환경에서도 번행초, 괭이밥, 쇠비름 같은 풀이 잘 자란다고 한다.
> ㉢독도에서 동해를 바라보니 가슴이 탁 트이는 것 같았다. 우리나라 동쪽 끝 섬인 독도를 아끼고 독도에 관심을 가져야겠다고 생각했다. ㉣아름답고 생명력 넘치는 독도가 우리 땅이라는 것이 아주 자랑스러웠다.

4 글쓴이는 독도에 가서 어떤 생각을 했습니까? ( )

① 괭이갈매기와 친구가 되고 싶다.
② 나중에 다시 독도를 방문하고 싶다.
③ 독도에 오는 길이 힘들어서 지친다.
④ 독도에 대해 알리는 글을 쓰고 싶다.
⑤ 독도를 아끼고 독도에 관심을 가져야겠다.

5 ㉠~㉣을 사실과 의견으로 구별하여 각각 기호를 쓰시오.

(1) 사실: ( )
(2) 의견: ( )

6~8 글을 읽고, 물음에 답하시오.

수박 옆으로 뻗어 올라간 줄기를 볼까요? 왼쪽 수박에서 위쪽으로 화면 한복판을 가로질러 둥근 곡선을 그리며 뻗어 올라간 줄기가 매우 인상적입니다. ㉠줄기에 작은

▲ 수박과 들쥐

수박 하나가 더 매달려 있군요. 수박 밑부분은 검게 표시해 땅임을 알 수 있게 해 주고 있네요.
㉡수박 줄기 위로는 예쁜 나비 두 마리가 아름답게 날갯짓을 하고 있어요. 붉은 나비와 호랑나비인데, 모두 사실적으로 묘사되어 있군요. ㉢나비의 색깔이 서로 대비를 이루어 인상적입니다.
이제 아래쪽으로 시선을 옮겨 수박을 자세히 들여다보죠. 수박의 껍질이 요즘 보는 수박과 다르지요? 조선 시대 사람들이 먹었던 수박은 아마도 표면이 이러했던 모양입니다. 같은 땅에서 나온 수박인데도 시대가 흐르면서 그 모습이 바뀌었다는 사실이 참 흥미롭습니다.

6 이 글에서 설명하고 있는 그림의 내용으로 알맞지 <u>않은</u> 것은 어느 것입니까? ( )

① 수박 밑부분은 검게 표시되어 있다.
② 노랑나비와 호랑나비가 그려져 있다.
③ 수박의 껍질이 요즘의 수박과 다르다.
④ 줄기에 작은 수박 하나가 더 매달려 있다.
⑤ 왼쪽 수박에서 위쪽으로 화면 한복판을 가로질러 줄기가 뻗어 올라가 있다.

7 ㉠~㉢ 중 의견을 나타내는 것의 기호를 쓰시오.

( )

8 이 글을 읽고 자신이 안 사실과 그것에 대한 의견을 쓰시오.

_____

_____

9 자신이 겪은 일을 정하여 사실과 의견이 잘 드러나게 글을 쓴 뒤에 평가해야 할 내용을 두 가지 고르시오. (,)

① 글의 길이가 충분히 긴가?
② 정확한 사실을 제시했는가?
③ 사실과 관련한 의견을 썼는가?
④ 재미있는 내용을 상상했는가?
⑤ 일이 일어난 시간을 모두 썼는가?

10 다음 글에 나타난 글쓴이의 의견을 세 가지 고르시오. (, ,)

지난겨울 지리산에서 반달가슴곰이 세쌍둥이를 출산했다고 한다. 야생 반달가슴곰은 한꺼번에 두 마리 이상 새끼를 낳는 일이 드물다. 그런데 세쌍둥이를 낳은 것은 지리산의 자연 생태가 곰이 살아가는 데 알맞다는 증거라고 한다. 우리는 지리산의 자연 생태계를 보전하려고 노력해야 한다. 그러기 위해서는 숲을 가꾸고 사람들이 들어갈 수 없는 곳을 정해야 한다.

① 숲을 가꾸어야 한다.
② 반달가슴곰이 세쌍둥이를 출산했다.
③ 사람들이 들어갈 수 없는 곳을 정해야 한다.
④ 지리산의 자연 생태계를 보전하려고 노력해야 한다.
⑤ 야생 반달가슴곰은 한꺼번에 두 마리 이상 새끼를 낳는 일이 드물다.

1 다음 보기 와 같이 사실을 나타내는 문장과 의견을 나타내는 문장을 한 개씩 만들어 쓰시오. [6점]

보기

| 사실 | 호랑이는 동물이다. |
| 의견 | 물을 아껴 쓰자. |

| 사실 | (1) |
| 의견 | (2) |

2~3 글을 읽고, 물음에 답하시오.

우리는 울릉도에 가서 다시 독도로 가는 배를 탔다. 배는 항구를 떠나 독도로 향했다. 우리는 바다를 바라보며 독도에 대한 이야기를 나누었다. 한참을 지나 드디어 독도에 도착했다. 배에서 내려 독도에 발을 내딛는 순간 이상하게 가슴이 떨렸다. 수많은 괭이갈매기가 우리를 반겨 주었다. 『독도에는 괭이갈매기뿐만 아니라 슴새, 바다제비 같은 새도 산다고 한다. 또 멧도요, 물수리, 노랑지빠귀 들은 독도를 휴식처로 삼아 철마다 머물다 간다고 한다. 책에서만 보던 슴새나 바다제비를 직접 보니 신기하기만 했다.』

독도는 화산섬이라서 식물이 잘 자라기 힘든 곳이다. 이러한 자연환경에서도 번행초, 괭이밥, 쇠비름 같은 풀이 잘 자란다고 한다.

독도에서 동해를 바라보니 가슴이 탁 트이는 것 같았다. 우리나라 동쪽 끝 섬인 독도를 아끼고 독도에 관심을 가져야겠다고 생각했다. 아름답고 생명력 넘치는 독도가 우리 땅이라는 것이 아주 자랑스러웠다.

2 글쓴이는 무엇을 자랑스러워했는지 쓰시오. [6점]

3 『 』부분에서 글쓴이의 의견이 나타난 문장을 찾아 쓰시오. [6점]

4~5 글을 읽고, 물음에 답하시오.

당시의 사람들은 수박이 아이를 많이 낳는 것을 상징하고 나비는 화목과 사랑을 상징한다고 생각했습니다. 그렇다면 이 그림 속의 수박과 나비는 아이를 많이 낳아

▲ 수박과 들쥐

서로 행복하게 잘 살아가길 바라는 마음을 담고 있는 것으로 생각할 수 있겠지요.

그런데 가장 큰 수박 밑동을 보니 재미있는 일이 벌어졌습니다. 작은 쥐들이 커다란 수박을 열심히 파먹고 있는 게 아니겠어요? 수박 껍질을 뚫어 내고 수박씨를 먹고 있는 모습입니다. 그래서 수박의 붉은 속과 씨들이 그대로 드러나 있습니다. 참 재미있는 풍경입니다. ㉠쥐들이 수박을 좋아한다는 것도 흥미로운 사실이지요. 맛있는 수박을 먹고 있기 때문인지 들쥐들의 표정이 매우 만족스러워 보입니다.

4 글쓴이는 그림 속의 수박과 나비가 어떤 의미를 가지고 있다고 했는지 쓰시오. [6점]

5 ㉠의 사실에 대한 자신의 의견을 쓰시오. [6점]

 **4. 일에 대한 의견**

관련 성취 기준	관심 있는 주제에 대해 자신의 의견이 드러나게 글을 쓴다.
평가 목표	학급에서 일어난 일에 대해 의견이 드러나게 쓸 수 있다.

4단원

1 최근에 학급에서 일어난 일 가운데에 글로 쓸 만한 일을 떠올려 쓰시오. [10점]

누가	언제 어디에서	무엇을 하였나
(1)	(2)	(3)

2 1번 문제에서 떠올린 내용을 사실과 의견으로 구분하여 쓰시오. [10점]

사실	(1)
사실에 대한 의견	(2)

3 2번 문제에서 정리한 내용을 바탕으로 사실과 의견이 드러나게 글을 쓰시오. [10점]

1~2 그림을 보고, 물음에 답하시오.

1 이 그림의 내용으로 알맞지 <u>않은</u> 것은 어느 것입니까? (　　)

① 소년은 물고기 그림을 그렸다.
② 소년과 구름 사람이 등장한다.
③ 소년은 구름으로 비를 내리게 했다.
④ 소년이 구름 사람의 등에 타고 날았다.
⑤ 구름 사람이 구름으로 소년에게 모자와 목도리를 만들어 주었다.

2 그림 ⑤, ⑥으로 이야기를 꾸밀 때 빈칸에 들어갈 장소로 알맞은 것은 어느 것입니까? (　　)

> 구름 사람은 소년을 등에 태우고 (　　)
> (으)로 날아갔다.

① 학교　　② 용궁　　③ 산속
④ 기차역　　⑤ 구름 공항

3~4 글을 읽고, 물음에 답하시오.

　형은 동생에게 감나무가 있는 허름한 집 한 채만 주었습니다. 그리고 나머지는 모두 자기가 차지했습니다. 그러나 마음씨 착한 동생은 아무 말 없이 감나무가 있는 집만 받았습니다.
　어느 가을날, 까마귀가 떼 지어 날아와 감을 다 먹어 버렸습니다. 이 모습을 본 동생은 까마귀들에게 말했습니다. / "내 재산이라고는 이 감나무 하나뿐이야. 너희가 감을 모두 먹었으니, 나는 어떻게 살아가야 하니?"
　까마귀 한 마리가 대답했습니다.
　"당신은 마음이 착하고 욕심이 없군요. 감을 따 먹은 대신 금을 드릴게요. 저희가 모레 금이 있는 커다란 산으로 데리고 갈 테니 조그만 주머니를 만들어 두세요."

3 이 글에 등장하는 인물을 <u>세 가지</u> 고르시오.

(　　,　　,　　)

① 형　　　② 동생　　　③ 까치
④ 어머니　　⑤ 까마귀

서술형

4 이 글에서 사건이 일어난 차례에 맞게 빈칸에 알맞은 내용을 정리하여 쓰시오.

> 　욕심 많은 형은 감나무가 있는 허름한 집 한 채만 동생에게 주고 나머지는 모두 자신이 차지했다.

⬇

>

5 다음 중 이야기를 읽고 사건의 흐름을 파악할 때 살펴보아야 하는 것을 <u>세 가지</u> 고르시오.

(　　,　　,　　)

① 인물　　　　　② 글쓴이
③ 일어난 일　　　④ 이야기를 읽은 장소
⑤ 이야기에 나타난 장소

6~7 글을 읽고, 물음에 답하시오.

'이제 거의 다 왔어. 나도 조금만 더 힘을 내자!'

수현이는 숨이 턱까지 차오르고, 땀이 비 오듯 흘렀지만 마지막까지 온 힘을 다해 뛰기로 마음먹었습니다. / 드디어 결승점에 도착했습니다!

깊은숨을 훅훅 몰아쉬는 수현이의 가슴이 산처럼 솟았다 가라앉기를 여러 차례 반복했습니다. 선생님과 친구들은 끝까지 포기하지 않고 달린 수현이를 향해 뜨거운 박수를 보냈습니다.

수현이는 꼴찌로 들어올 친구를 기다렸습니다.

6 수현이는 결승점에서 누구를 기다렸습니까?

( )

7 이 글에서 일어난 중요한 일을 바르게 정리한 것은 어느 것입니까? ( )

① 수현이는 숨이 턱까지 차올랐다.
② 선생님과 친구들이 박수를 쳤다.
③ 수현이가 꼴찌로 결승점에 들어왔다.
④ 수현이는 조금만 더 힘을 내기로 했다.
⑤ 포기하지 않고 달린 수현이는 결승점에 도착했다.

8~9 글을 읽고, 물음에 답하시오.

㉮ "꽃담이는 내가 데려갔어요."

초록 고양이가 말했어요. 발에 노란 장화를 신고 있었어요.

엄마가 말했어요.

"우리 꽃담이를 돌려줘!"

㉯ 커다란 동굴 안에 하얀 항아리들이 잔뜩 놓여 있었어요.

"항아리는 모두 40개예요. 저 가운데 하나에 꽃담이가 들어 있어요. 어느 항아리에 들어 있는지 찾아보세요. 뚜껑을 열어 봐서도 안 되고, 딸 이름을 불러서도 안 돼요."

초록 고양이는 또 낄낄낄 웃었어요.

"기회는 딱 한 번 뿐이에요. 만일 틀린 항아리를 고르면, 딸을 영영 못 찾게 될 거예요."

8 초록 고양이는 꽃담이를 어디에 숨겼습니까?

( )

① 땅속   ② 욕실   ③ 나무 위
④ 자신의 집 ⑤ 항아리 속

9 이 글 뒤에 이어질 내용을 알맞게 상상한 사람은 누구인지 쓰시오.

슬기: 엄마가 꽃담이를 찾는 내용이 이어질 거야.
소미: 초록 고양이가 꽃담이를 데려가 항아리에 숨기는 내용이 이어질 거야.

( )

국어 활동

10 다음 글 뒤에 이어질 내용을 바르게 상상하지 못한 것은 어느 것입니까? ( )

전우치는 소매에서 그림 족자를 꺼내 한자경에게 건네주며 말했어.

"이 족자를 방에 걸어 두고 고지기를 부르시오. 첫날에는 백 냥을 달라 해서 아버님 장례를 치러 드리고, 그다음 날부터는 하루 한 냥씩이면 그럭저럭 먹고살 수 있을 것이외다."

"당신은 누구신데 저를 이리 도와주십니까?"

"나는 전우치올시다. 다시 한번 당부하는데 반드시 하루에 한 냥이오. 더한 욕심은 큰 화를 부를 것이니 그리 명심하시오."

① 한자경은 아버지 장례를 치를 거야.
② 한자경은 고지기에게 한 냥을 줄 거야.
③ 고지기는 한자경에게 백 냥을 줄 거야.
④ 한자경은 족자에서 고지기를 부를 거야.
⑤ 한자경은 하루에 한 냥씩 받을 수 있게 될 거야.

1~2 그림을 보고, 물음에 답하시오.

1 그림 ❶~❹ 중 소년과 구름 사람이 서로 만나서 인사를 나누는 장면의 번호를 쓰시오.

그림 (   )

2 그림 ❹의 내용으로 이야기를 알맞게 꾸민 것은 어느 것입니까? (   )

① 소년은 물고기로 변신했다.
② 소년이 물고기 그림을 그렸다.
③ 물고기가 소년에게 그림을 주었다.
④ 소년은 바다에서 물고기를 잡았다.
⑤ 구름 사람이 소년에게 물고기를 주었다.

3~4 글을 읽고, 물음에 답하시오.

형은 큰 자루에 금을 꾹꾹 채워 넣고, 그것도 모자라 옷 속에도, 입속에도, 그리고 귓구멍 속에도 가득 채워 넣었습니다. 까마귀가 말하였습니다.
"다 담았어요? 그러면 제 등에 오르세요. 제가 당신 집까지 데려다줄게요."
까마귀가 날아올랐습니다. 그런데 금 자루가 너무 무거워 형은 까마귀 등에서 떨어지고 말았습니다. 까마귀는 형을 금 산 위에 놓아두고 혼자 날아갔습니다.

3 이 글에서 일어난 일을 바르게 정리한 것은 어느 것입니까? (   )

① 까마귀가 형을 혼내 주었다.
② 형은 금 산에 남기로 결심했다.
③ 까마귀는 형을 집에 데려다주었다.
④ 까마귀는 형을 등에 태워 주지 않았다.
⑤ 형은 욕심을 부리다가 금 산에 남겨졌다.

4 이 글에서 얻을 수 있는 교훈은 무엇입니까? (   )

① 부모님께 효도하자.
② 욕심을 부리지 말자.
③ 규칙적인 생활을 하자.
④ 동물을 괴롭히지 말자.
⑤ 미리 준비하는 습관을 가지자.

5~6 글을 읽고, 물음에 답하시오.

집으로 돌아온 수현이는 아빠, 엄마에게 마라톤에서 완주한 일을 몇 번이고 자랑했습니다.
"내 뒤에서 달려오던 친구가 없었다면 나도 중간에 포기하고 말았을 거예요."
아빠와 엄마는 그런 수현이가 무척 대견했습니다.
그날 밤, 모두가 잠든 시각이었습니다. 안방 문틈 사이로 아빠의 낮은 신음 소리가 들렸습니다. 그리고 가느다란 엄마의 목소리도 들렸습니다.
"당신도 몸이 약한데, 수현이 뒤에서 함께 뛰다니……. 너무 무리한 것 같아요. 병원에 안 가도 되겠어요?"
수현이는 그제야 알았습니다. 자신 뒤에서 꼴찌로 달렸던 사람은 바로 아빠였던 것입니다.

5 마라톤에서 완주한 일을 자랑하는 수현이를 보는 부모님의 마음은 어떠했습니까? (   )

① 대견하다.   ② 쓸쓸하다.
③ 부끄럽다.   ④ 이상하다.
⑤ 원망스럽다.

서술형

6 이 글에서 일어난 일을 차례대로 정리할 때 빈칸에 알맞은 내용을 쓰시오.

> 수현이는 끝까지 달린 사실을 부모님께 자랑한다.

↓

7~8 글을 읽고, 물음에 답하시오.

㉮ 꽃담이는 킁킁 냄새를 맡았어요.
"바로 이 항아리야!"
그 항아리에서 고소하고 달콤하고 향긋한 냄새가 났거든요. 바로 엄마 냄새였지요.
꽃담이가 너무 쉽게 찾으니까 초록 고양이가 심통이 났나 봐요.
"쳇! 좋아. 엄마를 데려가!"
그 말을 하고 초록 고양이는 뿅 사라졌어요.
어느 날 꽃담이가 사라졌어요.
㉯ "꽃담이는 내가 데려갔어요."
초록 고양이가 말했어요. 발에 노란 장화를 신고 있었어요.
엄마가 말했어요. / "우리 꽃담이를 돌려줘!"
㉰ 커다란 동굴 안에 하얀 항아리들이 잔뜩 놓여 있었어요.
"항아리는 모두 40개예요. 저 가운데 하나에 꽃담이가 들어 있어요."

7 꽃담이는 엄마를 어떻게 찾았습니까? (   )
① 항아리를 깨뜨려서 찾았다.
② 곰곰이 생각해 본 뒤 찾았다.
③ 다른 고양이의 도움을 받아 찾았다.
④ 항아리의 색깔이 다른 것을 보고 찾았다.
⑤ 항아리에서 나는 엄마 냄새를 맡고 찾았다.

8 이어질 이야기에서 엄마는 어떤 방법으로 꽃담이를 찾을 수 있을지 쓰시오.
(   )

국어 활동

9 다음 글 뒤에 이어질 이야기를 꾸민 후, 살펴볼 점으로 알맞은 것을 모두 골라 ○표를 하시오.

> "보소 보소, 그게 도대체 얼마요?"
> "그 구만 평 논마지기가 단돈 백 냥이라우."
> "으익! 백 냥?"
> 한자경은 골똘골똘 생각에 잠겼어.
> '백 냥, 백 냥, 백 냥…… . 백 냥만 있으면 땅 부자가 된다고? 부자가 되면 예쁜 색시 얻어서 장가도 가고, 비단옷 입고, 고깃국도 만날 먹고, 기와집 짓고, 하인도 두고……! 백 냥…… 백 냥…….'
> 부자가 되는 꿈을 그리니 하루에 고작 한 냥 타서 쓰는 일이 참 바보같이 생각됐어.

(1) 한자경의 외모가 잘 드러나게 꾸몄는가? (   )

(2) 한자경의 마음의 변화가 잘 드러났는가? (   )

(3) 한자경이 한 행동이 이야기의 흐름과 어울리는가? (   )

10 **보기** 는 다음 사진을 보고 꾸밀 이야기를 정리한 것입니다. 일이 일어난 차례에 맞게 기호를 쓰시오.

보기
㉠ 주인공이 우주여행을 떠난다.
㉡ 외계인의 도움을 받아 연료를 구해 지구로 돌아온다.
㉢ 주인공이 연료 부족으로 한 행성에 불시착해서 그 행성의 외계인을 도와준다.

(   ) → (   ) → (   )

1 다음 그림을 보고 차례대로 이야기를 간단히 꾸며 쓰시오. [8점]

2-3 글을 읽고, 물음에 답하시오.

형은 무척 기뻤습니다. 자기가 동생보다 더 큰 부자가 될 것이라고 생각했습니다. 형은 큰 자루에 금을 꾹꾹 채워 넣고, 그것도 모자라 옷 속에도, 입속에도, 그리고 귓구멍 속에도 가득 채워 넣었습니다. 까마귀가 말하였습니다.

"다 담았어요? 그러면 제 등에 오르세요. 제가 당신 집까지 데려다줄게요."

까마귀가 날아올랐습니다. 그런데 금 자루가 너무 무거워 형은 까마귀 등에서 떨어지고 말았습니다. 까마귀는 형을 금 산 위에 놓아두고 혼자 날아갔습니다.

2 형이 까마귀 등에서 떨어진 까닭을 쓰시오. [6점]

3 이 이야기의 내용과 비슷한 옛이야기는 무엇이 있는지, 어떤 점이 비슷한지 함께 쓰시오. [8점]

4 이야기의 흐름을 생각하며 일어난 일을 정리하여 쓰시오. [8점]

수현이는 마라톤이라는 말에 덜컥 걱정이 되었습니다.

'끝까지 못 뛸 게 뻔한데……. 친구들에게 놀림을 당하면 어쩌지?'

그러자 꼭 완주하고 싶다는 마음이 들었습니다.

그날 이후, 수현이는 날마다 공원에 가서 달리기 연습을 했습니다.

드디어 마라톤 대회가 열리는 날입니다.

화창한 날씨는 수현이의 마음을 설레게 했습니다.

"우리 아들, 파이팅! 마라톤 잘 뛰고 와."

엄마, 아빠도 수현이에게 힘을 불어넣어 주었습니다. 출발선에 섰을 때, 같은 반 친구인 재혁이가 수현이의 등을 토닥이며 싱긋 웃어 보였습니다. 수현이는 끝까지 포기하지 않겠다고 다짐했습니다.

마라톤 대회에 참가하려고 수현이는 달리기 연습을 한다.

↓

관련 성취 기준	이야기의 흐름을 파악하여 이어질 내용을 상상하고 표현한다.
평가 목표	이야기를 읽고 이어질 내용을 상상하여 쓸 수 있다.

1~2 이어질 이야기를 상상하며 이야기를 읽어 봅시다.

> ㉮ "항아리는 모두 40개야. 이 가운데 하나에 너희 엄마가 있어. 어느 항아리에 있는지 찾아봐. 항아리를 두드려 봐도 안 되고, 엄마를 불러서도 안 돼."
> 초록 고양이는 또 낄낄낄 웃었어요.
> "기회는 딱 한 번뿐이야. 만일 틀린 항아리를 고르면, 너는 엄마를 영영 못 찾게 될 거야."
> 꽃담이는 어이가 없었어요.
>
> ㉯ 꽃담이가 항아리들이 놓여 있는 곳으로 갔어요. 초록 고양이가 비아냥거렸어요.
> "흥! 못 찾기만 해 봐라. 엄마를 영영 안 돌려줄 테야."
> 꽃담이는 킁킁 냄새를 맡았어요.
> "바로 이 항아리야!"
> 그 항아리에서 고소하고 달콤하고 향긋한 냄새가 났거든요. 바로 엄마 냄새였지요.
> 꽃담이가 너무 쉽게 찾으니까 초록 고양이가 심통이 났나 봐요.
> "쳇! 좋아. 엄마를 데려가!"
> 그 말을 하고 초록 고양이는 뿅 사라졌어요.
> 어느 날 꽃담이가 사라졌어요.

1 글 ㉮와 ㉯에서 일어난 일을 한 문장으로 정리하여 쓰시오. [10점]

㉮	(1)
㉯	(2)

2 이야기의 이어질 내용을 상상하여 쓰시오. [20점]

1 다음 중 회의를 한 경험을 말한 것을 두 가지 고르시오. (,   )

① 쉬는 시간에 책을 읽었다.
② 국어 시간에 발표를 했다.
③ 가족 여행 장소에 대해 가족이 모여 이야기를 나누었다.
④ 선의의 거짓말은 해도 되는지에 대해 짝과 이야기를 나누었다.
⑤ 아침 활동 시간에 무엇을 할지에 대해 반 친구들과 이야기를 나누었다.

2 회의가 필요한 까닭을 생각하며 다음 빈칸에 알맞은 말을 각각 쓰시오.

• (1)(   )을/를 해결하는 좋은 방법을 찾을 수 있다.
• 같이 해야 할 일을 (2)(   )할 수 있다.
• 여러 사람의 (3)(   )을/를 들을 수 있다.

3 회의를 할 때 다음과 같은 절차에서 하는 일은 무엇입니까? (   )

> 사회자: 제○회 학급 회의를 시작하겠습니다.
> 기록자: (칠판이나 회의록에 내용을 기록한다.)

① 회의 주제를 정한다.
② 회의 시작을 알린다.
③ 결정한 의견을 발표한다.
④ 선정한 주제에 맞는 의견을 제시한다.
⑤ 찬성과 반대 의견을 헤아려 다수결로 결정한다.

4~5 글을 읽고, 물음에 답하시오.

> 사회자: 이번 주 학급 회의 주제를 무엇으로 정하면 좋을지 말씀해 주십시오.
>   김영이 친구가 의견을 발표해 주십시오.
> 회의 참여자 1: 요즘 교실이 많이 지저분합니다. 그래서 "깨끗한 교실을 만들자."를 주제로 제안합니다.
> 사회자: 박지희 친구도 의견을 발표해 주십시오.
> 회의 참여자 2: 지난주에 복도에서 뛰다가 다친 친구를 봤습니다. 저는 "학교생활을 안전하게 하자."를 주제로 제안합니다.
> 사회자: 이제 어떤 주제로 할지 표결을 하겠습니다. 참석자의 반이 넘는 수가 찬성하는 것으로 주제를 정하겠습니다.
>   두 주제 가운데에서 첫 번째 주제에 찬성하시는 분은 손을 들어 주십시오. 두 번째 주제에 찬성하시는 분은 손을 들어 주십시오.
>   27명 가운데 18명이 두 번째 주제를 선택했습니다. 이번 주 학급 회의 주제는 "학교생활을 안전하게 하자."입니다.
> 기록자: (칠판이나 회의록에 내용을 기록한다.)

4 이 글에 나타난 회의 절차는 무엇입니까? (   )

① 개회   ② 폐회
③ 결과 발표   ④ 주제 선정
⑤ 주제 토의

5 이 회의에서 선정한 주제는 무엇입니까? (   )

① 깨끗한 교실을 만들자.
② 쉬는 시간에 떠들지 말자.
③ 아침에 지각을 하지 말자.
④ 학교생활을 안전하게 하자.
⑤ 청소를 한 뒤에 뒷정리를 잘하자.

6 회의에 참여하는 역할 중 '회의 참여자'가 할 일을 두 가지 고르시오. (,)

① 의견을 발표한다.
② 말할 기회를 준다.
③ 회의 절차를 안내한다.
④ 회의 날짜와 시간, 장소를 기록한다.
⑤ 다른 사람의 의견을 주의 깊게 듣는다.

국어 활동

7 다음 회의에서 사회자가 잘못한 점을 고치는 방법으로 알맞은 것은 무엇입니까? ( )

> 사회자: 우리가 어떤 일을 하면 친구들과 친하게 지낼 수 있을지 발표해 주십시오.
> 회의 참여자 2: 노래를 하나 정해 우리 모두가 한마음으로 하는 기악 합주를 하면 좋겠습니다.
> 사회자: 기악 합주를 하면 시끄러워 다른 학급에 방해가 됩니다. 다른 더 좋은 의견을 발표해 주십시오. 허윤성 친구가 의견을 발표해 주십시오.
> 회의 참여자 3: 그러면 우리 반 친구들이 모두 '○○산 둘레 길 탐방하기'에 참여하면 좋겠습니다.

① 말할 기회를 골고루 준다.
② 회의 안내를 정확히 한다.
③ 회의 절차에 따라 의견을 발표한다.
④ 회의 참여자의 말을 정확히 기록한다.
⑤ 회의 참여자의 의견을 자신이 판단해 마음대로 무시하지 않는다.

8 회의 주제를 정하는 방법으로 알맞지 <u>않은</u> 것은 무엇입니까? ( )

① 모두의 관심사인지 확인한다.
② 해결해야 할 문제점을 찾는다.
③ 내가 관심 있는 주제인지 생각한다.
④ 우리가 해결할 수 있는 문제인지 생각한다.
⑤ 실천할 수 있는 해결 방법이 있는지 떠올린다.

9~10 글을 읽고, 물음에 답하시오.

> ㉮ 사회자: "친구들과 사이좋게 지냅시다."라는 주제에 맞게 의견을 발표해 주시기 바랍니다.
> 회의 참여자 1: (갑자기 벌떡 일어나며) 친구들끼리 고운 말을 썼으면 좋겠습니다.
> 사회자: (당황하며) □□□□□□□□□□
> ㉯ 회의 참여자 2: 친구들끼리 서로 별명을 부르지…….
> 회의 참여자 3: (중간에 말을 가로채며) 별명을 부르는 것은 서로 가깝기 때문입니다. 저는 함께 어울려 노는 것이…….
> 회의 참여자 2: 제 의견을 끝까지 들어 주시기 바랍니다.
> ㉰ 회의 참여자 2: 친구들끼리 서로 별명을 부르지 않았으면 합니다. 별명을 들으면 기분이 나쁠 때가 많기 때문입니다.
> 사회자: 또 다른 의견이 있습니까? (여러 친구가 손을 들지만 다시 회의 참여자 2를 가리키며) 네, 김현수 친구, 발표해 주십시오.
> 회의 참여자 4: 사회자님, 여러 사람에게 말할 기회를 골고루 주시기 바랍니다.

9 회의 장면 ㉮의 □ 안에 들어갈 사회자의 말은 무엇입니까? ( )

① 앉아서 말씀해 주시기 바랍니다.
② 고운 말을 사용해 주시기 바랍니다.
③ 목소리를 작게 해 주시기 바랍니다.
④ 사회자 허락을 얻고 말씀해 주시기 바랍니다.
⑤ 다른 사람의 의견을 끝까지 듣고 말씀해 주시기 바랍니다.

서술형

10 회의 장면 ㉯와 ㉰에 나타난 문제점을 각각 쓰시오.

(1) 장면 ㉯	
(2) 장면 ㉰	

1 다음 두 그림의 공통점은 무엇입니까?(　)

▲ 가족회의 　　　　 ▲ 마을 회의

① 여러 사람이 모여서 놀이를 하고 있다.
② 여러 사람이 모여서 다과회를 하고 있다.
③ 여러 사람이 모여서 봉사 활동을 하고 있다.
④ 여러 사람이 모인 곳에서 한 사람이 발표를 하고 있다.
⑤ 여러 사람이 모여서 어떤 것을 결정하려고 이야기를 하고 있다.

2 다음 그림에서 ㉠~㉢은 회의에서 어떤 역할인지 각각 쓰시오.

(1) ㉠: (　　　　　　　)
(2) ㉡: (　　　　　　　)
(3) ㉢: (　　　　　　　)

3 다음 중 가장 마지막 회의 절차는 무엇입니까? (　)
① 개회　　② 표결　　③ 폐회
④ 주제 토의　⑤ 결과 발표

4~5 글을 읽고, 물음에 답하시오.

사회자: 학교생활을 안전하게 하려면 실천해야 할 일이 무엇인지 발표해 주십시오.
　　이정수 친구가 의견을 발표해 주십시오.
회의 참여자 3: 안전 게시판을 만들면 좋겠습니다. 학교생활을 안전하게 하는 방법을 써 붙이면 안전사고를 예방할 수 있습니다.
사회자: 좋은 의견 고맙습니다. 다른 의견이 있으면 발표해 주십시오.
　　윤지호 친구가 의견을 발표해 주십시오.
회의 참여자 4: 모둠별로 안전 지킴이 활동을 하면 좋겠습니다. 사고를 예방할 수 있기 때문입니다.
사회자: 좋은 의견입니다. 다른 의견은 없습니까?
회의 참여자 5: 학교에서 위험한 행동을 했을 때 벌점을 받는 제도를 만들었으면 좋겠습니다. 벌점을 받지 않으려고 행동을 조심하면 서로 피해를 주는 일이 없을 것이기 때문입니다.

4 실천 내용으로 나온 의견을 세 가지 고르시오. (　, 　, 　)
① 안전 게시판을 만들자.
② 안전 지킴이 활동을 하자.
③ 차에 타면 안전띠를 매자.
④ 안전 수칙을 교실 벽에 붙이자.
⑤ 안전한 생활을 위한 벌점 제도를 만들자.

5 이 회의 절차에서 하는 일은 무엇입니까? (　)
① 회의 주제를 정한다.
② 회의 마침을 알린다.
③ 결정한 의견을 발표한다.
④ 선정한 주제에 맞는 의견을 제시한다.
⑤ 찬성과 반대 의견을 헤아려 다수결로 결정한다.

국어 활동

6 다음 회의에서 회의 참여자 4가 잘못한 점은 무엇입니까? ( )

> 사회자: 그러면 지금까지 나온 의견 가운데에서 실천 내용을 정해도 되겠습니까?
> 회의 참여자들: 네, 좋습니다.
> 사회자: 그럼 먼저, '○○산 둘레 길 탐방하기'를 실천 내용으로 정하는 것에 찬성하시는 분은 손을 들어 주십시오. (잠시 뒤) 25명 가운데에서 18명이 찬성했습니다. ……
> 회의 참여자 4: 사회자님, 이제 생각이 났는데 실천 내용을 하나 제안하겠습니다.

① 회의 절차를 지키지 않았다.
② 말할 기회를 골고루 주지 않았다.
③ 친구가 의견을 말할 때 끼어들었다.
④ 중요한 내용을 잘 기록하지 않았다.
⑤ 알맞은 크기의 목소리로 말하지 않았다.

7~8 만화를 읽고, 물음에 답하시오.

7 "아침에 일찍 일어나자."가 회의 주제로 적절하지 않다고 한 까닭은 무엇입니까? ( )

① 실천할 수 있는 일이 아니어서
② 우리가 해결할 수 없는 문제여서
③ 급히 해결해야 할 문제가 아니어서
④ 많은 사람에게 도움이 되는 내용이 아니어서
⑤ 친구들이 공통으로 관심을 보일 만한 것이 아니어서

8 친구들이 회의 주제로 정한 것은 무엇입니까?
( )

서술형

9 다음 그림을 보고 알맞은 회의 주제를 떠올려 쓰시오.

_____

_____

10 회의 참여자 중 사회자가 지켜야 할 규칙을 두 가지 고르시오. (,)

① 회의 절차를 안내한다.
② 말할 기회를 골고루 준다.
③ 중요한 내용을 요약해서 기록한다.
④ 회의 날짜와 시간, 장소를 기록한다.
⑤ 친구가 의견을 말할 때 끼어들지 않는다.

4학년   반   점수

이름   / 30점

정답과 해설 ● 53쪽

1 학급 회의를 했던 경험을 떠올려 다음 표에 알맞은 내용을 쓰시오. [5점]

(1) 회의 주제	
(2) 회의 결과	
(3) 어려웠던 점	

2~4 글을 읽고, 물음에 답하시오.

사회자: 다른 의견 없습니까? 그러면 지금까지 나온 의견에서 실천 내용을 정해도 되겠습니까?

회의 참여자들: 네, 좋습니다.

사회자: 먼저, "안전 게시판을 만들자."를 실천 내용으로 정하는 것에 찬성하시는 분은 손을 들어 주십시오. 참석 인원의 반 이상이 찬성하면 채택하겠습니다.

    27명 가운데 21명이 찬성했습니다.

    다음, "안전 지킴이 활동을 하자."를 실천 내용으로 정하는 것에 찬성하시는 분은 손을 들어 주십시오.

    27명 가운데 9명이 찬성했으므로 실천 내용으로 채택하지 않겠습니다.

    마지막으로, "안전한 생활을 위한 벌점 제도를 만들자."를 실천 내용으로 정하는 것에 찬성하시는 분은 손을 들어 주십시오.

    27명 가운데 12명이 찬성했습니다.

㉠기록자: (칠판이나 회의록에 내용을 기록한다.)

2 이 회의에서 가장 많이 찬성하여 실천 내용으로 정해진 의견은 무엇인지 쓰시오. [5점]

3 이와 같은 회의 절차에서 하는 일은 무엇인지 쓰시오. [5점]

4 이 회의에 참여하는 사람 중 ㉠'기록자'의 역할은 무엇인지 쓰시오. [5점]

5~6 글을 읽고, 물음에 답하시오.

회의 참여자 2: 친구들끼리 서로 별명을 부르지 않았으면 합니다. 별명을 들으면 기분이 나쁠 때가 많기 때문입니다.

사회자: 또 다른 의견이 있습니까? (여러 친구가 손을 들지만 다시 회의 참여자 2를 가리키며) 네, 김현수 친구, 발표해 주십시오.

5 이 회의 장면에서 사회자가 회의를 할 때 지켜야 할 규칙을 쓰시오. [5점]

6 5번 문제에서 답한 규칙 외에 사회자가 회의를 할 때 지켜야 할 규칙을 한 가지 더 쓰시오. [5점]

관련 성취 기준	회의에서 의견을 적극적으로 교환한다.
평가 목표	절차와 규칙을 지키며 회의할 수 있다.

1~2 회의 규칙을 생각하며 다음 내용을 살펴봅시다.

❶ 사회자: "친구들과 사이좋게 지냅시다."라는 주제에 맞게 의견을 발표해 주시기 바랍니다.

회의 참여자 1: (갑자기 벌떡 일어나며) 친구들끼리 고운 말을 썼으면 좋겠습니다.

❷ 회의 참여자 2: 친구들끼리 서로 별명을 부르지⋯⋯.

회의 참여자 3: (중간에 말을 가로채며) 별명을 부르는 것은 서로 가깝기 때문입니다. 저는 함께 어울려 노는 것이⋯⋯.

1 ❶과 ❷를 통해 알 수 있는 회의 참여자가 지켜야 할 규칙을 쓰시오. [10점]

(1) ❶	
(2) ❷	

2 1번 문제에서 답한 규칙 외에 회의 참여자가 지켜야 할 규칙을 <u>두 가지</u> 더 쓰시오. [10점]

- _____
- _____

3 다음 주제로 학급 회의를 할 때 알맞은 실천 내용을 <u>두 가지</u> 쓰시오. [10점]

학급 회의 주제	깨끗한 학교를 만들자.
실천 내용	・ ・

1 낱말에서 형태가 바뀌지 않는 부분과 형태가 바뀌는 부분을 바르게 구분하지 <u>못한</u> 것은 무엇입니까? (   )

	바뀌지 않는 부분	바뀌는 부분
① 접는다	접	는다
② 묶어서	묶	어서
③ 찢으면	찢	으면
④ 뽑으니	뽑	으니
⑤ 달아나고	달	아나고

2~3 글을 읽고, 물음에 답하시오.

<blockquote>
㉮ 할머니는 눈을 감고 ㉠책 읽는 내 목소리에 귀를 기울이셨다.

"할머니, 다음에 올 때 재미있는 책을 가지고 올게요."

나는 할머니와 약속을 했다.

㉯ 일주일 뒤, 요양원에 도착하자마자 할머니에게 달려갔다. 할머니는 나를 기다렸다며 서랍에서 사탕이랑 과자를 꺼내 주셨다.

"할머니 드시지……."

사양했지만 할머니가 내 생각을 하며 모아 두셨다며 호주머니에 사탕을 넣어 주셨다.

나는 가져간 ㉡동화책을 읽어 드렸다. 할머니는 내 이야기를 듣고 어린아이처럼 웃기도 하고 눈물을 글썽이기도 하셨다.

봉사 활동이 힘들어도 왜 계속하는지 이제 알 것 같다. 나를 기다리며 반가워하는 할머니 생각을 하면 일요일 아침이 기다려진다.
</blockquote>

2 '내'가 요양원에서 봉사 활동을 하며 했을 생각으로 알맞은 것은 무엇입니까? (   )

① 봉사 활동은 매우 쉬운 일이다.
② 봉사 활동을 했으니 상을 받고 싶다.
③ 봉사 활동은 힘들지만 보람된 일이다.
④ 봉사 활동은 너무 힘들어서 하기 싫다.
⑤ 봉사 활동은 점수를 따기 위해 하는 활동이다.

3 ㉠과 ㉡의 낱말이 서로 어떤 관계에 있는지 바르게 말한 것은 무엇입니까? (   )

① ㉠은 ㉡에 포함되는 낱말이다.
② ㉠은 ㉡을 포함하는 낱말이다.
③ ㉠과 ㉡은 뜻이 똑같은 낱말이다.
④ ㉠과 ㉡은 뜻이 반대인 낱말이다.
⑤ ㉠과 ㉡은 뜻이 비슷한 낱말이다.

4~6 글을 읽고, 물음에 답하시오.

<blockquote>
㉮ 화성은 중세 이전에도 하늘을 ㉠관측하던 과학자들에게 매우 중요한 ㉡천체였다. 화성은 밝게 빛나는 붉은 별이기에 많은 사람이 관심을 가졌다. 1976년 미국의 바이킹 우주선이 화성에 착륙해 표면의 모습을 지구에 알려 주었다.

㉯ 그 뒤 1997년에 미국의 화성 탐사선 마스 글로벌 서베이어는 화성의 궤도에 진입해 화성 표면의 모습을 상세하게 사진으로 찍어 지구로 보내 주었다. 이 사진에는 높이 솟은 ㉢고원 지대도 있고, 길게 뻗은 좁은 ㉣협곡도 있었다. 또 태양계 행성 가운데 가장 거대한 화산 지형도 있었다. 같은 해에 마스 패스파인더는 화성 표면에 착륙해 강줄기처럼 보이는 부분에서 화성 암석을 조사했다. 그 결과, 화성에서 강물의 ㉤침식과 퇴적 작용이 있었음을 확인했다. 이러한 것은 아주 오래전에 화성 표면에 물이 흘렀다는 증거이다.
</blockquote>

4 이 글의 내용을 바르게 이해하지 <u>못한</u> 친구는 누구인지 쓰시오.

<blockquote>
지수: 화성이 관심의 대상이 된 것은 최근의 일이야.

상욱: 1976년에 미국의 바이킹 우주선이 화성에 착륙했어.
</blockquote>

(   )

5 마스 패스파인더가 조사한 화성 암석을 통해서 알게 된 것은 무엇입니까? ( )

① 화성에는 공기가 없다.
② 화성에 외계인이 산다.
③ 화성 표면에 물이 흘렀다.
④ 화성은 생물이 살 수 없는 곳이다.
⑤ 화성의 대기는 암모니아 가스로 이루어져 있다.

6 ㉠~㉤의 뜻이 바르게 짝 지어지지 않은 것은 무엇입니까? ( )

① ㉠: 육안이나 기계로 자연 현상, 특히 천체나 기상의 상태, 추이, 변화 등을 관찰해 측정하는 일.
② ㉡: 우주에 존재하는 모든 물체.
③ ㉢: 땅이 비탈지고 조금 높은 곳.
④ ㉣: 험하고 좁은 골짜기.
⑤ ㉤: 비, 강, 바람 등의 자연 현상이 땅의 겉면을 깎는 일.

국어 활동

7 다음 글에서 밑줄 그은 낱말의 뜻은 무엇이겠습니까? ( )

> 노팅힐에 정착한 흑인 노동자들은 영국 사람들의 냉대와 차별을 이겨 내며 힘든 시간을 보냈어요. 힘들고 외롭게 외국 생활을 하다 보니 고향에 대한 그리움도 매우 컸지요.

① 마땅한 예로써 대함.
② 일의 앞뒤 사정과 까닭.
③ 반갑게 맞아 정성껏 후하게 대접함.
④ 오는 사람을 기쁜 마음으로 반갑게 맞음.
⑤ 어떤 사람이 다른 사람을 매우 차갑게 대함.

8~9 글을 읽고, 물음에 답하시오.

> 자연계에도 어른을 공경하는 문화가 있다면 지금 인간에게 무시당하고 고통받는 많은 동물의 마음은 나이 지긋한 어른이 한참 어린 아이에게 험한 욕을 듣고 ㉠흠씬 두들겨 맞았을 때의 느낌과 비슷할 거예요.
> 인간은 지구의 막내예요. 최초의 생명이 수십억 년에 걸쳐 다양하게 가지를 뻗으며 진화하는 과정에서 우연히 생겨난 생물의 한 종일 뿐이지요.
> 지구의 막내이지만 인간은 지능이 높고 다른 동물보다 뛰어난 점이 분명 있어요. 하지만 인간에게만 있다고 여겼던 능력이 다른 동물에게서 발견되는 경우도 많아요. 예를 들어 언어는 인간만이 가진 능력이라고 생각했는데, 꿀벌에게도 언어가 있다는 것이 밝혀졌어요.

8 이 글에서 인간에 대해 설명한 내용으로 바르지 않은 것은 무엇입니까? ( )

① 지능이 높다.
② 지구의 막내이다.
③ 언어는 인간만이 가진 능력이다.
④ 다른 동물보다 뛰어난 점이 있다.
⑤ 우연히 생겨난 생물의 한 종이다.

논술형

9 ㉠'흠씬'의 뜻을 생각하며 이 낱말을 넣어 문장을 만들어 쓰시오.

_____

_____

10 다음을 나만의 낱말 사전을 만드는 차례대로 기호를 쓰시오.

> ㉠ 낱말의 뜻 찾아 쓰기
> ㉡ 사전에 실을 낱말 정하기
> ㉢ 만들고 싶은 사전 정하기
> ㉣ 사전에 실을 낱말의 차례 정하기

㉢ → ( ) → ( ) → ( )

1 다음 낱말을 국어사전에 실리는 차례대로 쓰시오.

> 벽지   접는다   창호지   묶어서

(   ) → (   )
→ (   ) → (   )

2~3 글을 읽고, 물음에 답하시오.

> 더욱 놀라운 것은, 전자 신호를 이용해 ㉠원격으로 스스로 인쇄를 하고, 지면의 인쇄 내용을 완전히 바꿀 수 있는 '전자 종이'가 등장했다는 것입니다. 느낌은 종이와 같은데 컴퓨터 모니터처럼 언제든지 새로운 신호를 보내면 완전히 다른 내용으로 인쇄할 수도 있고, 멀리서 무선 신호로 내용을 바꿀 수 있습니다. 이것이 상용화되면 전자 종이로 된 신문이 한 장만 있으면, 매일 아침 새로운 기사들을 받아서 즉석에서 인쇄해서 보고, 다음 날도 똑같은 신문에 새로운 내용을 받아서 볼 수 있을 거예요.

2 전자 종이의 특징으로 알맞지 <u>않은</u> 것은 무엇입니까?   (   )

① 느낌은 종이와 같다.
② 무선 신호로 내용을 바꿀 수 있다.
③ 한 번 사용하면 다시 사용할 수 없다.
④ 전자 신호를 이용해 스스로 인쇄를 한다.
⑤ 새로운 신호를 보내면 완전히 다른 내용으로 인쇄할 수 있다.

논술형

3 ㉠'원격'의 뜻은 무엇일지 그렇게 생각한 까닭과 함께 쓰시오.

_____

_____

4~5 글을 읽고, 물음에 답하시오.

> 일요일 아침이라 더 자고 싶었는데 엄마가 깨웠다.
> "수아야, 오늘이 무슨 요일인지 알지? 가족 봉사 활동 가기로 한 일요일이잖아. 얼른 일어나."
> 나는 다시 이불을 뒤집어썼지만 곧 엄마에게 빼앗기고 말았다.
> 우리 가족이 간 곳은 할머니, 할아버지 들이 계시는 요양원이었다.
> 뭘 해야 할까 두리번거리고 있을 때 안경 쓴 할머니가 나에게 오라고 손짓을 했다.
> "여기 책 좀 읽어 줄래? 내가 이래 봬도 예전에는 문학소녀여서 책을 많이 읽었는데 요즘은 눈이 침침해서 글씨가 잘 안 보이는구나."
> 할머니는 낡은 책 한 권을 내미셨다. 다른 책이 없어서 같은 책만 스무 번을 넘게 읽으셨다고 했다.
> 할머니는 눈을 감고 책 읽는 내 목소리에 귀를 기울이셨다.
> "할머니, 다음에 올 때 재미있는 책을 가지고 올게요."
> 나는 할머니와 약속을 했다.

4 할머니께서 수아에게 책을 읽어 달라고 한 까닭은 무엇입니까?   (   )

① 안경을 잃어버려서
② 글씨를 읽을 줄 몰라서
③ 수아의 목소리가 듣기 좋아서
④ 수아가 글을 잘 읽는지 확인하려고
⑤ 눈이 침침해서 글씨가 잘 안 보여서

5 '요일'이라는 낱말에 포함되는 낱말을 이 글에서 찾아 쓰시오.

(   )

6~7 글을 읽고, 물음에 답하시오.

화성에 물이 있는지는 과학자들은 물론 일반인들도 관심이 많다. 물이 있다는 것은 화성인 또는 외계인까지는 아니더라도 생명체가 있을 수 있다는 것을 뜻하기 때문이다. 2004년에 미국의 쌍둥이 화성 로봇 탐사선인 스피릿 로버와 오퍼튜니티 로버가 서로 화성 반대편에 착륙했다. 이들 탐사선은 물의 영향을 받은 암석을 발견했다. 이 암석들은 물속과 물 밖의 환경이 번갈아 바뀌는 곳에서 만들어진 것이다. 이것은 화성 표면에서 오랜 시간에 걸쳐 물이 있다가 증발하는 과정이 반복되었다는 것을 알려 준다.

미국의 화성 탐사선인 큐리오시티는 2012년에 화성의 적도 부근에 착륙했다. 이 탐사선은 화성 표면 바로 아래에 있는 얼음을 발견했다.

미국은 2030년까지 사람들이 화성을 여행할 수 있도록 준비를 하고 있다. 큐리오시티는 이 연구 과제의 준비 단계로서 화성에서 사람들이 사는 데 필요한 정보를 모으고 있다.

6 화성에 물이 있는지 사람들이 관심이 많은 까닭은 무엇입니까? ( )

① 지구에 물이 부족해서
② 화성인이 물을 좋아해서
③ 화성에 로봇을 보내기 위해서
④ 생명체가 있을 수 있음을 의미해서
⑤ 지구의 기후 변화를 연구하기 위해서

7 이 글에 나온 낱말의 뜻을 찾기 위해 사전을 알맞게 이용한 친구의 이름을 쓰시오.

미류: '증발'이라는 낱말의 뜻을 국어사전을 통해 찾아보았어.
한경: '적도'라는 낱말의 뜻을 속담 사전을 이용해 찾아보았어.

( )

8~9 글을 읽고, 물음에 답하시오.

고래는 몸이 불편한 동료를 결코 나 몰라라 하지 않아요. 다친 동료가 있으면 여러 마리가 둘러싸고 거의 들어 올리듯 떠받치며 보살핍니다. 고래는 물에서 살지만 물 위로 몸을 내밀어 허파로 숨을 쉬어야 하는 포유동물이에요. 그래서 다친 동료가 있으면 기운을 차릴 때까지 숨을 쉴 수 있도록 이런 식으로 도와준답니다. 고래는 그물에 걸린 친구를 구하기 위해 그물을 물어뜯는가 하면, 다친 동료와 고래잡이배 사이에 용감하게 뛰어들어 사냥을 방해하기도 합니다. 때로는 무언가로 괴로워하는 친구 곁에 그냥 오랫동안 함께 있어 주기도 하고요. 이야기만 들어도 마음이 ㉠훈훈해지지요?

8 이 글을 통해 알 수 있는 사실은 무엇입니까? ( )

① 고래는 포악한 동물이다.
② 고래도 이기적인 면이 있다.
③ 고래도 장난치는 것을 좋아한다.
④ 고래도 따뜻한 마음을 가지고 있다.
⑤ 고래는 물 위에서는 숨을 쉴 수 없다.

9 ㉠의 낱말을 활용하여 문장을 바르게 만든 것은 무엇입니까? ( )

① 손이 훈훈해서 장갑을 꼈다.
② 동호는 훈훈한 미소를 지었다.
③ 다투는 친구를 보니 훈훈하다.
④ 겨울이 오니 날씨가 훈훈해졌다.
⑤ 지갑을 잃어버려서 마음이 훈훈하다.

국어 활동

10 다음 글에서 '보기에 급하게 서두르거나 시끄럽게 떠들어 어수선한 데가 있다.'라는 뜻을 가진 낱말을 찾아 밑줄을 그으시오.

아침부터 온 식구가 부산스러워요.
메주는 솔로 박박 씻어 햇볕에 말려 놓았고요, 함지박 가득 소금물도 만들어 놓았어요.

1 국어사전에서 '벽'을 찾는 방법을 쓰시오. [5점]

_____

_____

2~3 글을 읽고, 물음에 답하시오.

종이는 정보를 전달하는 매체로, 물건을 포장하는 재료로, 기타 여러 가지 용도로 쓰입니다. 종이가 가볍고, 값싸고, 비교적 질기고, 위생적이기 때문입니다. 이와 같이 종이는 많은 장점이 있어 생활에 많이 활용되고 있습니다. 그래서 종이는 다양한 종류와 품질을 가진 것으로 개발되고 발전되었습니다. 앞으로도 우리는 계속 종이를 새롭게 만들어 사용할 것입니다.

새롭게 개발되고 있는 종이 중에 ㉠최첨단 과학 기술로 만들어지는 것들이 있습니다. 그중 몇 가지를 예로 들어 보겠습니다. 첫째는 밝을 때 빛을 저장해 두었다가 어두울 때 스스로 빛을 내는 축광지입니다. 둘째는 종이에 인쇄되거나 쓴 내용이 복사가 안 되는 종이입니다. 셋째는 기록한 지 한 시간 뒤에는 자동으로 그 내용이 없어져서 극비 문서로 사용되는 종이입니다.

2 이 글에서 설명한 종이의 장점은 무엇인지 쓰시오. [5점]

_____

_____

3 ㉠'최첨단'의 뜻을 짐작해 쓰고, 그렇게 짐작한 까닭이 무엇인지 쓰시오. [5점]

(1) 짐작한 뜻	
(2) 그렇게 짐작한 까닭	

4 국어사전 외에 다른 사전을 사용해 본 경험을 쓰시오. [5점]

_____

_____

5~6 글을 읽고, 물음에 답하시오.

인간은 동물과 다르다고 자꾸 선을 그으려 하지만, 동물의 세계를 들여다보면 볼수록 그 속에 자꾸 인간의 모습이 보입니다. 인간만이 가지고 있다고 내세우는 능력이 동물에게서 발견되는 것만 봐도 알 수 있지요. 물론 인간이 참으로 대단한 동물인 것은 사실이에요. 하지만 그 대단함은 인간이 혼자 스스로 만들어 낸 것이 아니에요.

그 옛날 바닷속에서 처음으로 생겨난 생명은 숱한 멸종의 위기를 넘기고 ㉠다채로운 모습으로 살아남아 생명의 기운이 가득한 아름답고 풍성한 지구를 이루었어요. 아주 작은 세균부터 이끼와 풀, 나무, 온갖 새와 벌레와 물고기, 원숭이들에 이르기까지 지구에서 귀하지 않은 생명은 없어요. 인간은 그처럼 수많은 생명이 닦아 놓은 길 위를 걷고 있는 거예요. 그러니 ㉡생명 앞에서 우쭐할 게 아니라 고맙고 겸손한 마음을 가져야겠지요?

5 ㉠의 낱말을 활용하여 문장을 만들어 쓰시오. [5점]

_____

_____

6 글쓴이가 ㉡과 같이 말한 까닭은 무엇일지 쓰시오. [5점]

_____

_____

관련 성취 기준	낱말을 분류하고 국어사전에서 찾는다.
평가 목표	낱말의 뜻을 사전에서 찾으며 글을 읽을 수 있다.

1~3 낱말 뜻을 생각하며 다음 글을 읽어 봅시다.

우리는 다른 사람의 아픔과 슬픔을 내 일처럼 ㉠여기는 따뜻한 마음을 높이 쳐주고 본받고 싶어 하지요. 또 나만 생각하는 이기심을 넘어서 남을 돌볼 줄 아는 마음을 동물과 인간을 ㉡가르는 기준으로 ㉢삼기도 해요. 하지만 동물의 세계에서도 그처럼 아름다운 마음을 볼 수 있답니다.

고래는 몸이 불편한 동료를 결코 나 몰라라 하지 않아요. 다친 동료가 있으면 여러 마리가 둘러싸고 거의 들어 올리듯 떠받치며 보살핍니다. 고래는 물에서 살지만 물 위로 몸을 내밀어 허파로 숨을 쉬어야 하는 ㉣포유동물이에요. 그래서 다친 동료가 있으면 기운을 차릴 때까지 숨을 쉴 수 있도록 이런 식으로 도와준답니다. 고래는 그물에 걸린 친구를 구하기 위해 그물을 물어뜯는가 하면, 다친 동료와 고래잡이배 사이에 용감하게 뛰어들어 사냥을 방해하기도 합니다. 때로는 무언가로 괴로워하는 친구 곁에 그냥 오랫동안 함께 있어 주기도 하고요.

1 고래가 남을 돌보는 모습을 한 가지 찾아 쓰시오. [10점]

_____

_____

2 ㉠~㉣ 중 국어사전에서 낱말의 뜻을 찾는 방법이 <u>다른</u> 낱말을 골라 그 까닭을 쓰시오. [10점]

_____

_____

3 ㉡~㉣의 뜻을 국어사전에서 찾아 쓰고, 그 낱말로 문장을 만들어 쓰시오. [10점]

㉠	마음속으로 그러하다고 생각하다.	아랫집 아이를 친동생이라 <u>여기</u>며 잘 보살펴 주었다.
(1) ㉡		
(2) ㉢		
(3) ㉣		

4학년　　　반　　점수

이름

1~2 글을 읽고, 물음에 답하시오.

> ㉠지난 주말에 저는 동생과 함께 집 앞 꽃밭에 꽃을 심었습니다. 그런데 오늘 물을 주려고 보니 쓰레기가 꽃 주위에 흩어져 있었습니다. 그 모습을 보니 속이 상했습니다.
> ㉡꽃밭에 쓰레기를 버리지 않으면 좋겠습니다. ㉢꽃은 쓰레기가 없는 깨끗한 꽃밭에서 건강하게 자랄 수 있습니다. 우리가 노력하면 꽃밭을 더 아름답게 가꿀 수 있습니다.

1 지난 주말에 글쓴이가 한 일은 무엇입니까?
（　　）

① 꽃을 샀다.
② 꽃을 심었다.
③ 쓰레기를 주웠다.
④ 꽃밭에 거름을 주었다.
⑤ 집에서 기르는 화분에 물을 주었다.

2 ㉠~㉢은 무엇에 해당하는지 각각 선으로 알맞게 이으시오.

(1) ㉠ ・　　・① 제안하는 내용

(2) ㉡ ・　　・② 제안하는 까닭

(3) ㉢ ・　　・③ 문제 상황

3~4 글을 읽고, 물음에 답하시오.

운동을 합시다

> ㉠날씨가 따뜻합니다. 우리 모두 운동을 합시다. 운동이 건강을 지켜 줍니다.

3 글쓴이가 운동을 하자고 제안한 까닭은 무엇입니까?
（　　）

① 건강을 지킬 수 있다.
② 친구와 친해질 수 있다.
③ 운동선수가 될 수 있다.
④ 모든 병에 걸리지 않는다.
⑤ 선생님께 칭찬을 받을 수 있다.

4 ㉠에서 '누가/무엇이'에 해당하는 말을 찾아 쓰시오.

（　　　　　　　）

서술형

5 다음 그림을 보고 문장의 짜임에 맞게 문장을 두 가지 만들어 쓰시오.

누가/무엇이	어찌하다/어떠하다

6 다음과 같은 문제 상황에서 할 수 있는 제안으로 알맞은 것을 두 가지 고르시오.
(,)

> 아프리카 어린이들이 깨끗한 물을 구하지 못해 어려움을 겪고 있다.

① 아프리카에 냉장고를 보내 주자.
② 아프리카 어린이들을 위해 물을 마시지 말자.
③ 아프리카 어린이들에게 깨끗한 물을 보내 주자.
④ 아프리카 어린이들에게 일자리를 제공해 주자.
⑤ 아프리카 어린이들을 돕는 모금 운동에 참여하자.

7 다음을 제안하는 글을 쓰는 순서에 맞게 기호를 쓰시오.

> ㉠ 제안하는 글 쓰기
> ㉡ 문제 상황 확인하기
> ㉢ 제안하는 내용 정하기
> ㉣ 제안하는 까닭 파악하기

( ) → ( ) → ( ) → ( )

8 제안하는 글을 쓸 때 주의할 점을 바르게 말한 친구는 누구누구입니까?

> 지민: 문제 상황은 최대한 간단하게 쓰면 돼.
> 상호: 문제를 해결하기 위한 자신의 의견을 제안해야 해.
> 은서: 제안에 알맞은 까닭은 쓰면 좋지만 쓰지 않아도 괜찮아.
> 지후: 제안하는 내용이 잘 드러나게 알맞은 제목을 붙여야 해.

( )

9 다음 광고에 나타난 문제는 무엇입니까?
( )

> 인터넷에서 찾아보면 금방 알 수 있다? 쉽게 얻은 정답은 지식으로 오래 남기 어렵습니다. 내가 지식인이 되는 방법, 인터넷 검색이 아닌 독서입니다.

① 인터넷 예절을 지키지 않는 것
② 도서관의 책을 함부로 다루는 것
③ 인터넷에 사실이 아닌 내용을 쓰는 것
④ 지식인이 되기 위해서 인터넷에 글을 너무 많이 쓰는 것
⑤ 지식을 얻고자 할 때 독서를 하지 않고 인터넷을 검색하는 것

10 다음 그림과 같은 상황에 적절한 제안은 무엇입니까?
( )

① 학용품을 아껴 쓰자.
② 친구를 놀리지 말자.
③ 자기 물건에 이름을 쓰자.
④ 교실 청소를 깨끗이 하자.
⑤ 수업 시간에 떠들지 말자.

1~2 글을 읽고, 물음에 답하시오.

　지난 주말에 저는 동생과 함께 집 앞 꽃밭에 꽃을 심었습니다. 그런데 오늘 물을 주려고 보니 쓰레기가 꽃 주위에 흩어져 있었습니다. 그 모습을 보니 속이 상했습니다.
　꽃밭에 쓰레기를 버리지 않으면 좋겠습니다. 꽃은 쓰레기가 없는 깨끗한 꽃밭에서 건강하게 자랄 수 있습니다. 우리가 노력하면 꽃밭을 더 아름답게 가꿀 수 있습니다.

1 글쓴이가 속상해한 까닭은 무엇입니까?
(　　)

① 꽃밭에 꽃을 심는 게 어려워서
② 꽃밭의 꽃이 잘 자라지 않아서
③ 꽃밭에 쓰레기가 버려져 있어서
④ 사람들이 심어 놓은 꽃을 뽑아서
⑤ 꽃밭에 잡초가 많이 자라 있어서

2 이 글에 들어 있는 내용을 세 가지 고르시오.
(　,　,　)

① 문제 상황
② 제안하는 까닭
③ 제안하는 내용
④ 제안을 한 날짜
⑤ 제안하는 사람의 이름

3~4 글을 읽고, 물음에 답하시오.

운동을 합시다

　날씨가 따뜻합니다. 우리 모두 운동을 합시다. 운동이 건강을 지켜 줍니다.

3 이 글을 읽고 글쓴이의 제안을 실천한 친구의 이름을 쓰시오.

가은: 오늘 아침에 일찍 일어나 줄넘기를 했어.
시우: 싫어하는 반찬이 나왔지만 꾹 참고 모두 먹었어.
정민: 날씨가 따뜻해져서 두꺼운 옷을 벗고 가벼운 옷을 입었어.

(　　　　　　　)

4 이 글에서 밑줄 그은 말들의 공통점은 무엇입니까?
(　　)

① 움직임을 나타낸다.
② '누가/무엇이'에 해당한다.
③ 문장에서 맨 앞에 쓰인다.
④ 문장에서 빠져도 상관없다.
⑤ '어찌하다/어떠하다'에 해당한다.

5 다음 문장을 '(누가/무엇이)+(어찌하다/어떠하다)'로 나누어 쓰시오.

하늘이 푸르다.

(1)　　　　　　　(2)

6 다음 그림을 보고 '(누가/무엇이)+(어찌하다/어떠하다)'의 문장을 완성하기 위해 빈칸에 들어갈 말은 무엇입니까? (　　)

> 아이들이 (　　　　　　　).

① 춤을 춘다　　② 악기를 연주한다
③ 음식을 만든다　④ 축구를 하고 있다
⑤ 노래를 부르고 있다

7 다음은 우리가 마시는 물과 아프리카 어린이가 마시는 물을 비교한 장면입니다. 아프리카 어린이들이 처한 문제 상황은 무엇입니까? (　　)

① 물을 담는 그릇이 없다.
② 물 마시는 것을 싫어한다.
③ 깨끗한 물을 마실 수 없다.
④ 비가 내리지 않아 물이 없다.
⑤ 물을 얻으려면 돈을 내야 한다.

8 다음은 제안하는 글에 들어가는 내용 중 무엇을 쓸 때에 생각할 점입니까?

> 왜 그런 제안을 했는지, 제안한 내용대로 했을 때 무엇이 더 나아지는지를 쓴다.

(　　　　　　)

9 다음 글에 나타난 문제 상황을 해결할 수 있는 제안은 무엇이겠습니까? (　　)

> 새 학기가 되고 며칠 지나지 않아, 우리 반에 석고 붕대를 하고 다니는 친구가 있었다. 그 친구는 복도 끝부분에서 갑자기 나타난 친구 때문에 놀라 멈추려 하다가 미끄러져 다리에 금이 갔다고 한다. 석고 붕대를 한 친구는 우리 반뿐만 아니라 다른 반에도 여러 명이 있다.

① 복도를 이용하지 말자.
② 복도에서 떠들지 말자.
③ 복도에 신호등을 설치하자.
④ 복도에 안전 거울을 설치하자.
⑤ 복도에 쓰레기를 버리지 말자.

논술형

10 다음 그림에 나타난 문제 상황을 파악해 보고, 제안할 내용과 그 까닭을 쓰시오.

(1) 제안하는 내용	
(2) 제안하는 까닭	

1~2 글을 읽고, 물음에 답하시오.

진영이는 지난 주말에 동생과 함께 집 앞 꽃밭에 꽃을 심었습니다. 그런데 오늘 물을 주려고 보니 쓰레기가 꽃 주위에 흩어져 있었습니다. 진영이와 동생은 그 모습을 보고 실망을 했습니다.
진영이는 꽃밭에 버려진 쓰레기를 보면서 깨끗한 꽃밭을 만들려면 어떻게 하면 좋을지 곰곰이 생각했습니다. 그리고 자신의 의견을 알리고자 아파트 주민에게 글을 써서 붙이기로 결심했습니다. 얼마 뒤, 꽃밭은 몰라보게 깨끗해졌습니다.

1 이 글에서 진영이가 문제점으로 생각한 것은 무엇인지 쓰시오. [5점]

_____

_____

2 이 글의 내용으로 보아 진영이는 어떤 제안을 했을지 쓰시오. [5점]

_____

_____

3 다음 보기 와 같이 '(누가/무엇이)'+'(어찌하다/어떠하다)'의 짜임으로 된 문장을 만들어 쓰시오. [5점]

보기
날씨가 따뜻합니다.

_____

_____

4~6 글을 읽고, 물음에 답하시오.

물은 사람이 살아가는 데 매우 중요합니다. 우리는 어디에서든지 물을 쉽게 구할 수 있습니다. 그러나 동영상에 나오는 아이는 깨끗한 물을 구하지 못해 어려움을 겪고 있습니다. 많은 아이가 더러운 물을 마셔 생명이 위험할 수 있습니다.
깨끗한 물을 마시지 못하는 아이들을 위해 ___
_____

4 이 글에 나타난 문제 상황은 무엇인지 쓰시오. [5점]

_____

_____

5 이 글의 뒷부분에 들어갈 제안과 그 까닭을 생각하여 쓰시오. [5점]

_____

_____

6 제안하는 내용이 잘 드러나게 이 글의 제목을 생각하여 쓰시오. [5점]

_____

_____

관련 성취 기준	관심 있는 주제에 대해 자신의 의견이 드러나게 글을 쓴다.
평가 목표	제안하는 글을 쓰고 발표할 수 있다.

1~3 제안하고 싶은 내용을 떠올리며 그림을 살펴봅시다.

▲ 학교 앞 과속   ▲ 어두운 골목   ▲ 친구 놀리기

1 이와 같이 우리 주변에서 해결했으면 하는 문제 상황과 제안하고 싶은 내용을 쓰시오. [10점]

(1) 문제 상황	
(2) 제안하고 싶은 내용	

2 1번 문제에서 정리한 내용을 바탕으로 하여 제안하는 글을 쓰시오. [10점]

3 2번 문제에서 쓴 제안하는 글을 어디에 어떻게 써 붙일지 생각하여 쓰시오. [10점]

(1) 읽을 사람	
(2) 장소와 위치	
(3) 글씨의 크기, 모양, 색깔	

1 문자가 필요한 까닭을 바르게 말하지 <u>못한</u> 친구는 누구인지 쓰시오.

> 은경: 문자로 생각을 표현하면 더 자세히 나타낼 수 있어.
> 가현: 문자 말고 그림으로 표현하면 더 정확하게 기록할 수 있어.

(   )

3 문자를 모르는 백성이 많았던 까닭으로 알맞은 것의 기호를 쓰시오.

> ㉠ 문자를 배울 여유가 없어서
> ㉡ 문자를 가르쳐 주는 사람이 없어서
> ㉢ 나라에서 문자를 배우는 것을 금지해서

(   )

4 그림 ❹에 나타난 세종 대왕의 마음은 무엇입니까? (   )

① 백성을 정치에 참여시키고 싶은 마음
② 백성에게 존경받는 임금이 되고 싶은 마음
③ 백성을 위한 책을 더 많이 쓰고 싶은 마음
④ 백성이 알기 쉬운 문자를 만들고 싶은 마음
⑤ 능력이 뛰어난 백성을 가려내어 곁에 두고 싶은 마음

2~4 만화를 읽고, 물음에 답하시오.

2 이 만화에서 백성이 문자를 몰라서 겪은 어려움을 두 가지 고르시오. (,   )

① 억울한 일을 당했다.
② 책을 읽을 수 없었다.
③ 농사일을 하지 못했다.
④ 물건을 사고팔지 못했다.
⑤ 다른 사람들과 대화를 나누지 못했다.

국어 활동

5 다음을 읽고 십자말풀이를 해 보시오.

가로 열쇠	세로 열쇠
① 백성을 아끼고 사랑하는 정신	② 한글을 만들었을 때의 이름

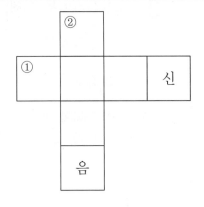

6~7 글을 읽고, 물음에 답하시오.

첫째, 한글은 그 제자 원리가 독창적이고 과학적인 문자이다. 한글 모음자의 경우 하늘, 땅, 사람을 본떠 각각 '•', 'ㅡ', 'ㅣ'의 기본 문자를 먼저 만들고, 이 기본 문자를 합쳐 'ㅗ', 'ㅏ', 'ㅜ', 'ㅓ'와 같은 나머지 모음자를 만들었다.

한글 자음자의 경우 발음 기관의 모양을 본떠 'ㄱ, ㄴ, ㅁ, ㅅ, ㅇ'의 기본 문자를 만들고, 이 기본 문자에 획을 더하거나 같은 문자를 하나 더 써서 'ㅋ, ㄲ'과 같은 자음자를 만들었다.

둘째, 한글은 적은 수의 문자로 많은 소리를 적을 수 있는 음소 문자이다. 한글은 자음자와 모음자 스물넉 자의 문자로 많은 음절을 적을 수 있다. 한글은 사람의 입에서 나오는 대부분의 소리를 효과적으로 적을 수 있는 문자이다.

6 이 글을 읽고 다음을 본뜬 문자는 무엇인지 각각 쓰시오.

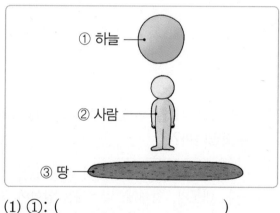

① 하늘

② 사람

③ 땅

(1) ①: (　　　　　　　　)
(2) ②: (　　　　　　　　)
(3) ③: (　　　　　　　　)

7 이 글에서 알 수 있는 한글이 지닌 특성을 두 가지 고르시오. (　　, 　　)

① 기계화에 적합하다.
② 많은 나라에서 사용한다.
③ 자음자가 모음자보다 더 발달했다.
④ 제자 원리가 독창적이고 과학적이다.
⑤ 적은 수의 문자로 많은 소리를 적을 수 있다.

8~10 글을 읽고, 물음에 답하시오.

1894년 열아홉 살이 된 주시경은 배재학당에 입학해 지리, 수학, 영어 등 여러 가지를 공부하며 한글 연구에 필요한 지식을 다져 나갔어요. 주시경은 집안 형편이 어려워 수업이 끝나면 인쇄소에서 일하며 생활에 필요한 돈을 마련해야 했지요. 집에 돌아오면 몹시 피곤했지만 주시경은 한글을 연구했어요.

당시 우리나라에는 사람들이 두루 볼 만한 우리말 문법책이 없었어요. 많은 사람이 한문만을 글로 여기고 우리글에는 관심을 가지지 않았기 때문이지요. 주시경은 사람들이 쉽게 알아볼 수 있는 우리말 문법책을 만들기로 마음먹었어요. 도움이 될 만한 자료가 있다는 얘기를 들으면 먼 길도 마다하지 않고 찾아갔어요. 빌려 봐야 하는 자료는 일일이 베껴서 모았지요.

1906년 주시경은 『대한 국어 문법』이라는 책을 펴냈어요.

8 주시경이 배재학당에 입학한 때는 언제입니까?

(　　　　　　　　　　)

9 주시경은 무엇을 만들기로 마음을 먹었습니까? (　　)

① 독립신문
② 국어사전
③ 우리말 문법책
④ 외국어 번역 책
⑤ 한문으로 된 신문

논술형

10 주시경의 삶에서 자신이 본받고 싶은 점이나 느낀 점을 쓰시오.

_____

_____

1~2 다음을 보고, 물음에 답하시오.

지역＼뜻	사람	왕	신	양	태양
이집트					
수메르					
중국					

1 이와 같은 문자를 무엇이라고 합니까?
( )

① 한자
② 알파벳
③ 뜻 문자
④ 소리 문자
⑤ 그림 문자

2 오른쪽 문자가 뜻하는 것은 무엇입니까? ( )

① 왕
② 신
③ 양
④ 태양
⑤ 사람

3~4 글을 읽고, 물음에 답하시오.

㉮ 세종은 하늘이 무너지는 것만 같았습니다. 지금도 온 세상이 눈을 감은 듯 캄캄한데, 조만간 영영 시력을 잃을지도 몰랐습니다.
　세종은 대낮에도 깜깜한 어둠 속에 있는 것 같은 날들이 하루하루 늘어 갔지만, 식사를 하거나 휴식을 취할 때조차 늘 문자를 생각했습니다.
㉯ 오랜 시간을 묵묵히 연구한 끝에 세종은 '훈민정음' 28자를 완성했습니다.
　그 뒤, 훈민정음은 백성들 사이에 퍼져 나갔습니다. 이제는 글을 읽지 못해 억울한 일을 당하는 사람이 줄었습니다.

3 세종이 문자를 만들면서 겪은 어려움은 무엇입니까? ( )

① 눈이 나빠졌다.
② 백성이 반대했다.
③ 왜적이 쳐들어왔다.
④ 나라 안에 도적이 들끓었다.
⑤ 왕을 위협하는 무리가 있었다.

4 세종이 만든 훈민정음을 익힌 백성의 삶은 어떻게 달라졌는지 쓰시오.
( )

5 다음 글에서 알 수 있는 한글이 지닌 특성은 무엇입니까? ( )

　영어 알파벳이 스물여섯 자이지만, 소문자, 대문자, 인쇄체, 필기체를 알아야 하니 100개가 넘고, 현재 중국어에서 사용하는 문자는 약 3500자이며, 일본의 가나 문자 역시 모든 문자를 따로 익혀야 한다. 반면에 한글은 일정한 원리에 따라 만들어졌기 때문에, 기본이 되는 자음자 다섯 개, 모음자 세 개만 익히면 다른 문자도 쉽게 익힐 수 있어 문자를 배우는 데 드는 시간이 놀랄 만큼 절약된다.

① 독창적인 문자이다.
② 쉽고 빨리 배울 수 있다.
③ 기계화에 적합한 문자이다.
④ 문자를 배우는 데 드는 돈이 적다.
⑤ 적은 수의 문자로 많은 소리를 적을 수 있다.

6 문자의 형태와 관계있는 발음 기관의 모양을 찾아 선으로 이어 보시오.

(1)  • • ㉠ 이 모양

(2)  • • ㉡ 혀뿌리가 목구멍을 막는 모양

(3)  • • ㉢ 혀가 윗잇몸에 닿는 모양

(4)  • • ㉣ 입 모양

(5)  • • ㉤ 목구멍의 모양

국어 활동

7 한글의 자음자 가운데에는 규칙에 따라 서로 짝을 이루는 것이 있습니다. ㉠~㉢에 들어 갈 알맞은 낱말을 각각 쓰시오.

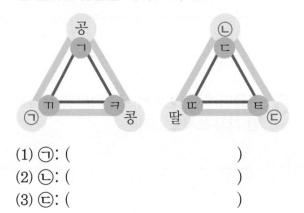

(1) ㉠: (   )
(2) ㉡: (   )
(3) ㉢: (   )

8~9 글을 읽고, 물음에 답하시오.

주시경은 그전에도 한문 글귀를 못 알아들은 적이 몇 번 있었어요. 그때마다 공부를 열심히 안 한 스스로를 탓했지요. 그런데 오늘은 도무지 잘못했다는 마음이 들지 않았어요.

공부를 마치고 집으로 가는 동안 주시경은 골똘히 생각에 잠겼어요.

'나무 찍는 소리 쩡쩡은 쩡이라 읽는 한자가 없어 정을 쓰고, 새 울음소리 짹짹도 짹이라 읽는 한자가 없어 새가 운다는 뜻의 한자 앵을 쓴 거야. '쩡쩡'과 '짹짹'이라 쓰면 훨씬 알아듣기 쉽고 본디 소리에도 가까운데 말이야.'

주시경은 답답한 마음에 철퍼덕 주저앉았어요. 그러고는 몇 해 전 배운 한글을 흙바닥에 끼적였어요. 십 년을 넘게 배워도 아직 다 깨우치지 못한 한문과 달리 한글은 며칠 만에 읽고 쓸 수 있었어요.

그날 이후 주시경은 점점 한글에 빠져들었어요.

8 주시경은 무엇에 점점 빠져들었습니까?

(   )

논술형

9 이 글을 읽고 한글을 소중히 여기는 마음을 담은 표어를 만들어 쓰시오.

_____

_____

10 다음 간판의 문자를 한글로 알맞게 바꾼 것은 어느 것입니까? (   )

名品 의류

① 명품 衣類   ② 명품 미용실
③ 멋진 옷 가게   ④ 엘레강스 의상실
⑤ 명품 Fashion House

1 사라져 가는 문자에 대한 자신의 생각을 쓰시오. [5점]

_____

_____

2~3 만화를 읽고, 물음에 답하시오.

전하, 어느 젊은이가 제 아비에게 불효를 저질렀습니다.

어찌 그런 일이……

여봐라! 효자, 효녀들의 이야기를 백성에게 알려 효행을 깨우치게 하라!

세종 대왕

여기 뭐라고 적힌 거야?

한자로 쓰여 있으니 암만 봐도 모르겠군.

저기 그림이라도 봐야지!

에이, 그거 읽다가 해 넘어가겠어!

2 이 만화에서 백성이 문자를 몰라 겪은 어려움은 무엇인지 쓰시오. [5점]

_____

_____

3 세종 대왕에 대해 더 알고 있는 것은 무엇인지 쓰시오. [5점]

_____

_____

4~5 글을 읽고, 물음에 답하시오.

세종은 대낮에도 깜깜한 어둠 속에 있는 것 같은 날들이 하루하루 늘어 갔지만, 식사를 하거나 휴식을 취할 때조차 늘 문자를 생각했습니다.

"글은 말과 같아야 한다. 글로는 '天(천)'이라고 하고, 말로는 '하늘'이라고 하면 안 된다. 쉽고 단순한 문자이지만, 그 안에 담긴 의미는 세상 어떤 것보다 깊어야 한다. 이 우주 만물에는 하늘과 땅이 있고 그 가운데 사람이 있다. 이 원리를 바탕으로 문자를 만들면 어떨까? 또 사람이 말소리를 내는 기관을 본떠 문자를 만드는 것도 좋을 것이다."

오랜 시간을 묵묵히 연구한 끝에 세종은 '훈민정음' 28자를 완성했습니다.

그 뒤, 훈민정음은 백성들 사이에 퍼져 나갔습니다. 이제는 글을 읽지 못해 억울한 일을 당하는 사람이 줄었습니다. 한자를 배울 기회조차 적었던 여자들도 훈민정음을 익혀 책을 읽거나 편지를 썼습니다.

4 세종은 어떤 원리를 바탕으로 문자를 만들고자 했는지 쓰시오. [5점]

_____

_____

5 자신이 세종 대왕이라고 생각하고 백성에게 훈민정음을 소개하는 글을 쓰시오. [5점]

_____

_____

6 한글이 어떤 점에서 우수하다고 생각하는지 한 가지 쓰시오. [5점]

_____

_____

관련 성취 기준	한글을 소중히 여기는 태도를 지닌다.
평가 목표	한글을 소중히 여기는 마음을 지닐 수 있다.

1~2 한글을 소중히 여기는 마음을 생각하며 다음 글을 읽어 봅시다.

1906년 주시경은 『대한 국어 문법』이라는 책을 펴냈어요. 이 책에는 한글과 우리말을 바르게 사용하기 위한 규칙인 문법이 실려 있었어요. 그 후로 주시경은 사람들에게 한글을 연구하는 학자로 널리 알려졌어요. 여기저기에서 한글을 가르쳐 달라고 주시경에게 부탁을 해왔어요. 이 무렵은 다른 나라들이 서로 우리나라를 차지하려고 다투던 시기였어요. 우리나라는 힘이 없었지요. 주시경은 이런 어려운 때일수록 우리글이 힘이 될 거라고 생각하며 한글을 가르쳐 달라는 곳이 있으면 어디든지 달려갔어요. 주시경은 한글을 가르치며 늘 우리글을 아끼고 사랑하는 것이 나라를 사랑하는 길이라는 것을 강조했어요.

1 주시경이 한 일을 두 가지 찾아 쓰시오. [10점]

- _____
- _____

2 주시경의 한글 사랑을 떠올리며 다음 그림과 같은 상황에서 우리가 어떤 마음가짐을 가져야 하는지 쓰시오. [10점]

3 외국인 친구에게 한글이 어떤 점에서 우수한지에 대해 자랑할 내용을 글로 쓰시오. [10점]

1 다음 중 징그러운 벌레를 봤을 때의 표정과 행동은 무엇입니까?　（　　　）

3 장면 ❺와 ❻에서 소민이의 마음은 어떠합니까?　（　　　）

① 즐겁다.　② 떨린다.
③ 재미있다.　④ 지루하다.
⑤ 화가 난다.

국어 활동

4 오른쪽 장면에서 알 수 있는 인물의 마음은 무엇입니까?
（　　　）

① 슬픈 마음　② 속상한 마음
③ 긴장된 마음　④ 행복한 마음
⑤ 부끄러운 마음

2~3 만화를 읽고, 물음에 답하시오.

5~6 만화를 읽고, 물음에 답하시오.

2 장면 ❶에서 철민이가 당황한 까닭은 무엇입니까?　（　　　）

① 책을 들고 오지 않아서
② 선생님께서 꾸중을 하셔서
③ 어디서부터 읽어야 할지 몰라서
④ 소민이가 수업 시간에 장난을 쳐서
⑤ 소민이가 엉뚱한 답을 가르쳐 주어서

5 만화 속 아이들은 무엇을 하고 있습니까?
（　　　）

① 용을 타고 날아가고 있다.
② 용을 피해 도망가고 있다.
③ 바다에서 헤엄을 치고 있다.
④ 술래잡기 놀이를 하고 있다.
⑤ 용을 잡아서 끌고 가고 있다.

6 장면 ②에서 남자아이의 말을 읽을 때 알맞은 목소리는 무엇입니까? ( )

① 화가 난 목소리로 읽는다.
② 쑥스러운 목소리로 읽는다.
③ 울먹이는 목소리로 읽는다.
④ 깜짝 놀란 목소리로 읽는다.
⑤ 장난스러운 목소리로 읽는다.

7~8 다음을 보고, 물음에 답하시오.

| ① 집으로 돌아가던 중 개가 무섭게 짖어서 소년은 깜짝 놀라 숨었다. | ② 소년과 밥을 먹던 할머니는 소년이 고추를 먹는 모습을 보고 미소를 지으셨다. |

7 장면 ❶에서 집으로 돌아가던 소년이 깜짝 놀란 까닭은 무엇입니까? ( )

① 도마뱀을 봐서
② 개가 무섭게 짖어서
③ 무서운 어른을 만나서
④ 커다란 개가 쫓아와서
⑤ 좋아하는 아이를 만나서

서술형
8 장면 ②에서 할머니의 표정이 어떠한지 쓰고, 할머니의 마음을 짐작해 쓰시오.

| (1) 표정 | |
| (2) 마음 | |

9~10 만화를 읽고, 물음에 답하시오.

9 엄마는 아이에게 자전거를 가르치려고 어떻게 했습니까? ( )

① 자전거 뒤에 태웠다.
② 아이를 무릎에 앉히고 가르쳤다.
③ 자전거에 관한 책을 읽어 주었다.
④ 앞에서 자전거 핸들을 잡아 주었다.
⑤ 손을 놓지 않겠다고 한 뒤 살짝 놓았다.

10 아이의 마음은 어떻게 바뀌었습니까? ( )

① 슬프다. → 신난다.
② 기쁘다. → 재미없다.
③ 겁난다. → 신기하다.
④ 화가 난다. → 슬프다.
⑤ 재미있다. → 지루하다.

1 오른쪽 아이와 같은 표정과 행동을 하는 때는 언제이겠습니까?
(   )

① 칭찬을 받았을 때
② 잠잘 시간이 되었을 때
③ 징그러운 벌레를 봤을 때
④ 운동 경기에서 이겼을 때
⑤ 친한 친구가 전학을 갈 때

국어 활동

4 인물의 마음을 짐작하는 방법으로 알맞은 것을 세 가지 고르시오. (,   ,   )

① 인물의 표정을 살펴본다.
② 인물이 한 말을 살펴본다.
③ 인물이 말하는 의도를 알아본다.
④ 등장하는 인물의 수를 세어 본다.
⑤ 사건의 전개를 자연스럽게 꾸민다.

2~3 만화를 읽고, 물음에 답하시오.

2 장면 ❷에서 소민이의 마음은 어떠합니까?
(   )

3 장면 ❸에서 소민이의 마음을 짐작할 수 있는 부분을 두 가지 고르시오. (,   )

① 말풍선 모양   ② 큰 눈 모양
③ 말풍선의 내용   ④ 머리 뒤에 그린 선
⑤ 팔을 흔드는 모습

5~6 만화를 읽고, 물음에 답하시오.

5 용이 신이 난 까닭은 무엇입니까? (   )

① 오랜만에 사람을 봐서
② 사람을 잡아갈 수 있어서
③ 아이들이 자신을 풀어 주어서
④ 혼자 지내다가 친구들이 생겨서
⑤ 아이들이 맛있는 음식을 가지고 와서

6 ㉠의 말에 어울리는 표정은 무엇입니까?

( )

① 졸린 표정
② 신난 표정
③ 화가 난 표정
④ 짜증 나는 표정
⑤ 깜짝 놀란 표정

7~8 장면을 보고, 물음에 답하시오.

7 할머니와 소년은 무엇을 하고 있습니까?

( )

① 밥을 먹고 있다.
② 밥을 짓고 있다.
③ 빨래를 하고 있다.
④ 고추를 따고 있다.
⑤ 김치를 담그고 있다.

8 ㉠의 말은 어떤 목소리로 읽는 것이 어울립니까?

( )

① 기쁜 목소리
② 심드렁한 목소리
③ 고민하는 목소리
④ 깜짝 놀란 목소리
⑤ 장난스러운 목소리

9~10 만화를 읽고, 물음에 답하시오.

9 아이가 겁을 먹은 까닭은 무엇입니까?

( )

① 엄마를 잃어버릴까 봐
② 엄마가 손을 놓을까 봐
③ 자전거를 도둑맞을까 봐
④ 자전거가 고장이 날까 봐
⑤ 엄마에게 꾸중을 들을까 봐

논술형

10 이 만화 속 아이처럼 겁이 났던 경험을 떠올려 쓰시오.

_____

_____

1~2 그림을 보고, 물음에 답하시오.

1 그림 ㉮와 ㉯에서 알 수 있는 인물의 마음을 각각 짐작해 쓰시오. [5점]

(1) 그림 ㉮	
(2) 그림 ㉯	

2 자신은 언제 그림 ㉮, ㉯와 같은 마음이 들었는지 상황을 각각 쓰시오. [5점]

(1) 그림 ㉮	
(2) 그림 ㉯	

3 다음 장면에서 인물의 마음을 어떻게 짐작할 수 있는지 쓰시오. [5점]

4~5 만화를 읽고, 물음에 답하시오.

4 장면 ❶에서 소민이는 선생님의 표정을 보고 어떤 생각을 했는지 쓰시오. [5점]

5 장면 ❸에서 소민이의 마음을 짐작할 수 있는 부분을 찾아 쓰시오. [5점]

6 재미있었던 일을 떠올려 만화로 표현하려고 합니다. 재미있었던 일을 떠올려 쓰고, 그때의 마음이나 기분을 쓰시오. [5점]

(1) 재미있었던 일	
(2) 그때의 마음이나 기분	

10. 인물의 마음을 알아봐요

관련 성취 기준	작품을 듣거나 읽거나 보고 떠오른 느낌과 생각을 다양하게 표현한다.
평가 목표	만화를 읽고 인물의 마음을 표현할 수 있다.

1~3 인물의 마음을 생각하며 만화의 장면을 봅시다.

1 장면 ❶～❹에서 일어난 일을 정리해 쓰시오. [10점]

(1) ❶		(2) ❷	
(3) ❸		(4) ❹	

2 장면 ❶과 ❷에서 인물의 말투가 어떠할지 그 까닭과 함께 쓰시오. [10점]

장면	말투	까닭
(1) ❶		
(2) ❷		

3 장면 ❹에서 두 아이는 각각 어떤 마음일지 생각하여 쓰시오. [10점]

1~2 시를 읽고, 물음에 답하시오.

> 몰래
> 겨울을 녹이면서
> 봄비가 내려와 앉으면
>
> 꽃씨는
> 땅속에 살짝 돌아누우며
> 눈을 뜹니다.
>
> 봄을 기다리는 아이들은
> 쏘옥
> 손가락을 집어넣어 봅니다.
>
> 꽃씨는 저쪽에서
> 고개를 빠끔
> 얄밉게 숨겨 두었던
> 파란 손을 내밉니다.

1. 생각과 느낌을 나누어요

1 아이들은 무엇을 기다린다고 했습니까? (   )

① 봄   ② 겨울   ③ 봄비
④ 여름   ⑤ 개구리

논술형   1. 생각과 느낌을 나누어요

2 이 시에 대한 자신의 생각이나 느낌을 쓰시오.

_____

_____

3~4 글을 읽고, 물음에 답하시오.

> ⑦ 최 부잣집 도령들은 매일 아침마다 사랑채에서 붓글씨로 가훈을 씁니다.
> "너 이놈, 종이를 아낄 줄 모르고 이렇게 함부로 쓰다니!"
> 아침부터 최 부잣집 도령 준이 할아버지에게 야단맞고 있습니다. 종이에 낙서를 하다가 할아버지에게 들킨 것이지요.
> ⑭ 준은 할아버지가 손님들과 이야기하는 틈을 타 붓글씨 쓰는 것을 내팽개치고 논으로 놀러 나갔습니다. 마을 아이들이 "흰죽 논, 흰죽 논." 하면서 논 사이를 뛰어다니고 있었습니다. 흉년에는 흰죽 한 끼 얻어먹고 논을 팔아넘긴다고 해서 흰죽 논이라는 말이 생겨났지요.

1. 생각과 느낌을 나누어요

3 할아버지가 준을 야단친 까닭은 무엇입니까?
(   )

① 준이 늦잠을 자서
② 준이 몰래 놀러 나가서
③ 준이 종이에 낙서를 해서
④ 준이 붓글씨를 쓰다가 졸아서
⑤ 준이 가훈을 제대로 쓰지 못해서

1. 생각과 느낌을 나누어요

4 이 글을 읽고 생각이나 느낌을 알맞게 말한 사람은 누구인지 쓰시오.

> 지훈: 준을 야단치는 것을 보니 할아버지는 준을 좋아하지 않는 것 같아.
> 은지: 준은 할아버지에게 서운한 마음을 핑계로 하라는 글공부 대신 놀러 간 것 같아.

(   )

5~6 글을 읽고, 물음에 답하시오.

> ㉠동물들이 소리를 내는 방식은 다양합니다. ㉡성대를 이용하여 소리를 내는 동물도 있고 다른 부위를 이용하는 동물도 있습니다.
> 개나 닭은 사람과 같이 성대를 울려 소리를 내지만 다양한 소리를 내지는 못합니다. 왜냐하면 성대나 입과 혀의 생김새가 사람과 다르기 때문입니다. 그래서 몇 가지 소리만 낼 수 있습니다. ㉢동물들은 대개 서로를 부르거나 위협하기 위해서 소리를 냅니다.

2. 내용을 간추려요

5 개나 닭이 소리를 내게 도와주는 기관은 무엇입니까?   (   )

① 폐   ② 성대   ③ 부레
④ 발음근   ⑤ 공기주머니

2. 내용을 간추려요

6 ㉠~㉢ 중, 중심 문장을 찾아 기호를 쓰시오.
(   )

7 글의 내용을 간추리는 방법에 맞게 빈칸에 알맞은 말을 써넣으시오.

> 각 문단의 (   ) 내용을 바탕으로 글 전체의 내용을 간추린다.

8~9 글을 읽고, 물음에 답하시오.

> 에너지를 절약하는 것은 그리 어렵지 않다. 관심을 가지고 내가 할 수 있는 작은 일부터 실천하면 된다.
> 우리가 에너지를 절약하는 방법은 두 가지로 나눌 수 있다. 먼저, 에너지를 불필요하게 사용하지 않는 것이다. 쓰지 않는 꽂개는 반드시 뽑아 놓고, 빈방에 켜 놓은 전깃불은 끈다. 그리고 뜨거운 음식은 식힌 뒤에 냉장고에 넣는다.

8 이 글에서 제안한 해결 방안을 쓰시오.

(　　　　　　　　　　　　　　)

9 이와 같은 글의 내용을 간추리는 방법으로 알맞지 않은 것을 두 가지 고르시오.

(　　 , 　　)

① 글의 종류를 생각한다.
② 글의 전개 방식을 생각한다.
③ 일이 벌어진 장소를 찾는다.
④ 문단의 중심 내용을 찾는다.
⑤ 글에 등장하는 인물을 찾는다.

10 친구들 앞에서 박물관에 다녀온 이야기를 할 때 알맞은 몸짓을 쓰시오.

_____

_____

11 표정, 몸짓, 말투를 사용해 말할 때 주의할 점을 세 가지 고르시오. (　 , 　 , 　)

① 무조건 크게 말한다.
② 듣는 사람에게 맞아야 한다.
③ 사용하려는 목적을 생각한다.
④ 항상 즐거운 표정으로 말한다.
⑤ 표정, 몸짓, 말투가 서로 어울려야 한다.

12~13 글을 읽고, 물음에 답하시오.

> 그럼 지폐는 무엇으로 만들까요?
> 당연히 종이라고 생각하겠지만, 지폐는 솜으로 만들어요. 방적 공장에서 옷감의 재료로 사용하고 남은 찌꺼기 솜인 낙면이 그 재료이지요. 이 솜으로 만든 지폐는 습기에도 강하고 정교하게 인쇄 작업을 할 수 있으며 위조를 방지할 수 있다는 장점이 있어요. 그래서 오늘날 대부분의 국가들은 솜으로 지폐를 만들어요.
> 그렇지만 특이하게 플라스틱으로 지폐를 만드는 나라도 있어요. 호주와 뉴질랜드는 플라스틱의 일종인 폴리머라는 재료로 지폐를 만들어요.
> 우리나라의 화폐 제조 기술은 세계적인 수준인데 동전의 경우 현재, 유럽과 미국을 포함한 40여 개 국가, 25억의 인구가 우리나라에서 생산한 소전으로 자기들의 동전을 만들어 쓰고 있어요.

12 솜으로 지폐를 만들지 않는 나라를 두 가지 고르시오. (　 , 　)

① 미국　　　② 호주　　　③ 한국
④ 일본　　　⑤ 뉴질랜드

13 이 글의 내용을 듣는 사람을 고려해 바르게 설명한 사람은 누구인지 쓰시오.

> 이슬: 동생에게 지폐의 재료에 대해 알기 쉬운 말로 설명했다.
> 시우: 지폐의 재료에 대해 여러 사람 앞에서 발표할 때 높임말을 사용하지 않았다.

(　　　　　　　　　　　　)

14 실제로 있었던 일을 무엇이라고 합니까?

4. 일에 대한 의견

( )

① 의견　　② 사실　　③ 생각
④ 느낌　　⑤ 상상

4. 일에 대한 의견

15 다음 중 의견을 나타내는 문장을 <u>세 가지</u> 고르시오. (, ,)

① 토마토는 채소이다.
② 교실을 깨끗이 하자.
③ 생일 선물로 꽃을 받았다.
④ 운동을 열심히 해야 한다.
⑤ 사람은 동물을 사랑해야 한다.

16~17 글을 읽고, 물음에 답하시오.

　㉠지난 방학 때 나는 가족과 함께 독도를 다녀왔다. 평소에 독도에 관심이 많아 독도에 대한 책도 읽고 사진도 여러 장 찾아보았다. 그런데 마침 아버지께서 독도를 다녀오자고 하셨다. 책이나 인터넷에서만 보던 독도를 직접 가 보는 것이 좋겠다고 생각했다.
　우리는 울릉도에 가서 다시 독도로 가는 배를 탔다. 배는 항구를 떠나 독도로 향했다. 우리는 바다를 바라보며 독도에 대한 이야기를 나누었다. 한참을 지나 드디어 독도에 도착했다. 배에서 내려 독도에 발을 내딛는 순간 이상하게 가슴이 떨렸다. 수많은 괭이갈매기가 우리를 반겨 주었다.

4. 일에 대한 의견

16 글쓴이는 어디를 다녀왔습니까?

( )

4. 일에 대한 의견

17 ㉠이 사실이라고 할 수 있는 구별 근거는 무엇입니까? ( )

① 생각　　② 느낌　　③ 한 일
④ 본 일　　⑤ 들은 일

국어 활동

4. 일에 대한 의견

18 다음 문장은 사실과 의견 중 무엇에 해당하는지 쓰시오.

　우리는 지리산의 자연 생태계를 보전하려고 노력해야 한다.

( )

19~20 글을 읽고, 물음에 답하시오.

　㉮ 집으로 돌아온 수현이는 아빠, 엄마에게 마라톤에서 완주한 일을 몇 번이고 자랑했습니다.
　"내 뒤에서 달려오던 친구가 없었다면 나도 중간에 포기하고 말았을 거예요."
　㉯ 그날 밤, 모두가 잠든 시각이었습니다. 안방 문틈 사이로 아빠의 낮은 신음 소리가 들렸습니다. 그리고 가느다란 엄마의 목소리도 들렸습니다.
　"당신도 몸이 약한데, 수현이 뒤에서 함께 뛰다니……. 너무 무리한 것 같아요. 병원에 안 가도 되겠어요?"
　수현이는 그제야 알았습니다. 자신 뒤에서 꼴찌로 달렸던 사람은 바로 아빠였던 것입니다.

5. 내가 만든 이야기

19 수현이가 마라톤에서 완주할 수 있었던 까닭은 무엇입니까? ( )

① 친구들의 격려가 있어서
② 부모님의 응원이 있어서
③ 선생님께서 같이 뛰어 주셔서
④ 뒤에서 달려오던 친구가 있어서
⑤ 완주했을 때 주는 상품을 받고 싶어서

5. 내가 만든 이야기

20 이 글에서 일어난 일에 맞게 빈칸에 알맞은 말을 써넣으시오.

　수현이는 (1)( )에서 완주한 일을 부모님께 자랑했다.

↓

　수현이는 자신 뒤에서 달렸던 사람이 (2)( )였다는 것을 알게 되었다.

6. 회의를 해요

1 다음 중 회의에 필요한 역할을 <u>세 가지</u> 고르시오.

(　　,　　,　　)

① 사회자　② 기록자　③ 투표자
④ 판정단　⑤ 회의 참여자

2~3 글을 읽고, 물음에 답하시오.

> ㉮ 사회자: 이번 주 학급 회의 주제는 "학교생활을 안전하게 하자."이고, 실천 내용은 "안전 게시판을 만들자."로 정했습니다.
> ㉯ 사회자: 이상으로 학급 회의를 마치겠습니다. 고맙습니다.

6. 회의를 해요

2 이번 주 실천 내용으로 정해진 것은 무엇입니까?

(　　　　　　　　　　　)

6. 회의를 해요

3 이 글에 나타난 회의 절차를 <u>두 가지</u> 고르시오.

(　　,　　)

① 개회　　② 표결　　③ 폐회
④ 주제 선정　⑤ 결과 발표

6. 회의를 해요

4 회의 주제에 맞게 의견을 말하는 방법으로 알맞지 <u>않은</u> 것은 무엇입니까?　(　　)

① 근거가 적절한 의견을 선택한다.
② 의견과 근거로 말할 내용을 정리한다.
③ 의견을 뒷받침할 수 있는 근거를 찾아본다.
④ 주제를 실천할 수 있는 의견을 한 가지만 떠올린다.
⑤ 의견이 여러 사람에게 의미 있는 것인지 따져 본다.

---

7. 사전은 내 친구

5 다음 중 형태가 바뀌는 낱말은 무엇입니까?

(　　　　)

① 동생　　② 꽃잎　　③ 누나
④ 색종이　⑤ 접는다

7. 사전은 내 친구

6 두 낱말이 서로 어떤 관계에 있는지 선으로 알맞게 이으시오.

(1) 가다, 오다　　•

•① 뜻이 반대임.

(2) 책, 동화책　　•

•② 한 낱말이 다른 낱말을 포함함.

7~8 글을 읽고, 물음에 답하시오.

> 미국의 화성 탐사선인 큐리오시티는 2012년에 화성의 ㉠적도 부근에 착륙했다. 이 탐사선은 화성 표면 바로 아래에 있는 얼음을 발견했다.
> 미국은 2030년까지 사람들이 화성을 여행할 수 있도록 준비를 하고 있다. 큐리오시티는 이 연구 과제의 준비 단계로서 화성에서 사람들이 사는 데 필요한 정보를 모으고 있다.

7. 사전은 내 친구

7 큐리오시티는 화성에서 어떤 정보를 모으고 있는지 쓰시오.

(　　　　　　　　　　　)

7. 사전은 내 친구

8 ㉠'적도'의 뜻을 찾으려고 할 때 이용할 수 있는 사전을 <u>세 가지</u> 고르시오. (　　,　　,　　)

① 국어사전　　　② 백과사전
③ 속담 사전　　　④ 고유어 사전
⑤ 인터넷 사전

국어 활동 7. 사전은 내 친구

9 다음 글에서 '한 가지의 일로 두 가지 또는 그 이상의 이득을 얻음을 이르는 말.'이라는 뜻을 가진 낱말을 찾아 쓰시오.

> 축제도 즐기고, 화합도 하고, 일석이조이지요? 이것을 조금 어려운 말로 하면 축제의 '사회적 기능'이라고 해요.

( )

10~11 글을 읽고, 물음에 답하시오.

> 진영이는 지난 주말에 동생과 함께 집 앞 꽃밭에 꽃을 심었습니다. 그런데 오늘 물을 주려고 보니 쓰레기가 꽃 주위에 흩어져 있었습니다. 진영이와 동생은 그 모습을 보고 실망을 했습니다.
> 진영이는 꽃밭에 버려진 쓰레기를 보면서 깨끗한 꽃밭을 만들려면 어떻게 하면 좋을지 곰곰이 생각했습니다. 그리고 자신의 의견을 알리고자 아파트 주민에게 글을 써서 붙이기로 결심했습니다. 얼마 뒤, 꽃밭은 몰라보게 깨끗해졌습니다.

8. 이런 제안 어때요

10 진영이는 무엇을 곰곰이 생각했습니까? ( )

① 꽃에 물을 주는 방법
② 쓰레기통을 놓는 위치
③ 꽃을 빨리 키울 수 있는 방법
④ 깨끗한 꽃밭을 만들 수 있는 방법
⑤ 길가에 버려진 쓰레기를 치우는 방법

서술형 8. 이런 제안 어때요

11 이 글의 진영이가 되어 아파트 주민에게 할 수 있는 제안과 그 까닭을 쓰시오.

(1) 제안하는 내용	
(2) 제안하는 까닭	

8. 이런 제안 어때요

12 문장을 '(누가/무엇이)+(어찌하다/어떠하다)'로 바르게 나누지 <u>못한</u> 것은 무엇입니까? ( )

	누가/무엇이	어찌하다/어떠하다
①	하늘이	푸르다.
②	영수가	축구를 합니다.
③	날씨가	따뜻합니다.
④	우리 모두	운동을 합시다.
⑤	운동이 건강을	지켜 줍니다.

8. 이런 제안 어때요

13 제안하는 글에 들어가는 내용이 <u>아닌</u> 것은 무엇입니까? ( )

① 제목   ② 문제 상황
③ 제안하는 내용 ④ 제안하는 까닭
⑤ 제안을 찬성하는 사람

국어 활동 8. 이런 제안 어때요

14 다음 광고의 내용에 가장 어울리는 제안은 무엇입니까? ( )

> 인터넷에서 찾아보면 금방 알 수 있다? 쉽게 얻은 정답은 지식으로 오래 남기 어렵습니다. 내가 지식인이 되는 방법, 인터넷 검색이 아닌 독서입니다.

① 독서를 많이 하자.
② 인터넷 검색을 많이 하자.
③ 바르고 고운 말을 사용하자.
④ 맞춤법에 맞는 말을 사용하자.
⑤ 지식인이 되기 위해 노력하자.

15~17 글을 읽고, 물음에 답하시오.

첫째, 한글은 [　　　　○　　　　]
한글 모음자의 경우 하늘, 땅, 사람을 본떠 각각 '·', 'ㅡ', 'ㅣ'의 기본 문자를 먼저 만들고, 이 기본 문자를 합쳐 'ㅗ', 'ㅏ', 'ㅜ', 'ㅓ'와 같은 나머지 모음자를 만들었다.

한글 자음자의 경우 발음 기관의 모양을 본떠 'ㄱ, ㄴ, ㅁ, ㅅ, ㅇ'의 기본 문자를 만들고, 이 기본 문자에 획을 더하거나 같은 문자를 하나 더 써서 'ㅋ, ㄲ'과 같은 자음자를 만들었다.

둘째, 한글은 [　　　　○　　　　]
한글은 자음자와 모음자 스물넉 자의 문자로 많은 음절을 적을 수 있다. 한글은 사람의 입에서 나오는 대부분의 소리를 효과적으로 적을 수 있는 문자이다.

9. 자랑스러운 한글

15 한글에서 모음자는 무엇을 본떠 만들었습니까?

(　　　　　　　　　　　　　　　　　)

9. 자랑스러운 한글

16 한글 자음자의 기본 문자가 <u>아닌</u> 것은 무엇입니까? (　　)

① ㄱ　　　　② ㄴ　　　　③ ㄹ
④ ㅁ　　　　⑤ ㅅ

9. 자랑스러운 한글

17 ○과 ○에 들어갈 한글이 지닌 특성을 각각 알맞게 선으로 이으시오.

(1) ○ •

• ① 그 제자 원리가 독창적이고 과학적인 문자이다.

(2) ○ •

• ② 적은 수의 문자로 많은 소리를 적을 수 있는 음소 문자이다.

18~19 글을 읽고, 물음에 답하시오.

1906년 주시경은 『대한 국어 문법』이라는 책을 펴냈어요. 이 책에는 한글과 우리말을 바르게 사용하기 위한 규칙인 문법이 실려 있었어요. 그 후로 주시경은 사람들에게 한글을 연구하는 학자로 널리 알려졌어요. 여기저기에서 한글을 가르쳐 달라고 주시경에게 부탁을 해 왔어요. 이 무렵은 다른 나라들이 서로 우리나라를 차지하려고 다투던 시기였어요. 우리나라는 힘이 없었지요. 주시경은 이런 어려운 때일수록 우리글이 힘이 될 거라고 생각하며 한글을 가르쳐 달라는 곳이 있으면 어디든지 달려갔어요. 주시경은 한글을 가르치며 늘 우리글을 아끼고 사랑하는 것이 나라를 사랑하는 길이라는 것을 강조했어요.

9. 자랑스러운 한글

18 여기저기에서 주시경에게 부탁한 것은 무엇입니까? (　　)

① 학교를 짓는 것
② 일본을 물리치는 것
③ 문법책을 만드는 것
④ 한글을 가르치는 것
⑤ 독립신문을 만드는 것

서술형　　　　　　　　　　9. 자랑스러운 한글

19 주시경이 강조한 것은 무엇인지 쓰시오.

_____

_____

10. 인물의 마음을 알아봐요

20 만화에서 인물의 마음을 짐작할 수 있는 부분이 <u>아닌</u> 것은 무엇입니까? (　　)

① 인물 뒤편 배경
② 인물의 말이나 행동
③ 말풍선 테두리 모양
④ 말풍선 글자의 개수
⑤ 인물의 표정이나 몸짓

1~2 글을 읽고, 물음에 답하시오.

"너, 내 구슬 봤니?" / "무슨 구슬 말야?"
"파란 유리구슬 말야." / "난 못 봤다."
그러나 노마는 그 말을 정말로 듣지 않나 봅니다. 여전히 기동이 조끼 주머니를 보고, 두 손을 보고 합니다.
그러다가 노마는 입을 열어 또 물었습니다.
"너, 구슬 가진 것 좀 보자."/ "그건 봐 뭣 해."
"보면 어때." / "봐 뭣 해."
하고 기동이는 조끼 주머니를 손으로 가립니다.
정말 기동이가 그 구슬을 얻어 제 것처럼 가졌나 봅니다.

1. 생각과 느낌을 나누어요

1 이 글에서 기동이에 대한 노마의 마음은 무엇인지 <u>두 가지</u>를 고르시오.　(　,　)

① 기동이를 의심하는 마음
② 기동이에게 미안한 마음
③ 기동이와 헤어져 서운한 마음
④ 기동이와 함께 놀고 싶은 마음
⑤ 기동이가 구슬을 내놓기를 바라는 마음

1. 생각과 느낌을 나누어요

2 이 글을 읽고 자신의 의견을 바르게 말한 사람은 누구인지 쓰시오.

유미: 친구를 끝까지 믿는 노마의 마음이 참 따뜻한 것 같아.
수호: 노마가 기동이를 의심한 일은 친구 사이에서 해서는 안 되는 일이야.

(　　　　　　)

2. 내용을 간추려요

3 일기 예보를 듣고 내용을 간추릴 때 생각할 점으로 알맞지 <u>않은</u> 것은 무엇입니까? (　)

① 듣는 목적을 생각한다.
② 아는 내용을 떠올린다.
③ 자신의 경험을 떠올린다.
④ 들은 내용을 어떻게 할지 생각한다.
⑤ 누구와 일기 예보를 들을지 생각한다.

2. 내용을 간추려요

4 ㉠~㉣ 중 중심 문장을 찾아 기호를 쓰시오.

㉠매미는 발음근으로 소리를 냅니다. ㉡매미는 수컷만 소리를 낼 수 있고, 암컷은 소리를 내지 못합니다. ㉢매미의 배에 있는 발음막, 발음근, 공기주머니는 매미가 소리를 내게 도와줍니다. ㉣그런데 암컷은 발음근이 발달되어 있지 않고 발음막이 없어서 소리를 낼 수 없답니다.

(　　　　　　)

3. 느낌을 살려 말해요

5 상황에 알맞은 표정, 몸짓, 말투를 사용하면 좋은 점에 맞게 빈칸에 알맞은 말을 쓰시오.

(1) 자신의 생각을 분명하게 전달할 수 있고, (　　　　　)을/를 잘 표현할 수 있다.
(2) (　　　　　)이/가 잘 알아들을 수 있다.

3. 느낌을 살려 말해요

6 듣는 사람을 고려해 말하는 방법에 맞게 선으로 이으시오.

(1) 동생　・　　・㉠ 높임 말로 한다.

(2) 여러 사람　・　　・㉡ 알기 쉬운 말로 한다.

4. 일에 대한 의견

7 다음을 읽고 사실에는 '사', 의견에는 '의'라고 쓰시오.

(1) 박물관에 단원 김홍도의 그림이 있었어.　(　　　)
(2) 응, 맞아. 그 가운데에서 나는 씨름하는 장면을 그린 그림이 가장 마음에 들었어.　(　　　)

4. 일에 대한 의견

8 다음은 신사임당이 그린 '수박과 들쥐'에 대해 쓴 글입니다. 글을 읽고 새롭게 안 사실과 그것에 대한 의견을 말한 사람은 누구인지 쓰시오.

> 이제 아래쪽으로 시선을 옮겨 수박을 자세히 들여다보죠. 수박의 껍질이 요즘 보는 수박과 다르지요? 조선 시대 사람들이 먹었던 수박은 아마도 표면이 이러했던 모양입니다.

> 미정: 그림 속 수박의 껍질이 요즘 보는 수박과 다르다.
> 은희: 같은 수박인데도 시대가 다르다고 모습이 변한 것이 참 신기하다.

( )

9~10 글을 읽고, 물음에 답하시오.

> 『옛날에 두 아들을 둔 아버지가 많은 재산을 남겨 두고 세상을 떠났습니다. 형은 동생에게 감나무가 있는 허름한 집 한 채만 주었습니다. 그리고 나머지는 모두 자기가 차지했습니다. 그러나 마음씨 착한 동생은 아무 말 없이 감나무가 있는 집만 받았습니다.』
> 어느 가을날, 까마귀가 떼 지어 날아와 감을 다 먹어 버렸습니다.

5. 내가 만든 이야기

9 까마귀가 한 일은 무엇입니까? ( )

① 감을 다 먹었다.
② 감나무를 뽑았다.
③ 감나무를 심었다.
④ 동생에게 감을 팔았다.
⑤ 감을 따서 동생에게 주었다.

서술형 5. 내가 만든 이야기

10 『 』부분에서 일어난 일을 정리하여 쓰시오.

_____

_____

_____

11~12 글을 읽고, 물음에 답하시오.

> ☐☐☐: 다른 의견 없습니까? 그러면 지금까지 나온 의견에서 실천 내용을 정해도 되겠습니까?
> 회의 참여자들: 네, 좋습니다.
> ☐☐☐: 먼저, "안전 게시판을 만들자."를 실천 내용으로 정하는 것에 찬성하시는 분은 손을 들어 주십시오.

6. 회의를 해요

11 이 회의 장면에 해당하는 절차에서 하는 일은 무엇입니까? ( )

① 회의 주제를 정한다.
② 회의 시작을 알린다.
③ 결정한 의견을 발표한다.
④ 선정한 주제에 맞는 의견을 제시한다.
⑤ 찬성과 반대 의견을 헤아려 다수결로 결정한다.

6. 회의를 해요

12 ☐☐에 공통으로 들어갈 역할을 쓰시오.

( )

13~14 글을 읽고, 물음에 답하시오.

> 뭘 해야 할까 두리번거리고 있을 때 안경 쓴 할머니가 나에게 오라고 손짓을 했다.
> "여기 책 좀 읽어 줄래? 내가 이래 봬도 예전에는 문학소녀여서 책을 많이 읽었는데 요즘은 눈이 ㉠침침해서 글씨가 잘 안 보이는구나."

7. 사전은 내 친구

13 할머니께서 '나'에게 부탁한 일을 쓰시오.

( )

7. 사전은 내 친구

14 ㉠'침침하다'와 뜻이 반대인 낱말로 보기 어려운 것을 두 가지 고르시오. (,)

① 밝다   ② 어둡다   ③ 선명하다
④ 희미하다 ⑤ 또렷하다

중간
기말
평가

국어 활동   7. 사전은 내 친구

15 다음 글의 밑줄 그은 낱말을 넣어 문장을 알맞게 만들지 <u>못한</u> 것은 무엇입니까? (   )

> 항아리 바닥에 숯불을 피우고 꿀도 한 종지 부어 태웠어요.
> "항아리에서 <u>고약한</u> 냄새가 나면 안 되거든."

① 하수구에서 <u>고약한</u> 냄새가 났다.
② 활짝 핀 장미꽃 향기가 <u>고약했다.</u>
③ 썩은 달걀에서 <u>고약한</u> 냄새가 났다.
④ 운동을 마친 형의 땀 냄새가 <u>고약했다.</u>
⑤ 농장의 입구에 들어서자 <u>고약한</u> 냄새가 났다.

16~17 글을 읽고, 물음에 답하시오.

> ㉠물은 사람이 살아가는 데 매우 중요합니다. 우리는 어디에서든지 물을 쉽게 구할 수 있습니다. ㉡그러나 동영상에 나오는 아이는 깨끗한 물을 구하지 못해 어려움을 겪고 있습니다. 많은 아이가 더러운 물을 마셔 생명이 위험할 수 있습니다.
> ㉢깨끗한 물을 마시지 못하는 아이들을 위해 기부 운동에 참여합시다. ㉣기부 운동에 참여하면 아프리카 어린이들이 깨끗한 물을 마시고 사용할 수 있습니다.

8. 이런 제안 어때요

16 ㉠~㉣ 중 제안하는 내용에 해당하는 것은 무엇인지 기호를 쓰시오.

(   )

8. 이런 제안 어때요

17 이 글에 붙일 제목으로 가장 적절한 것은 무엇입니까?   (   )

① 지구를 지켜 주세요
② 물을 더럽히지 마세요
③ 아이들을 사랑해 주세요
④ 당신의 1리터를 나누어 주세요
⑤ 물에서 사는 생명을 구해 주세요

18~19 글을 읽고, 물음에 답하시오.

> ㉮ 어의의 말에 세종은 하늘이 무너지는 것만 같았습니다. 지금도 온 세상이 눈을 감은 듯 캄캄한데, 조만간 영영 시력을 잃을지도 몰랐습니다.
> 세종은 대낮에도 깜깜한 어둠 속에 있는 것 같은 날들이 하루하루 늘어 갔지만, 식사를 하거나 휴식을 취할 때조차 늘 문자를 생각했습니다.
> ㉯ 오랜 시간을 묵묵히 연구한 끝에 세종은 '훈민정음' 28자를 완성했습니다.
> 그 뒤, 훈민정음은 백성들 사이에 퍼져 나갔습니다. 이제는 글을 읽지 못해 억울한 일을 당하는 사람이 줄었습니다. 한자를 배울 기회조차 적었던 여자들도 훈민정음을 익혀 책을 읽거나 편지를 썼습니다. 훈민정음은 그야말로 세종이 백성들에게 준 가장 큰 선물이었습니다.

9. 자랑스러운 한글

18 세종이 백성들에게 준 가장 큰 선물은 무엇이라고 했는지 쓰시오.

(   )

서술형   9. 자랑스러운 한글

19 다음은 세종이 훈민정음을 만든 과정을 정리한 것입니다. 빈칸에 알맞은 내용을 쓰시오.

> 말소리를 연구한 책을 구해 읽으며 문자를 연구했다.

↓

> • 세종은 눈이 나빠져도 문자를 계속 연구했다.
> • 훈민정음 28자를 완성했다.

↓

>

10. 인물의 마음을 알아봐요

20 오른쪽 장면에서 알 수 있는 인물의 마음은 무엇입니까?   (   )

① 놀란 마음   ② 슬픈 마음
③ 기쁜 마음   ④ 화난 마음
⑤ 미안한 마음

MEMO

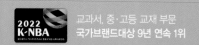

한·끝·시·리·즈　교과서 학습부터 평가 대비까지 한 권으로 끝! 국어 공부의 진리입니다.

대표전화 1544-0554
주소 서울특별시 구로구 디지털로33길 48 대륭포스트타워 7차 20층
협의 없는 무단 복제는 법으로 금지되어 있습니다.